NORA ROBERTS
Ein Haus zum Träumen

AUTORIN

Durch einen Blizzard entdeckte Nora Roberts ihre Leidenschaft fürs Schreiben: Tagelang fesselte 1979 ein eisiger Schneesturm sie in ihrer Heimat Maryland ans Haus. Um sich zu beschäftigen, schrieb sie ihren ersten Roman. Zum Glück – denn inzwischen zählt Nora Roberts zu den meistgelesenen Autorinnen der Welt. Unter dem Namen J. D. Robb veröffentlicht sie seit Jahren ebenso erfolgreich Kriminalromane. Auch in Deutschland sind ihre Bücher von den Bestsellerlisten nicht mehr wegzudenken.

Weitere Informationen finden Sie unter:
www.noraroberts.com

Nora Roberts

Ein Haus zum Träumen

Roman

Aus dem Amerikanischen
von Margarethe van Pée

blanvalet

Die Originalausgabe erschien 2008
unter dem Titel »Tribute« bei G.P. Putnam's Sons,
The Penguin Group (USA) Inc., New York.

FSC
Mix
Produktgruppe aus vorbildlich
bewirtschafteten Wäldern und
anderen kontrollierten Herkünften

Zert.-Nr. SGS-COC-001940
www.fsc.org
© 1996 Forest Stewardship Council

Verlagsgruppe Random House FSC-DEU-0100
Das FSC-zertifizierte Papier *Holmen Book Cream*
für dieses Buch liefert Holmen Paper, Hallstavik, Schweden

1. Auflage
Taschenbuchausgabe Mai 2010 bei Blanvalet,
einem Unternehmen der Verlagsgruppe Random House GmbH,
München.
Copyright © Nora Roberts, 2008
Copyright © der deutschsprachigen Ausgabe 2008
by Limes Verlag, München, in der
Verlagsgruppe Random House GmbH.
Published by arrangement with Eleanor Wilder.
Dieses Werk wurde vermittelt durch die
Literarische Agentur Thomas Schlück, Garbsen.
Umschlaggestaltung: HildenDesign, München,
nach einer Vorlage von bürosüd°, München;
Umschlagfotos: Ove Eriksson / Nordic Photos / Getty Images;
Charles Gullung / zefa / Corbis
MD · Herstellung: sam
Druck und Einband: GGP Media GmbH, Pößneck
Printed in Germany
ISBN: 978-3-442-37533-2

www.blanvalet.de

*Für Jason und Kat zum Beginn
eures gemeinsamen Lebens. Möge der Garten,
den ihr anlegt, starke Wurzeln haben,
möge er blühen in allen Farben und Formen,
die ihr mitbringt, und mögt ihr beide ihn pflegen,
damit die Pflanzen gedeihen.*

ERSTER TEIL

Abriss

Die Vergangenheit kann nicht in die Gegenwart
geholt werden; wir können nicht wissen, was wir
nicht sind. Aber ein und derselbe Schleier liegt
über Vergangenheit, Gegenwart und Zukunft...

Henry David Thoreau

1

Der Legende nach war Steve McQueen einmal splitterfasernackt durch die Rohrkolben und Seerosen im Teich auf der kleinen Farm geschwommen. Wenn die Geschichte tatsächlich stimmte, und Cilla gefiel diese Vorstellung, hatte sich der King of Cool ausgezogen und war nach *Die glorreichen Sieben* und vor *Gesprengte Ketten* hier ins Wasser gesprungen.

In einigen Versionen der Geschichte hatte Steve sich in jener schwülen Sommernacht in Virginia nicht nur abgekühlt – schließlich befand er sich in Gesellschaft von Cillas Großmutter. Sie waren damals zwar beide mit anderen Partnern verheiratet gewesen, aber das tat der Legende keinen Abbruch, denn es wurde eher freudig darüber berichtet. Und da beide schon lange tot waren, konnten sie es weder bestätigen noch leugnen.

Allerdings, dachte Cilla und blickte über das schlammige Wasser des von Seerosen überwucherten Teiches, soweit sie wusste, hatte sich auch zu Lebzeiten keiner von beiden die Mühe gemacht.

Und ob es nun stimmte oder nicht, Janet Hardy, die Glamouröse, die Tragische, die Brillante, die Komplizierte, hatte die Gerüchte bestimmt genossen. Selbst Ikonen mussten ja irgendwoher ihren Kick bekommen.

Cilla stand in der gleißend hellen, noch ein wenig kühlen Märzsonne und konnte sich alles genau vorstellen. Die schwüle Sommernacht, der blaue Schein des Vollmondes. Der Garten stand in voller Blüte, und die Luft war von Düften geschwängert. Das Wasser, hellgelb wie Kamillentee, mit rosa und weißen Blüten, war bestimmt kühl und seidig über ihre Haut geglitten.

Und Janet war vermutlich in der Blüte ihrer Jahre gewesen, dachte Cilla. Wie gesponnenes Gold fielen ihre Haare über ihre weißen Schultern … ach nein, die schimmerten bestimmt auch golden von der Sommersonne. Güldene Schultern im teefarbenen Wasser, und dazu ihre hellblauen Augen und ihr Lachen – und höchstwahrscheinlich jede Menge Alkohol.

Cilla sah die Szene förmlich vor sich. Die Luft war erfüllt von Musik, und Glühwürmchen tanzten dazu über weichen Rasen und fruchtbare Felder. Die Stimmen der Gäste, die auf dem Rasen flanierten, die hell erleuchteten Veranden und Terrassen. Und am nachtblauen Himmel funkelten die Sterne wie kostbare Juwelen.

Dunkle Schattenecken im Wechsel mit den Lichtern der Laternen.

Ja, genauso würde es gewesen sein. Janets Welt war voll strahlender Helligkeit und schwärzester Dunkelheit gewesen. Immer.

Cilla hoffte, dass sie ohne Kompromisse nackt, betrunken, ausgelassen und glücklich in den Teich gesprungen war. Und nicht geahnt hatte, dass ihr reiches, verzweifeltes, glanzvolles Leben kaum zehn Jahre später zu Ende war.

Bevor Cilla sich vom Teich abwandte, machte sie sich eine Notiz in ihrer dicken Kladde. Er musste gereinigt, untersucht und ökologisch ins Gleichgewicht gebracht werden. Sie notierte sich ebenfalls, dass sie sich über das Anlegen und Pflegen von Teichen informieren wollte, bevor sie die Arbeit in Angriff nahm oder einen Fachmann engagierte.

Dann kam der Garten. Oder vielmehr, was davon übrig war, dachte sie, als sie durch das hohe, verfilzte Gras schritt. Unkraut, ganze Rankendecken, die Sträucher überwucherten, so dass nur noch die braunen, trockenen Spitzen der Zweige herausragten, deckten zu, was einmal schlicht umwerfend gewesen war. Wieder eine Metapher dafür, dachte sie, dass das Helle und Schöne erstickt und begraben worden war.

Dabei würde sie auf jeden Fall Hilfe brauchen. Viel Hilfe. Sosehr sie sich auch in das Projekt einbringen wollte, mit eigenen Händen daran arbeiten wollte, sie konnte auf keinen Fall selber roden und hacken, schneiden und verbrennen und wieder neu entwerfen.

Im Budget musste auf jeden Fall eine Landschaftsgärtnerei enthalten sein. Sie notierte sich, dass sie unbedingt die alten Fotografien des Parks anschauen musste. Außerdem wollte sie sich ein paar Bücher über Landschaftsgärten zulegen und Angebote bei den Gärtnereien im Ort einholen.

Sie ließ ihren Blick über den ruinierten Rasen, die eingefallenen Zäune, die traurige alte Scheune schweifen, die grau und verwittert dastand. Dort hatte es einmal Hühner gegeben – zumindest hatte man ihr das erzählt –, zwei hübsche Pferde, wogende Getreidefelder und einen kleinen, blühenden Obstgarten. Sie hätte gerne geglaubt – vielleicht musste sie das auch glauben –, dass sie das alles wieder zum Leben erwecken konnte. Dass sie nächstes Frühjahr und jedes Frühjahr danach hier stehen und sich das Knospen und Blühen auf dem Anwesen ihrer Großmutter ansehen konnte.

Das jetzt ihr gehörte.

Sie sah mit eigenen Augen, die von dem Schirm einer *Rockthe-House*-Kappe beschattet waren, wie es jetzt war und wie es einst ausgesehen hatte. Ihre Haare, eher honigfarben als golden, hatte sie zu einem langen, unordentlichen Zopf geflochten, der hinten durch die Kappe gesteckt war. Sie trug ein dickes Kapuzen-Sweatshirt, unter dem ihre breiten Schultern und ein langer Oberkörper zu erkennen waren, verblichene Jeans, die ihre langen Beine zur Geltung brachten und Stiefel, die sie sich vor Jahren einmal für eine Wanderung durch die Blue Ridge Mountains gekauft hatte. Die Berge, die jetzt am Horizont aufragten.

Es ist Jahre her, dachte sie, seit ich das letzte Mal hierher in den Osten gekommen bin. Damals war der Samen gelegt worden für das, was sie jetzt vorhatte.

Bedeutete das nicht auch, dass die letzten vier, vielleicht sogar fünf Jahre der Vernachlässigung auf ihr Konto gingen? Sie hätte früher herkommen sollen, sie hätte es ja *verlangen* können. Irgendetwas hätte sie tun können.

»Aber jetzt bin ich ja da«, sagte sie sich. Die Verzögerung bedauerte sie ebenso wenig wie die Manipulation und heftigen Auseinandersetzungen, mit denen sie ihre Mutter gezwungen hatte, ihr den Besitz zu überschreiben.

»Jetzt gehört es dir, Cilla«, murmelte sie. »Verdirb es nicht!«

Sie drehte sich um, wappnete sich und bahnte sich durch das hohe Gras und die Dornenranken der Brombeersträucher einen Weg zu dem alten Farmhaus, in dem Janet Hardy rauschende Feste gefeiert und Zuflucht zwischen zwei Rollen gesucht hatte. Und wo sie sich 1973, an einem weiteren schwülen Sommerabend, das Leben genommen hatte.

So wollte es jedenfalls die Legende.

Es gab Gespenster dort. Sie waren ebenso wirklich wie die Inspektion der baufälligen drei Stockwerke, mit all dem Schmutz, dem Staub, dem Verfall. Die Gespenster, dachte Cilla, hatten zum Glück Vandalismus und Hausbesetzung auf ein Minimum reduziert. Legenden hatten auch ihr Gutes.

Sie hatte den Strom wieder anstellen lassen und jede Menge Glühbirnen und Putzzeug mitgebracht. Sie hatte alle behördlichen Genehmigungen eingeholt und einheimische Handwerker verpflichtet.

Jetzt war es an der Zeit, endlich anzufangen.

Ganz oben auf ihrer Prioritätenliste standen die vier Badezimmer, und sie nahm sich das erste vor, das seit sechs Jahren nicht mehr geputzt worden war.

Die letzten Pächter hatten es während ihres Aufenthalts anscheinend auch nicht so mit der Sauberkeit gehabt.

»Na, könnte ekliger sein«, murmelte sie, während sie putzte und scheuerte. »Es könnten Ratten oder Schlangen da sein. Ach, du lieber Himmel, beschwör es nicht, sonst kommen sie tatsächlich noch.«

Nach zwei Stunden voller Schweiß und unzähligen Eimern mit schmutzigem Wasser hatte sie das Gefühl, das Bad benutzen zu können, ohne sich vorher impfen lassen zu müssen. Durstig trank sie aus ihrer Wasserflasche, während sie die Treppe hinunterlief, um sich als Nächstes die große Küche anzusehen. Auf wessen Mist mochte wohl das babyblau und weiß gemusterte Laminat auf der Theke gewachsen sein? Wie kam jemand bloß auf die Idee, dass es zu dem wundervollen alten O'Keefe & Merritt Herd und dem Coldspot Kühlschrank passte?

In ästhetischer Hinsicht war der Raum mehr als grässlich, aber Hygiene hatte Vorrang.

Sie stieß die Hintertür auf, damit ein wenig Luft hereinkam, zog sich Gummihandschuhe über und öffnete vorsichtig die Backofentür.

»Oh, Mist.«

Großzügig versprühte sie Backofenreiniger und schrubbte in der Zwischenzeit Backbleche, die Gasbrenner, Herdplatte und Haube. Ein Foto kam ihr in den Sinn. Janet, eine Rüschenschürze um die Wespentaille gebunden, die blonden Haare zu einem frechen Pferdeschwanz geschlungen, rührte etwas in einem großen Topf auf dem Herd. Sie lächelte in die Kamera, während ihre beiden Kinder sie bewundernd anhimmelten.

Fototermin, dachte Cilla. Für eine Frauenzeitschrift, entweder *Redbook* oder *MacCall's*. Der alte Herd, mit dem Grill in der Mitte, hatte gefunkelt wie junge Hoffnung. Und so würde es wieder sein, gelobte sie sich. Eines Tages würde sie mit ebenso großer, vorgetäuschter Kompetenz wie ihre Großmutter an diesem Herd stehen und in einem Topf rühren.

Sie hockte sich hin, um die Wirkung des Backofenreinigers

zu überprüfen, als plötzlich jemand ihren Namen rief. Erschreckt fuhr sie herum.

Er stand in der offenen Tür, und das Sonnenlicht umgab seine blonden Haare wie ein Heiligenschein. Die Falten in seinem immer noch attraktiven Gesicht wurden tiefer, als er lächelte. Seine ruhigen braunen Augen blickten sie warm an.

Ihr Herz schlug schneller, vor Überraschung und Freude und auch vor Verlegenheit.

»Dad.«

Als er mit ausgebreiteten Armen auf sie zukam, wich sie mit einer abwehrenden Geste zurück. »Nein, nicht. Ich bin absolut eklig. Voll mit … ach, ich will es noch nicht einmal selber wissen.« Sie wischte sich mit dem Handrücken über die Stirn und zog die Gummihandschuhe von ihren Fingern. »Dad«, wiederholte sie.

»Hier ist eine saubere Stelle.« Er hob ihr Kinn mit der Hand und küsste sie auf die Wange. »Na, sieh dich nur an!«

»Lieber nicht!« Aber sie musste lachen, und ihre anfängliche Verlegenheit verschwand. »Was machst du hier?«

»Im Ort hat dich jemand erkannt, als du eingekauft hast, und hat es Patty erzählt. Und Patty«, fuhr er fort, womit er sich auf seine Frau bezog, »rief mich an. Warum hast du mir nicht gesagt, dass du herkommst?«

»Das wollte ich noch. Ich wollte dich noch anrufen.« Irgendwann einmal. Wenn ich mir zurechtgelegt hatte, was ich sagen wollte. »Ich wollte erst einmal hier ankommen, und dann …« Sie blickte zum Herd. »Dann habe ich mich in die Arbeit gestürzt.«

»Ah, verstehe. Seit wann bist du hier?«

Ihr schlechtes Gewissen rührte sich. »Komm, lass uns auf die Veranda gehen. Da draußen ist es gar nicht so übel, und ich habe eine Kühltasche mit Getränken und einem Sandwich, das wir uns teilen können. Ich wasche mir nur schnell die Hände, dann können wir nach draußen gehen.«

Vorne war es wirklich nicht so schlimm, dachte Cilla, als

sie sich mit ihrem Vater auf die durchgetretenen Stufen setzte, aber es war immer noch schlimm genug. Es musste erst einmal alles in Form gebracht werden. Das Unkraut im hohen Gras, die wild wuchernde Glyzinie, die verkrüppelten Birnbäume. Aber die wundervolle alte Magnolie mit ihren tiefroten, glänzenden Blüten und die unverwüstlichen Narzissen drängten sich durch den Dornenpanzer der Kletterrosen an der Steinmauer.

»Es tut mir leid, dass ich mich nie gemeldet habe«, begann Cilla und reichte ihrem Vater eine Flasche Eistee zu seinem halben Sandwich. »Und es tut mir leid, dass ich jetzt nicht angerufen habe.«

Er tätschelte ihr Knie und öffnete erst ihre, dann seine Flasche.

Es war so typisch für ihn, dachte sie. Gavin McGowan nahm die Dinge, wie sie kamen – das Gute, das Schlechte, das Mittelmäßige. Wie er jemals in den emotionalen Morast ihrer Mutter hatte geraten können, konnte sie nicht begreifen. Aber es war auch schon lange her und weit weg.

Sie biss in ihre Sandwich-Hälfte. »Ich bin eine schlechte Tochter.«

»Ja, die allerschlechteste«, erwiderte er und brachte sie zum Lachen.

»Lizzy Bordon.« Sie spielte auf die berühmte Mörderin an.

»Na gut, die zweitschlechteste. Wie geht es deiner Mutter?«

Cilla verdrehte die Augen. »Auf Moms Skala steht Lizzy im Moment definitiv hinter mir. Ansonsten ist sie okay. Nummer fünf bereitet gerade eine Cabaret-Nummer für sie vor.« Cilla zuckte mit den Schultern, als ihr Vater sie nur ruhig anschaute. »Ich finde es praktisch, den Ehemännern Nummern zu geben, wenn Ehen im Durchschnitt höchstens drei Jahre dauern. Er ist okay. Besser als Nummer vier und zwei und wesentlich intelligenter als Nummer drei. Und ihm habe ich es zu verdanken, dass ich hier sitze und mein Sandwich mit der nie erreichten Nummer eins teile.«

»Wieso?«

»Man braucht Geld, um zu singen und zu tanzen. Ich hatte welches.«

»Cilla.«

»Warte, warte. Ich hatte ein bisschen Geld, und sie hatte etwas, was ich wollte. Ich wollte diesen Besitz hier, Dad. Schon lange.«

»Du…«

»Ja, ich habe die Farm gekauft.« Cilla warf den Kopf zurück und lachte. »Und sie ist *so* sauer auf mich. Und dabei wollte sie sie doch gar nicht. Ich meine, schau dich hier doch mal um. Sie ist seit Jahren, *seit Jahrzehnten*, nicht hier draußen gewesen, und sie hat jeden Verwalter, jeden Aufseher, jeden Hausmeister gefeuert. Mir wollte sie sie auch nicht geben, und es war mein Fehler, dass ich sie vor ein paar Jahren darum gebeten habe. Eigentlich wollte sie sie mir noch nicht einmal verkaufen.«

Sie biss von ihrem Sandwich ab und kaute genüsslich. »Sie hat einen auf Tragödie gemacht, wegen Janet. Aber jetzt brauchte sie dringend Geld und hat von mir verlangt, dass ich investiere. Auf mein Nein folgte ein Riesenstreit, dramatische Auftritte. Ich habe ihr und Nummer fünf gesagt, dass ich die Farm kaufen würde, habe eine Summe genannt und ihr klargemacht, dass das mein letztes Wort wäre.«

»Sie hat sie dir verkauft. Sie hat dir wirklich die kleine Farm verkauft.«

»Aber erst nach viel Zähneknirschen, vielen Tränen und endlosem Jammern über mein töchterliches Benehmen, seit ich auf der Welt bin. Und so weiter. Es spielt keine Rolle.« Kaum jedenfalls, dachte Cilla. »Sie wollte die Farm nicht. Und wenn sie nicht festgeschrieben gewesen wäre, hätte sie sie schon längst verkauft. Aber sie konnte sie ja nur innerhalb der Familie verkaufen, bis, wann war das noch mal, 2012 oder so? Auf jeden Fall hat Nummer fünf sie wieder heruntergeholt, und alle hatten, was sie wollten.«

»Was wirst du damit machen, Cilla?«

Leben, dachte sie, atmen. »Kannst du dich noch daran erinnern, Dad? Ich habe nur die Fotos und alte Super-Acht-Filme gesehen, aber du warst doch hier, als sie noch in Schuss war, oder? Als der Park prächtig war und die Veranden glänzten. Als alles noch Charakter und Anmut besaß. Das werde ich wiederherstellen. Ich werde alles wieder aufleben lassen.«

»Warum?«

Sie hörte das unausgesprochene *Wie?*, das dahinter stand und sagte sich, dass es keine Rolle spielte. Es spielte überhaupt keine Rolle, dass er nicht wusste, was sie konnte. Jedenfalls keine große.

»Weil der Besitz hier etwas Besseres verdient hat. Weil ich glaube, Janet Hardy hat etwas Besseres verdient. Und weil ich es kann. Ich handle jetzt seit fast fünf Jahren mit Häusern. Seit zwei Jahren so gut wie alleine. Natürlich war keins davon mit diesem hier zu vergleichen, aber ich habe ein Händchen dafür. Meine Projekte haben mir solide Gewinne eingebracht.«

»Machst du das hier auch wegen des Profits?«

»Vielleicht ändere ich ja in den nächsten vier Jahren meine Meinung, aber im Moment? Nein. Ich habe Janet zwar nicht gekannt, aber sie hat fast jeden Bereich meines Lebens beeinflusst. Etwas an diesem Ort hier hat sie angezogen, selbst am Ende. Und auch mich zieht etwas hierher.«

»Es ist weit weg von allem, was du kennst«, sagte Gavin. »Nicht nur wegen der Entfernung, sondern auch was die Atmosphäre angeht. Die Kultur. Dieser Teil des Shenandoah Valley ist noch ziemlich ländlich. Skyline Village hat nur ein paar Tausend Einwohner, und selbst die größeren Städte wie Front Royal und Culpepper sind meilenweit entfernt von L.A.«

»Ich glaube, das möchte ich alles herausfinden und mich außerdem mit meinen Ostküstenwurzeln beschäftigen.« Ihr wäre es lieber gewesen, wenn er sich gefreut hätte, statt sich Sorgen zu machen, dass sie scheitern oder aufgeben könnte. Wieder einmal.

»Ich habe Kalifornien satt, Dad. Ich habe alles satt. Ich wollte nie, was Mom wollte, ob für mich oder für sich.«

»Ich weiß, Süße.«

»Also werde ich hier eine Zeitlang leben.«

»*Hier*?« Erschreckt blickte er mich an. »Hier willst du leben? Auf der kleinen Farm?«

»Ich weiß, es klingt verrückt. Aber ich habe schon oft gezeltet, und es ist ja sowieso nur für ein paar Tage. Danach kann ich mich eine Zeitlang drinnen einrichten. Die Renovierungsarbeiten werden etwa neun oder zehn Monate dauern, wenn ich es richtig machen will. Danach weiß ich dann auch, ob ich hierbleiben will oder nicht. Wenn ich wieder weggehe, werde ich mir überlegen, was ich hiermit mache. Aber im Moment, Dad, möchte ich lieber bleiben.«

Gavin schwieg einen Moment lang, dann legte er Cilla den Arm um die Schultern. Ob er wohl auch nur im Entferntesten ahnte, was diese Geste der Zuneigung für sie bedeutete? Aber woher sollte er das wissen?

»Es war schön hier, schön, voller Hoffnung und Glück«, sagte er zu ihr. »Grasende Pferde, ihr Hund, der in der Sonne schlief. Die Blumen waren prachtvoll. Ich glaube, Janet hat selbst im Garten gearbeitet, wenn sie hier war. Sie sagte immer, sie käme zum Entspannen hierher. Und so war es, wenn auch nie für lange. Danach brauchte sie dann immer wieder Menschen um sich herum, nehme ich an. Sie brauchte Lärm, Lachen, das Rampenlicht. Aber ab und zu kam sie auch alleine hierher. Ohne Freunde, Familie oder Presse. Ich habe mich immer gefragt, was sie während dieser einsamen Besuche machte.«

»Du hast Mom hier kennen gelernt.«

»Ja. Wir waren noch Kinder, und Janet gab eine Party für Dilly und Johnnie. Sie lud viele Kinder aus dem Ort ein. Janet hatte einen Narren an mir gefressen, deshalb wurde ich immer eingeladen, wenn sie hier waren. Johnnie und ich spielten zusammen, und wir blieben auch als Halbwüchsige Freunde, obwohl er da schon mit anderen Leuten zusammen war. Dann starb Johnnie. Er starb, und alles wurde dunkel. Danach kam Janet häufiger alleine hierher. Wenn ich vom College nach Hause kam, kletterte ich immer auf die Mauer, um zu sehen, ob Dilly auch hier war. Dabei sah ich Janet dann, wie sie alleine spazieren ging oder so. Drei- oder viermal habe ich auch mit ihr geredet, nachdem Johnnie gestorben war. Dann war sie weg. Seitdem war hier nichts mehr so wie vorher.

Das Haus hat etwas Besseres verdient«, fügte er seufzend hinzu. »Und Janet auch. Du könntest versuchen, es ihnen zu geben. Vielleicht bist du sogar die Einzige, die es kann.«

»Danke.«

»Patty und ich helfen dir dabei. Du solltest bei uns wohnen, bis das Haus hier bewohnbar ist.«

»Eure Hilfe nehme ich gerne an, aber ich möchte hierbleiben, damit ich ein Gefühl für die Anlage kriege. Ich habe mich ein bisschen umgehört, aber es wäre schön, wenn du mir ein paar Handwerker aus dem Ort empfehlen könntest. Klempner, Elektriker, Schreiner, Gärtner. Und kräftige Leute, die Anweisungen befolgen können.«

»Du hast aber deine Hausaufgaben gemacht.«

Sie stand auf, wandte sich nach drinnen, drehte sich aber noch einmal um. »Dad, wenn es zwischen dir und Mom geklappt hätte, wärst du dann in der Filmbranche geblieben? Wärst du in L.A. geblieben?«

»Vielleicht. Aber ich war nie glücklich da. Oder jedenfalls nicht lange. Und als Schauspieler habe ich mich auch nicht wohl gefühlt.«

»Du warst gut.«

»Ja, nicht schlecht.« Er lächelte. Aber ich wollte nicht das, was Dilly wollte, weder für sie noch für mich. Deshalb verstehe ich dich ganz gut, wenn du das auch sagst. Es ist nicht ihre Schuld, Cilla, dass wir etwas anderes wollten.«

»Du hast das, was du wolltest, hier gefunden.«

»Ja, aber…«

»Das bedeutet nicht, dass es mir genauso geht«, fuhr sie fort. »Aber es könnte sein.«

Zuerst einmal, überlegte Cilla, musste sie herausfinden, was sie eigentlich wollte. Mehr als die Hälfte ihres Lebens hatte sie getan, was man von ihr erwartete, und sich mit dem zufriedengegeben, was sie hatte. In der übrigen Zeit hatte sie diese Ansprüche ignoriert oder so getan, als ob es jemand anderen beträfe.

Noch bevor sie sprechen konnte, hatte sie schon geschauspielert, weil ihre Mutter es so wollte. Ihre ganze Kindheit über hatte sie ein anderes Kind gespielt – eins, das wesentlich niedlicher, klüger und süßer war als sie. Als diese Phase vorüber war, kämpfte sie mit den – wie die Agenten und Produzenten es nannten – linkischen Jahren, in denen es kaum Arbeit gab. Sie nahm ein katastrophales Mutter-Tochter-Album mit Dilly auf und wirkte in ein paar Teenager-Schockern mit, in denen sie auf grausige Art ermordet wurde, was sie als Glück betrachtete.

Noch vor ihrem achtzehnten Geburtstag war ihre Karriere vorbei gewesen, dachte Cilla, als sie sich auf das Bett in ihrem Motelzimmer warf. Es folgten noch ein paar Gastrollen im Fernsehen und Synchronaufträge für Werbespots.

Aber die lang laufenden Fernsehserien und einige B-Filme hatten für ein sicheres Einkommen gesorgt. Sie polsterte dieses Nest noch zusätzlich aus und verwendete das Geld, um herauszufinden, was ihr am meisten Spaß machte.

Ihre Mutter behauptete, sie verschwende das Talent, das Gott ihr geschenkt habe, und ihr Therapeut bezeichnete es als Vermeidungsverhalten.

Cilla nannte es Lernkurve.

Aber wie auch immer man es nennen wollte, es hatte sie auf jeden Fall in ein ziemlich heruntergekommenes Motel in Virginia gebracht, mit der Aussicht auf schwere, kostspielige Arbeit in den nächsten Monaten. Sie konnte es kaum erwarten damit anzufangen.

Sie schaltete den Fernseher ein und ließ ihn im Hintergrund laufen, während sie auf dem Bett saß und ihre Notizen durchging. Draußen polterten Dosen in den Automaten, der ein paar Meter neben ihrer Tür stand. Hinter ihr drangen undeutlich die Geräusche des Fernsehers im Nebenzimmer durch die Wand.

Während der Lokalnachrichten erstellte sie ihre Prioritätenliste für den nächsten Tag. Funktionierendes Badezimmer stand ganz oben. Mit Camping hatte sie keine Probleme, aber wenn sie aus dem Motel auszog, musste sie wenigstens fließendes Wasser haben. Wenn man körperlich arbeitete, brauchte man eine funktionierende Dusche. Der Installateur stand also an erster Stelle.

Etwa bei der Hälfte der Liste fielen ihr die Augen zu. Da sie um acht Uhr morgens bereits ausgecheckt haben und auf der Baustelle sein wollte, schaltete sie den Fernseher und das Licht aus.

Beim Einschlafen hörte sie die Stimmen aus dem Nebenzimmer deutlicher. Janet Hardys schöne Stimme sang ein herzzerreißendes Liebeslied.

»Perfekt«, murmelte Cilla, während das Lied ihr in den Schlaf folgte.

Sie saß auf der hübschen Terrasse mit vollem Blick auf den Teich und die grünen Hügel, die sanft in die blauen Berge übergingen. Rosen und Lilien erfüllten die Luft mit ihrem betäubenden Duft, die Bienen summten trunken, und ein Kolibri, glitzernd wie ein Smaragd, tauchte seinen gebogenen Schnabel in den Nektar. Die Sonne strahlte von einem wolkenlosen Himmel und tauchte alles in ein goldenes Märchenlicht. Die Vögel zwitscherten sich die Seele aus dem Leib. Es herrschte eine Harmonie wie in einem Disney-Film.

»Ich erwarte, jeden Moment Bambi mit Klopfer herumspringen zu sehen«, sagte Cilla.

»So habe ich es auch erlebt. In den guten Zeiten.« Jung,

schön, in einem zarten weißen Kleid trank Janet einen Schluck von ihrer prickelnden Limonade. »Perfekt wie eine Bühnenszene und bereit für meinen Auftritt.«

»Und in den schlechten Zeiten?«

»Ein Zufluchtsort, ein Gefängnis, ein Irrtum, eine Lüge.« Janet zuckte mit ihren schönen Schultern. »Aber immer eine andere Welt.«

»Warum hast du deine eigene Welt mitgebracht?«

»Ich brauchte sie. Ich konnte nicht alleine sein. Wenn du alleine bist, ist zu viel Raum um dich herum. Wie willst du ihn füllen? Freunde, Männer, Sex, Drogen, Partys, Musik. Aber trotzdem war es manchmal hier sehr still. Ich konnte eine Rolle spielen, so tun, als sei ich wieder Gertrude Hamilton. Obwohl sie starb, als ich sechs war, und Janet Hardy zur Welt kam.«

»Möchtest du wieder Gertrude sein?«

»Natürlich nicht.« Ein Lachen, hell und kühn wie der Tag, tanzte durch die Luft. »Aber ich tat gerne so, als ob. Gertrude wäre eine bessere Mutter gewesen, eine bessere Ehefrau, wahrscheinlich überhaupt eine bessere Frau. Aber Gertrude wäre nicht halb so interessant gewesen wie Janet. Wer hätte sich schon an sie erinnert? Und Janet? Sie wird niemals vergessen werden.« Janet legte den Kopf schräg und lächelte ihr berühmtes Lächeln – Humor und Wissen, gepaart mit einer Spur von Sex. »Bist du nicht der Beweis dafür?«

»Möglich. Aber meiner Meinung nach ist das, was mit dir und mit diesem Ort passiert ist, eine schreckliche Verschwendung. Ich kann dich nicht zurückholen, dich nicht kennen lernen. Aber das hier kann ich.«

»Tust du es für mich oder für dich?«

»Für uns beide, glaube ich.« Sie sah die blühenden, duftenden Bäume, die Pferde, die auf grünen Wiesen grasten, goldene und weiße Umrisse vor den Hügeln. »Ich sehe es nicht als perfektes Bühnenbild. Perfektion brauche ich nicht. Ich sehe es als dein Vermächtnis an mich, und wenn ich es zurückholen kann, ist es mein Tribut, den ich dir zolle. Ich komme von dir und durch meinen Vater, von diesem Ort. Das möchte ich wissen und spüren.«

»Dilly hat es hier gehasst.«

»Ich weiß nicht, ob das immer schon so war. Aber jetzt stimmt es.«

»Sie wollte Hollywood – in großen, glänzenden Buchstaben. Dieser Wunsch wurde ihr in die Wiege gelegt, aber sie hatte nicht genug Talent oder Mumm, sich ihn auf Dauer zu erfüllen. Du bist nicht wie sie. Auch nicht wie ich. Vielleicht…« Janet trank lächelnd noch einen Schluck. »Vielleicht bist du eher wie Gertrude. Mehr wie Trudy.«

»Wen hast du in jener Nacht getötet? Janet oder Gertrude?«

»Das ist die Frage.« Janet warf lächelnd den Kopf zurück und schloss die Augen.

Aber was war die Antwort darauf?, fragte sich Cilla am nächsten Morgen, als sie zur Farm fuhr. Und warum spielte es eine Rolle? Warum stellte sie in einem Traum überhaupt Fragen?

Tot war tot. Und bei ihrem Vorhaben ging es nicht um Tod, sondern um Leben. Darum, aus etwas Zerstörtem etwas für sich selbst zu schaffen.

Als sie anhielt, um die alten Eisentore aufzuschließen, die die Einfahrt versperrten, überlegte sie, ob sie sie nicht entfernen lassen sollte. Wäre das eine symbolische Öffnung oder einfach nur unglaublich dumm, weil so jeder eindringen konnte? Quietschend protestierten die Tore und hinterließen Rost an ihren Händen, als sie sie aufschob.

Ach was, dachte sie, weder das eine noch das andere. Die Tore kamen weg, weil sie lästig waren. Später konnte sie sie ja wieder einhängen lassen.

Sie parkte vor dem Haus, schloss die Haustür auf und ließ sie offen stehen, damit Luft hineinkam. Dann zog sie sich ihre

Arbeitshandschuhe über. Sie würde die Küche weiter sauber-machen, dachte sie. Und hoffentlich tauchte der Installateur auf, den ihr Vater empfohlen hatte.

Aber sie würde auf jeden Fall hierbleiben. Und wenn sie ein Zelt im Vorgarten aufschlagen musste!

Ihr stand bereits der Schweiß auf der Stirn, als der Instal-lateur, ein graugesichtiger Mann namens Buddy, auftauchte. Er ließ sich von ihr herumführen, lauschte ihren Plänen und kratzte sich häufig am Kinn. Als er ihr eine über den Daumen gepeilte Summe für die voraussichtlichen Arbeiten nannte, blickte sie ihn nur ausdruckslos an.

Grinsend kratzte er sich erneut am Kinn. »Ich kann Ihnen einen richtigen Kostenvoranschlag machen. Es wäre wesent-lich günstiger, wenn Sie die Armaturen und so selber kaufen würden.«

»Das mache ich.«

»Okay. Dann mache ich Ihnen einen Kostenvoranschlag, und danach schauen wir uns die Sache mal an.«

»Gut. Und wo Sie gerade da sind, könnten Sie rasch nach der Wanne im Bad im ersten Stock sehen? Das Wasser läuft nicht mehr richtig ab.«

»Ja, das schaue ich mir doch gleich mal an, wo ich schon hier bin.«

Sie blieb neben ihm stehen, weniger, weil sie ihm nicht traute, als vielmehr, weil man immer etwas lernen konnte. Auf diese Weise erfuhr sie, dass er bei der Arbeit nicht trö-delte. Sein Stundenlohn für die kleine Reparatur – und eine rasche Überprüfung des Waschbeckens und der Toilette – machte deutlich, dass er den Auftrag so sehr wollte, dass sein Kostenvoranschlag wahrscheinlich ihre Erwartungen treffen würde.

Als Buddy schließlich wieder in seinen Lieferwagen stieg, hoffte sie nur, dass der Schreiner und der Elektriker, mit denen sie ebenfalls Termine vereinbart hatte, genauso gut arbeiteten wie er.

Sie zog ihre Kladde heraus, um den Termin mit Buddy von ihrer Liste zu streichen. Dann nahm sie ihren Vorschlaghammer. Sie war in der Stimmung, um etwas zu zerstören, und die morschen Planken der vorderen Veranda waren dafür genau das Richtige.

2

Cilla legte den Hammer über die Schulter und beobachtete den Mann, der die Auffahrt entlangkam, durch ihre Schutzbrille. Ein hässlicher schwarz-weißer Hund mit einem riesigen Kastenkopf auf einem kleinen, vierschrötigen Körper trottete neben ihm her.

Sie mochte Hunde und wollte sich irgendwann auch einen zulegen. Aber dieses Geschöpf hier sah aus wie aus einem Cartoon entsprungen, mit seinen hervorquellenden Augen und kleinen spitzen Teufelsöhrchen auf einem riesigen Kopf. Ein kurzer, dünner Schwanz vervollständigte das seltsame Aussehen.

Der Mann hingegen sah sehr viel besser aus als der Hund. Er war mindestens eins fünfundneunzig, schlaksig, mit langen Beinen und trug eine verblichene, am Saum ausgefranste Jeans mit einem Riss an einem Knie und ein weites, graues Sweatshirt. Seine Sonnenbrille und der Zweitagebart, für den sie noch nie viel übriggehabt hatte, passten zu seinen braunen, golden gesträhnten Haaren, die ihm lockig über die Ohren fielen.

Sie misstraute einem Mann, der sich Strähnchen in die Haare färben ließ. Seine Sonnenbräune stammte bestimmt auch von der Sonnenbank. In L.A. hatte sie solche Typen geflissentlich übersehen. Die einzelnen Elemente waren zwar harmlos, und er lächelte ihr auch nett entgegen, aber sie packte trotzdem ihren Hammer fester.

Wenn nötig, konnte sie ihn auch anderweitig verwenden als zum Einschlagen morscher Bretter.

Seine Augen konnte sie zwar hinter der Sonnenbrille nicht erkennen, aber sie war sich sicher, dass auch er sie ausgiebig musterte.

Er blieb unten an der Veranda stehen, während der Hund sofort hinaufgesprungen kam, um an ihren Stiefeln zu schnüffeln – es hörte sich an wie das Schnaufen eines Schweins. »Hey«, sagte er und lächelte noch eine Stufe strahlender. »Kann ich Ihnen helfen?«

Sie legte den Kopf schräg. »Wobei?«

»Bei allem, was Ihnen so vorschwebt. Ich frage mich nämlich, was das hier wird. Sie haben einen ziemlich großen Vorschlaghammer, und das hier ist Privatbesitz.« Er hakte die Daumen in seine Vordertaschen und fuhr in seinem lässig gedehnten Virginia-Akzent fort: »Sie sehen eigentlich nicht aus wie ein Vandale.«

»Sind Sie Polizist?«

Sein Lächeln wurde noch breiter. »Genauso wenig, wie Sie ein Vandale sind. Hören Sie, ich störe Sie ja ungern, aber wenn Sie vorhaben, Teile aus dem Haus hier bei eBay zu verticken, sollten Sie sich das noch mal überlegen.«

Der Hammer war schwer, und Cilla ließ ihn sinken. Er bewegte sich nicht, als sie ihn auf der Veranda abstellte, aber sie spürte seine Anspannung. »EBay?«

»Das lohnt sich sowieso nicht. Wer glaubt Ihnen denn schon, dass Sie tatsächlich was aus dem Haus von Janet Hardy verkaufen? Also, lassen Sie es lieber. Ich schließe hinter Ihnen ab, und alle sind zufrieden.«

»Sind Sie der Hausmeister?«

»Nein. Die werden hier dauernd rausgeschmissen. Ich weiß, dass es so aussieht, als ob sich niemand auch nur einen Deut um das Anwesen schert, aber deswegen können Sie trotzdem nicht einfach herkommen und es kaputtschlagen.«

Fasziniert schob Cilla ihre Sicherheitsbrille auf den Kopf.

»Warum kümmern Sie sich denn darum, wenn es allen anderen egal ist?«

»Ich kann irgendwie nicht anders. Und vielleicht bewundere ich es ja sogar, wie jemand den Mumm haben kann, am helllichten Tag das Schloss zu knacken und mit dem Vorschlaghammer hier herumzuwirbeln, aber ernsthaft, Sie sollten jetzt lieber abhauen. Janet Hardys Familie mag es ja egal sein, ob der Bau hier beim nächsten Windstoß zusammenbricht, aber …« Er brach ab, schob seine Sonnenbrille auf die Nasenspitze und betrachtete sie über den Rand. Dann nahm er sie ganz ab und ließ sie lässig an einem Bügel baumeln.

»Ich bin heute früh ein bisschen langsam«, sagte er. »Das liegt wohl daran, dass ich nur schnell einen Schluck Kaffee getrunken habe, als ich Ihren Truck und das offene Tor und so bemerkt habe. Cilla … McGowan. Es hat ein Weilchen gedauert. Sie haben die Augen Ihrer Großmutter.«

Seine waren grün, stellte sie fest, mit goldenen Sprenkeln. »Stimmt. Wer sind Sie?«

»Ford. Ford Sawyer. Und der Hund, der Ihnen gerade die Stiefel leckt, ist Spock. Wir wohnen gegenüber.« Er wies mit dem Daumen über die Schulter auf ein weitläufiges altes, viktorianisches Gebäude auf einem hübschen Hügel. »Sie wollen mir doch mit dem Hammer nicht auf den Kopf hauen, wenn ich jetzt auf die Veranda komme?«

»Eher nicht. Jedenfalls, wenn Sie mir erklären können, warum Sie erst heute Morgen aufgetaucht sind. Gestern haben Sie mich anscheinend den ganzen Tag über nicht gesehen, und Buddy, den Installateur, sowie diverse andere Handwerker haben Sie wohl auch nicht bemerkt, was?«

»Gestern war ich noch auf den Caymans. Ich habe ein bisschen Urlaub gemacht. Und die diversen Handwerker habe ich wohl verpasst, weil ich mich erst vor einer halben Stunde aus dem Bett gequält habe. Als ich dann meine erste Tasse Kaffee auf der Veranda getrunken habe, habe ich den Truck und das offene Tor gesehen. Okay?«

Das klang einleuchtend, dachte Cilla. Und vielleicht hatte er ja sogar die Sonnenbräune und die Strähnchen rechtmäßig erworben. Sie lehnte den Hammer ans Geländer. »Als eine derjenigen Personen, die sich doch einen Deut um dieses Anwesen scheren, schätze ich es, dass Sie nach dem Rechten sehen.«

»Kein Problem.« Er kam die Veranda hinauf und blieb auf der Stufe unter ihr stehen. Damit waren sie auf gleicher Augenhöhe, und da sie eins neunundsiebzig war, hatte sie mit eins fünfundneunzig wohl richtig geschätzt. »Was haben Sie mit dem Hammer vor?«

»Die Bretter hier sind morsch, und die Veranda muss neu gebaut werden. Aber das geht nicht, wenn man vorher nicht zerstört.«

»Neue Veranda, Buddy, der Installateur – der im Übrigen sein Handwerk zu verstehen scheint –, verschiedene andere Handwerker. Klingt so, als wollten Sie hier renovieren.«

»Ja. Sie sehen kräftig aus. Wollen Sie einen Job?«

»Nein, danke, ich habe schon einen, und mit Werkzeug kann ich mich nicht anfreunden. Aber trotzdem danke. Spock, sag hallo.«

Der Hund setzte sich, legte seinen dicken Kopf schräg und hob eine Pfote.

»Süß.« Cilla beugte sich zu ihm herunter und schüttelte die Pfote. »Was ist das für ein Hund?«

»Ein vierbeiniger. Es wird bestimmt schön, wenn alles wieder so aussieht wie früher. Wollen Sie es anschließend verkaufen?«

»Nein. Ich will hier leben. Im Moment jedenfalls.«

»Na ja, es ist ein schönes Fleckchen. Ihr Daddy ist Gavin McGowan, stimmt's?«

»Ja. Kennen Sie ihn?«

»Er war im letzten Jahr auf der Highschool mein Englischlehrer. Letztendlich habe ich bestanden, aber es hat mich viel Blut und Schweiß gekostet. Mr. McGowan hat viel von uns verlangt. Na ja, ich lasse Sie jetzt mal weiter auf Ihre Bretter einschlagen. Ich arbeite zu Hause, also bin ich die meiste Zeit da. Wenn Sie etwas brauchen, rufen Sie.«

»Danke«, erwiderte sie, hatte jedoch nicht die Absicht, das Angebot anzunehmen. Als er sich zum Gehen wandte, setzte sie die Schutzbrille wieder auf und nahm den Hammer. Dann jedoch gab sie einem Impuls nach. »Hey! Wer gibt seinem Kind denn einen Autonamen?«

Er drehte sich um und kam noch einmal ein paar Schritte zurück. »Meine Mama hat einen etwas ungewöhnlichen Sinn für Humor. Sie behauptet immer, mein Daddy habe mich gezeugt, als sie in einer kalten Frühlingsnacht die Fenster an seinem Ford Cutlass zum Beschlagen gebracht haben. Da könnte was dran sein.«

»Ja, und wenn nicht, ist es gut erfunden. Wir sehen uns.«

»Bestimmt.«

Faszinierende Entwicklungen, dachte Ford, als er sein Frühstücksritual nachholte und noch eine Tasse Kaffee auf seiner Veranda trank. Da war sie, frisch wie der junge Morgen mit ihren eisblauen Augen und schlug wie besessen auf die alte Veranda ein.

Der Hammer war wahrscheinlich verdammt schwer. Das Mädchen hatte Muskeln.

»Cilla McGowan«, sagte er zu Spock, der im Garten unsichtbaren Katzen nachjagte, »ist ins Haus gegenüber gezogen.« Das war ja vielleicht spannend! Ford konnte sich noch gut daran erinnern, wie seine Schwester Katie Lawrence verehrt hatte, das Kind, das Cilla gespielt hatte – wie lange? Fünf, sechs, sieben Jahre? Alice hatte eine *Our Family*-Lunchbox gehabt, mit ihrer Katie-Puppe gespielt und stolz ihren Katie-Rucksack herumgetragen.

Da Alice nichts wegwerfen konnte, hatte sie die Erinnerungsstücke an *Our Family* und Katie bestimmt noch irgendwo oben in Ohio, wo sie jetzt lebte. Er musste ihr unbedingt eine

Mail schicken, um ihr mitzuteilen, wer seine neue Nachbarin war.

Die Serie war seinerzeit viel zu zahm für ihn gewesen. Er hatte die Action von *The Transformers* und die Fantasy von *Knight Rider* vorgezogen. Nachdem er sich einmal mit Alice wegen irgendetwas erbittert gestritten hatte, hatte er Rache genommen, indem er Katie nackt ausgezogen und mit Klebeband geknebelt an einen Baum gebunden hatte, bewacht von einem seiner *Stormtroopers*.

Er hatte eine ordentliche Tracht Prügel dafür bezogen, aber das war es ihm wert gewesen.

Jetzt kam es ihm ein bisschen verdreht vor, die erwachsene, lebendige Katie mit dem Vorschlaghammer auf die Veranda einschlagen zu sehen. Und sie sich nackt vorzustellen.

Er hatte ziemlich viel Fantasie.

Seit vier Jahren wohnte er jetzt schon hier, dachte Ford. In dieser Zeit hatte er zwei Verwalter kommen und gehen sehen, den zweiten in weniger als sechs Monaten. Und vor heute hatte er nicht ein einziges Mal jemanden aus Janet Hardys Familie zu Gesicht bekommen. Wenn er die beinahe zwei Jahre in New York abzog, hatte er fast sein ganzes Leben in dieser Gegend hier verbracht und nie jemanden von ihnen gesehen. Er hatte zwar gehört, dass Mr. McGowans Tochter Cilla ein- oder zweimal da gewesen war, aber gesehen hatte er sie nie.

Und jetzt redete sie mit Installateuren, riss Veranden ein und… Er hielt inne, als er den schwarzen Pickup in die Einfahrt gegenüber einbiegen sah. Er gehörte seinem Freund Matt Brewster, einem Schreiner aus dem Ort. Als kaum dreißig Sekunden später ein zweiter Truck folgte, beschloss Ford, sich noch eine Tasse Kaffee einzuschenken und sich mit einer Schale Müsli auf der Veranda niederzulassen und sein Frühstück dort einzunehmen, damit er alles beobachten konnte.

So langsam sollte er mal anfangen zu arbeiten, dachte Ford eine Stunde später. Der Urlaub war vorbei, und er hatte einen Abgabetermin. Aber es war so verdammt interessant hier draußen. Ein weiterer Lieferwagen gesellte sich zu den ersten beiden, und auch diesen kannte er. Brian Morrow, früherer Topsportler und der Dritte im Bunde des lebenslangen Triumvirats, das aus Matt, Ford und Brian bestand, hatte einen Gartenbaubetrieb. Von seinem Ausguck aus beobachtete Ford, wie Cilla mit Brian über das Gelände ging. Sie gestikulierte lebhaft und zog immer wieder ihre dicke Kladde zu Rate.

Unwillkürlich bewunderte er die Art, wie sie sich bewegte. Vermutlich lag es an ihren langen Beinen, überlegte er, dass sie so große Strecken zurücklegte, während es den Anschein machte, als ob sie sich Zeit ließ. Ihre geschmeidige Gestalt strahlte so viel Energie aus, während ihre gletscherblauen Augen und ihr Porzellanteint darüber hinwegtäuschten, wie muskulös sie in Wirklichkeit…

»He, warte mal.« Er setzte sich aufrecht hin, kniff die Augen zusammen und stellte sie sich wieder mit ihrem Vorschlaghammer über der Schulter vor. »Kürzerer Stiel«, murmelte er. »Doppelhammer. Ja, ja. Sieht so aus, als ob ich arbeite.«

Er ging hinein, holte sich Skizzenblock und Bleistifte und nahm sein Fernglas. Zurück auf der Veranda betrachtete er Cilla durch das Fernglas, studierte die Form ihres Gesichts, ihre Kinnlinie, ihre Figur. Sie hatte einen faszinierenden, sexy Mund, dachte er, mit einer besonders schön geschwungenen Oberlippe.

Während er mit der ersten Skizze begann, spielte er in Gedanken mit Szenarien, die er fast sofort wieder verwarf.

Es würde ihm schon noch in den Sinn kommen, dachte er. Das Konzept fiel ihm oft erst durch die Skizzen ein. Er sah sie… Diane, Maggie, Nadine. Nein, nein, nein. Cass. Einfach, ein bisschen androgyn. Cass Murphy. Cass Murphy. Intelligent, intensiv, zurückhaltend, vielleicht sogar einsam. Attraktiv. Er blickte noch einmal durchs Fernglas. »Oh ja, attraktiv.«

Die Arbeitskleidung verbarg das nicht, aber sie spielte es herunter. Er zeichnete weiter, Ganzkörper, Nahaufnahme, Profil. Dann tippte er nachdenklich mit seinem Bleistift auf den Block und überlegte. Eine Brille mochte vielleicht ein Klischee sein, aber sie vermittelte sofort Intelligenz. Und sie war immer eine gute Maske für ein Alter Ego.

Er zeichnete sie ihr auf, einen einfachen dunklen Rahmen mit rechteckigen Gläsern. »Das bist du, Cass. Oder sollte ich sagen, Dr. Murphy?«

Er blätterte um und begann aufs Neue. Safarihemd, Khakihose, Stiefel, breitkrempiger Hut. Aus dem Labor oder dem Hörsaal ins Feld. Lächelnd blätterte er weiter, und seine Gedanken überschlugen sich, als er aufzeichnete, wie seine frisch entwickelte Cass werden würde. Das Leder, die Brustplatte – und die hübschen Zwillinge, die daraus hervorquollen. Silberarmbänder, lange, nackte Beine, wilde Locken, gebändigt von einer Krone. Ein Juwelengürtel?, überlegte er. Vielleicht. Die uralte Waffe – die doppelköpfige Streitaxt. Glänzendes Silber in der Hand der Nachfahrin der Kriegergöttin …

Ja, er brauchte noch einen Namen für sie.

Römer? Griechen? Wikinger? Kelten?

Keltisch. Das passte.

Er hielt den Block hoch und grinste seine Zeichnung an. »Hallo, meine Schöne. Wir zwei werden ganz groß einschlagen!«

Er blickte wieder über die Straße. Die Lieferwagen waren weg, und Cilla war zwar nirgendwo zu sehen, aber die Haustür der Farm stand offen.

»Danke, Nachbarin«, sagte Ford, erhob sich und ging hinein, um seine Agentin anzurufen.

Surreal war der Ausdruck, der Cillas Gefühl am besten beschrieb, als sie auf der hübschen Terrasse des gepflegten Backsteinhauses ihres Vaters saß und den Eistee trank, den ihre Stiefmutter ihr hektisch servierte. Die Szene hatte so überhaupt nichts mit ihrem Leben zu tun. Als Kind war sie nur selten im Osten zu Besuch gewesen, weil bei ihrer Mutter die Arbeit immer Vorrang gehabt hatte.

Ab und zu war er zu ihnen gekommen und mit ihr in den Zoo oder nach Disneyland gefahren, erinnerte sich Cilla. Aber zumindest in der Zeit, als ihre Serien auf dem Höhepunkt gewesen waren, waren sie immer von Paparazzi oder Kindern mit ihren Eltern umschwärmt worden. Die Arbeit hatte immer im Vordergrund gestanden, dachte Cilla, ob sie es gewollt hatte oder nicht.

Und dann hatten ihr Vater und Patty natürlich auch eine Tochter bekommen, Angie. Sie lebten ihr eigenes Leben auf der anderen Seite des Landes, was für Cilla dem anderen Ende der Welt gleichkam.

Sie hatte nie in diese Welt gepasst.

Hatte ihr Vater ihr das sagen wollen?

»Es ist hübsch hier draußen«, sagte Cilla und riss sich zusammen.

»Unser Lieblingsplatz«, erwiderte Patty mit angestrengtem Lächeln. »Obwohl es jetzt noch ein bisschen zu kalt ist.«

»Ich finde es angenehm.« Cilla zermarterte sich das Hirn, was sie zu dieser lieben, mütterlichen Frau mit dem netten Gesicht, dem dunklen Pagenkopf und den nervösen Augen sagen sollte. »Ich, äh, ich wette, in ein oder zwei Wochen, wenn alles anfängt zu blühen, ist der Garten wunderschön.«

Sie blickte über die Beete, die Sträucher und Kletterpflanzen, die gepflegte Rasenfläche, der der rote Ahorn und die Zierkirsche demnächst Schatten spenden würden. »Du hast viel Arbeit hineingesteckt.«

»Oh, ich mache gar nicht so viel.« Patty fuhr sich mit der Hand durch ihren kurzen, dunklen Bob und drehte den kleinen Silberring an ihrem Ohr. »Gavin ist eigentlich der Gärtner im Haus.«

»Oh.« Cilla blickte ihren Vater an. »Wirklich?«

»Ich habe immer schon gerne im Dreck gespielt. Wahrscheinlich bin ich in dieser Hinsicht nie erwachsen geworden.«

»Sein Großvater war Farmer.« Patty strahlte Gavin an. »Das liegt ihm im Blut.«

Hatte sie das gewusst? Warum hatte sie das nicht gewusst? »Hier, in Virginia?«

Pattys Augen weiteten sich erstaunt. Verstohlen warf sie Gavin einen Blick zu. »Hmm.«

»Ich dachte, du wüsstest, dass deine Großmutter die Farm meines Großvaters gekauft hat.«

»Ich? Was? Die kleine Farm? Die hat dir gehört?«

»Nein, mir hat sie nie gehört, Süße. Mein Großvater hat sie verkauft, als ich noch ein Junge war. Ich weiß noch, wie ich die Hühner da gejagt habe und dafür ausgeschimpft wurde. Mein Vater wollte kein Farmer sein, und seine Geschwister – die, die damals noch lebten – waren überall verstreut. Deshalb hat er sie verkauft. Janet war gerade zu Dreharbeiten hier. *Barn Dance.*«

»Den Teil der Geschichte kenne ich. Sie hat sich in die Farm, auf der sie drehten, verliebt und sie auf der Stelle gekauft.«

»Mehr oder weniger auf der Stelle«, erwiderte Gavin lächelnd. »Und Grandpa hat sich einen Winnebago gekauft – ich schwöre es – und ist mit Grandma losgefahren. In den nächsten sechs, sieben Jahren waren sie ständig unterwegs, bis sie einen Schlaganfall hatte.«

»Es war McGowan-Land.«

»Ist es immer noch.« Lächelnd trank Gavin einen Schluck Eistee. »Oder?«

»Ich finde, dass sich der Kreis auf schöne Art geschlossen hat.« Patty tätschelte Cilla die Hand. »Ich kann mich noch gut erinnern, wie hell erleuchtet das Haus immer war, wenn Janet Hardy sich hier aufgehalten hat. Und wenn man im Sommer, wenn alle Fenster offen standen, vorbeifuhr, hörte man Musik und sah vielleicht Frauen in schönen Kleidern und unglaublich gut aussehende Männer. Ab und zu kam sie in den Ort oder fuhr einfach in ihrem Cabrio herum. Sie war ein toller Anblick.«

Patty griff wieder nach dem Krug, als ob sie ihre Hände beschäftigen müsste. »Einmal hielt sie vor unserem Haus, weil wir gerade einen Wurf junge Hunde zu verkaufen hatten. Fünf Dollar. Unsere Colliehündin hatte eine Liaison mit einem Streuner unbekannter Herkunft gehabt. Sie kaufte uns einen Welpen ab. Sie setzte sich einfach auf den Fußboden und ließ die kleinen Hunde auf sich herumkrabbeln. Und dabei lachte sie unentwegt. Sie hatte ein wundervolles Lachen. Meine Güte, ich schwatze einfach immer weiter, was?«

»Nein, ich kenne diese Geschichte gar nicht. Ich weiß so vieles nicht. War das der Hund, den sie …«

»Ja, genau. Sie nannte ihn Hero. Der alte Fred Bates hat ihn mal auf der Straße aufgegriffen und hat ihn in seinem Pickup zurückgebracht. Er hat sie auch an jenem Morgen gefunden. Es war ein trauriger Tag. Aber jetzt bist du ja hier.« Erneut legte Patty ihre Hand auf Cillas. »Es wird wieder Licht und Musik geben.«

»Sie hat den Hund von dir gekauft«, murmelte Cilla, »und die Farm von deinem Großvater.« Sie blickte Gavin an. »Das ist wahrscheinlich auch so ein Kreis. Vielleicht könntest du mir im Garten helfen.«

»Das würde ich gerne.«

»Ich habe heute einen Landschaftsgärtner engagiert, aber ich muss erst noch entscheiden, was ich überhaupt alles pflanzen will. Ich habe mir ein Buch über Gärten in dieser Klimazone gekauft, aber für deinen Rat wäre ich dir sehr dankbar.«

»Abgemacht. Ich habe auch ein paar Gartenbücher, die dir noch bessere Vorstellungen vermitteln können.«

»Ein paar?«

Gavin grinste, als seine Frau die Augen verdrehte. »Na ja, ein paar mehr als ein paar. Wen hast du engagiert?«

»Morrow? Brian Morrow?«

»Gute Wahl. Er leistet hervorragende Arbeit und ist zuverlässig. Damals auf der Highschool war er ein Football-Star und nur ein mittelmäßiger Schüler. Aber er hat sich wirklich ein erfolgreiches Geschäft aufgebaut, und sein Ruf ist ausgezeichnet.«

»Das habe ich auch gehört. Ich habe heute noch einen früheren Schüler von dir kennen gelernt, Ford Sawyer.«

»Ja, natürlich«, warf Patty ein. »Er wohnt ja gegenüber von dir.«

»Kluger Junge, das war er immer schon.« Gavin nickte. »Er neigte zum Träumen, aber wenn du seinen Verstand angeregt hast, hat er ihn auch benutzt. Er ist auch ziemlich erfolgreich.«

»Ach ja? Womit?«

»Er schreibt Comic-Romane und illustriert sie auch, was wohl nicht unüblich ist, wie man mir gesagt hat. *The Seeker?* Das ist von ihm. Ein interessantes Werk.«

»*The Seeker.* So eine Super-Verbrechensbekämpfer-Geschichte?«

»Ja, so etwas in der Art. Ein erfolgloser Privatdetektiv stolpert zufällig über den Plan eines Irren, die großen Kunstwerke der Welt mithilfe eines molekularen Zerhackers zu vernichten, der sie unsichtbar macht. Als er ihn aufhalten will – um sich selber Ruhm und Vermögen zu sichern –, kommt seine geliebte Freundin ums Leben. Er selbst bleibt tot liegen und gerät in den Zerhacker.«

»Und ist seitdem unsichtbar«, vollendete Cilla die Geschichte. »Davon habe ich gehört. Ein paar der Typen auf meinen Baustellen standen auf Comic-Romane. Und Steve auch«, erwähnte sie ihren Exmann. »Sie haben stundenlang darüber diskutiert, ob der *Seeker* besser ist als *Dark Knight* oder ob man *X-Men* mit den *Fantastischen Vier* vergleichen kann. Wenn ich eine Bemerkung über erwachsene Männer und Comics gemacht habe, haben sie mich bloß scheel angesehen.«

»Gavin liest sie auch gerne. Vor allem die von Ford.«

»Wirklich?« Die Vorstellung des ruhigen Highschool-Lehrers, der sich *Superhero*-Comics reinzog, amüsierte sie. »Weil er ein Schüler von dir war?«

»Das spielt bestimmt eine Rolle. Aber der Junge kann wirklich gut Geschichten erzählen. Sein Protagonist ist kompliziert und strebt nach Erlösung, indem er sich dem Bösen stellt. Er versucht, wenn auch aus den falschen Gründen, genau das Richtige zu tun. Er hält einen Irren auf, aber nur zu seinem persönlichen Nutzen. Und dieser Akt kostet die Frau, die ihn geliebt hat und die er nachlässig behandelt hat, das Leben. Dass er unsichtbar wird, wird zu einer Metapher – er wird ein Held, aber niemand sieht ihn. Wirklich interessant.«

»Er ist Single«, fügte Patty hinzu und brachte Gavin damit zum Lachen. »Na ja, ich erwähne es ja nur, weil er direkt gegenüber wohnt und weil Cilla alleine auf der Farm ist. Ab und zu möchte sie doch sicher mal ein wenig Gesellschaft haben.«

Vergiss es, dachte Cilla. »Tagsüber werde ich auf der Baustelle sein, und abends muss ich die einzelnen Arbeitsphasen planen. Ich werde eine ganze Weile kaum Zeit für Gesellschaft haben. Und ich sollte auch jetzt langsam mal gehen, ich habe morgen viel zu tun.«

»Oh, willst du nicht zum Abendessen bleiben?«, protestierte Patty. »Du musst doch was Anständiges essen, bevor du fährst. Ich habe Lasagne vorbereitet. Sie muss nur noch in den Backofen geschoben werden. Es dauert nicht lange.«

»Das klingt toll.« Das stimmte wirklich, stellte Cilla fest. »Doch, ich esse gerne hier.«

»Bleib einfach sitzen und trink noch ein Glas Eistee mit deinem Vater.«

Cilla blickte Patty nach, die ins Haus eilte. »Soll ich ihr helfen?«

»Sie kümmert sich gerne ums Essen. Es entspannt sie wie mich die Gartenarbeit. Ihr ist es sicher lieber, wenn du hier sitzen bleibst.«

»Ich mache sie nervös.«

»Ein bisschen, aber es wird schon vergehen. Sie wäre bestimmt enttäuscht gewesen, wenn du nicht zum Essen geblieben wärst. Lasagne ist Pattys Spezialität. Sie macht die Sauce jeden Sommer aus meinen selbst gezogenen Tomaten und weckt sie ein.«

»Du machst Witze.«

Seine Mundwinkel zuckten bei ihrer überraschten Äußerung. »Wir leben hier in einer anderen Welt, Süße.«

»Das merke ich.«

In dieser Welt, entdeckte Cilla, aßen die Leute selbst gemachte Lasagne und Apfelkuchen, und bei Mahlzeiten ging es eher ums Essen als um die Performance. Und ein Gast oder ein Familienmitglied – und sie war wohl irgendwas dazwischen – bekam die Reste auf einem mit Folie überzogenen Teller mit nach Hause. Und wenn der Gast oder das Familienmitglied noch Auto fahren musste, gab es nur ein einziges Glas Wein zum Essen und hinterher Kaffee.

Cilla blickte auf ihre Armbanduhr und lächelte. Um acht war sie zu Hause.

Sie stellte die beiden Teller mit den Resten in ihren geputzten Kühlschrank, stemmte die Hände in die Hüften und schaute sich um. Die nackten Glühbirnen warfen ein hartes Licht und scharfe Schatten, beleuchteten Risse im Putz und zerkratzte Dielenböden. Armes altes Mädchen, dachte sie. Du brauchst dringend ein Facelift.

Sie nahm ihre Taschenlampe und schaltete sie ein, bevor sie das Deckenlicht löschte, und ging zur Treppe.

Als sie aus dem Fenster blickte, sah sie, dass überall in den Hügeln Lichter funkelten. Auch andere Leute hatten vermutlich zu Abend gegessen und schauten jetzt fern oder erledigten Schreibkram. Vielleicht brachten sie ihre Kinder zu Bett oder forderten sie auf, ihre Hausaufgaben fertig zu machen.

Sie bezweifelte, dass irgendjemand von ihnen Änderungen im Drehbuch las oder gähnend versuchte, sich Text einzuprägen. Aber es war dumm von ihr, dachte Cilla, sie um etwas zu beneiden, was sie nie gehabt hatte.

Auch bei Ford brannte noch Licht.

Entwarf er gerade das neue Abenteuer von *Seeker*? Vielleicht kaute er dabei an einer Fertigpizza? Und was machte eigentlich ein Comicbuch-Autor – oh, Verzeihung, ein Schriftsteller, der graphische Romane schrieb – in einem so schön restaurierten, alten viktorianischen Haus im ländlichen Virginia?

Ein alleinstehender Comicbuch-Autor, dachte sie spöttisch lächelnd, mit einem sexy südlichen Akzent und einem trägen, leicht schaukelnden Gang. Und ein seltsamer kleiner Hund.

Aber es war auf jeden Fall schön, die erleuchteten Fenster auf der anderen Straßenseite zu sehen. Nahe, aber nicht zu nahe. Seltsam getröstet ging sie weiter die Treppe hinauf, um sich in ihren Schlafsack zu kuscheln und weiter an ihren Plänen zu arbeiten.

Ihr Handy weckte sie aus dem Tiefschlaf. Sie riss die Augen auf, schloss sie aber sofort wieder, als sie feststellte, dass sie vor dem Einschlafen vergessen hatte, das grelle Deckenlicht auszuschalten. Fluchend öffnete Cilla ein Auge halb und tastete auf dem Fußboden nach dem Telefon.

Wie spät mochte es sein?

Mit wild klopfendem Herzen las sie die Uhrzeit auf dem Handy. 3.28 Uhr. Auf dem Display erschien die Nummer ihrer Mutter.

»Scheiße.« Cilla klappte das Gerät auf. »Was ist los?«

»Ist das eine Art, sich am Telefon zu melden? Du brauchst wohl nicht hallo zu sagen?«

»Hallo, Mom. Was ist los?«

»Ich bin nicht glücklich mit dir, Cilla.«

Das ist nichts Neues, dachte Cilla. Und du bist betrunken oder stoned. Dito. »Es tut mir leid, das zu hören, vor allem um halb vier in der Früh, Ostküstenzeit. Da bin ich nämlich gerade, weißt du?«

»Ich weiß, wo du bist.« Bedelia lallte zwar, aber ihre Stimme war trotzdem scharf. »Das weiß ich verdammt gut. Du bist im Haus *meiner* Mutter, das du mir abgeluchst hast. Ich will es zurückhaben.«

»Ich bin im Haus meiner Großmutter, das du mir verkauft hast. Und du kannst es nicht zurückhaben. Wo ist Mario?«, fragte sie nach dem aktuellen Ehemann ihrer Mutter.

»Mario hat damit nichts zu tun. Hier geht es nur um dich und mich. Wir sind alles, was von ihr geblieben ist! Du weißt sehr wohl, dass du mich in einer schwachen Minute erwischt hast. Du hast meine Verletzlichkeit und meinen Schmerz ausgenutzt. Ich will, dass du sofort zurückkommst und die Übertragungspapiere oder wie sie sonst heißen zerreißt.«

»Und du zerreißt den Scheck über den Kaufpreis?«

Ein langes Schweigen entstand, und Cilla ließ sich gähnend zurücksinken.

»Du bist kalt und undankbar.«

Der dünne Tränenschleier über den Worten war viel zu berechnend und üblich, als dass sie ihm Beachtung geschenkt hätte.

»Nach allem, was ich für dich getan habe, all den Opfern, die ich für dich gebracht habe, schleuderst du mir jetzt Geld ins Gesicht, statt mich für all die Jahre, in denen du für mich an erster Stelle gestanden hast, zu entschädigen.«

»So könnte man es sehen, ja. Ich behalte die Farm. Und bitte, du solltest weder meine noch deine Zeit verschwenden, um dir oder mir einzureden, dass dieser Ort dir irgendetwas bedeutet. Ich bin gerade hier, ich sehe ja, wie sehr du dich darum gekümmert hast.«

»Sie war *meine* Mutter!«

»Ja, und du bist meine. So hat jeder sein Kreuz zu tragen.«

Cilla hörte es krachen und sah vor sich, wie ihre Mutter das Glas mit ihrem bevorzugten Nachtgetränk Ketel One on the rocks an die nächste Wand geschleudert hatte. Dann begann das Weinen. »Wie kannst du nur so etwas Schreckliches zu mir sagen!«

Cilla lag auf dem Rücken und ließ sie heulen und toben. »Du solltest ins Bett gehen, Mom. Du solltest nicht anrufen, wenn du getrunken hast.«

»Vielleicht mache ich es wie sie. Vielleicht setze ich allem ein Ende.«

»Sag so etwas nicht. Morgen früh geht es dir wieder besser.« Wahrscheinlich. »Du brauchst einfach nur Schlaf. Du musst dich auf deine Show vorbereiten.«

»Alle wollen, dass ich so bin wie sie.«

»Nein, das stimmt nicht.« Hauptsächlich willst du es. »Geh jetzt ins Bett, Mom.«

»Mario. Ich will Mario.«

»Geh ins Bett. Ich kümmere mich darum. Er kommt zu dir. Versprich mir, dass du ins Bett gehst.«

»Schon gut, schon gut. Ich will sowieso nicht mehr mit dir reden.«

Als Cilla das Klicken hörte, lag sie einen Moment bewegungslos da. Das Jammern am Schluss hatte darauf hingewiesen, dass Dilly fertig war, ins Bett gehen oder sich einfach an Ort und Stelle zu Boden sinken lassen und einschlafen würde. Aber vorher begab sie sich immer erst auf vermintes Gebiet.

Cilla drückte die Kurzwahltaste, unter der sie Ehemann Nummer fünf gespeichert hatte. »Mario«, sagte sie, als er abnahm. »Wo bist du?«

Sie brauchte keine Minute, um ihm die Situation zu schildern, und dann schnitt sie dem besorgten Mario das Wort ab und legte auf. Cilla zweifelte nicht daran, dass er sofort nach Hause fahren und Dilly mit dem Mitgefühl, der Aufmerksamkeit und dem Trost überschütten würde, die sie verlangte.

Hellwach und gereizt schlüpfte sie aus ihrem Schlafsack. Sie ging zur Toilette, und dann huschte sie im Schein der Taschenlampe in die Küche hinunter, um sich eine neue Flasche

Wasser zu holen. Sie öffnete die Haustür und betrat die Baustelle auf der Veranda.

Alle funkelnden Lichter waren mittlerweile erloschen, und die Hügel waren tiefdunkel. Trotz der Sterne, die durch die Wolken am Himmel blinkten, war es wie ein Grab. Schwarz, stumm und kalt. Die Berge erhoben sich schwarz vor ihr, und die Luft war so still, dass sie beinahe dachte, das Haus hinter sich atmen hören zu können.

»Freund oder Feind?«, fragte sie laut.

Mario würde in das Haus in Bel Air eilen, murmeln und streicheln, schmeicheln und liebkosen, und schließlich seine betrunkene Frau in seine muskulösen (und jüngeren) italienischen Arme nehmen, um sie in ihr Bett zu tragen.

Dilly sagte ständig, sie sei so allein, immer so allein. Aber sie wusste gar nicht, was das hieß, dachte Cilla. Sie wusste nicht, was Alleinsein wirklich bedeutete.

»Und du?«, fragte sie Janet. »Ich glaube, du wusstest, was es heißt, alleine zu sein. Von so vielen Menschen umgeben und doch schrecklich, jämmerlich alleine zu sein. Na ja, ich weiß es auch. Und das hier ist auf jeden Fall besser.«

Es war besser, dachte Cilla, in einer stillen Nacht alleine zu sein, als in einer Menschenmenge alleine zu sein. Viel besser.

Sie ging wieder hinein und schloss die Tür.

Um sie herum seufzte das Haus.

3

Ford verbrachte zwei Stunden damit, Cilla durch sein Fernglas zu beobachten und sie aus verschiedenen Blickwinkeln zu zeichnen. Die Art ihrer Bewegungen war für seinen Entwurf genauso wichtig wie ihr Aussehen. Linien, Rundungen, Form und Farbe – alles gehörte dazu. Aber Bewegung war das Wichtigste. Anmut und Sportlichkeit. Nicht wie eine Ballerina, nein. Eher wie … eine Sprinterin. Zielgerichtete Stärke statt fließender Kunst.

Die Anmut einer Kriegerin, dachte er. Ökonomisch und tödlich.

Er wünschte, er könnte sie mit offenen Haaren sehen, statt immer nur mit dem Zopf. Auch eine genaue Betrachtung ihrer Arme *und* ihrer Beine wäre nützlich. Und natürlich könnte es auch nicht schaden, die übrigen Körperteile zu kennen, die ab und zu ins Bild kamen.

Er hatte sie gegoogelt und einige Fotos studiert. Außerdem hatte er sich ihre Filme bestellt, damit er sie sich darin anschauen konnte. Aber ihr letzter Film – *I'm Watching, Too!* – war fast acht Jahre alt.

Er wollte die Frau, nicht das Mädchen.

Die Geschichte hatte er bereits im Kopf, und sie wollte unbedingt heraus. Am Abend zuvor hatte er sich zwei Stunden von seinem neuen *Seeker*-Roman weggestohlen, um das Exposé zu schreiben. Und vielleicht würde er sich heute auch noch ein bisschen Zeit dafür nehmen, aber zuerst einmal wollte er ein paar Bleistiftzeichnungen machen, und das konnte er erst, wenn er detailliertere Skizzen hatte.

Das Problem war nur, dass sein Modell viel zu viel anhatte.

»Ich würde sie wirklich gerne mal nackt sehen«, sagte er, und Spock grunzte kennerisch. »Nein, nicht so. Na ja, doch, so auch. Aber eigentlich meine ich es in professioneller Hinsicht.«

Spock wälzte sich stöhnend und ächzend auf die Seite. »Natürlich bin ich ein Profi. Schließlich bezahlen sie mich dafür, und nur deshalb kann ich mir dein Futter leisten.«

Spock nahm den kleinen, zerkauten Bär, den er immer mit sich herumschleppte, ins Maul, erhob sich und legte ihn Ford vor die Füße. Dann begann er, hoffnungsvoll hin und her zu tanzen. »Das haben wir doch schon besprochen. Du bist für ihn verantwortlich.«

Ford wandte sich von dem Hund ab und dachte wieder

an Cilla. Er würde ihr noch einmal einen gutnachbarlichen Besuch abstatten. Vielleicht konnte er sie ja dazu überreden, ihm Modell zu stehen.

Er ging hinein, packte seinen Skizzenblock, seine Bleistifte und eine Ausgabe von *The Seeker: Vanished* in eine Tasche und überlegte, was sich noch als Bestechung eignete.

Schließlich entschied er sich für eine Flasche Cabernet, steckte auch sie in die Tasche und machte sich auf den Weg. Spock ließ seinen Bären liegen und hoppelte eilig hinterher.

Sie sah ihn kommen, als sie gerade eine weitere Ladung Schutt und Müll zu dem Container brachte, den sie gemietet hatte. Drinnen im Haus hatte sie das Holz aufgestapelt, das sie vielleicht noch retten konnte. Der Rest musste weg. Sentimentalitäten restaurierten das Haus nicht.

Cilla lud den Schutt ab und stemmte ihre behandschuhten Hände in die Hüften. Was wollten denn ihr Nachbar und sein hässlicher, süßer Hund jetzt schon wieder von ihr?

Er hatte sich rasiert, stellte sie fest. Dann war also der Zweitagebart eher Faulheit als Design gewesen. Faulheit war ihr lieber. Über seiner Schulter hing ein großer Lederbeutel, und als er die Einfahrt entlangkam, hob er freundlich grüßend die Hand.

Spock schnüffelte sofort am Container und hob sein Bein.

»Hey. Sie haben aber schon viel geschafft in den letzten zwei Tagen.«

»Ich verschwende nicht gerne Zeit.«

Er grinste und blickte auf den Container. »Entkernen Sie das gesamte Haus?«

»Nicht vollständig, aber doch mehr, als ich gehofft habe. Vernachlässigung braucht länger als absichtliche Zerstörung, aber das Ergebnis ist das Gleiche. Hallo, Spock.« Der Hund hockte sich vor sie und reichte ihr die Pfote. Okay, dachte Cilla, als sie sie schüttelte. Hässlich, aber charmant. »Was kann ich für Sie tun, Ford?«

»Ich arbeite mich so langsam vor. Zuerst einmal habe ich Ihnen das hier mitgebracht.« Er griff in den Beutel und zog eine Flasche Rotwein heraus.

»Oh, das ist nett. Danke.«

»Und das hier.« Er zog das Buch hervor. »Ein bisschen Lesestoff bei einem Glas Rotwein am Ende des Tages. Damit verdiene ich mein Geld.«

»Mit Wein trinken und Comics lesen?«

»Ja, eigentlich schon, aber ich wollte damit sagen, ich schreibe sie.«

»Das hat mein Vater mir erzählt. Es war nur eine sarkastische Bemerkung.«

»Das habe ich kapiert. Ich beherrsche Sarkasmus so gut wie zahlreiche andere Sprachen. Haben Sie jemals was von mir gelesen?«

Komischer Typ, dachte sie, mit seinem komischen Hund. »Ich habe mir jede Menge *Batman* reingezogen, als für die Clooney-Version *Batgirl* besetzt werden sollte. Aber ich habe gegen Alicia Silverstone verloren.«

»Wahrscheinlich kein Drama, so wie der Film wurde.«

Cilla zog eine Augenbraue hoch. »Lassen Sie mich noch mal wiederholen: George Clooney.«

Ford schüttelte den Kopf. »Michael Keaton war *Batman*. Die Rolle war ihm auf den Leib geschrieben. Nach den Keaton-Filmen war das Opernhafte weg. Und zwingen Sie mich nicht, was zu Val Kilmer zu sagen.«

»Na gut. Auf jeden Fall habe ich mich für das Vorsprechen vorbereitet, indem ich mir die verschiedenen Filme angesehen habe – und, ja, Sie haben recht, Keaton war fabelhaft –, ein paar von den Comics gelesen und mich über den Hintergrund informiert habe. Wahrscheinlich war ich viel zu gut vorbereitet.«

Sie zuckte mit den Schultern. Mit sechzehn war es schlimm für sie gewesen, dass sie die Rolle nicht bekommen hatte. »Sie zeichnen Ihre Bilder selber?«

»Ja.« Er musterte sie, während sie das Cover betrachtete. Sieh dir diesen Mund an, dachte er, und ihr Kinn. Es juckte ihn in den Fingern, zum Bleistift zu greifen. »Ich bin egozentrisch und besitzergreifend. So gut wie ich kann es sowieso niemand, deshalb bekommt auch keiner die Chance.«

Sie blätterte das Buch durch. »Das ist ja eine ganze Menge. Ich habe immer gedacht, Comics bestehen nur aus zwanzig bunten Seiten, auf denen die Figuren BAM! und ZACK! von sich geben. Was Sie da zeichnen, sieht stark und lebendig aus, mit vielen dunklen Seiten.«

»Der *Seeker* hat viele dunkle Seiten. Ich bin gerade bei einer neuen Folge. In ein paar Tagen müsste sie eigentlich fertig sein. Wahrscheinlich wäre ich heute schon fertig gewesen, wenn Sie mich nicht abgelenkt hätten.«

Die Weinflasche, die sie in die Armbeuge geklemmt hatte, wurde schwer. »Wie ist mir das gelungen?«

»Durch Ihr Aussehen und die Art, wie Sie sich bewegen. Das soll keine persönliche Anspielung sein.« Er blickte sie an. »Noch nicht, jedenfalls. Ich meine das in professioneller Hinsicht. Ich versuche gerade, eine neue Figur zu entwickeln, die Protagonistin für eine neue Serie ohne den *Seeker*. Eine Frau – weibliche Macht, Verletzlichkeit, Ansichten, Probleme. Und die Dualität... Nein, das brauche ich heute noch nicht«, sagte er. »Sie sind meine Frau.«

»Wie bitte?«

»Dr. Cass Murphy, Archäologin. Eine kühle, ruhige, einsame Frau, deren Herz der Feldforschung gehört. Der Entdeckung. Niemand kommt Cass nahe. Ihr geht es nur ums Geschäft. So ist sie aufgewachsen. Gefühle lässt sie nicht zu.«

»Ich lasse keine Gefühle zu?«

»Das weiß ich noch nicht. Sie ist so. Schauen Sie.« Er holte seinen Skizzenblock heraus und schlug eine Seite auf. Cilla legte den Kopf schräg und studierte die Zeichnung, auf der sie in klassischem Kostüm, bequemen Pumps und mit Brille zu sehen war.

»Sie sieht langweilig aus.«

»Sie *will* langweilig aussehen. Sie will nicht auffallen. Wenn Leute sie bemerken, muss sie sich mit ihnen befassen, und dann fühlt sie vielleicht etwas, das sie nicht fühlen will. Auch bei einer Ausgrabung ist sie ... sehen Sie?«

»Hmm. Nicht langweilig, sondern effizient und praktisch. Vielleicht sogar subtil sexy, wenn man sich den männlichen Schnitt von Hemd und Hose anschaut. So fühlt sie sich wohler.«

»Genau. Sie haben ein gutes Gespür.«

»Ich habe viele Drehbücher gelesen. Ihr Gebiet kenne ich nicht, aber eine wirkliche Story kann ich mir mit dieser Figur ehrlich gesagt nicht vorstellen.«

»Oh, Cass ist vielschichtig«, versicherte er ihr. »Wir müssen nur die einzelnen Schichten so sorgfältig freilegen, wie sie es bei einem Ausgrabungsstück macht. So wie sie eine alte Waffe und ein Symbol der Macht freilegt, als sie in einer Höhle auf einer mythischen Insel gefangen ist, die ich erst noch entwerfen muss. Dort deckt sie die heimtückischen Pläne des Milliardärs auf, der das Projekt finanziert, gleichzeitig aber ein böser Zauberer ist.«

»Natürlich.«

»Ich muss noch daran arbeiten, aber hier ist sie schon mal. Brid, Kriegergöttin.«

»Wow.« So hatte sie sich noch nie gesehen. Leder und lange Beine, Brustharnisch und schwellende Brüste. Aus der langweiligen, praktischen Frau war eine kühne, gefährliche, sexy Göttin geworden. Sie stand da mit kniehohen Stiefeln und wilden, lockigen Haaren, einen doppelköpfigen Hammer mit kurzem Schaft zum Himmel gereckt.

»Bei der Körbchengröße haben Sie aber übertrieben«, sagte sie.

»Die ... Oh, na ja, das lässt sich schwer schätzen. Außerdem drückt der Brustharnisch sie ja hoch. Aber damit sprechen Sie an, was ich Sie fragen wollte. Sie könnten mir Modell stehen. Natürlich geht es auch mit Skizzen, aber ich käme besser klar…«

»Hey!« Sie schlug ihm auf die Hand, als er auf eine Seite mit kleinen Zeichnungen von ihr umblätterte. »Das sind aber keine Charakterskizzen. Das bin ich.«

»Ja, nun, im Wesentlichen schon.«

»Sie haben da drüben gesessen, mich beobachtet und mich ohne meine Zustimmung gezeichnet? Finden Sie das nicht ungehörig und aufdringlich?«

»Nein. Ich sehe es als Arbeit. Wenn ich hier herüberschleichen und Sie durchs Fenster beobachten würde, das wäre ungehörig und aufdringlich. Sie bewegen sich wie eine Sportlerin mit einer tänzerischen Note. Selbst wenn Sie still stehen, ist das zu spüren. Genau das brauche ich. Um eine Figur nach Ihrem Aussehen zu zeichnen, brauche ich Ihre Zustimmung nicht, aber mit Ihrer Kooperation kann ich besser arbeiten.«

Sie schob seine Hand weg, um wieder zu der Kriegergöttin zurückzublättern. »Das ist *mein* Gesicht.«

»Ja, und ein tolles Gesicht.«

»Und wenn ich meinen Anwalt anrufen würde?«

Spock knurrte. »Das wäre kurzsichtig und unfreundlich. Aber es ist Ihre Entscheidung. Ich glaube nicht, dass Sie irgendetwas erreichen würden, aber um mir die Auseinandersetzungen zu ersparen, kann ich ein paar Veränderungen vornehmen. Breiterer Mund, längere Nase. Vielleicht sollte sie rote Haare haben – keine schlechte Idee. Ausgeprägtere Wangenknochen. Mal sehen.«

Er zog einen Bleistift aus dem Beutel und schlug eine leere Seite auf. Unter Cillas wachsamem Blick zeichnete er mit raschen Strichen eine neue Skizze.

»Die Augen behalte ich«, murmelte er. »Sie haben Killer-Augen. Den Mund breiter, die Unterlippe eine Spur voller, die Wangenknochen schärfer, die Nase ein bisschen länger. Das ist jetzt noch nicht ausgearbeitet, aber es ist auch ein tolles Gesicht.«

»Wenn Sie glauben, Sie könnten mich…«

»Aber Ihres gefällt mir besser. Ach, kommen Sie, Cilla. Wer möchte nicht gerne ein Superheld sein? Ich verspreche Ihnen, Brid wird besser als *Batgirl*.«

Sie kam sich dumm vor, und Wut stieg in ihr auf. »Verschwinden Sie. Ich muss arbeiten.«

»Also wollen Sie mir nicht Modell stehen?«

»Das können Sie sehen, wie Sie wollen, aber wenn Sie jetzt nicht endlich verschwinden, hole ich meinen eigenen Zauberhammer und schlage Ihnen damit den Schädel ein.«

Sie ballte die Fäuste, als er sie anlächelte. »Das ist die richtige Einstellung. Sagen Sie mir Bescheid, wenn Sie Ihre Meinung geändert haben«, sagte er und steckte den Skizzenblock wieder in den Beutel. »Bis später«, fügte er hinzu, schob sich den Bleistift hinters Ohr und wandte sich mit seinem hässlichen kleinen Hund zum Gehen.

Cilla kochte vor Wut. Die körperliche Anstrengung half ihr dabei, sich abzureagieren, aber innerlich schäumte sie. Immer hatte sie das Glück, das *verdammte* Glück, mitten in die Wildnis zu ziehen und auf einen neugierigen, aufdringlichen Nachbarn zu stoßen, der weder Grenzen noch Privatsphäre achtete.

Ihre Grenzen. Ihre Privatsphäre.

Sie wollte doch nur in Ruhe gelassen werden. Sie wollte sich hier ein Leben aufbauen, auf ihre Art. Nach ihren Bedingungen.

Die Schmerzen und Beschwerden, die mit schwerer, körperlicher Arbeit einhergingen, machten ihr nichts aus. Im Gegenteil, sie betrachtete sogar jede Blase, jede Schwiele als Auszeichnung.

Sie wollte nicht, dass jeder ihrer Schritte und ihrer Bewegungen von einem Künstler eingefangen wurden.

»Kriegergöttin«, murmelte sie, während sie verstopfte und herunterhängende Regenrinnen säuberte. »Mal ihr einfach rote Haare, ein bisschen vollere Lippen und D-Cups. Typisch!«

Sie kletterte die Leiter herunter, und da die Säuberung der Regenrinnen die letzte Pflicht des Tages gewesen waren, streckte sie sich einfach auf dem Boden aus.

Alles tat ihr weh.

Am liebsten hätte sie sich jetzt in einen Jacuzzi sinken und sich anschließend eine Stunde lang massieren lassen. Und dazu noch ein paar Gläser Wein und Sex mit Orlando Bloom. Danach würde sie sich vielleicht wieder wie ein Mensch fühlen.

Da sie jedoch von ihrer Wunschliste nur den Wein da hatte, würde sie sich damit begnügen müssen. Wenn sie sich wieder bewegen konnte.

Seufzend stellte sie fest, dass ihre Wut verraucht war, und mit klarem Kopf und körperlich erschöpft wusste sie auch genau, warum sie auf Fords Skizzen so reagiert hatte.

Zehn Jahre Therapie hatten nichts genützt.

Stöhnend rappelte sie sich auf und ging nach drinnen, um den Wein aufzumachen.

Spock und sein Bär schnarchten durchdringend, als Ford das letzte Panel tuschte. Das Werk würde zwar letztendlich in Farbe sein, aber seine Technik bestand in einem Inking, das fast schon als das fertige Werk durchgehen konnte.

Er hatte bereits die Ränder des Bildes und die Umrisse der Hintergrundobjekte mit seiner 108 Hunt geinkt. Als er mit der hellen Seite des Vordergrunds fertig war, trat er einen Schritt zurück, kniff die Augen zusammen und betrachtete prüfend seine Arbeit. Wieder einmal glitt der *Seeker* mit hängenden Schultern, gesenktem Blick und halb abgewandtem Gesicht zurück in die Schatten, die ihn verfolgten.

Der arme Kerl.

Ford reinigte seine Schreibfeder und legte sie zurück auf seinen Arbeitstisch. Er wählte einen Pinsel, tauchte ihn in Tusche

und begann, mit kühnen Strichen die Schattenbereiche aus-
zufüllen. Immer wieder spülte er den Pinsel aus. Der Vorgang
erforderte Zeit, Geduld und eine ruhige Hand. Da er sich für
sein letztes, düsteres Panel große, schwarze Flächen vorstellte,
tuschte er sie nur teilweise, da er wusste, dass das Blatt durch
zu viel Tinte wellig werden würde.

Als es unten an der Tür klopfte – und Spock erschreckt
anfing zu bellen –, fluchte er, wie immer, wenn er bei der Arbeit unterbrochen wurde. Dann grunzte er ein paar Worte vor
sich hin – sein kleines Beschwörungsritual. Er zog die Feder
einmal durchs Wasser und nahm sie mit, als er nach unten
ging, um die Tür aufzumachen.

Seine Irritation verwandelte sich in Neugier, als er Cilla mit
einer Flasche Cabernet auf seiner Veranda stehen sah.

»Wir sind cool, Spock«, sagte er, um den wie verrückt bel-
lenden Hund zu beruhigen, der zitternd vor Angst oben an
der Treppe stand.

»Mögen Sie keinen Rotwein?«, fragte er Cilla, als er die
Tür öffnete.

»Ich habe keinen Korkenzieher.«

Der Hund sprang fröhlich auf sie zu und rieb sich begeistert an ihrem Bein. »Ja, ich freue mich auch, dich zu sehen.«

»Er ist erleichtert, dass Sie kein Angreifer von seinem Hei-
matplaneten sind.«

»Ich auch.«

Ihre Antwort brachte Ford zum Grinsen. »Okay. Kommen
Sie herein. Ich suche nach einem Korkenzieher.« Er machte
ein paar Schritte, blieb stehen und drehte sich um. »Wollen
Sie einen Korkenzieher leihen, oder soll ich die Flasche aufmachen, damit wir sie uns teilen können?«

»Machen Sie sie doch bitte auf.«

»Dann kommen Sie am besten mit nach hinten. Ich muss
zuerst meinen Pinsel reinigen.«

»Ach, Sie arbeiten. Dann nehme ich einfach nur den Korkenzieher und verschwinde wieder.«

»Nein, ich will mein Geschenk lieber wieder zurück. Die Arbeit kann warten. Wie spät ist es überhaupt?«

Sie stellte fest, dass er keine Armbanduhr trug, und blickte auf ihre. »Gleich halb acht.«

»Dann kann sie definitiv warten, aber der Pinsel nicht. Seife, Wasser, Korkenzieher und Gläser gibt es praktischerweise alles in der Küche.« Er fasste sie am Arm und dirigierte sie mit festem Griff zur Küche.

»Mir gefällt Ihr Haus.«

»Mir auch.« Er führte sie durch einen breiten Flur mit hohen Decken, die von cremefarbenem Stuck eingerahmt waren. »Ich habe es praktisch so gekauft. Die früheren Besitzer haben es wundervoll restauriert, deshalb brauchte ich nur noch Möbel hineinzustellen.«

»Weshalb haben Sie es gekauft? Normalerweise gibt es ein oder zwei Hauptgründe, wenn jemand sich für ein Haus entscheidet. Das hier«, fügte sie hinzu, als sie in die großzügige Küche mit der breiten Granittheke kam, die sich zu einem gemütlichen Essplatz öffnete, »wäre zum Beispiel einer für mich.«

»Bei mir waren es eher die Aussicht und das Licht von oben. Ich arbeite oben, deshalb war das wichtig.«

Er öffnete eine Schublade und holte einen Korkenzieher heraus. Offensichtlich herrschte bei ihm Ordnung. Dann legte er ihn beiseite und trat an die Spüle, um den Pinsel auszuwaschen.

Spock vollführte einen kleinen Freudentanz und schoss dann durch eine Tür. »Wohin geht er?«

»Ich bin in der Küche, was bei ihm das Signal für Fressen auslöst. Das war sein Freudentanz.«

»Tatsächlich?«

»Ja, er ist recht einfach gestrickt. Fressen macht ihn glücklich. In der Waschküche hat er einen Autofeeder und seine Hundetür. Mehr braucht er nicht. Auf jeden Fall ist die Küche an mich ziemlich verschwendet, genauso wie die Essecke dort drüben, da ich fast nie dort sitze und esse. Ich bin eben auch ziemlich simpel gestrickt. Aber ich habe gerne viel Platz.«

Er stellte den gereinigten Pinsel mit den Borsten nach oben in ein Glas. »Setzen Sie sich doch«, forderte er sie auf und nahm den Korkenzieher.

Sie setzte sich an die Küchentheke und bewunderte den Edelstahlbackofen, die Küchenschränke aus Kirschholz und die Kombination aus Grill und sechs Kochplatten unter der glänzenden Haube aus Edelstahl. Und da sie trotz ihrer Erschöpfung nach dem harten Tag nicht blind war, bewunderte sie auch seinen Hintern.

Er nahm zwei Rotweingläser aus einem der Schränke mit den geriffelten Glastüren und schenkte Wein ein. Dann trat er zu ihr und reichte ihr ein Glas. Er beugte sich vor und hob sein Weinglas. »So«, sagte er.

»So. Da wir zumindest für eine ganze Zeitlang Nachbarn sein werden, sollten wir die Sache bereinigen.«

»Bereinigen ist gut.«

»Es ist schmeichelhaft, als mythische Kriegergöttin gesehen zu werden«, begann sie. »Seltsam, aber schmeichelhaft. Ich könnte mich möglicherweise sogar mit dem Gedanken anfreunden, so eine Mischung zwischen der Kriegerprinzessin Xena und *Wonder Woman* im einundzwanzigsten Jahrhundert zu sein.«

»Das ist gut und nicht so ganz abwegig.«

»Aber mir gefällt die Tatsache nicht, dass Sie mich beobachtet und gezeichnet haben, ohne dass ich etwas davon wusste. Das ist das Problem.«

»Weil Sie es als ein Eindringen in Ihre Privatsphäre empfinden. Und ich betrachte es lediglich als natürliches Beobachten.«

Cilla trank einen Schluck. »Mein ganzes Leben lang haben mich Leute beobachtet, haben Fotos von mir gemacht. Mich *nicht aus den Augen gelassen*. Ob ich spazieren ging, Schuhe kaufte oder ein Eis aß, alles wurde fotografiert. Vielleicht wurde es sogar zu genau diesem Zweck initiiert, aber ich hatte keinen Einfluss darauf. Und obwohl ich nicht mehr in der Filmbranche bin, bleibe ich doch Janet Hardys Enkelin, und deshalb kommt es von Zeit zu Zeit immer noch vor.«

»Und das gefällt Ihnen nicht.«

»Nicht nur das, ich will damit nichts mehr zu tun haben. Ich möchte dieses Nebenprodukt von Hollywood nicht hierherbringen.«

»Ich kann mit dem zweiten Gesicht leben, aber die Augen muss ich haben.«

Sie trank noch einen Schluck. »Genau darum geht es. Ich möchte nicht, dass Sie das zweite Gesicht verwenden. Ich komme mir zwar blöd vor, aber mir gefällt die Vorstellung, die Inspiration für eine Comicbuch-Heldin zu sein. Und ich hätte nie gedacht, dass ich so etwas einmal sage.«

Innerlich vollführte Ford einen kleinen Freudentanz. »Dann liegt es also nicht am Ergebnis, sondern nur am Vorgehen. Möchten Sie etwas zu essen? Also, ich möchte etwas essen.« Er drehte sich um, öffnete einen anderen Schrank und nahm eine Tüte Doritos heraus.

»Das ist eigentlich kein Nahrungsmittel.«

»Deshalb ist es ja so gut. *Mein* ganzes Leben lang«, fuhr er fort und griff in die Tüte, »habe ich Menschen beobachtet. Seit ich einen Stift halten kann, habe ich Bilder gemalt. Ich habe die Leute beobachtet – ihre Bewegungen, ihre Gestik, den Aufbau ihrer Gesichter und ihrer Körper. Ihre Haltung. Für mich ist das so normal wie atmen. Ich muss es einfach tun. Ich könnte versprechen, Sie nicht zu beobachten, aber dann würde ich lügen. Ich kann jedoch versprechen, Ihnen jede Skizze, die ich von Ihnen mache, zu zeigen.«

Weil sie da waren, aß Cilla auch einen Dorito. »Und wenn ich sie schrecklich finde?«

»Das wird nicht der Fall sein, wenn Sie Geschmack haben, aber wenn sie Ihnen tatsächlich nicht gefallen, dann wäre das übel.«

Nachdenklich aß sie noch einen Chip. Seine Stimme hatte beiläufig geklungen, aber darunter spürte sie stählerne Härte. »Sie verfolgen eine harte Linie.«

»Wenn es um meine Arbeit geht, bin ich nicht besonders flexibel. Bei den meisten anderen Dingen kann ich mich arrangieren.«

»Den Typ kenne ich. Was kommt nach den Skizzen?«

»Sie müssen eine Story haben. Die Zeichnungen sind nur der halbe Comic-Roman. Aber Sie müssen... Nehmen Sie Ihr Weinglas und kommen Sie mit nach oben.«

Er nahm seinen Pinsel. »Ich habe gerade das letzte Panel von *Payback* geinkt, als Sie geklopft haben«, erklärte er, als sie zur Treppe gingen.

»Ist diese Treppe original?«

»Ich weiß nicht.« Stirnrunzelnd betrachtete er die Stufen. »Vielleicht. Warum?«

»Sie ist wunderschön gearbeitet. Die Pfosten, das Geländer, die Politur. Um dieses Haus hat sich jemand gekümmert. Ein großer Kontrast zu meinem.«

»Na ja, Sie kümmern sich ja jetzt darum. Und Sie haben meinen Kumpel Matt engagiert, damit er die Schreinerarbeiten für Sie macht. Er hat hier auch gearbeitet, bevor ich es gekauft habe. Und auch hinterher noch ein paar Sachen gemacht.« Er ging zu seinem Atelier.

Cilla betrachtete den prachtvollen Fußboden aus breiten Kastaniendielen, die schönen hohen Fenster und die glänzenden Zierleisten. »Was für ein wundervolles Zimmer.«

»Groß. Ursprünglich diente es als Elternschlafzimmer, aber ich brauche nicht so viel Platz zum Schlafen.«

Cilla wandte ihre Aufmerksamkeit wieder ihm zu und musterte die verschiedenen Arbeitstische im Zimmer. Fünf große und sehr hässliche Aktenschränke nahmen eine Wand ein. An der anderen Wand standen Regale mit Arbeitsmaterial und verschiedenen Geräten. Dort herrschte tadellose Ordnung. Ein weiterer Bereich war voller Actionfiguren und Accessoires. Sie erkannte ein paar der Figuren und wunderte sich, warum *Darth Vader* und *Superman* so gut zusammenpassten.

Mitten im Zimmer stand ein riesiges Zeichenbrett, auf dem wohl die Panels lagen, von denen er gesprochen hatte. Auf einer Seite waren Ablagen und Fächer mit Werkzeugen, Bleistiften, Pinseln und Papierbögen. Fotografien, Skizzen, Bilder von Leuten, Orten, Gebäuden, die er aus Zeitschriften ausgeschnitten oder -gerissen hatte. Auf der anderen Seite standen Computer, Drucker, Scanner. Und gegenüber, in einer breiten U-Form, befand sich ein lebensgroßer Spiegel.

»Das ist eine Menge Zeug.«

»Ja, man braucht auch viel dazu. Nur für die Kunst allein mache ich Millionen von Skizzen, wähle meine Personen aus, kostümiere sie, spiele mit dem Hintergrund, dem Vordergrund, den Settings – und irgendwo dazwischen schreibe ich das Drehbuch und breche es in einzelne Panels auf. Dann mache ich die kleinen Skizzen, die mir dabei helfen zu entscheiden, wie ich meinen Raum aufteile, wie ich sie zusammensetzen möchte. Danach zeichne ich die Panels mit dem Bleistift. Und dann inke ich die Zeichnungen, tusche sie.«

Cilla trat ans Zeichenbrett. »Schwarz und weiß, Licht und Schatten. Aber das Buch, das Sie mir gegeben haben, war in Farbe.«

»Das wird bei diesem genauso sein. Früher habe ich Farben und Satz noch mit der Hand gemacht. Das macht Spaß«, erklärte er und lehnte sich gegen den u-förmigen Tisch, »aber es ist unglaublich zeitaufwändig. Und wenn man ins Ausland verkauft wird, so wie ich, dann ist es problematisch, die Übersetzungen in handgezeichnete Sprechblasen einzupassen. Also mache ich es lieber am Computer. Ich scanne die geinkten Panels ein und arbeite mit Photoshop für die Farben.«

»Die Zeichnungen sind toll«, sagte Cilla. »Man kann die Geschichte beinahe ohne Text erkennen. Sie haben eine starke Bildersprache.«

Ford wartete, aber schließlich sagte er: »Ich warte darauf.«

Sie blickte ihn über die Schulter an. »Auf was?«

»Dass Sie fragen, warum ich mein Talent mit Comics vergeude, statt eine richtige Kunstkarriere anzustreben.«

»Darauf können Sie lange warten. Ich empfinde es nicht als vergeudete Zeit, wenn jemand tut, was er will und was er hervorragend kann.«

»Ich wusste, ich würde Sie mögen.«

»Außerdem reden Sie mit jemandem, der jahrelang in einer halbstündigen Sitcom die Hauptrolle gespielt hat. Es war zwar nicht Ibsen, aber es hatte bestimmt genauso viel Berechtigung. Die Leute werden mich auf Ihren Zeichnungen wiedererkennen. Ich bin zwar nicht mehr so oft auf dem Bildschirm, aber ich sehe meiner Großmutter ziemlich ähnlich, und ihre Filme werden immer noch gezeigt. Die Leute werden sofort die Verbindung herstellen.«

»Ist das ein Problem für Sie?«

»Ich wünschte, ich wüsste es.«

»Ich gebe Ihnen zwei Tage Zeit, um darüber nachzudenken. Oder…« Er wandte sich um und zog Papiere aus einer Schublade.

»Sie haben eine Vereinbarung aufgesetzt«, sagte Cilla, nachdem sie einen Blick darauf geworfen hatte.

»Ich habe mir gedacht, entweder kommen Sie vorbei oder nicht. Und für den Fall, dass Sie kommen würden, habe ich das schon mal vorbereitet.«

Sie trat ans Fenster. Die Lichter funkelten schon wieder, dachte sie. Kleine Diamantensplitter in der Dunkelheit. Sie blickte nach draußen und sah den Hund, der in Fords Garten Schatten jagte. Nachdenklich trank sie einen Schluck Wein. Dann drehte sie den Kopf und sah ihn an. »Mit Brustharnisch stehe ich aber nicht Modell.«

Er grinste. »Ich kann darum herum arbeiten.«

»Keine Aktposen.«

»Nur für meine persönliche Sammlung.«

Sie lachte auf. »Haben Sie einen Stift?«

»Hunderte.« Er wählte einen Rollerball und reichte ihn ihr.

»Und ich habe noch eine Bedingung. Einen ganz persönlichen, niederträchtigen Wunsch. Sie soll *viel* besser sein als *Batgirl*.«

»Das garantiere ich Ihnen.«

Sie unterschrieb die drei Kopien, und er reichte ihr eine. »Für Ihre Akten. Was halten Sie davon, wenn wir noch ein Glas Wein trinken, Pizza bestellen und den Deal feiern?«

Sie wich zurück. Er war nicht in ihren Bereich eingedrungen, sondern sie in seinen. Aber das Prickeln in ihren Adern warnte sie trotzdem, die Distanz zu wahren. »Nein, danke, Sie haben noch zu arbeiten, und ich auch.«

»Der Abend ist noch jung.« Er ging mit ihr aus dem Zimmer. »Morgen ist ein langer Tag.«

»Nicht so jung, wie er war, und der morgige Tag ist nie lang genug. Außerdem brauche ich noch ein bisschen Zeit, um über einen Jacuzzi zu fantasieren.«

»Ich habe einen.«

Mittlerweile waren sie unten an der Treppe angekommen. »Sie haben wohl nicht auch noch einen Masseur auf Abruf?«

»Nein, aber ich habe echt geschickte Hände.«

»Das glaube ich gern. Nun, wenn Sie Orlando Bloom wären, würde ich das als Zeichen von Gott betrachten und mit Ihnen in etwa neunzig Minuten ins Bett gehen. Aber da Sie es nicht sind« – sie öffnete sich die Haustür selber –, »sage ich lieber gute Nacht.«

Stirnrunzelnd blickte er ihr nach. Dann trat er auf die Veranda. »Orlando Bloom?«

Sie hob einfach nur die Hand und ging weiter.

4

Die nächsten zwei Tage waren gut und produktiv. Sie hatte mit Installateur, Elektriker und Schreiner gesprochen, und der erste von drei eingeholten Kostenvoranschlägen für neue Fenster lag auf dem Tisch. Ihr absoluter Glücksgriff jedoch war ein alter, kleiner Mann namens Dobby gewesen, der mit seinem Enkel Jack den ursprünglichen Gipsputz an den Wänden wiederherstellen wollte.

»Der alte McGowan hat so um 1922 meinen Daddy diese Wände verputzen lassen«, sagte Dobby, der auf seinen kurzen, krummen Beinen im Wohnzimmer der kleinen Farm stand. »Ich war damals sechs Jahre und bin mitgekommen, um ihm zu helfen, den Putz zu mischen. So ein großes Haus hatte ich noch nie gesehen.«

»Es ist gute Arbeit.«

»Er war auch stolz darauf und hat mir alles vermittelt. Miz Hardy hat mich dann für Auffrischungen und Ausbesserungen engagiert. Das war so etwa fünfundsechzig, schätze ich.«

Dobbys Gesicht erinnerte Cilla an ein Stück braunes Papier, das zusammengeknüllt und dann achtlos wieder glattgestrichen worden war. Wenn er lächelte, wurden seine Falten tief wie Täler. »So etwas wie sie hatte ich auch noch nie gesehen. Sie sah aus wie ein Engel. Sie hatte so eine liebe Art, gar nicht so eingebildet, wie man es von einem Filmstar erwarten würde. Sie hat mir auch ein Autogramm auf eine ihrer Schallplatten gegeben, als ich mich endlich getraut habe, sie zu fragen. Danach hat mir meine Frau verboten, sie jemals wieder zu spielen. Sie hat sie rahmen lassen und an die Wand gehängt, und angehört haben wir uns nur noch die neue, die sie gekauft hat. Sie hängt immer noch bei uns in der Stube.«

»Ich bin froh, dass ich Sie gefunden habe, um die Tradition zu erhalten.«

»Das war doch wohl nicht schwer. Viele Leute hätten zu Miz Hardys Zeiten und mit ihren Mitteln wahrscheinlich alles abreißen lassen.« Er blickte Cilla aus seinen dunkelbraunen Augen an. »Das machen heutzutage die meisten Leute auch so.«

»Alles kann ich nicht retten, Mr. Dobby. Manches muss sich ändern und manches muss auch weg. Aber was ich erhalten kann, werde ich auch erhalten.« Sie fuhr mit der Fingerspitze über einen langen Riss in der Wohnzimmerwand. »Ich finde, das Haus hat es verdient, dass ich Respekt vor ihm habe.«

»Respekt.« Er nickte erfreut. »Das ist eine gute Einstellung. Es passt gut, dass eine McGowan hier ist, und noch dazu eine, die direkt von Miz Hardy abstammt. Mein Enkel und ich werden gute Arbeit für Sie leisten.«

»Da bin ich sicher.«

Sie besiegelten ihr Gespräch mit einem Handschlag, und Cilla stellte sich vor, wie sein Vater ihrem Urgroßvater die Hand geschüttelt hatte. Und wie Janet Hardy eine Schallplatte signiert hatte, die jetzt gerahmt in einem Wohnzimmer hing.

Ein paar Stunden verbrachte sie fern von der Baustelle mit einem Schrankbauer im Ort. Respekt war wichtig, aber die alten Küchenschränke aus Metall mussten weg. Ein paar davon wollte sie neu streichen und in der Waschküche aufstellen, die sie plante.

Als sie wieder nach Hause kam, stand die offene Flasche Cabernet mit einem ulkigen Alien-Flaschenverschluss und einem Korkenzieher auf dem letzten Brett vor der Haustür.

Auf einem Zettel, der unter der Flasche lag, stand:

Tut mir leid, dass ich sie Ihnen nicht früher zurückgebracht habe, aber Spock, der an meinem Schreibtisch angekettet war, ist gerade entkommen, und Sie waren nicht zu Hause. Sie könnten die Flasche ganz egoistisch

allein leeren oder aber einen durstigen Nachbarn bit-
ten, Ihnen an einem der nächsten Abende Gesellschaft
zu leisten.

Ford

Amüsiert überlegte sie, dass sie genau das tun würde – an
einem der nächsten Abende. Als sie hinüberblickte, stellte sie
ein wenig enttäuscht fest, dass er nicht auf seiner Veranda
stand. Und dieser kleine Stich machte ihr klar, dass sie sich
in Acht nehmen musste, wenn sie Wein mit scharfen Typen von
gegenüber trank.

Ihre Gedanken führten automatisch zu seinem Atelier –
dem Raum und dem Licht. Wäre es nicht schön, wenn sie
auch so ein Arbeitszimmer hätte? Wenn sie ihren Lieblings-
traum, Häuser zu renovieren, verwirklichen wollte, brauchte
sie attraktive, effiziente Büroräume.

Das Schlafzimmer im ersten Stock, das sie für diesen Zweck
vorgesehen hatte, würde sicher reichen. Aber als sie die Flasche Wein auf die alte Küchentheke stellte (morgen würde sie
sie abreißen) und an Fords Atelier dachte, kam ihr das ge-
plante Büro auf einmal klein und kaum ausreichend vor.

Wahrscheinlich konnte sie die Wände zu den anderen beiden Schlafzimmern herausreißen, dachte sie. Aber dadurch
hatte sie immer noch nicht genug Licht, und es sah auch nicht
so aus, wie sie es sich jetzt vorstellte.

Sie ging im Erdgeschoss herum, überlegte, plante und verwarf wieder. Hier könnte es funktionieren, dachte sie, aber
eigentlich wollte sie ihr Büro nicht im Parterre haben. Sie
wollte nicht auf der Arbeit leben, sozusagen. Jedenfalls nicht
langfristig. Und wenn sie Fords wundervolles Atelier nicht
gesehen hätte, dann wäre sie mit ihrem umgestalteten Schlafzimmer völlig zufrieden gewesen.

Und später, wenn ihr Geschäft florierte, konnte sie immer
noch einen Durchbruch auf die Südseite vornehmen, und
dann…

»Warte mal.«

Sie eilte die Treppen hinauf zum Speicher. Die Tür ächzte in den Angeln, als sie sie öffnete, aber die nackte Glühbirne oben an der steilen, schmalen Treppe ging sofort an, als sie den Schalter betätigte.

Cilla warf einen Blick auf die staubige Treppe und lief gleich noch einmal hinunter, um ihre Kladde und eine Taschenlampe für alle Fälle zu holen.

Speicher saubermachen. Neue Lampen anbringen.

Sie betrat den Raum und zog an der Kette der ersten Glühbirne.

»Oh ja. *So* habe ich mir das vorgestellt.«

Es war ein langer, breiter Dachraum voller Staub und Spinnweben. Und mit einem großen Potential. Der Speicher stand zwar eigentlich auf ihrer Prioritätenliste ganz unten, aber ihre Gedanken überschlugen sich, als sie sich umschaute.

Der Raum war riesig, und die Balkendecke hoch genug, dass sie in der Mitte bequem stehen konnte. Im Moment gab es nur zwei schmutzige Fenster an jeder Stirnseite, aber das konnte sie ändern. Sie würde es ändern.

Kisten, Truhen, ein zerschrammter Schminktisch, alte Möbel, alte Stehlampen mit staubbedeckten, vergilbten Schirmen standen herum. Schmutzige Gespenster. Bücher, in denen es wahrscheinlich von Silberfischen wimmelte, und alte Schallplatten quollen aus den offenen Türen eines alten Bücherschranks.

Sie war schon einmal hier oben gewesen, hatte einen einzigen erschreckten Blick darauf geworfen und dann den Speicher auf irgendwann verschoben.

Aber jetzt hatte es sie gepackt.

Den Müll aussortieren, dachte sie, und schrieb hastig alles auf. Die Spreu vom Weizen trennen. Saubermachen. Die Treppe reparieren. Größere Fenster einbauen. Eingang von außen – und das bedeutete auch eine Außentreppe mit einem kleinen Windfang. Balken sandstrahlen und versiegeln. Sie sollten freiliegen. Stromleitungen, Kanal und Heizung. Es gab genug Platz für ein kleines Badezimmer. Dachfenster vielleicht.

Mann, o Mann, ihr Budget würde sich gewaltig erhöhen.

Aber es würde riesigen Spaß machen.

Sie setzte sich mit gekreuzten Beinen auf den staubigen Fußboden und vergnügte sich eine Stunde lang damit, verschiedene Grundrisse und Entwürfe zu zeichnen.

Wie viel von den Sachen hier mochte noch von ihrem Urgroßvater stammen? Hatten er oder seine Tochter, sein Sohn noch die alte weiße Waschschüssel mit Krug benutzt? War ein unruhiges Baby in dem klapprigen Schaukelstuhl in den Schlaf gewiegt worden?

Wer hatte die Bücher gelesen, der Musik gelauscht und die Kisten hinaufgeschleppt, in denen sie weihnachtliche Lichterketten mit dicken, altmodischen, bunten Glühbirnen entdeckte?

Wegwerfen, verschenken oder behalten, überlegte sie. Sie würde zuerst einmal verschiedene Stapel machen. In weiteren Kisten entdeckte sie noch mehr Weihnachtsdekoration, Stoffreste, aus denen anscheinend jemand einmal etwas hatte nähen wollen. Sie fand drei alte Toaster mit Kabeln, die wahrscheinlich von Mäusen angenagt worden waren, zerbrochene Porzellanlampen, angeschlagene Teetassen. Die Leute hoben die merkwürdigsten Dinge auf.

Mäuse gab es anscheinend nicht so viele, dachte sie, als sie auf vier zum Glück leere Mausefallen stieß. Aus Neugier und weil sie sowieso schon schmutzig war, hockte sie sich hin, um ein paar der Bücher herauszuziehen. Ein paar davon konnte sie ja vielleicht aufheben.

Wer mochte Zane Grey gelesen haben? Wer Frank Yerby und Mary Stewart? Sie stapelte sie auf und holte noch mehr aus dem Bücherschrank. Steinbeck und Edgar Rice Burroughs, Dashiell Hammett und Laura Ingalls Wilder.

Als sie ein Exemplar von *Der Große Gatsby* herausziehen wollte, schien das Papier nachzugeben. Da sie fürchtete, die

Seiten hätten sich einfach aufgelöst, schlug sie das Buch vorsichtig auf. Es war ausgehöhlt worden, und darin steckte ein kleiner Stapel Briefe, die mit einem verblichenen roten Band zusammengebunden waren.

»Trudy Hamilton«, las Cilla. »Oh, mein Gott.«

Sie saß da, mit dem aufgeschlagenen Buch auf dem Schoß, die Handflächen wie zum Gebet gefaltet, die Fingerspitzen an die Lippen gepresst. Briefe an ihre Großmutter, an einen Namen geschickt, den Janet seit ihrer Kindheit nicht mehr benutzt hatte.

Die Adresse auf dem obersten Umschlag war ein Postschließfach in Malibu. Und der Poststempel ...

Andächtig hob Cilla den Stapel und drehte ihn ins Licht.

»Front Royal, Virginia, Januar 1972.« Anderthalb Jahre, bevor sie starb, dachte Cilla.

Liebesbriefe. Versteckt, mit einem Bändchen umwickelt, es konnte gar nichts anderes sein. Das Geheimnis einer Frau, die im Rampenlicht gestanden hatte. Sicher hatte sie sie hier versteckt, bevor sie, wie Gatsby, auf tragische Weise jung ums Leben kam.

Du siehst das viel zu romantisch, dachte Cilla. Es könnten ja auch Briefe von einer alten Freundin oder einer entfernten Verwandten sein.

Aber sie wusste, dass das nicht stimmte. Sie legte sie ins Buch zurück und ging damit nach unten.

Zuerst einmal duschte sie, weil sie den Schatz, den sie entdeckt hatte, mit sauberen Händen anfassen wollte.

Geduscht, in Flanellhose und Sweatshirt, die Haare zurückgebunden, schenkte sie sich ein Glas von Fords Wein ein. Sie stand in dem harten, kalten Neonlicht – Mann, das musste dringend weg –, trank einen Schluck Wein und betrachtete das Buch.

Die Briefe gehörten jetzt ihr, da hatte Cilla keine Bedenken. Oh, ihre Mutter wäre damit nicht einverstanden – sie würde laut protestieren. Sie würde um den Verlust weinen und sich auf ihr Recht auf alles, was Janet gehört hatte, berufen. Und dann würde sie sie verkaufen, sie zur Auktion freigeben, wie sie es mit so vielen Besitztümern von Janet im Laufe der Jahre gemacht hatte.

Für die Nachwelt, würde Dilly behaupten. Für das Publikum, das sie vergötterte. Aber das war alles nur dummes Geschwätz, dachte Cilla. Es ging ums Geld und um den Abglanz des Ruhms, den Artikel in *People* mit Fotos von Dilly, wie sie den Stapel Briefe in der Hand hielt, mit Tränen in den Augen.

Und das Schlimme war, sie glaubte ihren eigenen Erfindungen, dachte Cilla. Das war eines von Dillys größten Talenten, ebenso wie die Tränen, die sie auf Befehl abrufen konnte.

Was sollte sie mit den Briefen machen? Sollte sie sie wieder verstecken, an den Absender zurückschicken? Sie wie eine Schallplatte rahmen und ins Wohnzimmer hängen?

»Zuerst muss ich sie mal lesen.«

Cilla stieß die Luft aus, stellte ihr Weinglas ab und zog sich einen Stuhl an die Küchentheke. Vorsichtig knotete sie das verblichene Band auf und zog den ersten Brief aus dem Umschlag. Das Papier knisterte, als sie es auffaltete. Eine dunkle, klare Schrift füllte zwei Seiten.

Mein Liebling,

mein Herz schlägt schneller, seit ich weiß, dass ich dich so nennen darf. Mein Liebling. Was habe ich getan, um so ein kostbares Geschenk zu bekommen? Jede Nacht träume ich von dir, vom Klang deiner Stimme, vom Duft deiner Haut, dem Geschmack deines Mundes. Ich zittere innerlich, wenn ich daran denke, wie wir uns geliebt haben.

Und jeden Morgen beim Aufwachen fürchte ich, es wäre alles nur ein Traum gewesen. Habe ich mir eingebildet, dass wir in jener kalten, klaren Nacht am Feuer gesessen und geredet haben wie niemals zuvor?

Aber als ich wusste, was ich für dich empfand, konn-

ten wir keine Freunde mehr sein. Wie konnte eine solche Frau jemanden wie mich wollen? Und ist es tatsächlich passiert? Kamst du in meine Arme? Suchten deine Lippen meine? Gaben wir dem Wahnsinn nach, während das Feuer brannte und die Musik spielte? War das der Traum, mein Liebling? Wenn das so war, möchte ich für immer in meinen Träumen leben.

Mein Körper sehnt sich schmerzlich nach deinem, seit wir so weit voneinander entfernt sind. Ich möchte deine Stimme hören, aber nicht im Radio oder vom Tonband. Ich möchte dein Gesicht sehen, aber nicht nur auf Fotos oder auf der Leinwand. Du bist es, die ich will, die schöne, leidenschaftliche, echte Frau, die ich in jener Nacht und den Nächten, die wir uns danach gestohlen haben, in den Armen gehalten habe.

Komm bald zu mir, mein Liebling. Komm zurück zu mir und zu unserer geheimen Welt, in der nur du und ich leben.

Ich sende dir all meine Liebe, all meine Sehnsucht in diesem neuen Jahr.

Jetzt und für immer gehöre ich nur dir.

Hier?, fragte sich Cilla und faltete den Brief sorgfältig wieder zusammen. War es hier in diesem Haus, vor dem Kamin gewesen? Hatte Janet in den letzten achtzehn Monaten ihres Lebens Liebe und Glück in diesem Haus gefunden? Oder war es nur eine weitere Affäre, eine ihrer zahlreichen kurzen Begegnungen gewesen?

Cilla zählte die Briefumschläge und stellte fest, dass sie alle auf die gleiche Weise und in der gleichen Schrift adressiert waren. Nur die Poststempel waren unterschiedlich. Zweiundvierzig Briefe, dachte sie, und der letzte kam nur zehn Tage, bevor sich Janet hier in diesem Haus das Leben genommen hatte.

Ihre Finger zitterten ein wenig, als sie den letzten Brief öffnete.

Dieses Mal war es nur eine Seite.

Das hört jetzt auf. Die Anrufe, die Drohungen, die Hysterie hören jetzt auf. Es ist vorbei, Janet. Das letzte Mal war ein Fehler und wird nicht mehr vorkommen. Du musst wahnsinnig sein, dass du bei mir zu Hause anrufst und mit meiner Frau sprichst, aber ich habe auch schon früher dieses kranke Verhalten bei dir bemerkt. Begreif endlich, ich werde meine Frau, meine Familie nicht verlassen. Ich will nicht alles, was ich aufgebaut habe, meine gesamte Zukunft, für dich aufs Spiel setzen. Du behauptest, mich zu lieben, aber was weiß eine Frau wie du denn schon von der Liebe? Dein ganzes Leben ist doch auf Lügen und Illusionen aufgebaut, und eine Zeitlang habe ich mich davon, von dir, verführen lassen. Aber jetzt nicht mehr.

Wenn du tatsächlich schwanger bist, wie du behauptest, so gibt es keinen Beweis dafür, dass das Kind von mir ist. Droh mir nicht noch einmal damit, alles aufzudecken, sonst wirst du dafür bezahlen, das verspreche ich dir.

Bleib in Hollywood, wo deine Lügen an der Tagesordnung sind. Hier sind sie nichts wert. Du bist nicht erwünscht.

»Schwanger«, flüsterte Cilla. Das Wort schien durchs Haus zu hallen.

Erschüttert erhob sie sich und trat an die Hintertür. Sie atmete tief durch und ließ sich das Gesicht von der kalten Luft kühlen.

Culver City
1941

»Um alles zu verstehen«, sagte Janet zu Cilla, »musst du zum Anfang zurückgehen. Er liegt nicht so weit zurück.«

Die Hand, die Cillas hielt, war klein und weich. Wie alle

ihre Träume von Janet begann das Bild als alte, vergilbte Fotografie und nahm dann langsam an Farbe und Tiefe zu.

Zwei lange Zöpfe fielen über den Rücken des Baumwollkleids wie Sonnenstrahlen auf einer Blumenwiese. Strahlende, kalte, klare blaue Augen blickten in die Welt. In die Illusion der Welt.

Um Cilla und das Kind herum, zu dem ihre Großmutter wieder geworden war, wimmelte es von Menschen, die zu Fuß oder in den offenen Bussen unterwegs waren, die über die breite Avenue fuhren. Fifth Avenue, stellte Cilla fest – beziehungsweise die Filmversion davon.

MGM war auf dem Höhepunkt. Es gab unzählige Stars, und das Kind, das ihre Hand umklammert hielt, war einer der hellsten Sterne am Filmhimmel.

»Ich bin sieben Jahre alt«, sagte Janet zu ihr. »Ich stehe jetzt schon seit drei Jahren auf der Bühne. Zuerst Vaudeville. Ich wollte singen, auftreten. Ich liebte den Applaus. Es ist, als würde man von tausend Armen umarmt. Ich träumte davon, ein Star zu sein«, fuhr sie fort und zog Cilla weiter. »Ein Filmstar, mit hübschen Kleidern und immer im Rampenlicht.«

Janet blieb stehen und vollführte einen kleinen Stepptanz. »Tanzen kann ich auch. Ich brauche für eine Nummer nur eine einzige Probe. Meine Stimme ist Magie. Ich weiß immer meinen Text, aber vor allem kann ich *schauspielern*. Weißt du warum?«

»Warum?«, fragte Cilla, obwohl sie die Antwort kannte. Sie hatte die Interviews, die Bücher, die Biographien gelesen. Sie kannte das Kind.

»Weil ich es glaube. Jedes Mal glaube ich die Geschichte. Und weil sie für mich real ist, ist sie auch für die Leute, die sich den Film anschauen, real. War es bei dir auch so?«

»Manchmal. Aber dann tat es zu weh, wenn es vorbei war.«

Das Kind nickte, und der Kummer der Erwachsenen trübte seine Augen. »Es ist, als ob man stirbt, wenn es aufhört, deshalb muss man etwas finden, das es wieder hell macht. Aber das ist für später. Noch weiß ich das nicht. Jetzt ist alles noch hell.« Das Kind breitete die Arme aus. »Ich bin jünger als Judy und Shirley, und die Kamera liebt mich beinahe ebenso sehr, wie ich sie liebe. Ich werde in diesem Jahr vier Filme drehen, aber dieser hier macht mich wirklich zum Star. ›Der kleine Komet‹ werden sie mich nennen, wenn *The Family O'Hara* in den Kinos ist.«

»Du hast ›*I'll Get By*‹ gesungen, wie ein Liebeslied für deine Familie. Das Lied wurde dein Markenzeichen.«

»Sie werden es auf meiner Beerdigung spielen. Aber das weiß ich jetzt auch noch nicht. Das ist Studio eins. Brownstone Street.« Janets Stimme klang nur ganz leicht affektiert, als sie ihrer Enkelin alles erklärte. »Die O'Haras leben in New York, sie sind eine glücklose Theatertruppe. Jeder denkt, das wäre einfach nur ein weiterer Film mit Musik über die Depression. Aber er verändert alles. Sie werden noch lange auf dem Schweif des kleinen Kometen reiten.

Ich bin jetzt schon tablettensüchtig, aber auch das weiß ich noch nicht. Das verdanke ich meiner Mama.«

»Seconal und Benzedrine«, warf Cilla ein. »Das hat sie dir jeden Tag gegeben.«

»Ein Mädchen muss genug Schlaf bekommen, damit es morgens klare Augen hat und ausgeruht aussieht.« Bittere, erwachsene Augen blickten aus dem hübschen Gesicht des Kindes. »Sie wollte unbedingt ein Star sein, aber sie hatte kein Talent. Ich aber, deshalb drängte sie mich. Sie benutzte mich. Sie hat mich nie umarmt, das hat immer nur das Publikum getan. Sie hat meinen Namen geändert, und die Fäden gezogen. Sie hat für mich einen Siebenjahresvertrag bei Mr. Mayer unterschrieben, der meinen Namen *noch einmal* änderte, und sie hat das ganze Geld eingesteckt. Sie hat mir Tabletten gegeben, damit ich noch mehr Geld verdiente. Ich hasste sie – noch nicht, aber bald. Heute ist es mir egal«, sagte sie, und ihre Zöpfe wippten, als sie mit den Schultern zuckte. »Heute bin ich glücklich, weil ich weiß, was ich mit dem Lied machen muss. Ich weiß immer, wie man ein Lied singen muss.«

Sie streckte den Arm aus. »Das ist das Tonstudio. Dort passiert die Magie. Hier draußen sind wir Geister, Geister und Träume«, fügte sie hinzu, als ein kleiner Bus voller Schauspieler in Abendkleidern und Smokings direkt durch sie hindurch fuhr. »Aber da drinnen ist alles real. Wenn die Kamera läuft, gibt es nichts anderes mehr.«

»Es ist nicht real, Janet. Es ist ein Job.«

Die blauen Augen blickten sie voller Wärme an. »Für dich vielleicht, aber für mich war es die große Liebe und mein Heil.«

»Es hat dich umgebracht.«

»Zuerst hat es mich gemacht. Das musst du erst einmal verstehen, bevor du dir den Rest erklären kannst. Ich wollte dieses Leben mehr, als ich jemals etwas gewollt habe. Diese wenigen Momente, in denen ich spiele, das Lied singe und selbst der Regisseur Tränen in den Augen hat. Und nachdem er ›Schnitt‹ gerufen hat, brechen alle, das gesamte Team, in Applaus aus, und ich kann ihre Liebe zu mir *fühlen*. Das war alles, was ich jemals wollte, und immer und immer wieder habe ich versucht, es zu bekommen. Manchmal gelang es mir. Ich war glücklich hier, vor allem als Siebenjährige.«

Sie seufzte und lächelte. »Ich hätte hier gelebt, wenn sie mich gelassen hätten, wäre von New York ins antike Rom spaziert, vom wilden Westen in eine amerikanische Kleinstadt. Gab es einen besseren Spielplatz für ein Kind? Für mich war das hier mein Zuhause. Und dafür war ich schrecklich dankbar.«

»Sie haben dich verbraucht.«

»Heute nicht, heute nicht.« Verärgert runzelte Janet die Stirn. »Heute ist alles perfekt. Heute habe ich alles, was ich jemals wollte.«

»Du hast die kleine Farm gekauft, Tausende von Meilen entfernt. Eine ganz andere Welt.«

»Das war doch erst später, oder? Und außerdem bin ich

ja immer hierher zurückgekommen. Ich brauchte das. Ohne Liebe konnte ich nicht leben.«

»Hast du dich deshalb umgebracht?«

»Es gibt so viele Gründe für so viele Dinge, und es ist schwer, sich für einen zu entscheiden. Aber genau das willst du ja, und du musst es auch.«

»Aber wenn du schwanger warst...«

»Wenn, wenn, wenn.« Lachend tanzte Janet über den Bürgersteig, die Stufen zu einem würdevollen Brownstone hinauf und wieder herunter. »*Wenn* ist für morgen, für nächstes Jahr. Ein *Wenn* setzen die Leute über mein ganzes Leben nach meinem Tod. Ich werde unsterblich sein, bin aber dann leider nicht mehr da, um es zu genießen.« Lachend drehte sie sich wie Gene Kelly um einen Laternenpfahl. »Nur, wenn du von mir träumst, Cilla. Hör nicht auf. Du kannst mich wieder zum Leben erwecken wie die kleine Farm. Du bist die Einzige, die das kann.«

Sie hüpfte davon. »Ich muss los. Es ist Zeit für meine Szene. Zeit, Magie zu erschaffen. Es ist wirklich der Anfang für mich.« Sie blies Cilla einen Kuss zu und rannte dann den Bürgersteig entlang.

Und als die Illusion von New York verblasste und Cilla langsam aus ihrem Traum erwachte, hörte sie Janets warme, herzzerreißende Stimme.

I'll get by, as long as I have you.

Aber das stimmte nicht, dachte Cilla und starrte auf die weichen Sonnenstrahlen, die durch das Fenster drangen. Du bist nicht zurechtgekommen.

Seufzend krabbelte sie aus ihrem Schlafsack, rieb sich den Schlaf aus den Augen und trat ans Fenster, um zu den Hügeln und Bergen zu blicken. Dabei dachte sie an eine Welt, an ein Leben, dreitausend Meilen weit entfernt im Westen.

»Wenn das dein Zuhause war, wenn du nur das brauchtest, warum hast du dann den weiten Weg zurückgelegt, um hier zu sterben?«

War es wegen ihm?, fragte sie sich. Warst du tatsächlich schwanger, oder war es nur eine Lüge, um deinen Liebhaber davon abzuhalten, die Affäre zu beenden?

Wer war er? Ob er wohl noch lebte, hier in Virginia? Und wie hast du die Affäre vor der Presse geheim gehalten? Und warum überhaupt?

War er der Grund, warum du in jener Nacht das Telefon ausgestöpselt und so viele Tabletten mit Wodka heruntergespült hast, bis du bewusstlos wurdest? Also nicht wegen Johnnie, dachte Cilla. Nicht, wie so viele geglaubt hatten, aus Schuldgefühl und Trauer um den Verlust ihres verwöhnten achtzehnjährigen Sohnes. Oder nicht nur deswegen.

Aber eine Schwangerschaft so nahe am Tod? War sie zu viel oder ein Lichtstrahl in der Dunkelheit gewesen?

Auf jeden Fall war es wichtig, dachte Cilla. Alles war wichtig, nicht nur, weil Janet Hardy ihre Großmutter war, sondern weil sie im Traum die Hand des Kindes gehalten hatte. Das niedliche kleine Mädchen auf dem Weg zum Star.

Es war wichtig. Irgendwie musste sie die Antworten finden.

Selbst wenn ihre Mutter eine zuverlässige Informationsquelle gewesen wäre – was sie nach Cillas Meinung nicht war –, war es noch viel zu früh, um Dilly anzurufen. Und in einer halben Stunde würden die Handwerker nach und nach eintreffen. Also würde sie sich während der Arbeit in Gedanken damit beschäftigen.

Cilla nahm den Stapel Briefe, die sie gelesen hatte, band das verblichene Bändchen herum und steckte sie wieder in den Fitzgerald. Dann legte sie das Buch auf den Klapptisch, der ihr zurzeit als Arbeitstisch diente und auf dem neben Aktenordnern und Hauszeitschriften auch Fords Comic-Roman lag.

Bis sie sich überlegt hatte, was sie damit tun wollte, würden die Briefe ihr Geheimnis bleiben. So wie sie Janets gewesen waren.

5

So nervös wie eine Mutter am ersten Schultag ihres Kindes überwachte Cilla das Aufladen ihrer altertümlichen Küchengeräte auf den Lieferwagen. Nach der Restaurierung wären sie die Schmuckstücke ihrer neuen Küche. So stellte sie es sich jedenfalls vor.

Für die nächste Zukunft musste sie sich eben mit dem Einbaukühlschrank, dem Zweiplattenkocher und der Mikrowelle behelfen.

»Besorgen Sie sich lieber brandneue Geräte bei Sears«, sagte Buddy zu ihr.

»Nein, Sie können mich gerne für verrückt halten«, erwiderte Cilla. Das tat er wahrscheinlich sowieso. »Und jetzt sagen Sie mir lieber, wie wir am besten eine Toilette auf dem Speicher unterbringen.«

In der nächsten Stunde erklärte sie ihm, dem Elektriker und einem der Schreiner im staubigen Speicher ihre Vorstellungen und ging auf ihre Vorschläge ein.

Und während sie sich ans Werk machten, begann sie, das, was sich auf dem Speicher befand, in die alte Scheune zu schleppen. Wo der Geruch von Heu und Pferden noch in der Luft hing, brachte sie Schrott und Schätze unter. Und dann sah sie zu, wie neue Fenster die alten ersetzten, und alte Fliesen in den Container geworfen wurden. Tief atmete sie den Duft von Sägemehl und Gips ein, von Holzleim und Schweiß.

Abends versorgte sie ihre Blasen und Schrammen, und häufig las sie die Briefe an ihre Großmutter.

Als die Handwerker eines Abends gegangen waren, war sie zu ruhelos, um im Haus zu bleiben, deshalb wanderte sie die Einfahrt entlang, um ihre Eisentore zu betrachten. Oder sie benutzte sie vielmehr als Vorwand, wie sie zugeben musste, da sie Ford auf seiner Veranda sitzen gesehen hatte. Als sie dann auf der Straße stand, machten es sein freundliches Winken und Spocks Schwanzwedeln ihr leicht, einfach zu ihm hinüberzugehen.

»Ich habe gesehen, wie Sie Ihre Veranda wieder aufgebaut haben«, kommentierte er. »Wo haben Sie denn gelernt, so schwere Werkzeuge zu benutzen?«

»Mit den Jahren.« Sie begrüßte den Hund, dann drehte sie sich um und blickte zu ihrer Farm. »Meine Veranda sieht nicht viel schlechter aus als Ihre, wenn man bedenkt, dass sie noch nicht gestrichen ist. Die neuen Fenster sehen auch gut aus. Ich lasse im Speicher größere einsetzen, und dazu auch noch Dachfenster einbauen.«

»Dachfenster im Speicher.«

»Wenn ich fertig bin, ist es kein Speicher mehr, sondern mein Büro. Das ist Ihre Schuld.«

Er lächelte träge. »Ach ja?«

»Sie haben mich inspiriert.«

»Das beruht ja dann sozusagen auf Gegenseitigkeit.« Er hob sein Corona. »Wollen Sie ein Bier?«

»Schrecklich gerne.«

»Setzen Sie sich.«

Sie setzte sich auf einen breiten Baumstumpf und kraulte Spock hinter den winzigen Ohren, während Ford hineinging, um das Bier zu holen. Man hatte eine gute Sicht von hier aus, dachte sie. Sie konnte genau sehen, wo sie neue Bäume und Sträucher brauchte, wo sie an der Südseite des Hauses eine Pergola anbringen sollte, und dass die alte Scheune durch einen Steinweg mit dem Haus verbunden werden konnte. Vielleicht auch mit Ziegeln oder Schiefer.

»Der Schall trägt vermutlich bis hierhin«, sagte sie zu Ford, als er wieder herauskam. »Der Lärm muss schlimm sein.«

»Wenn ich arbeite, höre ich nicht viel.« Er reichte ihr das Bier und setzte sich ebenfalls. »Es sei denn, ich will etwas hören.«

»Können Sie sich so gut konzentrieren?«

»Ich kann einfach gut abschalten. Wie läuft es bei Ihnen?«

»Ziemlich gut. Es gibt natürlich Ecken und Kanten wie bei jedem Projekt.« Sie trank einen Schluck Bier und schloss die Augen. »Gott, ein kaltes Bier nach einem langen Tag – das sollte Gesetz sein!«

»Ich habe anscheinend die Angewohnheit, Sie mit Alkohol zu versorgen.«

Sie warf ihm einen Blick zu. »Und ich habe mich noch nicht revanchiert.«

Er streckte seine Beine aus und lächelte. »Das habe ich schon gemerkt.«

»Bei mir kann im Moment nicht einmal die kleinste Einladung stattfinden. Und ich bin dazu auch nicht in der Lage. Sehen Sie das Eisentor?«

»Schwer zu übersehen.«

»Soll ich es restaurieren lassen oder soll ich ein neues einbauen?«

»Wozu brauchen Sie es überhaupt? Ich finde es sehr umständlich, anzuhalten, aus dem Auto zu steigen, die Tore zu öffnen, durchzufahren, auszusteigen und sie wieder zu schließen. Selbst wenn Sie eine Automatik einbauen lassen, macht es Mühe.«

»Das habe ich mir auch schon gesagt. Aber dann habe ich meine Meinung geändert.« Spock stieß ein paar Mal mit dem Kopf gegen ihre Hand, und sie übersetzte das Signal, indem sie ihm wieder den Kopf kraulte. »Sie stehen nicht ohne Grund da.«

»Ich kann verstehen, wozu Ihre Großmutter sie brauchte. Aber seit Sie eingezogen sind, haben Sie sie nicht ein einziges Mal gebraucht.«

»Stimmt.« Lächelnd trank sie einen Schluck Bier. »Weil es einfach zu viel Aufwand ist. Irgendwie passen sie nicht hierher, oder? Das weitläufige Farmhaus, die große alte Scheune. Aber sie brauchte sie. Eigentlich sind sie nur eine Illusion. So schwer ist es nicht, über die Mauer zu klettern. Aber sie brauchte die Illusion von Sicherheit, von Privatsphäre. Ich habe alte Briefe gefunden.«

»Die sie geschrieben hat?«

Sie hatte eigentlich gar nichts davon sagen wollen. Hatte das Bier bereits ihre Zunge gelockert, fragte sich Cilla, oder lag es an seiner Gesellschaft? Sie war noch nie jemandem begegnet, der so entspannt war. »Nein, Briefe an sie. Und einige stammen aus den letzten anderthalb Jahren ihre Lebens. Ich würde sagen, sie kommen von jemandem, der hier gewohnt hat, weil die meisten hier abgestempelt sind.«

»Liebesbriefe.«

»Am Anfang schon, da waren sie leidenschaftlich, romantisch und intim.« Sie legte den Kopf schräg und musterte ihn, während sie noch einen Schluck Bier trank. »Warum erzähle ich Ihnen das eigentlich?«

»Warum nicht?«

»Ich habe es bisher noch niemandem erzählt. Wahrscheinlich versuche ich erst einmal, es alleine herauszubekommen. Irgendwann werde ich sicher mit meinem Vater darüber reden. Er war befreundet mit Janets Sohn – meinem Onkel. Und anscheinend hat die Affäre im Winter vor seinem Tod angefangen – und ein paar Monate danach ging sie dem Ende entgegen.«

»Sie wollen wissen, wer die Briefe geschrieben hat.« Ford streichelte den Hund mit seinem Fuß. »Wie sind sie denn unterschrieben?«

»Nur mit ›Dein‹. Es hat kein gutes Ende genommen. Er war verheiratet«, fuhr sie fort, als Spock, der offensichtlich genug Streicheleinheiten bekommen hatte, sich unter Fords Stuhl zusammenrollte und anfing zu schnarchen. »Es ist kein Geheimnis, dass sie Affären mit verheirateten Männern hatte. Affären, aber manchmal sogar ernsthafte Verbindungen. Sie verliebte sich, so wie andere Frauen sich eine neue Frisur zulegen. Sie fand es einfach gut.«

»Sie lebte in einer anderen Welt als die meisten Frauen.«

»Ja, es war schon immer praktisch, egoistisches, unbedachtes Verhalten damit zu entschuldigen.«

»Vielleicht.« Ford zuckte mit den Schultern. »Aber es stimmt trotzdem.«

»Sie sehnte sich nach Liebe, in körperlicher und emotionaler Hinsicht. Sie war danach ebenso süchtig wie nach den Tabletten, die ihre Mutter ihr regelmäßig gab, seit sie vier war. Aber ich glaube, an dieser Geschichte hat ihr etwas gelegen.«

»Weil sie sie geheim hielt.«

Sie wandte sich wieder zu ihm. Er hatte gute Augen, dachte sie. Nicht nur, wie sie aussahen, mit dem goldenen Ring um die grüne Iris und die goldenen Sprenkel darin, sondern auch in Bezug auf das, was er sah.

»Ja, genau. Sie behielt es für sich, weil es ihr wichtig war. Und vielleicht wurde es durch Johnnies Tod noch intensiver und verzweifelter. Ich weiß nicht, was sie ihm schrieb, aber in seinen Briefen spiegeln sich ihre Verzweiflung und dieses schreckliche Bedürfnis wider. Und ich spüre sein schwindendes Interesse, seine Sorge, dass alles entdeckt werden könnte, und schließlich seinen Abscheu. Aber sie wollte ihn nicht loslassen. Der letzte Brief im Stapel wurde zehn Tage vor ihrem Tod hier aufgegeben.«

Wieder wandte sie sich ab und blickte zur Farm. »Sie starb in diesem Haus gegenüber. Er sagte ihr in sehr deutlichen, harten Worten, dass es vorbei war, dass sie ihn in Ruhe lassen sollte. Sie muss direkt nach dem Brief das Flugzeug bestiegen haben. Sie verließ einfach das Set ihres letzten, noch nicht fertigen Films, schob Erschöpfung vor und flog hierher. Das war gar nicht ihre Art. Sie arbeitete viel, sie liebte ihre Arbeit und respektierte sie, aber dieses Mal ließ sie einfach alles hinter sich. Vielleicht hat sie gehofft, ihn zurückzugewinnen. Was meinen Sie?«

»Ich weiß nicht. Sie wissen es.«

»Ja.« Es tat weh, merkte sie. Ein kleiner Stich ins Herz. »Und als sie erkannte, dass es hoffnungslos war, brachte sie sich um. Ihre Schuld. Ihre allein«, fuhr sie fort, bevor Ford etwas sagen konnte. »Ob es nun eine zufällige Überdosis war, wie der Staatsanwalt es darzustellen beschloss, oder tatsächlich der Selbstmord, der viel realistischer zu sein scheint. Aber dieser Mann muss wissen, dass er in jener Nacht bei ihrer Entscheidung eine wichtige Rolle gespielt hat.«

»Sie suchen das fehlende Puzzleteil, damit Sie das ganze Bild sehen können.«

Die Schatten waren jetzt lang, dachte sie. Sie wurden immer länger, und bald schon würden wieder die Lichter in den Hügeln funkeln, und die Berge dahinter würden schwarz und schweigend aufragen.

»Ich bin mit ihr aufgewachsen, und sie hat mich überallhin begleitet. Ihr Leben, ihre Arbeit, ihre Brillanz, ihre Fehler, ihr Tod. Unausweichlich. Und jetzt, sehen Sie, was ich getan habe.« Sie wies mit der Flasche auf die Farm. »Meine Entscheidung. Ich hatte Möglichkeiten, die ich nie gehabt hätte, wenn Janet Hardy nicht meine Großmutter gewesen wäre. Und ich habe mich im Lauf der Jahre mit viel Mist herumschlagen müssen, weil Janet Hardy meine Großmutter ist. Ja, ich würde gerne das ganze Bild sehen. Oder jedenfalls so viel davon wie möglich. Es braucht mir ja nicht zu gefallen, aber ich hätte gerne die Chance, es zu verstehen.«

»Das klingt einleuchtend.«

»Ja. Ich finde das eigentlich auch, nur manchmal, da kommt es mir zu besitzergreifend vor.«

»Sie ist Teil Ihres Erbes und nur eine Generation entfernt. Ich könnte Ihnen alle möglichen Geschichten über meine Großeltern auf beiden Seiten erzählen. Natürlich leben drei von ihnen noch – und zwei wohnen sogar hier in der Nähe. Wenn man ihnen Gelegenheit dazu gibt, kauen sie einem das Ohr ab.«

»Ja, was ich anscheinend auch gerade tue. Ich muss wieder zurück.« Cilla erhob sich. »Danke für das Bier.«

»Ich wollte gleich ein bisschen was auf den Grill legen.« Er stand ebenfalls auf, so dass sie zwischen dem Geländer und seinem Körper gefangen war. »Der Grill und die Mikrowelle sind meine kulinarischen Gebiete. Wollen Sie nicht noch ein Bier trinken, und ich brutzele uns was zusammen?«

Er konnte mit Sicherheit etwas zusammenbrutzeln, dachte sie, daran hatte sie keinen Zweifel. Groß, sonnengebräunt und charmant stand er vor ihr, zu attraktiv für ihren Seelenfrieden. »Ich bin seit sechs Uhr auf den Beinen, und morgen wird ein harter Tag.«

»Nehmen Sie sich denn nie einen Tag frei?« Seine Fingerspitzen – nur die Fingerspitzen – glitten über ihren Arm. »Dann würde ich Sie nämlich gerne mit Beschlag belegen.«

»Das habe ich mir schon gedacht, aber im Moment habe ich wirklich keine Zeit.«

»Dann sollte ich vielleicht besser den Augenblick nutzen.«

So wie er ihr seinen Kopf entgegenneigte, erwartete sie eine glatte, ruhige Berührung seiner Lippen, aber später, als sie wieder klar denken konnte, stellte sie fest, dass das nur zum Teil stimmte. Glatt war es schon, so wie alter Whiskey glatt die Kehle hinunterrinnt.

Aber es war keine ruhige Berührung, sondern durchfuhr sie wie ein harter, heftiger Stromstoß, als sein Mund sich auf ihren senkte. Die Empfindung schoss direkt in ihren Bauch. Mit einer raschen Bewegung zog er sie an sich, und dann drehte er sich so, dass sie gegen das Geländer gedrückt wurde, während er sie leidenschaftlich küsste.

Von null auf hundert, dachte sie. Und sie hatte vergessen, sich anzuschnallen.

Alles, was er sich vorgestellt hatte – und er hatte eine lebhafte Fantasie –, verblasste. Ihre Lippen waren weicher, ihr Körper schmiegte sich vollkommener an seinen, als er gedacht hatte. Es war, als hätte er diesen ersten Kuss in den leuchtendsten, hellsten Farben auf seiner Palette gezeichnet.

Aber die Wirklichkeit übertraf alles.

Sie war ein Ritt auf dem Drachen, ein Flug durchs Weltall, ein Tauchausflug durch ein verzaubertes Meer.

Er umfasste ihr Gesicht mit beiden Händen und zog das Band aus ihren Haaren. Dann trat er einen Schritt zurück, um ihre offenen Haare, ihre Augen, ihr Gesicht zu sehen, bevor er sie wieder an sich zog.

Cilla drückte jedoch die Hände an seine Brust. »Besser nicht.« Sie holte tief Luft. »Ich habe meine Fehlerquote für diese Dekade schon erreicht.«

»Das kam mir gerade nicht wie ein Fehler vor.«

»Vielleicht, vielleicht auch nicht. Ich muss darüber nachdenken.«

Er ließ seine Hände über ihre Ellbogen gleiten. »Das ist wirklich sehr schade.«

»Ja.« Wieder holte sie tief Luft. »Das ist es. Aber …«

Sie schob ihn ein wenig von sich, und er trat einen Schritt zurück. »Eins möchte ich gerne wissen. Wenn ich hin und wieder zu dir herüberkommen oder dich hierhin einladen würde, in der Absicht, dich nackt zu sehen, würdest du das dann als hartnäckig, als zu schnell oder als lästig empfinden?«

Der Hund gab einen seltsamen, gurgelnden Laut von sich, und Cilla sah, dass er eins seiner hervorstehenden Augen öffnete, als ob auch er auf eine Antwort wartete.

»Letzteres bis jetzt auf keinen Fall, aber ich sage dir Bescheid, wenn es so sein sollte.«

Sie ging an ihm vorbei. »Aber ich merke mir das Angebot mit Essen und Nacktheit für später. Morgen muss ich erst einmal meine Veranda fertig machen.«

»Oh, immer dieselbe lahme Entschuldigung.«

Sie lachte und ging die Stufen hinunter, bevor sie es sich anders überlegte. »Danke für das Corona, das Zuhören und das Anfassen.«

»Jederzeit gerne wieder.«

Er blickte ihr nach, als sie über die Straße ging, und erwiderte ihr Winken, als sie das offene Tor erreichte. Dann bückte er sich und hob das schmale blaue Haarband auf.

Ford überlegte, ob er ihr Zeit lassen sollte. Aber dann entschied er sich dagegen. Sein jüngster Roman lag auf dem Schreibtisch seines Lektors, und bevor er sich zu tief auf Brid einließ, wollte er erst noch ein paar visuelle Anregungen. Und da Cilla sich ja durch Hartnäckigkeit wohl nicht abschrecken ließ, entschloss er sich dazu.

Gegen zehn, was er als zivilisierte Uhrzeit empfand, wälzte er sich aus dem Bett, warf einen Blick in den Garten, um nachzuschauen, ob Spock bereits seinen Katzengespenstern nachjagte, und ging dann nach draußen, um seinen Kaffee zu trinken und ihr beim Arbeiten auf der vorderen Veranda zuzusehen.

Mit dem Weitwinkelobjektiv könnte er sicher ein paar gute Aufnahmen von ihr in Aktion machen, aber dabei würde er sich vorkommen wie ein Voyeur. Stattdessen aß er im Stehen eine Schale Cheerios und beobachtete sie dabei.

Sie hatte einen tollen Körper. Lang, schlank und eher athletisch gebaut als zierlich. Cass würde fit sein, dachte er, aber ihre weiblichen Attribute eher verstecken. Bei Brid jedoch wäre es anders.

Ihre Haare waren von diesem tiefen Blond wie Sonne im Schatten. Auch dort war der Übergang leicht. Cass trug die Haare zusammengebunden; Brids Haare fielen offen und wild über die Schultern. Dann das Gesicht. Er hätte gerne jetzt Cillas Gesicht gesehen, aber es war von dem Schirm ihrer Kappe verdeckt. Er konnte es sich jedoch leicht vorstellen. Ein Gesicht, das bei Cass unauffällig wirkte, ruhig und intellektuell durch die Brille und den Mangel an Make-up.

Versteckte Schönheit, wie bei ihren Haaren.

Bei Brid jedoch würde die Schönheit strahlen. Sie zeigte sie nicht nur offen, sondern auf eine geradezu wilde Art.

Zeit, um loszulegen.

Drinnen packte er wieder seinen Beutel und hing sich die Kamera um den Hals. Als Bestechung steckte er dieses Mal einen Apfel ein.

Ihre Nagelpistole knallte wie gedämpfte Gewehrschüsse. Ford musste unwillkürlich an Schlachten denken. Brid würde nie eine Pistole benutzen – viel zu krass und zu ordinär. Aber wie würde sie sich verteidigen? Mit Schwert und Hammer, mit denen sie die Kugeln abwehrte wie mit den magischen Armbändern von *Wonder Woman*? Vielleicht.

Als er näher kam, hörte er die Country-Musik, die aus einem der Radios der Handwerker erklang. Warum eigentlich immer Country?, fragte er sich. Gehörte das zum Baugewerbe irgendwie dazu?

Von drinnen ertönte das Kreischen einer Säge, gefolgt von Bohrgeräuschen und Hammerschlägen. Beim Anblick des Containers, der Pickups und der Campingtoilette war er froh, dass sein eigenes Haus beim Einzug fix und fertig gewesen war.

Außerdem bezweifelte er ernsthaft, dass auch nur einer der Handwerker, die er engagiert hätte, einen solchen Hintern gehabt hätte wie der, der sich ihm gerade in einer staubigen Levi's entgegenreckte.

Er hätte widerstehen können, aber warum? Also hob er die Kamera, richtete sie darauf und machte im Gehen eine Aufnahme.

»Du weißt schon, dass in Handwerksbetrieben Kalender mit spärlich bekleideten Frauen an der Wand hängen, die Schlagbohrer und so etwas in der Hand halten, oder?«, rief er.

Cilla blickte über die Schulter und musterte Ford durch ihre Sicherheitsbrille. »Können Männer sich tatsächlich ihre Schwänze als Schlagbohrer vorstellen?«

»Nein, wir können uns nur vorstellen, dass Frauen sie sich so vorstellen können.«

»Ach so.« Sie schoss die letzten beiden Nägel hinein und setzte sich. »Wo ist dein treuer Gefährte?«

»Spock? Er hat zu tun, aber er lässt dich herzlich grüßen. Wo hast du gelernt, mit dieser Pistole umzugehen?«

»Bei der Arbeit. Wenn du es auch mal probieren möchtest, ich habe noch mehr Bretter, die genagelt werden müssen.«

»Tragische und schreckliche Dinge passieren, wenn ich ein Werkzeug in die Hand nehme. Also lasse ich es lieber, um kein Leben in Gefahr zu bringen.« Er griff in seinen Beutel. »Ich habe dir ein Geschenk mitgebracht.«

»Einen Apfel?«

»Damit du bei Kräften bleibst.« Er warf ihr die Frucht zu und zog die Augenbraue hoch, als sie ihn geschickt mit einer Hand auffing. »Habe ich es mir doch gedacht.«

Sie betrachtete den Apfel und biss hinein. »Was?«

»Dass du alles so nimmst, wie es kommt. Kann ich ein paar Fotos von dir machen, während du arbeitest? Ich möchte mit den detaillierteren Skizzen beginnen.«

»Du kommst also voran mit deiner Kriegergöttin-Idee.«

»Mit Brid. Ja. Wenn dich die Kamera beim Arbeiten stört, kann ich auch warten, bis du eine Pause machst.«

»Ich habe mein halbes Leben vor Kameras verbracht.« Sie stand auf. »Sie stört mich nicht.«

Sie warf den Apfelbutzen in den Container und trat zu ihrem Bretterhaufen. Ford drückte auf den Auslöser, während sie die richtigen Bretter auswählte, abmaß und mit der Kreissäge zersägte. Er beobachtete ihre Augen, als das Sägeblatt durch das Holz schnitt. Ihren konzentrierten Ausdruck konnte die Kamera wahrscheinlich nicht einfangen.

Aber sie fing ihren Bizeps ein, das Zucken der Muskeln, als sie die Bretter von der Säge nahm und zur Veranda trug.

»Da du in Kalifornien lebst, gehst du wahrscheinlich regelmäßig ins Sportstudio.«

Cilla setzte das Brett ein. »Ich mag gute Studios.«

»Ich kann dir nur sagen, dass sich das Training für dich ausgezahlt hat.«

»Ich bin normalerweise zu dünn. Die Renovierungsarbeiten hier helfen mir, in Form zu bleiben«, fuhr sie fort und trieb den ersten Nagel hinein. »Aber mir fehlt die Disziplin in einem guten Studio. Kennst du eins hier in der Nähe?«

»Zufällig ja. Weißt du was? Wenn du heute mit der Arbeit fertig bist, kommst du rüber, ich fahre mit dir ins Studio, und danach gehen wir essen.«

»Vielleicht.«

»Du bist doch eigentlich gar nicht der kokette Typ. Was heißt ›vielleicht‹?«

»Es hängt davon ab, wann ich fertig werde.«

»Das Studio hat vierundzwanzig Stunden geöffnet. Sieben Tage in der Woche.«

»Im Ernst?« Sie warf ihm einen kurzen Blick zu, bevor sie sich wieder auf ihre Nagelpistole konzentrierte. »Das ist ja praktisch. Dann sage ich statt vielleicht lieber wahrscheinlich.«

»In Ordnung. Was das Abendessen betrifft, bist du Vegetarierin oder sonst etwas, was man beachten müsste?«

Lachend hockte sie sich hin. »Nein, ich bin Esserin. Ich esse so ziemlich alles, was man mir auftischt.«

»Gut zu wissen. Hast du etwas dagegen, wenn ich mal nach drinnen gehe und gucke, wer da so alles sägt und hämmert? Dann könnte ich ein bisschen mit Matt quatschen.«

»Nein, geh nur. Ich würde dich ja herumführen, aber meine Chefin hat nicht gerne, wenn man bei der Arbeit Pausen macht.«

»Meine ist unproblematisch.« Er trat zu ihr und schnüffelte an ihr. »Mir fällt zum ersten Mal auf, wie sexy Sägemehl riecht.«

Als er das Haus betrat, rief er: »Ach, du heilige Scheiße!«

Ein gewisses Maß an Chaos, Aktivitäten und Unordnung hatte er erwartet. Aber mit diesem Grad an Zerstörung hatte er nicht gerechnet. Es musste wohl eine Absicht dahinter stehen, da Cilla ihm eigentlich ganz normal vorkam, aber er konnte sie nicht erkennen.

Erschreckt betrachtete er die Werkzeuge, die überall herumlagen. Wie sollte hier jemand etwas finden? Kabel hingen herunter, lagen zusammengerollt auf dem Fußboden. Nackte Glühbirnen baumelten von den Decken. Klaffende Löcher in den Wänden, Pappe und schmutzige Lappen auf den breiten Bodendielen.

Leicht entsetzt wanderte er durch die einzelnen Räume. Überall sah es ähnlich aus.

In einem Zimmer stieß er auf Matt. Er hatte die blonden Locken unter einer roten Kappe versteckt. Den Werkzeuggürtel, in dem auch ein Zollstock steckte, hatte er um die Taille geschlungen. Er lächelte Ford an. »Hey.«

»Bist du hier für diese Unordnung verantwortlich?«

»Zum Teil. Die Chefin hat gute Ideen. Das ist eine Frau, die weiß, was sie tut.«

»Wenn du das sagst. Wie geht es Josie?«

»Gut. Wir haben ein Foto vom Biest.«

Das Biest war das Baby, das Josie gerade erwartete. Ihren zweijährigen Sohn hatten sie immer Bauch genannt.

Er nahm die Ultraschallaufnahme entgegen, die Matt aus der Tasche zog, und studierte sie. Er musste sie ein paar Mal hin und her drehen, bis er schließlich die Umrisse der kleinen Gestalt erkennen konnte. Beine, Arme, Körper, Kopf. »Er sieht so aus wie der andere. Ein Mini-Alien vom Planeten Uterus.«

»Sie. Wir haben gerade erfahren, dass es ein Mädchen ist.«

»Ach ja?« Ford erwiderte das breite Grinsen seines Freundes. »Eins von jeder Sorte. Gut gemacht.«

»Aber ich lasse sie erst ausgehen, wenn sie dreißig ist.« Matt nahm das Foto wieder, betrachtete es liebevoll und steckte es in die Tasche. »Und, freust du dich schon auf den nächsten Poker-Abend bei Bri?«

Ford konnte sich etwas Schöneres vorstellen, aber er war mit Matt und Brian schon sein ganzes Leben lang befreundet. »Wenn es sich absolut nicht vermeiden lässt.«

»Gut. Ich brauche das Geld. Halt das Maßband hier mal fest.«

»Das würde ich an deiner Stelle nicht riskieren.«

»Ach ja, am Ende explodiert es mir noch in der Hand, und ich verliere einen Finger«, meinte Matt und legte es selber an. »Hast du dir das Haus schon angeschaut?«

»Ich bin gerade dabei.«

»Schau es dir mal an. Es wird toll!«

»Das sieht man jetzt schon.«

Er ging aus dem Zimmer, die Treppe hinauf. Aber nirgendwo wurde es besser. Was früher einmal ein Badezimmer gewesen war, bestand jetzt nur noch aus nackten Wänden, freigelegten Rohren und Löchern in Boden und Decke. Zwei Schlafzimmer hatten keine Türen, auf den Fenstern klebte noch der Vermerk des Herstellers, und auf den Böden lagen verdreckte Teppiche.

Als er jedoch die Tür zum dritten Schlafzimmer öffnete, wandelte sich sein Erstaunen in Empörung. Was dachte sie sich bloß? Eine Luftmatratze mit Schlafsack, Pappkartons und ein alter Papptisch.

»Das mit dem normal nehme ich zurück«, murmelte er und eilte wieder nach unten.

Sie stand vor ihrer frisch beplankten Veranda und trank Wasser aus einer Plastikflasche. Durch das warme Wetter und die körperliche Anstrengung war ihr weißes T-Shirt, das sie zu den Jeans trug, vorne völlig durchgeschwitzt, und es trug noch zu seinem Zorn bei, dass er eine verschwitzte, geistig nicht ganz gesunde Frau so anziehend fand.

»Bist du verrückt oder nur blöd?«, fragte er.

Langsam ließ sie die Flasche sinken. Sie blickte ihn aus ihren eisblauen Augen an. »Was?«

»Wer kann denn so leben?« Er wies mit dem Daumen auf das Haus und trat auf sie zu. »Das Haus ist völlig auseinandergerissen, du hast eine Kochplatte in der Küche, schläfst auf dem Fußboden und lebst aus dem Pappkarton. Was ist bloß los mit dir?«

»Jetzt mal langsam. Ich lebe so, weil ich mitten in einem großen Projekt stecke, und deshalb ist auch das Haus auseinandergerissen, wenn auch sicher nicht völlig. Ich habe nur noch eine Kochplatte, weil ich die Elektrogeräte gerade überholen lasse. Ich schlafe auf einer Luftmatratze, nicht auf dem Boden, weil ich noch nicht weiß, was für ein Bett ich haben will. Und mit mir ist gar nichts los.«

»Geh nach oben und pack zusammen, was du brauchst. Du nimmst mein Gästezimmer.«

»Ich lasse mir schon lange nichts mehr vorschreiben. Weder von meiner Mutter, noch von meinen Agenten, Managern, Regisseuren, Produzenten und allen möglichen anderen Leuten, die dachten, sie wüssten, was das Beste für mich ist, was ich will und was ich tun sollte. Leider kommst du zu spät.«

»Du lebst wie eine Obdachlose.«

»Ich lebe so, wie es mir gefällt.«

Er sah die Wut in ihren eisblauen Augen, ließ aber nicht locker. »Ich habe da drüben ein Schlafzimmer mit einem hervorragenden Bett, mit Bettwäsche.«

»Oh, wenn es sogar Bettwäsche gibt... nein. Geh jetzt, Ford. Meine Pause ist vorbei.«

»Deine strenge Chefin hat bestimmt nichts dagegen, wenn du sie um zwei Minuten verlängerst. Von meinem Haus aus kannst du dieses Haus im Auge behalten, und du bist jeden Morgen in neunzig Sekunden hier drüben – nach einer Nacht, in der du in einem richtigen Bett geschlafen und ein Badezimmer benutzt hast, das nicht aussieht wie aus einem psychedelischem Traum und nicht winzig klein ist.«

Aus irgendeinem Grund erlosch ihr Zorn angesichts seiner offensichtlichen Wut. Sie musste lachen. »Das Badezimmer ist grässlich, da hast du recht. Aber deswegen breche ich hier doch nicht meine Zelte ab. Ich habe langsam den Eindruck, dass du viel heikler bist als ich.«

»Ich bin nicht heikel.« Er blickte sie beleidigt an. »Alte Männer in Strickjacken sind heikel. Nur weil ich in einem

Bett schlafe und in eine Toilette pinkle, die irgendwann in den letzten fünfzig Jahren gebaut wurde, bin ich doch noch lange nicht heikel. Und außerdem blutet deine Hand.«

Sie blickte darauf. »Habe ich mir wahrscheinlich aufge-kratzt.« Sie wischte den flachen Schnitt sorglos an ihrer Jeans ab.

Er starrte sie an. »Was zum Teufel ist bloß los mit *mir*?«, fragte er und packte sie.

Er zog sie hoch. Er wollte in diesen eisblauen Augen bli-cken, wollte diesen wundervollen Mund direkt vor sich sehen. Weiter dachte er gar nicht, bevor er sie in die Arme zog und küsste.

Sie war verschwitzt, voller Sägemehl und hatte wahrschein-lich einige Schrauben locker. Aber er hatte noch nie in seinem ganzen Leben jemanden mehr begehrt.

Er ignorierte, dass sie erschreckt zusammenzuckte. Die Lust, die in ihm aufstieg, löschte jeden anderen Gedanken aus. Er begehrte, er nahm. So elementar.

Die Wasserflasche fiel ihr aus der Hand. Zum ersten Mal seit langer Zeit traf sie etwas völlig überraschend. Sie hatte seinen Schritt nicht vorausgesehen, und der Kuss von gestern Abend hatte sie nicht auf die leidenschaftliche Berührung heute vorbereitet.

Es war eine primitive, geile Erfahrung, die all ihre Mus-keln und Nerven zum Beben brachte. Am liebsten hätte sie ihn in einem einzigen, gierigen Schluck verschlungen, ihn sich über die Schulter geworfen und in eine dunkle Höhle ver-schleppt.

Um sie herum drehte sich alles, als er sich schließlich von ihr löste.

»Heikel, du liebe Güte!«

Sie starrte Ford noch fassungslos an, als Buddy, der Klemp-ner, hinter ihr ihren Namen rief. »Ich wollte nicht stören«, sagte er, »aber Sie sollten sich das Badezimmer einmal an-schauen kommen. Wenn Sie eine Minute Zeit haben.«

Sie hob die Hand und machte eine vage Geste, ohne sich umzudrehen. »Du bist ein gefährlicher Mann, Ford.«

»Danke.«

»Ich weiß nicht, wie mir das entgehen konnte. Normalerweise erkenne ich gefährliche Männer von Weitem.«

»Vermutlich kann ich es gut verbergen, da ich es bisher selber noch nicht wusste. Das Gästezimmer kann man abschließen. Ich gebe dir mein Wort, dass ich die Tür nur eintrete, wenn es brennt. Und selbst dann werde ich dich ausreichend vorwarnen, da ich noch nie eine Tür eingetreten habe.«

»Falls und wenn ich in deinem Haus schlafe, dann nicht im Gästezimmer. Aber im Moment bleibe ich noch, wo ich bin. Du bist ein gefährlicher Mann, Ford«, wiederholte sie, bevor er etwas erwidern konnte. »Und ich bin eine entschlossene Frau. Nicht nur, dass es mir hier gefällt, ich muss auch hier sein. Sonst hätte ich mir ein Zimmer im nächsten Motel genommen. Und jetzt muss ich hinein. Ich will ein Waschbecken mit freiliegenden Rohren und Armaturen in der Wand. Aber genau wie du versteht Buddy meine Denkweise nicht.«

Kopfschüttelnd blickte Ford zum Haus. »Im Moment bin ich mir nicht sicher, ob dich außer dir überhaupt jemand versteht.«

»Daran bin ich gewöhnt.«

»Komm vorbei, wenn du fertig bist, dann schauen wir uns das Sportstudio an.« Er packte seinen Beutel und seine Kamera. Dann hob er die Wasserflasche auf. »Deine Schuhe sind nass«, teilte er ihr mit und wandte sich zum Gehen.

Cilla blickte auf ihre Füße. Er hatte leider recht. Mit nassen Füßen marschierte sie ins Haus, um mit Buddy zu reden.

6

Den größten Teil des Nachmittags verbrachte Cilla damit, sich Toiletten anzusehen. Sie diskutierte über die Vorteile von Travertin oder Granit, Kalkstein und Keramik. Ihre letzten Hausrenovierungen waren vom Budget bestimmt gewesen. Sie hatte gelernt, sich daran zu halten, das Beste auszusuchen, was sie für das Geld bekommen konnte, und darauf zu achten, dass es zum Haus und zur Umgebung passte. Geriet sie zu sehr darunter oder darüber, dann blieb sie nicht in der Gewinnzone.

Aber dieses Mal war es anders. Zwar musste sie auch hier auf ihr Budget achten, aber sie traf die Entscheidungen für ihr eigenes Zuhause, nicht um das Haus zu verkaufen. Wenn sie auf der kleinen Farm leben wollte, dann musste sie mit ihrer Wahl auf lange Sicht zufrieden sein.

Beim Geschäft mit Immobilien hatte sie ein gutes Auge für Potential, Farbe, Struktur und Ausgewogenheit entwickelt. Und sie hatte festgestellt, dass sie wählerisch war. Eine leichte Abweichung in Farbton, Form oder Größe der Badezimmerfliesen spielte in ihrer Welt eine Rolle. Sie konnte Stunden damit verbringen, den richtigen Schubladengriff auszusuchen.

Und sie hatte entdeckt, dass es sie absurd glücklich machte, wenn sie ihn tatsächlich fand.

Als sie auf ihre mittlerweile menschenleere Baustelle zurückkehrte, grinste sie über die neuen Dielen auf ihrer Veranda. Das war *ihr* Werk, und *sie* würde auch das Geländer und die Pfosten bauen und sie dann in einem frischen Farmhaus-Weiß streichen. Möglicherweise weiß, korrigierte sie sich. Vielleicht cremefarben. Wahrscheinlich Elfenbein.

Das Geräusch, das ihre Füße auf den Planken erzeugten, klang in ihren Ohren wie Musik.

Sie schleppte die Muster, die sie mitgebracht hatte, hinauf

in ihr Badezimmer und breitete sie dort aus. Dann ließ sie sie auf sich wirken. Warm, charmant, einfach. Genau richtig für ein Gästebad.

Die gewischten Bronzearmaturen, die sie bereits gekauft hatte, würden durch die Erdtöne der Fliesen und das altmodische Waschbecken wundervoll ergänzt werden.

Buddy, dachte sie, würde alles zurücknehmen müssen, wenn er hier fertig war.

Sie ließ die Muster liegen – sie wollte sie noch einmal in der Morgensonne betrachten – und tanzte förmlich unter die Dusche, um sich die Arbeit des Tages abzuwaschen.

Laut singend stand sie unter dem Wasserstrahl. Ihre Stimme hallte von den rissigen, halb abgeschlagenen Fliesenwänden wider. Kein Tonstudio hatte ihr je besser gefallen.

Als Ford die Tür öffnete, hielt ihm Cilla die wandernde Rotweinflasche entgegen. Er nahm sie und hielt sie hoch. Sie war fast noch halb voll.

»Du Säuferin!«

»Ich weiß. Es ist ein Problem. Was hältst du davon, wenn wir ein Glas trinken, bevor wir uns das Studio anschauen?«

»Klar.«

Sie trug ihre Haare offen, stellte er fest, und sie fielen ihr glatt bis über die Schultern. Bei ihrem Duft musste er an den Jasmin denken, der hinter dem Haus seiner Großmutter in Georgia gewuchert hatte.

»Du siehst gut aus.«

»Ich fühle mich auch gut. Ich habe heute drei Toiletten gekauft.«

»Na, darauf sollten wir einen trinken.«

»Ich habe die Badezimmerfliesen ausgesucht«, fuhr sie fort und folgte ihm in die Küche, »Schrankgriffe, Lichtschienen und eine Wanne. Eine wundervolle Klauenfußwanne im klassischen Stil. Heute ist ein großer Tag. Und ich denke, ich kann langsam mit der Deko im großen Badezimmer anfangen.«

»Deko?«

»Ich habe heute so ein fabelhaftes Waschbecken gesehen, und ich dachte, ja, das ist es. Ich könnte mit Chrom und hellblauem Glas darin arbeiten. Schwarze und weiße Fliesen – oder vielleicht auch schwarz und silbern. Ein kleiner metallischer Effekt. Poppig und retro. Luxuriös. So, dass es einen dazu verführt, einen silbernen Morgenmantel mit Marabu-Federn zu tragen.«

»Ja, das wollte ich schon immer mal. Was ist eigentlich ein Marabu, und warum hat er Federn?«

»Ich weiß nicht, aber vielleicht kaufe ich einfach so einen Morgenmantel und hänge ihn ins Badezimmer, um ihm den letzten Schliff zu geben. Das wird toll.«

»Und alles das ist aus einem Waschbecken entstanden?« Er reichte ihr ein Glas Wein.

»So funktioniert es eigentlich immer bei mir. Ich sehe etwas, und das ist der Auslöser, um den herum ich den übrigen Raum einrichte. Auf jeden Fall«, sie hob ihr Glas, »hatte ich einen guten Tag. Und du?«

Sie strahlt, dachte er. Ein Ausflug in den Baumarkt, oder wo sie gewesen war, und sie strahlte wie die Sonne. »Na ja, ich habe zwar keine Toiletten gekauft, aber ich kann mich auch nicht beklagen. Ich habe einen guten Zugriff auf das Buch, habe die Geschichte entworfen und schon eine Menge zu Papier gebracht.« Er musterte sie, während er einen Schluck trank. »Ich glaube, ich verstehe dein Waschbecken. Ich habe dich gesehen, du warst der Auslöser. Und der Rest entsteht um dich herum.«

»Darf ich es lesen?«

»Klar. Wenn ich es ein bisschen überarbeitet habe.«

»Das ist so schrecklich normal. Die meisten Autoren, die ich kenne, teilen sich in zwei Lager auf. Diejenigen, die dich anflehen, sofort jedes Wort zu lesen, und diejenigen, die dir die Augen ausstechen, wenn du auch nur einen Blick auf eine unbearbeitete Seite wirfst.«

»Ich wette, die meisten Autoren, die du kennst, sind in Hollywood.«

Sie überlegte einen Moment lang. »Du hast recht«, gab sie zu. »Als ich noch Schauspielerin war, wurden die einzelnen Seiten des Drehbuchs dir zugeworfen, wenn die Szene bereits gedreht wurde. Mir gefiel das eigentlich immer ganz gut. Es ist spontaner und hält dich wach. Aber ich dachte früher immer, wie schwer kann das denn sein? Du bringst deine Idee in Worten zu Papier. Aber als ich dann selber ein Drehbuch geschrieben habe, habe ich gemerkt, wie schwer es war.«

»Du hast ein Drehbuch geschrieben?«

»Angefangen zu schreiben. Über eine Frau, die in der Branche aufwächst – eine Insider-Geschichte –, Aufstieg und Fall, der Kampf, die Triumphe und Niederlagen. Schreib über das, was du kennst, dachte ich, aber anscheinend kannte ich nicht besonders viel. Ich schaffte nicht mehr als zehn Seiten.«

»Warum hast du denn aufgehört?«

»Ich habe einen kleinen Faktor nicht bedacht. Ich kann nicht schreiben.« Sie lachte und warf die Haare zurück. »Wenn du eine Million Drehbücher liest, heißt das noch lange nicht, dass du auch eins schreiben kannst. Noch nicht einmal ein schlechtes. Und da von der einen Million Drehbücher, die ich gelesen habe, mindestens neunhunderttausend schlecht waren, kannte ich mich aus. Beim Schauspielern musste ich glauben – und zwar wirklich glauben, nicht nur so tun. Das war immer Janet Hardys Regel Nummer eins. Beim Schreiben ist es wohl das Gleiche. Und was ich geschrieben habe, konnte ich nicht glauben. Bei dir ist das anders.«

»Woher weißt du das?«

»Das habe ich dir angesehen, als du mir von deiner neuen Idee erzählt hast, von der neuen Figur. Und man merkt es auch in deinen Büchern, in den Worten und den Zeichnungen.«

Er zeigte mit dem Finger auf sie. »Du hast das Buch gelesen.«

»Ja. Ich gebe zu, dass ich es zuerst nur durchblättern wollte, um mir einen Überblick zu verschaffen, so dass ich antworten konnte, wenn du mich danach fragst. Aber dann hat es mich gefesselt. Dein *Seeker* ist menschlich, dunkel und mit Makeln behaftet. Selbst wenn er als Superheld unterwegs ist, spürt man seine Menschlichkeit und seine Verletzungen. Ich glaube, darum geht es auch.«

»Da liegst du richtig. Du hast dir gerade noch ein Glas Wein verdient.«

»Besser nicht.« Sie hielt die Hand über ihr Glas, als er nach der Flasche griff. »Vielleicht später, beim Essen. Wenn du mir das Sportstudio gezeigt hast. Du hast doch gesagt, es sei ganz in der Nähe.«

»Ja, ist es auch. Komm, schau es dir an.«

Er öffnete eine Kirschholztür, die sie bereits bewundert hatte. Sie führte vermutlich ins Untergeschoss, dachte sie, und da sie gerne fremde Häuser anschaute, ließ sie sich von ihm mitziehen.

»Auch eine schöne Treppe«, kommentierte sie. »Wer dieses Haus gebaut hat, hat wirklich ... Oh. Mann.«

Bewundernd und ein wenig neidisch blieb sie stehen. Durch breite Glastüren und Fenster blickte man auf einen sanften Hang hinten am Haus. Auf einer hübschen, mit Schieferplatten belegten Terrasse lag der Hund mit ausgestreckten Beinen auf dem Rücken und schlief.

Drinnen standen auf Gummimatten auf dem Eichendielenboden die Geräte. Stumm wanderte sie herum, studierte den Crosstrainer, die Gewichtbank, das Gestell mit den Gewichten, das Ergometer, das Rudergerät.

Profigeräte, dachte sie.

Ein riesiger Flachbildschirm nahm eine ganze Wand ein. In einem Kühlschrank mit Glasfront standen Wasserflaschen. Und in der Ecke, wo der Holzfußboden in eine Schieferfläche überging, stand ein Whirlpool in glänzendem Schwarz.

»Matts Werk?«

»Ja, größtenteils.«

»Mein Instinkt, ihn zu engagieren, hat mich nicht getrogen. Hier brauchst du nie mehr weg.«

»Das war die Idee, die dahinter stand. Ich vergrabe mich gerne für längere Zeitspannen. Ursprünglich war es das Wohnzimmer für die Familie, aber da meine Familie nicht hier wohnt, habe ich mir gedacht, warum soll ich mich immer aufraffen, um ins Sportstudio zu fahren, wenn ich es mir nach Hause holen kann. Und, hey, es kostet auch keine Mitgliedsgebühren. Natürlich kann man hier keine verschwitzten Frauenkörper anglotzen, aber irgendein Opfer muss man immer bringen.«

»Ich habe auch ein Untergeschoss«, überlegte Cilla laut. »Eigentlich ist es eher ein richtiger Keller, aber er ist groß. Ich habe schon darüber nachgedacht, was ich damit machen will, und habe mir eher Vorrats- und Arbeitsräume vorgestellt. Aber mit der richtigen Beleuchtung…«

»Bis dahin kannst du gerne diesen hier benutzen.«

Stirnrunzelnd drehte sie sich zu ihm um. »Warum?«

»Warum nicht?«

»Weich mir nicht aus. Warum?«

»Ich bin dir nicht ausgewichen.« Sie war schon eine seltsame Mischung aus Vorsicht und Offenheit, dachte er. »Aber wenn du es genauer erklärt haben möchtest, ich benutze den Raum nur ein paar Stunden in der Woche. Also bist du herzlich eingeladen, ihn auch für ein paar Stunden in der Woche zu benutzen. Das ist südliche Gastfreundschaft.«

»Wann trainierst du normalerweise?«

»Eigentlich nicht zu festen Zeiten, eher wenn ich Lust dazu habe. Ich versuche allerdings dafür zu sorgen, dass ich mindestens fünf- bis sechsmal pro Woche Lust dazu habe, sonst sehe ich bald so aus wie *Skeletor*.«

»Wie wer?«

»Kennst du nicht *Skeletor*, den Meister des Universums? Erzfeind von *He-Man*? Ach nein, du kennst ihn bestimmt nicht. Ich gebe dir ein Buch. Außerdem passt es sowieso nicht, weil

Skeletor, trotz seines Namens, Fleisch auf den Rippen hat. Na ja, auf jeden Fall kannst du hier aus- und eingehen, wie es dir passt. Ich werde nicht einmal wissen, dass du hier bist. Und wenn ich Glück habe, bin ich vielleicht gerade dann in der Stimmung, wenn du auch Lust hast – und dann kann ich auch eine gut gebaute, verschwitzte Frau anglotzen.«

Sie kniff die Augen zusammen. »Zieh dein Hemd hoch.«

»Ich dachte schon, du würdest nie mehr fragen.«

»Die Hose kannst du anlassen. Nur das Hemd, Ford. Ich will deine Bauchmuskeln sehen.«

»Du bist eine merkwürdige Frau, Cilla.« Aber er zog gehorsam sein Hemd hoch.

Sie stach ihm mit dem Finger in den Bauch. »Okay. Ich wollte mich nur vergewissern, dass du deine Geräte auch benutzt und die Lust darauf nur ein Nebeneffekt und nicht die eigentliche Absicht ist.«

»Ich habe Absichten, wenn es um dich geht.«

»Das habe ich begriffen, und das ist auch in Ordnung. Aber ich möchte dein Angebot wirklich gerne annehmen, ohne dass irgendwelche Verpflichtungen daran geknüpft sind. Ich bin dir für deine Gastfreundschaft dankbar, Ford. Wirklich. Außerdem hast du Matts Gütesiegel, und ich mag ihn.«

»Das ist gut, weil ich ihm für dieses Siegel fünfhundert im Jahr zahle.«

»Er liebt dich. Das weiß ich, weil ich ihn ganz geschickt über dich ausgefragt habe.«

Sein Herz schlug rascher. »Du hast ihn über mich ausgefragt?«

»Ja, ganz vorsichtig«, erwiderte sie. »Und geschickt. Und er ist ein netter Kerl, deshalb…« Sie blickte sich im Raum um, betrachtete noch einmal die Geräte, und er konnte ihre Sehnsucht fast spüren. »Was hältst du von einem Tauschhandel? Ich benutze deine Geräte, und wenn bei dir irgendwas im Haus repariert werden muss, dann kümmere ich mich darum.«

»Du willst mein Hausmeister sein?«

»Das könnte ich machen.«

»Wirst du auch einen Werkzeuggürtel und einen echt kurzen Rock tragen?«

»Werkzeuggürtel ja, Rock nein.«

»Verdammt.«

»Wenn ich etwas nicht reparieren kann, schicke ich dir einen der Jungs vorbei. Vielleicht trägt ja einer von ihnen ein kurzes Röckchen.«

»Die Hoffnung stirbt zuletzt.«

»Abgemacht?«

»Abgemacht.«

»Toll.« Lächelnd blickte sie sich erneut im Raum um. »Ich werde morgen früh gleich trainieren. Was hältst du davon, wenn ich *dich* zum Essen einlade, um den Deal zu begießen?«

»Das müssen wir leider auf ein anderes Mal verschieben, da das Menü schon im *Chez Sawyer* bestellt ist.«

»Du willst kochen?«

»Meine Spezialität.« Er fasste sie am Arm und dirigierte sie zur Treppe. »Die Einzige, die nicht in der Mikrowelle aufgewärmt wird. Dazu gehören zwei Steaks auf dem Grill, ein paar Paprika auf einem Spieß und zwei Ofenkartoffeln. Wie möchtest du dein Steak?«

»So, dass ich es noch schwach muhen hören kann.«

»Cilla, du bist die richtige Frau für mich.«

Sicher nicht, denn sie verfolgte nur ihre eigenen Ziele und empfand Befriedigung, wenn sie sie erreichte. Aber sie musste zugeben, dass Ford es verführerisch anstellte. Er gab ihr was zum Nachdenken und hielt sie wach. Sie genoss seine Gesellschaft mehr, als sie für gut hielt, da sie eigentlich vorgehabt hatte, mehr Zeit allein zu verbringen.

Und er sah verdammt gut aus, wie er da über dem qualmenden Grill stand.

Sie aßen auf seiner hinteren Veranda, während Spock mit

vollem Bauch selig unter dem Tisch schnarchte. Das Essen war genau das Richtige. »Gott, es ist so schön hier. So friedlich.«

»Kein Verlangen nach Discos oder einem kleinen Ausflug auf den Rodeo Drive?«

»Davon habe ich vor langer Zeit genug gehabt. Anfangs macht es großen Spaß, aber wenn man sich nicht wirklich dort zu Hause fühlt, wird es schnell langweilig. Meins war es jedenfalls nicht. Was ist mit dir? Du hast doch eine Zeitlang in New York gelebt, oder? Kein Verlangen danach, noch mal in den Big Apple zu beißen?«

»Es war aufregend, und ich fahre ab und zu gerne noch einmal hin, um die Energie dort aufzusaugen. Ich dachte immer, ich müsste dort leben, weil ich doch Autor sein wollte. Aber nach einer Weile merkte ich, dass ich viel mehr geschafft kriegte, wenn ich für ein paar Tage auf Besuch zu meinen Eltern kam und mich mit Freunden traf, als wenn ich die gleiche Zeit in New York verbrachte. Schließlich wurde mir klar, dass dort einfach zu viele Menschen sind, die Tag und Nacht denken. Und ich konnte besser hier denken.«

»Das ist komisch«, erwiderte sie.

»Was?«

»In einem Interview hat ein Reporter einmal meine Großmutter gefragt, warum sie diese kleine Farm in Virginia gekauft hat. Sie sagte, sie könnte hier ihre eigenen Gedanken hören, die in der Gedankenflut der anderen untergehen würden, wenn sie in L.A. wäre.«

»Ich weiß genau, was sie gemeint hat. Hast du viele ihrer Interviews gelesen?«

»Wieder und wieder gelesen, sie angehört und mir angeschaut. Sie hat mich immer schon fasziniert. Dieses strahlende Licht, dieses tragische Idol, aus dem ich entstanden bin. Ich konnte ihr nicht entkommen, deshalb musste ich sie kennen lernen. Als ich noch ein Kind war, nahm ich es ihr übel, dass ich ständig mit ihr verglichen wurde und dabei schlecht abschnitt.«

»Bei Vergleichen schneidet immer einer schlecht ab.«

»Ja, das stimmt. Als ich zwölf oder dreizehn war, hatte ich echt die Nase voll. Also begann ich, sie zu studieren, um ihr Geheimnis, ihre Tricks herauszubekommen. Was ich fand, war eine Frau mit einem unglaublichen, natürlichen Talent. Jeder musste im Vergleich mit ihr schlecht abschneiden. Und als mir das klar wurde, nahm ich es ihr auch nicht mehr übel, weil das so gewesen wäre, als ob ich einen Diamanten für sein Funkeln hassen würde.«

»Als ich ein Junge war, hörte ich natürlich von ihr, weil sie das Haus hier hatte und hier starb. Meine Mutter spielte häufig ihre Schallplatten. Und sie ging auch zweimal zu Partys auf der Farm«, fügte er hinzu. »Meine Mutter.«

»Ach ja?«

»Sie ist dem Ruhm aber nur dadurch nahe gekommen, dass sie Janet Hardys Sohn, also deinen Onkel, geküsst hat. Schon ein bisschen seltsam, oder, dass wir hier so sitzen, und vor Jahren haben meine Mutter und dein Onkel drüben auf der anderen Straßenseite rumgeknutscht. Noch seltsamer wird es, wenn ich dir sage, dass meine Mama auch mit deinem Daddy was gehabt hat.«

»O Gott!« Cilla brach in Lachen aus. Sie nahm ihr Weinglas und trank einen Schluck. »Du erfindest das doch nicht etwa?«

»Nein, es ist die reine Wahrheit. Natürlich war das, bevor sie meinen Vater kennen gelernt hat, und dein Vater deiner Mutter nach Hollywood gefolgt ist. Komplizierte Geschichte, wenn ich jetzt so darüber nachdenke.«

»Ja, das finde ich auch.«

»Und ich fand es so peinlich, als sie es mir erzählt hat, weil ich damals deinen Vater als Lehrer auf der Highschool hatte. Der Gedanke daran, dass meine Mutter Mr. McGowan geküsst hat, hat mich damals beinahe traumatisiert.« Er lächelte amüsiert. »Jetzt hingegen gefällt es mir, dass der Sohn meiner Mutter die Tochter von Mr. McGowan geküsst hat.«

Kreise, dachte Cilla. Sie hatte auch an Kreise gedacht, als sie hierhergekommen war, um die Farm ihrer Großmutter zu renovieren. Und jetzt war noch ein weiterer Kreis damit verbunden. »Sie müssen damals noch ganz jung gewesen sein«, sagte sie leise. »Johnnie war erst achtzehn, als er starb. Es muss schrecklich gewesen sein für Janet, und für die Eltern der anderen beiden Jungen – einer tot, einer gelähmt. Sie ist nie darüber hinweggekommen. Das siehst du in jedem Filmausschnitt, auf jedem Foto nach jener Nacht, sie war nie wieder dieselbe.«

»Meine Mutter benutzte diesen Unfall immer als eine Art Damoklesschwert, als ich alt genug war, um Auto zu fahren. Ab und zu sahen wir Jimmy Hennessy in seinem Rollstuhl im Ort, und sie versäumte nie, mich daran zu erinnern, was passieren konnte, wenn man Alkohol trank oder Drogen nahm und sich dann ans Steuer setzte oder in ein Auto, dessen Fahrer nicht mehr nüchtern war.«

Er schüttelte den Kopf und aß den letzten Bissen von seinem Steak. »Ich kriege heute noch Gewissensbisse, wenn ich ein einziges Bier trinke und dann Auto fahre. Mütter können einem ganz schön den Spaß verderben.«

»Wohnt er noch hier? Der Junge – na ja, jetzt ist er ja kein Junge mehr –, der den Unfall überlebt hat?«

»Er ist letztes Jahr gestorben. Oder vorletztes. Ich bin mir nicht sicher.«

»Ich habe gar nichts davon gehört.«

»Er hat sein ganzes Leben lang bei seinen Eltern gewohnt. Sie haben sich um ihn gekümmert. Ganz schön hart.«

»Ja. Sein Vater hat Janet die Schuld gegeben. Er hat behauptet, sie hätte die Unmoral aus Hollywood hierhergebracht, und ihren Sohn mit dem viel zu schnellen Auto durch die Gegend fahren lassen.«

»Es waren auch noch zwei andere Jungen im Auto. Niemand hat sie dazu gezwungen«, erwiderte Ford. »Niemand hat ihnen Bier eingeflößt oder ihnen Hasch gegeben. Sie waren jung und dumm, alle drei. Und sie haben einen schrecklichen Preis dafür bezahlt.«

»Und sie hat die Eltern bezahlt. Laut meiner Mutter – und sie ist so verbittert darüber, dass ich es ihr glaube – hat Janet beiden Familien eine beträchtliche Summe Geld gezahlt. Wie hoch die Summe war, wusste nicht einmal meine Mutter. Und laut Dilly hat Janet auch die Farm nur als eine Art Monument für Johnnie behalten und sie aus demselben Grund für Jahrzehnte nach ihrem Tod in Trusts festgelegt. Aber das glaube ich nicht.«

»Was glaubst du?«

»Ich glaube, dass Janet sie behalten hat, weil sie glücklich hier war. Weil sie hier ihre eigenen Gedanken hören konnte, auch wenn diese Gedanken dunkel und schrecklich waren.« Seufzend lehnte sie sich zurück. »Gibst du mir noch ein Glas Wein, Ford? Dann habe ich drei getrunken, mein absolutes persönliches Limit.«

»Was passiert nach drei Gläsern?«

»Ich habe seit Jahren keine drei Gläser Wein mehr getrunken, aber wenn die Legende stimmt, reagiere ich entspannt, vielleicht leicht angesäuselt und trinke dann noch eins oder zwei weitere. Und dann bin ich sehr betrunken, stürze mich auf dich und wache morgen früh mit einem Kater und nur verschwommenen Erinnerungen an unsere gemeinsame Nacht auf.«

»In diesem Fall bekommst du nach diesem Glas nichts mehr.« Er schenkte ihr Wein ein. »Bei unserer ersten gemeinsamen Nacht soll dein Erinnerungsvermögen kristallklar sein.«

»So weit bin ich noch nicht, das weißt du.«

»Ja, das ist okay. Aber ich habe mich schon entschieden.« Er stützte sein Kinn auf die Faust und blickte sie an. »Ich kann deine Augen nicht oft genug anschauen, Cilla. Sie ziehen mich förmlich in dich hinein.«

»Janet Hardys Augen.«

»Nein. Cilla McGowans Augen.«

Lächelnd trank sie einen Schluck Wein. »Ich wollte eigentlich irgendeinen Vorwand erfinden, um heute Abend nicht herkommen zu müssen.«

»Ach, tatsächlich?«

»Ja, tatsächlich. Weil du anfängst, über mich bestimmen zu wollen.«

»Na ja, sieh es lieber mal als vernünftigen Vorschlag. Und warum bist du dann hergekommen?«

»Ich hatte gute Laune, weil ich die Toiletten gekauft habe. Im Ernst«, fügte sie hinzu, als er ein Lachen unterdrückte. »Ich habe nach langer Suche endlich mein Ding gefunden.«

»Toiletten.«

Jetzt musste sie lachen. »Nein, mein Ding ist, etwas Kaputtes oder Vernachlässigtes zu reparieren und wieder zum Glänzen zu bringen. Es wieder schöner zu machen. Und indem ich das tue, geht es auch mir besser. Deshalb hatte ich gute Laune, als ich zu dir herüberkam. Und ich bin echt froh, dass ich nicht zu Hause geblieben bin.«

»Ich auch.«

Als sie am nächsten Morgen in sein Sportstudio huschte, sah sie weder ihn noch Spock. Cilla schaltete ihren iPod ein und machte sich an die Arbeit. Sie trainierte eine Stunde lang, und irgendwann sah sie den Hund im Garten umherlaufen und überall sein Bein heben. Aber Ford war immer noch nirgends zu sehen, als sie schließlich fertig war und mit einem bedauernden Blick auf seinen Whirlpool die Tür hinter sich zuzog.

Für einen solchen Luxus hatte sie keine Zeit, sagte sie sich. Aber als Spock freudig auf sie zugerannt kam, verbrachte sie gut zehn Minuten damit, den grunzenden, gurgelnden Hund zu streicheln und zu kraulen. Das Training, der alberne Hund, der ganze Tag, der vor ihr lag, versetzte sie in gute Laune, als sie über die Straße wieder nach Hause lief. Sie duschte, trank Kaffee und aß ein Blaubeerjoghurt. Als sie schließlich ihren

Werkzeuggürtel umschnallte, trafen so nach und nach auch ihre Handwerker ein.

Es dauerte seine Zeit, bis sie jeden Morgen alles Nötige besprochen hatten. Aber Cilla machte das nichts aus.

»Ich werde das Badezimmer erweitern, Buddy«, erklärte sie, und wie sie erwartet hatte, stieß er einen Seufzer aus.

»Nicht das, an dem Sie gerade arbeiten, sondern das, das ich benutze.«

»Ja, gute Idee.«

»Ich habe schon mit Matt geredet«, fuhr sie fort. »Kommen Sie, ich zeige Ihnen, was wir machen wollen.«

Er hatte zahlreiche Einwände und Bedenken, aber auch das hatte sie nicht anders erwartet. Eigentlich freute sie sich mittlerweile schon darauf. »Mein Büro kommt ja jetzt nach oben, und dann kann ich dieses Schlafzimmer noch ins Badezimmer integrieren. Wir reißen die Wand ein«, begann sie.

Er hörte zu und kratzte sich am Kopf. »Das wird teuer.«

»Ja, ich weiß. Ich zeichne es Ihnen später noch detailliert auf, aber im Moment muss das hier reichen.« Sie zeigte ihm in ihrer Kladde die Skizze, die sie mit Matt besprochen hatte. »Wir nehmen die alte Klauenfuß-Wanne, lassen sie aufarbeiten und stellen sie hierhin. Rohre und Leitungen verlegen wir im Fußboden. Hier zwei Waschbecken, wahrscheinlich eingelassen.«

»In eine Granitplatte oder so?«

»Nein, Zink.«

»Was?«

»Eine Zinkplatte. Und hier drüben lasse ich eine Dampfdusche einbauen. Ja«, fuhr sie fort, bevor er etwas erwidern konnte. »Hollywood-Ideen. Ein Glasblock hier, als Abtrennung für die Toilette. Am Ende wird die Architektur dadurch reflektiert und respektiert, und Buddy, es wird ein Knaller!«

»Sie sind die Chefin.«

Sie grinste. »Genau.«

Anschließend ging sie nach draußen, um in der Aprilsonne ihr Geländer und die Pfosten zu bauen.

Als ihr Vater vorfuhr, hatte Cilla die Seiten fertig und schwitzte schon wieder.

»Na, das sieht ja gut aus«, kommentierte er.

»Ja, ich komme voran.«

Er wies mit dem Kinn auf das Haus, aus dem der Baulärm ertönte. »Es klingt eher so, als ob sie drinnen weiterkommen.«

»Die erste Abrissphase ist beendet. Ich habe ein paar Dinge geändert, so dass wir jetzt im ersten Stock noch etwas abreißen müssen. Aber morgen kommt der Inspektor vom Bauamt.« Sie hob die Hand und kreuzte die Finger. »Er will die Elektrik und die Installationsarbeiten abnehmen. Dann legen wir richtig los.«

»Der ganze Ort redet davon.«

»Ja, das kann ich mir vorstellen.« Sie wies zur Straße. »Der Verkehr hat auch zugenommen. Die Leute fahren langsamer oder bleiben sogar stehen, um zu gucken. Die Lokalzeitung hat wegen eines Interviews bei mir angefragt. Aber ich will jetzt noch keine Bilder. Die meisten Leute können in dieser Phase noch nicht erkennen, wie es werden wird, deshalb habe ich dem Reporter am Telefon nur einen schnellen Überblick gegeben.«

»Wann erscheint der Artikel?«

»Am Sonntag, im *Lifestyle*. Janet Hardy ist immer noch ein Magnet.« Cilla schob sich die Kappe zurück, um sich den Schweiß von der Stirn zu wischen. »Du hast sie doch gekannt, Dad. Würde es ihr gefallen?«

»Ich glaube, sie hat dieses Haus geliebt, und sie hätte sich sicher gefreut, dass du es auch liebst und ihm deinen Stempel aufdrückst. Cilla, baust du dieses Geländer etwa selber?«

»Ja.«

»Ich hatte ja keine Ahnung, dass du so etwas kannst. Ich

dachte, du hast nur die Ideen und stellst dann Leute ein, die sie umsetzen.«

»Meistens ist das ja auch so. Aber ein paar Sachen kann ich auch selber, und ich liebe die Arbeit. Vor allem diese. Ich bewerbe mich um eine Handwerkslizenz.«

»Du... Warum das?«

»Ich will eine Firma gründen. Wenn das Haus hier Ortsgespräch ist, wird sich das für mich auszahlen. Ich könnte mir schon vorstellen, dass die Leute gerne jemanden engagieren, der Janet Hardys kleine Farm wieder aufgebaut hat, vor allem, wenn es Janets Enkelin ist. Und später?« Sie kniff die Augen zusammen. »Später werden sie mich engagieren, weil sie wissen, dass ich gut bin.«

»Du willst wirklich hierbleiben.«

Er hatte es also nicht geglaubt. Aber warum sollte er auch? »Ich habe vor hierzubleiben. Mir gefällt es, wie es hier riecht, wie ich mich hier fühle. Hast du es eilig?«

»Nein.«

»Sollen wir ein bisschen durch den Garten laufen, damit du mich beraten kannst?«

Er lächelte langsam. »Ja, gerne.«

»Ich hole nur schnell meine Kladde.«

Sie ging neben ihm her und hörte ihm aufmerksam zu, als er auf einen Bereich zeigte und ihr die Sträucher und Stauden beschrieb, die er anpflanzen würde. Dabei erfuhr Cilla eine ganze Menge über ihn.

Seine umsichtige Art zuzuhören, zu antworteten, die Pausen, in denen er überlegte. Die Zeit, die er sich nahm.

Am Teich blieb er stehen und lächelte. »Hier bin ich ein paar Mal geschwommen. Diese Seerosen und Rohrkolben musst du zurückschneiden.«

»Das steht schon auf meiner Liste. Brian hat gemeint, wir könnten vielleicht gelbe Sumpfschwertlilien pflanzen.«

»Das wäre sicher hübsch. Dort drüben könntest du eine Trauerweide setzen. Am Wasser wirkt das besonders gut.«

Sie schrieb alles auf. »Ich dachte, hier sollte vielleicht eine Steinbank hin, damit man sich hinsetzen kann.« Sie blickte auf. »Hast du hier Ford Sawyers Mutter geküsst?«

Er riss erstaunt den Mund auf, und Cilla sah zu ihrem Entzücken, wie er rot wurde. Dann lachte er leise und ging weiter. »Wie hast du das denn erfahren?«

»Ich habe so meine Quellen.«

»Ich auch. Ich habe gehört, du hast Penny Sawyers Sohn im Vorgarten geküsst?«

»Buddy.«

»Nicht direkt, aber er hat es bestimmt als Erster verbreitet.«

»Es ist ein bisschen komisch.«

»Ja, ein bisschen«, stimmte Gavin ihr zu.

»Du hast meine Frage noch nicht beantwortet.«

»Ich muss zugeben, dass ich Penny Quint – so hat sie damals geheißen – geküsst habe, sogar mehr als einmal und ein paar Mal hier. Wir sind auf der Highschool fest ein paar Monate lang miteinander gegangen. Aber dann hat sie mich verlassen.«

Er lächelte dabei, und Cilla erwiderte sein Lächeln. »Die Highschool ist die Hölle.«

»Ja, manchmal schon. Zufällig hat sie hier mit mir Schluss gemacht. Dort hinten, in der Nähe vom Teich. Penny und ich hatten einen Streit – weiß der Himmel, worum es ging –, und wir haben uns getrennt. Ich muss zugeben, ich war hin und her gerissen, ob ich sie zurückgewinnen oder deiner Mutter den Hof machen sollte.«

»Du Blödmann.«

»Das sind die meisten Jungs mit achtzehn. Und dann habe ich gesehen, wie Penny am Teich Johnnie geküsst hat.« Er seufzte in der Erinnerung. »Das war ein schwerer Schlag. Mein Mädchen – ich habe sie immer noch in gewisser Weise als mein Mädchen betrachtet – und einer meiner Freunde. Das war gegen die Regeln.«

»Ist es heute noch«, erwiderte Cilla. »Ein Freund macht sich nicht an die Ex ran.«

»Johnnie und ich sind aufeinander losgegangen. Hier, am Teich, und Penny hat auch ihre Meinung dazu gesagt. Und dann ist deine Mutter vorbeigekommen. Dramen haben sie immer schon magisch angezogen. Schließlich ließ ich mich von ihr trösten. Mit Johnnie habe ich nie wieder ein Wort geredet, und wir sind im Streit auseinandergegangen. Das habe ich immer bereut.«

Er lächelte nicht mehr, und Cilla sah ihm an, dass er immer noch traurig darüber war. »Zwei Tage später ist er gestorben. Ein anderer Freund von mir ebenfalls, und Jimmy Hennessy war gelähmt. Ich sollte an diesem Abend eigentlich mitfahren.«

»Das wusste ich nicht.« Etwas in ihr krampfte sich zusammen. »Das hast du mir nie erzählt.«

»Ich sollte eigentlich mitfahren, aber Penny hatte Johnnie geküsst, und Johnnie und ich hatten uns gestritten. Und deshalb fuhr ich nicht mit.«

»Gott.« Ein Schauer lief Cilla über den Rücken. »Ich verdanke Fords Mutter eine ganze Menge.«

»Im Herbst darauf ging ich wie geplant aufs College – und zwei Jahre später brach ich das Studium ab, ging nach Hollywood und bekam eine Rolle. Deine Mutter hat mich wahrscheinlich überhaupt nur wahrgenommen, weil ich sie an ihren Bruder erinnerte. Sie war eigentlich noch zu jung, als es dann ernst wurde. Wir waren beide zu jung. Wir verlobten uns heimlich und trennten uns öffentlich. Hin und her, hin und her, jahrelang. Und dann schließlich heirateten wir, und knapp ein Jahr später bekamen wir dich.« Er legte Cilla den Arm um die Schultern. »Wir haben unser Bestes getan. Ich weiß, es war nicht besonders gut, aber besser konnten wir es nicht.«

»Es ist schwer, wenn man weiß, dass alles mit dem Tod begann oder im besten Fall mit einem Fehler.«

»Du warst nie ein Fehler.«

Cilla schwieg. Sie war oft genug so bezeichnet worden. »Warst du noch auf dem College, als Janet starb?«

»Ich hatte gerade das erste Jahr hinter mir.«

»Hast du etwas über einen Mann gehört, jemanden von hier, mit dem sie zusammen war?«

»Es gab ständig irgendwelche Gerüchte über Janet und Männer. Aber ich kann mich an nichts Ungewöhnliches oder an Gerede über einen Mann von hier erinnern. Warum?«

»Ich habe Briefe gefunden, Dad. Ich habe Briefe von ihrem Liebhaber an sie gefunden. Die meisten haben einen Poststempel von hier. Der letzte, ein böser Brief, nachdem er die Affäre beendet hatte, ist nur zehn Tage vor ihrem Tod aufgegeben worden.«

Sie waren zum Haus zurückgegangen und standen jetzt an der hinteren Veranda. »Ich glaube, sie ist hierher zurückgekommen, um ihn zu sehen und mit ihm zu sprechen. Sie muss schrecklich unglücklich gewesen sein, wenn auch nur die Hälfte der Geschichten stimmt, die man mir von damals erzählt hat. Und ich glaube, sie hat diesen Mann geliebt. Er war verheiratet, und sie hatten über ein Jahr lang eine leidenschaftliche Affäre miteinander.«

»Und du glaubst, er war von hier? Wie hieß er denn?«

»Er hat nie mit seinem Namen unterschrieben. Sie …« Cilla blickte zum Haus und stellte fest, wie nahe sie am offenen Fenster standen. Sie fasste ihren Vater am Arm und zog ihn weg. »Sie hat dem Mann gesagt, sie sei schwanger.«

»Schwanger? Cilla, es hat eine Autopsie gegeben.«

»Vielleicht ist es ja vertuscht worden. Vielleicht stimmte es auch nicht, aber wenn es keine Lüge war, um ihn zurückzugewinnen, dann ist es vielleicht vertuscht worden. Er hat sie bedroht. Im letzten Brief hat er geschrieben, sie würde dafür bezahlen, wenn sie versuchte, ihre Beziehung an die Öffentlichkeit zu bringen.«

»Willst du bezweifeln, dass sie Selbstmord begangen hat?«, fragte Gavin.

»Selbstmord oder nicht, sie ist tot. Ich will die Wahrheit wissen. Das hat sie verdient. Die Leute reden seit Jahren von Mord und Verschwörung. Vielleicht haben sie ja recht.«

»Sie war drogensüchtig, Liebling. Eine Süchtige, die nicht aufhören konnte, um ihr Kind zu trauern. Eine unglückliche Frau, die vor der Kamera, auf der Bühne strahlte, aber abseits davon nie wirkliches Glück gefunden hat. Und als Johnnie starb, verlor sie sich in ihrer Trauer und betäubte sie mit Tabletten und Alkohol.«

»Sie hat sich einen Geliebten genommen. Und sie ist wieder hierher zurückgekommen. Johnnie hat dein Mädchen geküsst, und deshalb bist du am Leben geblieben. Winzige Augenblicke können das ganze Leben verändern. Und einem das Leben nehmen. Ich möchte herausfinden, welches Ereignis ihr das Leben genommen hat. Auch wenn es durch ihre eigene Hand war.«

7

Las Vegas
1954

Janet hielt das ärmellose Kleid mit dem weiten Rock hoch und drehte sich vor der Spiegelwand. »Was meinst du?«, fragte sie Cilla. »Das rosafarbene ist eleganter, aber ich möchte lieber weiß tragen. Jedes Mädchen sollte an ihrem Hochzeitstag weiß tragen.«

»Du wirst wunderschön aussehen. Wunderschön und jung, und so unglaublich glücklich.«

»Das bin ich auch. Ich bin neunzehn, ich bin ein großer Filmstar. Meine Schallplatte ist Nummer eins im Land. Ich bin verliebt.« Wieder wirbelte sie herum, und ihre goldenen Haare flogen in glänzenden Wellen.

Sogar im Traum spürte Cilla ihre reine Freude.

»Ich bin schrecklich verliebt in den wunderbarsten, attraktivsten Mann auf der Welt. Ich bin reich, ich bin schön, und die Welt gehört – in diesem Augenblick – mir.«

»Das bleibt lange Zeit so«, sagte Cilla zu ihr. Aber nicht lange genug. Es ist nie lange genug.

»Ich sollte mir die Haare aufstecken.«

Janet warf das Kleid aufs Bett, wo bereits das rosafarbene Brokatkleid lag. »Mit aufgesteckten Haaren sehe ich erwachsener aus. Das Studio will nie, dass ich sie aufstecke. Sie wollen noch nicht, dass ich eine Frau, eine richtige Frau bin. Ich soll das Mädchen von nebenan, die ewige Jungfrau, bleiben.«

Lachend hob sie ihre Haare. »Ich war schon mit fünfzehn keine Jungfrau mehr.« Janet blickte Cilla im Spiegel an. Hinter ihrer Freude verbarg sich Amüsement und ein bisschen Trotz. »Meinst du, das Publikum kümmert sich darum, ob ich Sex habe?«

»Manche schon. Aber es ist dein Leben.«

»Verdammt richtig. Und meine Karriere. Ich will erwachsene Rollen, und ich werde sie auch bekommen. Frankie wird mir dabei helfen. Wenn wir erst einmal verheiratet sind, kümmert er sich um meine Karriere. Er wird alles regeln.«

»Ja«, murmelte Cilla, »das wird er.«

»Oh, ich weiß, was du denkst.« Janet stand in ihrem weißen Seidenslip da und steckte sich Haarnadeln in die Haare. »In einem Jahr werde ich die Scheidung einreichen. Während einer kurzen Versöhnungsphase werde ich erneut schwanger. Ich bin auch jetzt schon schwanger, aber das weiß ich noch nicht. Johnnie wächst schon in mir. Erst seit einer Woche oder so, aber es ist bereits der Anfang. Heute ändert sich alles.«

»Du bist nach Las Vegas durchgebrannt, hast Frank Bennett geheiratet, der fast zehn Jahre älter war als du.«

»Vegas war meine Idee.« Janet griff nach einer Dose Haarspray auf ihrem Schminktisch und fing an sich einzunebeln. »Ich wollte es ihnen allen zeigen. Janet Hardy darf doch noch nicht einmal wissen, dass es Vegas überhaupt gibt. Aber hier stehe ich, im Penthouse vom Flamingo, und mache mich fertig für meine Hochzeit. Und niemand weiß davon, außer Frankie und mir.«

Cilla trat ans Fenster und blickte hinaus.

Unten glitzerte ein Pool in der Sonne, umgeben von einem üppig blühenden Garten. Die Gebäude dahinter waren eher klein und schäbig. Die Farben verblichen, die Formen verwischt, wie auf den alten Fotos, aus denen sie wahrscheinlich die Traumlandschaft genommen hatte.

»In Wirklichkeit wird es ganz anders.«

»Wie?«

»Du heiratest Bennett, und das Studio wird sich bemühen, den Schaden zu begrenzen, obwohl es eigentlich keinen gibt. Ihr seid ein spektakuläres Paar, und das reicht ja fast schon. Die Illusion von zwei attraktiven Menschen, die sich lieben. Und dann spielst du deine erste erwachsene Rolle, die Sarah Constantine in *Heartsong*. Du wirst für einen Oscar nominiert.«

»Nach Johnnie. Johnnie kommt noch vor *Heartsong* auf die Welt. Selbst Mrs. Eisenhower schickt mir ein Geschenk zur Geburt. Ich nehme weniger Tabletten.« Sie tippte auf die Flasche, die auf ihrem Nachttisch stand, bevor sie das Kleid vom Bett nahm. »Das kann ich noch, die Tabletten reduzieren, weniger Alkohol trinken. Wenn ich glücklich bin, so wie jetzt, geht es leichter.«

»Und wenn du wüsstest, was passiert? Wenn du wüsstest, dass Frankie Bennett dich mit anderen Frauen betrügt, dein Geld verspielt und verschleudert? Wenn du wüsstest, dass er dir das Herz brechen wird und du schon nach einem knappen Jahr den ersten Selbstmordversuch machen wirst, würdest du ihn dann trotzdem heiraten?«

Janet zog ihr Kleid an. »Wenn nicht, wo wärst du dann?« Sie wandte ihr den Rücken zu. »Ziehst du mir bitte den Reißverschluss zu?«

»Später wirst du sagen, dass deine Mutter dich dem Studio als Jungfrau angeboten hat, und das Studio hat dir Stück für Stück die Unschuld genommen. Und dann sagst du noch, dass Frankie Bennett diese Stücke noch einmal wie Konfetti zerrissen hat.«

»Das Studio hat aus mir einen Star gemacht.« Sie befestigte Perlen an ihren Ohrläppchen. »Ich habe alles mitgemacht. Ich wollte es ja unbedingt und habe ihnen meine Unschuld gegeben. Und was davon übrig war, habe ich Frankie gegeben, weil ich ihn auch wollte.«

Sie hielt eine doppelreihige Perlenkette hoch, und Cilla verstand und legte sie ihr um.

»In den nächsten zehn Jahren leiste ich hervorragende Arbeit. Meine absolut beste Arbeit. Und in den zehn Jahren danach mache ich meine Sache auch noch sehr gut. Na ja, fast zehn Jahre«, fügte sie lachend hinzu. »Aber wer rechnet schon so genau nach? Vielleicht brauche ich Aufregung, um wirklich gut zu sein. Wer weiß? Und wen kümmert es?«

»Mich.«

Janet drehte sich lächelnd zu Cilla und küsste sie auf die Wange. »Ich habe mein ganzes Leben lang nach Liebe gesucht und habe sie viel zu oft und zu intensiv verschenkt. Vielleicht hätte sie je jemand erwidert, wenn ich mich nicht so bemüht hätte. Der rote Gürtel.« Sie ergriff einen breiten dunkelroten Gürtel, der bei den Kleidern auf dem Bett lag. »Das ist genau der richtige Akzent, und Rot ist Frankies Lieblingsfarbe. Er liebt mich in Rot.«

Sie legte ihn um, wie einen Gürtel aus Blut, und schlüpfte in passende Schuhe. »Wie sehe ich aus?«

»Perfekt.«

»Ich wünschte, du wärest auch dabei, aber nur Frankie und

ich sind anwesend, und dieser ulkige alte Friedensrichter und die Frau, die Spinett spielt. Frankie hat der Presse einen Hinweis gegeben, ohne mir etwas davon zu sagen, und deshalb erscheint das Foto von uns in der schäbigen kleinen Kapelle in *Photoplay*, und es gibt einen Aufruhr.« Sie lachte. »Was für ein Chaos!«

Sie lachte und lachte, und als Cilla aufwachte, klang das Echo ihres Lachens immer noch in ihren Ohren.

Weil sie ungestört nachdenken wollte, verbrachte Cilla einen Großteil der nächsten beiden Tage damit, die Kisten und Truhen durchzusehen, die sie in die Scheune geschleppt hatte.

Beim ersten Durchsehen hatte sie gedacht, dass ihre Mutter schon alles geplündert hatte, was sie für einigermaßen wertvoll hielt. Aber Dilly hatte ein paar Schätze übersehen. Sie griff oft so hastig nach dem glänzendsten Stück, dass sie die ungeschliffenen Diamanten übersah.

Wie das alte Foto in einem Buch. Eine hochschwangere Janet saß auf einem Stuhl am Teich und posierte mit einem unglaublich attraktiven Rock Hudson. Oder das Drehbuch für *With Violets*, Janets zweiter Oscar-Nominierung, das in einer Truhe unter alten Decken verborgen lag. Sie fand eine kleine Spieldose, die aussah wie ein Flügel und »Für Elise« spielte. Darin lag ein Zettel, auf dem in Janets schwungvoller Handschrift stand: *Von Johnnie, Muttertag 1961*.

Am Ende eines verregneten Nachmittags hatte Cilla einen Stapel für den Müllcontainer aussortiert und ein paar Kisten, die sie behalten wollte.

Als sie den Müll in einer Schubkarre nach draußen fuhr, stellte sie fest, dass es aufgehört hatte zu regnen und die Sonne durchgekommen war und dass ihr Vorgarten voller Menschen war. Ford und ihr Gärtner standen lachend in dem nassen Gras mit einem Mann mit stahlgrauen Haaren, der eine leichte Windjacke trug. Aus einem kleinen roten Pickup stieg gerade der Dachdecker, den sie engagiert hatte. Ein etwa zehnjähriger Junge und ein großer weißer Hund trotteten hinter ihm her.

Nachdem Spock vorsichtig aus dem Schutz von Fords Beinen die Lage sondiert hatte, schlich er auf Zehenspitzen zu dem weißen Hund, beschnüffelte ihn und warf sich dann ergeben auf den Rücken, um ihm seinen Bauch zu präsentieren.

»Hallo.« Cleaver von »Cleaver Roofing and Gutters« nickte Cilla zur Begrüßung zu. »Ich komme gerade von einem Auftrag und dachte, ich schaue auf dem Heimweg mal kurz bei Ihnen rein, um Bescheid zu sagen, dass wir morgen anfangen, wenn das Wetter schön ist.«

»Das ist wunderbar.«

»Das sind meine Enkel, Jake und Lester.« Er zwinkerte Cilla zu. »Sie beißen nicht.«

»Da bin ich aber beruhigt.«

»Grandpa.« Der Junge verdrehte die Augen. »Lester ist mein Hund.«

Als Cilla sich hinhockte, um den Hund zu begrüßen, drängte sich Spock dazwischen, um seinen Anspruch auf ihre Hand zu dokumentieren. Es war ein deutliches »Hey, ich bin zuerst dran«.

Cleaver winkte den drei Männern, die auf ihn zukamen. »Tommy, du Hu…« Er warf einen raschen Blick auf seinen Enkel und klappte den Mund wieder zu. »Alter Gauner. Bild dir bloß nicht ein, dass du diese junge Dame zum Verkaufen überreden kannst. Ich habe den Auftrag für das Dach.«

»Wie geht es dir, Hank? Ich kaufe nicht. Ich wollte bloß mal nach meinem Sohn schauen.«

»Cilla, das ist mein Dad.« Brian, der Gärtner, packte seinen Vater an der Schulter. »Tom Morrow.«

»Das ist ein ganz Gerissener, Miss McGowan«, warnte Hank sie und zwinkerte wieder. »Nehmen Sie sich bloß vor ihm in Acht. Bevor Sie wissen, wie Ihnen geschieht, hat er Ihnen das Grundstück hier abgeschwatzt und zwölf neue Häuser hierhin gesetzt.«

»Auf das Land hier? Nicht mehr als sechs.« Lächelnd streckte Tom die Hand aus. »Willkommen in Virginia.«

»Danke. Sie sind Bauunternehmer?«

»Ja, ich plane Wohn- und Gewerbesiedlungen. Sie haben sich ja hier einiges vorgenommen. Ich habe gehört, Sie haben ein paar gute Leute engagiert. Anwesende ausgenommen«, sagte er und grinste Hank an.

»Bevor sich die beiden an die Gurgel gehen«, unterbrach Brian ihn. »Ich habe ein paar Skizzen für die Gartengestaltung mitgebracht, um sie Ihnen zu zeigen. Soll ich Ihnen bei dem Müll helfen?«

Cilla schüttelte den Kopf. »Nein, danke, es geht schon. Ich habe nur die Kisten aussortiert, die ich vom Speicher geholt und in der Scheune gelagert habe. Die richtige Arbeit für einen regnerischen Tag.«

Brian nahm einen zerbeulten Toaster von der Schubkarre. »Die Leute heben die unnützesten Sachen auf.«

»Das kann ich Ihnen sagen.«

»Wir haben den Speicher aufgeräumt, als meine Mutter starb«, warf Hank ein. »In einer Kiste waren nur zerbrochene Teller, und dann gab es noch mindestens zwölf Kartons voller Papier. Kassenzettel von vor dreißig Jahren und all so ein Zeug. Aber Sie sollten trotzdem alles sorgfältig durchgehen, Miss McGowan. Zwischen all dem Plunder haben wir Briefe gefunden, die mein Daddy ihr geschrieben hat, als er in Korea war. Und sie hat alle unsere Berichtkarten aus der Highschool aufbewahrt – und wir sind sechs Kinder. Sie hat nicht das kleinste Fitzelchen Papier weggeworfen, aber es waren auch wirklich wichtige Sachen darunter.«

»Ich werde mir sicher Zeit dafür nehmen. Bisher habe ich jedenfalls eine interessante Mischung aus beiden Seiten der Familie gefunden.«

»Stimmt ja, das war ja früher die McGowan Farm.« Tom blickte sich um. »Ich kann mich noch erinnern, als Ihre Groß-mutter sie dem alten McGowan abgekauft hat. Das muss so um 1960 gewesen sein. Mein Vater hatte ein Auge auf dieses Land geworfen, weil er es bebauen wollte. Er war noch einen Monat lang sauer, nachdem Janet Hardy es gekauft hatte – aber dann glaubte er, sie würde es hier höchstens ein halbes Jahr lang aushalten und er könnte ihr die Farm billig abkaufen. Sie hat ihn eines Besseren belehrt.«

»Es ist hübsch hier«, fügte Tom hinzu. Er schubste seinen Sohn. »Sieh zu, dass du es noch hübscher machst. Ich muss jetzt weiter. Viel Glück, Miss McGowan. Wenn ich Ihnen einen Handwerker empfehlen kann, rufen Sie mich an.«

»Ja, danke, das ist nett von Ihnen.«

»Ich muss jetzt auch los.« Hank tippte an den Schirm seiner Kappe. »Meine Enkel müssen nach Hause.«

»Grandpa.«

»Sie unterhalten sich jetzt mindestens noch zwanzig Minuten«, prophezeite Brian, als sein Vater und Hank gemeinsam auf den roten Pickup zu schlenderten. »Aber ich muss wirklich weitermachen.« Er reichte Cilla einen großen braunen Umschlag. »Sagen Sie mir bei Gelegenheit, was Sie davon halten und welche Änderungen Sie haben möchten.«

»Ja, danke.«

Brian warf den Toaster in den Container und zeigte dann mit dem Finger auf Ford. »Bis später, Rembrandt.«

Lachend winkte Ford. »Bis dann, Picasso.«

»Rembrandt?«

»Kurze Geschichte. Warte. Himmel!« Cilla hatte ihm den Umschlag gereicht und die Schubkarre wieder angehoben, als Ford sie zur Seite schob. »Du kannst deine Muskeln gerne spielen lassen, wie du willst, aber nicht, wenn ich hier Papier in der Hand halte und andere Leute um uns herum sind.«

Er gab ihr den Umschlag zurück und schob die Schubkarre zum Container. »Brian und ich konnten beide gut zeichnen und sind irgendwie in einen Wettstreit getreten, wer am besten Geschlechtsteile zeichnen kann. Man hat uns erwischt, als wir im Zeichensaal Skizzen in der Klasse herumgegeben haben. Es hat uns beiden einen Dreitagespass eingebracht.«

»Was für einen Pass?«

»Wir sind für drei Tage von der Schule suspendiert worden. Du warst wahrscheinlich nicht auf einer normalen Schule.«

»Ich hatte Hauslehrer. Wie alt warst du damals?«

»Ungefähr vierzehn. Meine Mutter hat mich am Ohr nach Hause geschleift, und ich habe zwei Wochen Stubenarrest bekommen. Zwei Wochen, und dabei war es mein erster und einziger Verweis an der Schule. Harte Zeiten, was?«

»Sie haben die Zeichnungen bestimmt aufgehoben«, sagte Cilla, als er mit der Schubkarre zurückkam. »Und zukünftige Generationen finden sie dann auf dem Speicher.«

»Glaubst du? Na ja, sie waren auch wirklich vielversprechend und zeugten von einer sehr gesunden Fantasie. Möchtest du irgendwohin fahren?«

»Wohin?«

»Wir könnten irgendwo zu Abend essen und ins Kino gehen.«

»Was läuft denn?«

»Keine Ahnung. Für mich ist Kino eher ein Ausdruck für Popcorn und Knutschen.«

»Klingt gut«, erwiderte sie. »Du kannst die Schubkarre schon mal in die Scheune stellen, während ich mich schnell wasche.«

Da ihre neuen Leitungen alle schon verlegt waren, konnte Cilla Dobby und seinem Enkel beim Verputzen der Wände zuschauen. Kunst kam in unterschiedlicher Gestalt daher, dachte sie, und mit den beiden hatte sie wirklich zwei Künstler gefunden. Sie arbeiteten zwar nicht schnell, aber, Mann, es war absolut das Richtige.

»Machen Sie auch Stuckarbeiten?«, fragte sie Dobby. »Medaillons? Zierleisten?«

»Ab und zu, aber das ist heutzutage nicht mehr so gefragt.

Die vorgefertigten Sachen sind billiger, deshalb nehmen die meisten Leute das.«

»Ich bin nicht die meisten Leute. Stuck würde hier allerdings nicht hineinpassen.« Sie stemmte die Hände in die Hüften und drehte sich im Wohnzimmer langsam im Kreis. »Aber etwas ganz Einfaches könnte passen. Im großen Schlafzimmer und im Esszimmer auch. Nichts Überladenes«, dachte sie laut. »Keine pausbäckigen Engelchen oder Weintrauben. Vielleicht etwas Graphisches. Etwas Keltisches... das würde zu den McGowans und den Moloneys gleichermaßen passen.«

»Moloney?«

»Was? Oh, Entschuldigung.« Zerstreut blickte sie Dobby an. »Moloney war eigentlich der Nachname meiner Großmutter – aber *ihre* Mutter hat ihn kurz nach Janets Geburt zu Hamilton verändert, und das Studio machte dann Hardy daraus. Aus Gertrude Moloney wurde Trudy Hamilton und schließlich Janet Hardy. Als Mädchen wurde sie Trudy gerufen«, fügte sie hinzu und dachte an die Briefe.

»Ach, tatsächlich?« Dobby schüttelte den Kopf. »Trudy ist ein hübscher, altmodischer Name.«

»Und nicht glänzend genug für Hollywood, damals jedenfalls nicht. Sie hat einmal in einem Interview gesagt, dass niemand sie jemals wieder Trudy genannt hat, nachdem man sich auf Janet geeinigt hatte. Noch nicht einmal ihre Familie. Aber manchmal sah sie in den Spiegel und sagte hallo, Trudy, zu sich, einfach nur, um sich daran zu erinnern. Na ja, ich entwerfe vielleicht ein paar Muster, und dann können wir besprechen, ob wir sie oben einarbeiten.«

»In Ordnung.«

»Ich recherchiere mal ein bisschen. Vielleicht könnten wir... Entschuldigung«, sagte sie, als ihr Handy klingelte. Sie zog es aus der Tasche und unterdrückte einen Seufzer, als sie die Nummer ihrer Mutter auf dem Display sah. »Entschuldigung«, wiederholte sie und ging nach draußen, um den Anruf entgegenzunehmen.

»Hallo, Mom.«

»Glaubst du, ich möchte nicht auch gerne davon hören? Glaubst du, ich möchte es nicht auch gerne sehen?«

Cilla lehnte sich gegen die Säule auf der Veranda und blickte über die Straße zu Fords hübschem Haus. »Mir geht es gut, danke. Wie geht es dir?«

»Du hast nicht das Recht, mich zu kritisieren, über mich zu urteilen. Mir *Vorwürfe* zu machen.«

»In welcher Hinsicht?«

»Spar dir deinen Sarkasmus, Cilla. Du weißt genau, wovon ich spreche.«

»Nein, wirklich nicht.« Was machte Ford wohl gerade?, dachte sie. Schrieb er? Zeichnete er? Verwandelte er sie in eine Kriegergöttin? In jemanden, der sich dem Bösen entgegenstellte, statt das Budget zu strecken, um sich handgearbeitete Stuckelemente leisten zu können. Oder sich in einem Ferngespräch mit seiner Mutter auseinanderzusetzen.

»Der Artikel in der Zeitung. Über dich, über die Farm. Und über mich. Er hat in der *AP* gestanden.«

»Ach ja? Und das stört dich? Es ist doch Publicity.«

»›McGowans Ziel ist es, ihr vernachlässigtes Erbe zu restaurieren und zu respektieren. Sie erhebt ihre Stimme über das Hämmern und Sägen und erklärt: Meine Großmutter hat immer liebevoll von der kleinen Farm gesprochen und erzählt, dass sie sich von Anfang an dazu hingezogen gefühlt hat. Die Tatsache, dass sie Haus und Land von meinem Urgroßvater väterlicherseits gekauft hat, ist eine weitere starke Verbindung für mich.‹«

»Ich weiß, was ich gesagt habe, Mom.«

»›Meine Absicht, Sie könnten sogar sagen, meine Mission ist es, meinem Erbe, meinen Wurzeln, Tribut zu zollen, indem ich das Haus und das Grundstück wieder zum Strahlen bringe. Und zwar auf respektvolle Art und Weise.‹«

»Das klingt vielleicht ein bisschen pompös«, kommentierte Cilla. »Aber es stimmt genau.«

»Und so geht es immer weiter. Dass es früher der richtige Rahmen für die Besuche der anderen Stars bei Janet Hardy war. Eine idyllische Umgebung für ihre Kinder, die jetzt langsam verfällt und verrottet, weil Bedelia Hardy, die versucht hat, in die funkelnden Fußstapfen ihrer berühmten Mutter zu treten, kein Interesse an der Erhaltung hatte. Wie kannst du zulassen, dass so etwas gedruckt wird?«

»Du weißt genauso gut wie ich, dass man auf die Presse keinen Einfluss hat.«

»Ich will nicht, dass du noch weitere Interviews gibst.«

»Du solltest langsam wissen, dass du auch auf mich keinen Einfluss mehr hast. Nicht mehr. Dreh den Spieß doch einfach um, Mom. Die Trauer hat dich ferngehalten, und so weiter. Obwohl du hier glückliche Zeiten verlebt hast, hat der Tod deiner Mutter alles überschattet. Es wird dir Sympathie und noch mehr Presse einbringen.«

Die lange Pause sagte Cilla, dass ihre Mutter über ihren Vorschlag nachdachte. »Wie hätte ich in dem Haus je etwas anderes als ein Grab sehen können?«

»Na, siehst du.«

»Für dich ist es leichter, anders. Du kanntest sie ja nicht. Für dich ist sie nur ein Bild, ein Film, eine Fotografie. Für mich war sie Fleisch und Blut. Sie war meine Mutter.«

»Okay.«

»Es wäre besser, wenn du Interviews mit mir oder Mario absprechen würdest. Und ich denke, jeder Reporter, der für eine anständige Zeitung arbeitet, hätte mich doch bestimmt auch angerufen, damit ich die Angelegenheit kommentiere. Sorg bitte dafür, dass es das nächste Mal geschieht.«

»Du bist früh auf«, wich Cilla aus.

»Ich habe Proben, Kostümanproben. Ich bin ja schon erschöpft, bevor es überhaupt losgeht.«

»Du bist doch eine Kämpfernatur. Ich wollte dich noch etwas fragen. Weißt du, mit wem Janet im letzten Jahr, bevor sie starb, zusammen war?«

»Eine Liebesaffäre? Sie ist ja in den ersten Wochen nach Johnnies Tod kaum aus dem Bett gekommen. Oder sie wurde plötzlich hyperaktiv und wollte Partys feiern und Leute sehen. In der einen Minute hat sie sich an mich geklammert, und in der nächsten hat sie mich weggestoßen. Das hat mir wehgetan, Cilla. Ich habe so kurz hintereinander meinen Bruder und meine Mutter verloren. Und eigentlich habe ich sie beide in der Nacht verloren, als Johnnie starb.«

Das war auch Cillas Überzeugung, und sie nahm ihr den tiefen Schmerz ab. Ihr Tonfall wurde weicher. »Ich weiß. Ich kann mir vorstellen, wie schrecklich das war.«

»Das kann sich niemand vorstellen. Ich war allein. Kaum sechzehn, und ich hatte niemanden. Sie hat mich alleingelassen, Cilla. Sie beschloss, mich zu verlassen. In diesem Haus, das du unbedingt in einen Altar verwandeln willst.«

»Das tue ich nicht. Mit wem war sie zusammen, Mom? Eine geheime Affäre, ein verheirateter Mann. Eine Affäre, die zu Ende ging.«

»Sie hatte jede Menge Affären. Warum auch nicht? Sie war schön und voller Lebensfreude, und sie brauchte Liebe.«

»Eine bestimmte Affäre, genau in dieser Zeit.«

»Ich weiß nicht.« Dillys Stimme wurde scharf. »Ich versuche nicht an diese Zeit zu denken. Es war die Hölle für mich. Warum willst du das überhaupt wissen? Warum rührst du immer wieder darin herum? Ich *hasse* die Theorien und Spekulationen.«

Sei vorsichtig, mahnte Cilla sich. »Ich bin nur neugierig. Es wird eben geredet, und sie hat wirklich in diesen letzten anderthalb Jahren viel Zeit hier verbracht. Es sah ihr einfach nicht ähnlich, lange Zeit ohne Mann, ohne Liebhaber zu sein.«

»Männer konnten ihr nicht widerstehen. Warum sollte sie ihnen widerstehen? Und dann haben sie sie verlassen. Das ist immer so. Sie machen Versprechungen und halten sie nicht. Sie betrügen, sie stehlen, und sie können es auf den Tod nicht ausstehen, wenn die Frau erfolgreicher ist als sie.«

»Und, wie läuft es so zwischen dir und Num- und Mario?«

»Er ist die Ausnahme, die die Regel bestätigt. Ich habe endlich den Mann gefunden, den ich brauche. Mama ist das nie gelungen. Sie hat nie einen Mann gefunden, der ihrer wert war.«

»Und sie hat nie aufgehört, danach zu suchen«, warf Cilla ein. »Sie brauchte immer Trost, Liebe und Unterstützung, vor allem nach Johnnies Tod. Vielleicht hat sie ja hier, in Virginia, danach gesucht.«

»Ich weiß nicht. Sie hat mich nach Johnnies Tod nie wieder mit auf die Farm genommen. Sie sagte, sie müsste allein sein. Ich wollte sowieso nicht wieder dorthin zurück. Es war zu schmerzlich. Deshalb war ich auch in all den Jahren nicht mehr da. Die Wunde in meinem Herzen ist immer noch frisch.«

Womit wir wieder am Ausgangspunkt angekommen wären, dachte Cilla. »Wie gesagt, ich bin nur neugierig. Wenn dir etwas einfällt, lass es mich wissen. Und jetzt gehst du besser zu deiner Probe.«

»Ach, lass sie doch warten. Mario hatte die beste Idee. Sie ist phänomenal und so eine gute Gelegenheit für dich. Wir arbeiten ein Duett für dich und mich in die Show ein, im zweiten Akt. Ein Medley von Mamas Liedern mit Ausschnitten aus ihren Filmen, die auf der Leinwand hinter uns abgespielt werden. Als letztes Lied singen wir ›I'll Get By‹ und machen ein Trio daraus, holen sie mit uns auf die Bühne, so wie sie es bei Céline Dion mit Elvis gemacht haben. Er redet mit HBO, Cilla, damit sie es senden.«

»Mom ...«

»Du musst nächste Woche herkommen, wegen der Proben, der Kostüme und der Choreographie. Wir arbeiten an den Kompositionen, aber die Nummer würde etwa vier Minuten dauern. Vier spektakuläre Minuten, Cilla. Wir möchten dir echt die Chance für ein Comeback geben.«

Cilla schloss die Augen und entschied sich schließlich für eine eher vage Antwort. »Das ist lieb von dir, wirklich. Aber ich will kein Comeback, weder geographisch noch professionell. Ich will nicht auftreten, ich will aufbauen.«

»Aber das würdest du doch.« Ihr Enthusiasmus übertrug sich durch die Telefonleitung. »Du würdest deine Karriere und meine aufbauen. Die drei Hardy-Frauen, Cilla. Das ist ein Markenzeichen.«

Mein Name ist McGowan, dachte Cilla. »Ich glaube, du stehst besser alleine im Scheinwerferlicht. Und ein Duett mit Janet? Das könnte wirklich hübsch und herzergreifend sein.«

»Es sind vier Minuten, Cilla. Du wirst mir doch wohl ein paar Wochen lang vier Minuten pro Abend widmen können? Und es wird dein Leben verändern. Mario sagt...«

»Ich habe mein Leben gerade geändert, und es gefällt mir so, wie es ist. Ich muss jetzt aufhören. Ich muss mich an die Arbeit machen.«

»Kannst du nicht...«

Cilla beendete die Verbindung, klappte ihr Handy zu und steckte es wieder in die Tasche. Hinter ihr räusperte sich jemand, und als sie sich umdrehte, stand Matt in der Tür. »Die Fliesen im Badezimmer oben sind jetzt verfugt, und wir dachten, Sie wollten sich das mal ansehen.«

»Ja. Dann können wir morgen die Armaturen einbauen.«

»Ja, genau.«

»Ich hole schnell meinen Vorschlaghammer. Dann können wir da oben die Wand einreißen. Ich muss irgendetwas kaputtschlagen.«

Es gab nur wenige Dinge, dachte Cilla, die befriedigender waren, als auf irgendetwas einzuschlagen. Man wurde seine Frustration los und erfüllte alle möglichen dunklen Fantasien. Es war – auf verschiedenen Ebenen – therapeutisch genauso wirkungsvoll wie guter Sex.

Und da sie im Moment keinen Sex hatte – weder guten noch sonst welchen –, erfüllte es seinen Zweck, auf Wände einzuschlagen. Sie könnte ja Sex haben, dachte sie, als sie mit Gipsstaub bedeckt aus dem Haus trat. Das hatten Ford und sein magischer Mund ihr ja schon klargemacht.

Aber sie war hier in einer Art Übergangsphase. Neue Welt, neues Leben, neuer Stil. Und darin hatte sie die wahre Cilla McGowan gefunden.

Sie mochte sie.

Sie musste das Haus renovieren, für ihre Handwerkslizenz lernen, ein Unternehmen gründen. Und sie musste ein Familiengeheimnis ergründen. Da passte Sex mit ihrem heißen Nachbarn wahrscheinlich im Moment nicht so gut hinein.

Aber natürlich musste er gerade auf seiner Veranda stehen, als sie herauskam und an Sex dachte. Und das Prickeln in ihrem Bauch war auch dazu angetan, dass sie sich fragte, ob es denn nun absolut notwendig war, abstinent zu bleiben. Sie waren schließlich beide erwachsen, ungebunden und interessiert, warum konnte sie also nicht einfach hinübergehen und ihm vorschlagen, den Abend zusammen zu verbringen? Und vielleicht etwas Aktiveres zu unternehmen, als ein Bier miteinander zu trinken?

Einfach geradeheraus. Kein Tanz, kein Vorwand, keine Illusionen. War es nicht genau das, was die wahre Cilla wollte? Nachdenklich legte sie den Kopf schräg, so dass es Gipsstaub vom Schirm ihrer Mütze regnete.

Vielleicht sollte sie zuerst einmal duschen.

»Du bist schwach und jämmerlich«, murmelte Cilla, musste dann jedoch über sich selber lachen. Sie machte sich auf den Weg um das Haus herum, um die Arbeit der Gärtner in Augenschein zu nehmen.

Sie hörte das tiefe Röhren einer schweren Maschine und blickte sich um. Eine schwarze Harley kam die Straße entlang und schien förmlich durch ihre offenen Tore zu fliegen.

Der Kies spritzte zu beiden Seiten hoch, als das Motorrad bremste. Lachend lief sie darauf zu.

Der Fahrer sprang herunter, landete auf schweren Kampfstiefeln, fing Cilla im Laufen auf und wirbelte sie herum.

»Hallo, Puppe.« Er schwang sie noch einmal herum, und dann küsste er sie leidenschaftlich.

8

Wer zum Teufel war das? Und warum zum Teufel küsste sie ihn? Ford stand mit seiner Nach-dem-Kaffee-vor-dem-Bier-Coke auf seiner Veranda und starrte den Mann an, an dem Cilla gerade klebte wie… wie Harz an einer Tanne.

Der Typ hatte einen Pferdeschwanz! Und Armeestiefel. Und warum tätschelte er – du liebe Güte, der Typ trug ja einen Haufen Ringe – Cillas Hintern?

»Dreh dich um, Kumpel. Dreh dich um, damit ich dich besser sehen kann.«

Bei Fords Tonfall gab Spock ein leises Knurren von sich.

»Jesus, er hat den ganzen Arm tätowiert, bis zum Ärmel seines schwarzen T-Shirts. Siehst du das? Siehst du das?«, fragte er, und Spock murrte leise vor sich hin.

Und was glitzerte denn da? Oh ja, das war ein Ohrring.

»Beweg deine Hände, Kumpel. Beweg lieber deine Hände, sonst…« Überrascht blickte Ford auf seine eigenen Hände, die gerade die Coke-Dose zerquetschten und voller braunem Schaum waren.

Interessant, dachte er. Eifersucht? Er war gar nicht der eifersüchtige Typ. Oder? Okay, in der Highschool hatte er ein paar Anfälle gehabt, und auch das eine Mal auf dem College. Aber das gehörte zum Erwachsenwerden dazu. Er würde sich mit Sicherheit nicht über einen tätowierten Typ mit Ohrring aufregen, der gerade eine Frau küsste, die er erst seit einem Monat kannte.

Okay, vielleicht war sie ihm ja tatsächlich unter die Haut gegangen. Und Spock auch, dachte er und blickte auf seinen Hund, der wachsam knurrend neben ihm stand. Aber das hing auch sehr mit seiner Arbeit zusammen, in der sie ja schließlich eine Hauptrolle spielte. Wenn er jetzt also so besitzergreifend reagierte, dann war das sozusagen ein Nebenprodukt seiner Arbeit.

Vielleicht auch ein bisschen mehr, aber welchem Mann gefiel es denn schon, danebenzustehen und zuzusehen, wie eine Frau einen fremden Kerl abknutschte, wenn sie doch vor ein paar Tagen erst mit ihm geknutscht hatte. Sie könnte ja wenigstens so viel Anstand besitzen und nach drinnen gehen, wo …

»Scheiße. Scheiße. Jetzt gehen sie hinein.«

»Ich kann es kaum glauben, dass du hier bist.«

»Ich habe dir doch gesagt, ich käme vorbei, wenn ich Zeit hätte.«

Steve nahm seine Sonnenbrille ab und blickte Cilla mit seinen dunkelbraunen, verträumten Augen an. »Wann hätte ich dich schon jemals vergessen?«

»Soll ich dir eine Liste machen?«

Lachend drückte er sie an sich. »Aber nie, wenn es wichtig war. Boah.« Er blieb in der Tür stehen, betrachtete den Wohnraum, den frischen Putz an den Wänden, die zerschrammten Dielen und die Lappen, die überall herumlagen. »Hervorragend.«

»Ja, nicht? Und es wird noch viel schöner.«

»Hübscher Raum. Schöner Dielenboden. Walnuss?«

»Ja.«

»Toll.« Er ging durchs Haus und nickte den Handwerkern, die noch auf der Baustelle waren, freundlich zu.

Er bewegte sich leichtfüßig und wirkte schmächtig, aber

Cilla wusste, dass sein Aussehen täuschte. Unter Jeans und T-Shirt war er muskulös. Steve Chensky trainierte seinen Körper mit Hingabe.

Wenn er auch nur halb so hart an seiner Musik arbeiten würde, dachte Cilla immer, wäre er ein Rockstar und kein hungerleidender Künstler. Jedenfalls hatte sie ihm das unzählige Male gesagt. Und wenn er auf sie gehört hätte, wäre ihr Leben sowieso ganz anders verlaufen.

Er blieb in der Küche stehen, hakte seine Sonnenbrille in den Ausschnitt seines T-Shirts und blickte sich um. »Was hast du hier vor?«

»Schau es dir an.« Sie blätterte die Kladde durch, die auf einer der noch vorhandenen Küchentheken lag, und zeigte ihm ihre Skizze.

»Schön, Cill, das ist schön. Guter Arbeitsraum. Edelstahl?«

»Nein. Ich lasse die Fünfziger-Jahre-Geräte aufarbeiten. Himmel, Steve, sie sehen toll aus. Nach den Armaturen suche ich gerade. Ich habe an Kupfer gedacht, ein bisschen altmodisch.«

»Das ist aber nicht billig.«

»Nein, aber es ist eine gute Investition.«

»Arbeitsplatten aus Granit?«

»Ich habe erst mit dem Gedanken gespielt, polierten Beton zu nehmen, aber in so einer Küche geht nur Granit. Ich habe ihn allerdings noch nicht ausgesucht, die Schränke werden gerade aufgearbeitet. Glasfronten und Kupferstangen, weißt du. Zuerst wollte ich weiße Schränke haben, aber das wäre zu kühl gewesen, deshalb habe ich mich für Kirschbaum entschieden.«

»Das hat was.« Er stieß sie mit dem Ellbogen an. »Du hattest schon immer ein Auge dafür.«

»Und du hast mir die Augen überhaupt erst geöffnet.«

»Ja. Ich bin auf dem Weg nach New York am Haus in Brentwood vorbeigefahren. Um der alten Zeiten willen. Es sieht immer noch gut aus. Hast du ein Bier?«

Sie öffnete den kleinen Kühlschrank und nahm zwei Flaschen Bier heraus. »Wann musst du zurück nach L.A.?«

»Ich habe zwei Wochen Zeit. Ich biete dir meine Arbeitskraft im Austausch für Unterkunft und Logis an.«

»Wirklich? Du hast den Job.«

»Wie früher«, sagte er und stieß mit ihr an. »Zeig mir den Rest.«

Ford ließ sich Zeit. Er wartete eine volle Stunde, nachdem die letzten Handwerker gegangen waren. Es konnte ja nicht schaden, mal vorbeizuschauen, sagte er sich. Er warf der Harley einen finsteren Blick zu und schritt nicht ein, als Spock verächtlich an den Vorderreifen pinkelte.

Es war schließlich nicht so, dass er noch nie Motorrad gefahren war. Er hatte schon ein paar Touren gemacht. Okay, eine Tour. Er mochte einfach keine Käfer zwischen den Zähnen.

Aber er *konnte* Motorrad fahren, wenn er wollte.

Er steckte die Hände in die Taschen und widerstand der Versuchung, der Harley einen kleinen Tritt zu versetzen. Als er die Musik hörte – harten Rock –, folgte er dem Klang nach hinten, statt zur Haustür zu gehen.

Sie hockten auf den Stufen zur Veranda mit zwei Flaschen Bier und einer Tüte Doritos. Seine Lieblingsorte, stellte Ford fest. Cilla hatte den Kopf an einen Pfosten gelehnt und lachte so laut, dass es die Musik übertönte.

Der Tätowierte grinste sie auf eine Art und Weise an, die von Liebe, Intimität und einer gemeinsamen Geschichte zeugte.

»Du änderst dich auch nie. Was wäre denn, wenn du… Hey, Ford.«

»Hey.«

Spock trippelte steifbeinig zu dem Tätowierten. »Steve, das ist Ford, mein Nachbar von gegenüber. Und das ist Spock. Steve ist auf dem weg von New York nach L.A. hier vorbeigekommen.«

»Wie geht's? Hey, Kumpel.« Er kraulte Spocks großen Kopf mit seiner beringten Hand. Ford verzog verächtlich die

Mundwinkel, als sein Hund – sein loyaler bester Freund – seinen Kopf auf Steves Knie sinken ließ.

»Willst du ein Bier?«, fragte Steve.

»Klar. Fährst du mit der Harley durchs ganze Land?«

»Die einzige Art zu reisen.« Steve öffnete eine Bierflasche und reichte sie Ford. »Mein Mädchen da draußen ist meine einzige wahre Liebe. Abgesehen von Cill.«

Cilla schnaubte. »Ich stelle fest, dass du das Motorrad immer noch an erster Stelle nennst.«

»Es wird mich auch nie verlassen wie du.« Steve legte Cilla die Hand aufs Knie. »Wir waren verheiratet.«

»Du und das Motorrad?«

Steve warf den Kopf zurück und lachte lauthals über die trockene Bemerkung. »Nein, wir sind immer noch verheiratet. Cill und ich waren ein Paar.«

»Ja, ungefähr fünf Minuten lang.«

»Na, komm. Es waren mindestens fünfzehn.«

Höflich, und auch vernünftig, wäre gewesen, sich zurückzuziehen und die beiden allein zu lassen. Aber Ford war weder höflich noch vernünftig. Er blieb sitzen und warf Spock einen so sauren Blick zu, dass der Hund beschämt den Kopf senkte. »Du lebst also in L.A..«

»Ja, das ist meine Stadt.«

»Über Steve bin ich ans Renovieren von Häusern gekommen«, erklärte Cilla. »Er brauchte eines Tages eine Sklavin auf der Baustelle und zwang mich dazu mitzumachen. Mir gefiel es. Und beim nächsten Mal durfte ich von Anfang an dabei sein.«

»Als ihr verheiratet wart.«

»Gott nein, Jahre später.«

»Du hast ein Drehbuch geschrieben, als wir verheiratet waren.«

»Nein, ich habe als Synchronsprecherin gearbeitet und Musik aufgenommen. Das Drehbuch habe ich erst später geschrieben.«

»Ach ja, genau. Ich habe mit Cilla daran gearbeitet, um neue Kontakte zu knüpfen, während ich versucht habe, meine Band hochzukriegen.«

»Du bist Musiker.« Das passte.

»Im Moment bin ich ein Handwerksmeister, der nebenbei noch Gitarre spielt und diese Fernsehsendung macht.«

»*Rock the House*«, warf Cilla ein. »Das ist eine Sendung, in der die verschiedenen Phasen einer Hausrenovierung gezeigt werden. Das ist auch der Name von Steves Betrieb.«

Der Typ war im Fernsehen, dachte Ford. *Das* passte auch.

»In meinen Anfängen als Rockstar habe ich tagsüber auf dem Bau gearbeitet«, fuhr Steve fort. »Und ich habe Cill überredet, mir die erste eigenständige Renovierung zu finanzieren, als ich sah, wie der Immobilienmarkt boomte, während meine Band den Bach runterging. Tja, und das hat sie getan. Gehört das viktorianische Haus auf der anderen Straßenseite dir?«

»Ja.«

»Hübsch. Weißt du, wo man hier Pizza bekommt?«

Pizza war ein Schlüsselwort für Spock. Er hob den schamhaft gesenkten Kopf und vollführte einen kleinen Freudentanz. »Essen gehen oder bringen?«

»Bringen, Mann. Ich lade euch ein.«

»Ich habe die Nummer der Pizzeria«, sagte Cilla. »Willst du das Übliche?«

»Klar.«

»Ford?«

»Dasselbe, was du willst.«

»Dann rufe ich mal an.«

Als Cilla hineinging, trank Steve sein Bier aus. »Hast du das Haus selber renoviert?«

»Nein, ich habe es schon so gekauft.«

»Und was machst du so? Womit verdienst du dein Geld?«

»Ich schreibe Comic-Romane.«

»Im Ernst?« Steve versetzte Ford einen Schlag auf den Arm mit dem Bier. »Wie *The Dark Knight* und *From Hell*?«

»Mehr *Dark Knight* als Campbell. Magst du Comics?«

»Als Kind habe ich sie zum Frühstück, zum Mittag- und zum Abendessen verschlungen. Aber die Comic-Romane habe ich erst vor ein paar Jahren entdeckt. Vielleicht habe ich auch schon welche von dir gelesen. Was… verdammt, bist du Ford Sawyer?« Er riss die braunen Augen auf und blickte ihn begeistert an. »Bist du etwa der *Seeker*?«

Na, vielleicht war der Typ doch kein komplettes Arschloch, dachte Ford. »Ja, genau.«

»Das ist ja surreal! Stell dir das mal vor!« Steve stand auf und zerrte sich das T-Shirt über den Kopf. Auf seinem Rücken war unter den anderen Kunstwerken der *Seeker* tätowiert, der über das linke Schulterblatt marschierte.

»Nun… wow!« Ford verschlug es die Sprache.

»Die Figur ist absolut hinreißend. Ich meine, er ist total geil! Er leidet, und ich *fühle* das.« Steve schlug sich mit der Faust in den Bauch. »Aber er macht immer weiter. Macht weiter und tut, was er tun muss. Und der Bastard kann durch Wände laufen! Wie bist du denn auf den Scheiß gekommen?«

»Du lieber Himmel, Steve, ziehst du dich schon wieder aus!«, sagte Cilla, die gerade wieder herauskam.

»Ford Sawyer ist dein Nachbar! Mann, er ist der *Seeker*!«

Cilla betrachtete die Tätowierung, auf die Steve zeigte. »Wann hörst du eigentlich mal damit auf?«

»Wenn mein ganzer Körper eine Geschichte erzählt. Dich habe ich immer noch auf dem Arsch, Puppe.«

»Zieh jetzt bloß nicht die Hose herunter«, erwiderte sie. »Pizza kommt, in einer halben Stunde oder so.«

»Ich gehe schnell unter die Dusche.« Steve boxte Ford an die Schulter und kraulte den entzückten Spock kurz hinterm Ohr. »Das ist echt cool.«

Als er gegangen war, betrachtete Ford nachdenklich seine Bierflasche. »Das war jetzt gerade ein bisschen merkwürdig.«

»Es war doch nur Steve.«

»Mit dem du fünf Minuten lang verheiratet warst.«

»Technisch gesehen fünf Monate.« Sie setzte sich wieder und streckte ihre langen Beine aus. »Du vermutest eine Geschichte dahinter.«

»Ich wäre blöd, wenn es anders wäre.«

»Aber es gibt eigentlich keine. Wir haben uns kennen gelernt, es hat klick gemacht. Er wollte Rockstar werden, und ich war siebzehn und eine Schauspielerin, die bereits ein Comeback versuchte. Aber eigentlich wollte ich es schon damals nicht. Und Steve war das genaue Gegenteil von dem, was alle von mir erwarteten. Also war er perfekt.«

»Braves Mädchen trifft bösen Buben.«

»So könnte man sagen. Andererseits war ich nicht so brav, und er war nicht so böse. Wir liebten uns, brachten einander zum Lachen und hatten wirklich guten Sex. Was wollten wir mehr? Also brannten wir durch, als ich achtzehn war, und heirateten. Es dauerte ungefähr fünf Minuten, bis wir uns beide fragten, warum wir das eigentlich gemacht hatten.«

Sie warf den Kopf zurück und lachte. »Wir wollten gar nicht verheiratet sein, weder miteinander noch mit irgendjemand anderem. Wir wollten Freunde sein, ausgehen und vielleicht ab und zu guten Sex miteinander haben. Deshalb trennten wir uns wieder, bevor irgendein Schaden entstand, und wir lieben uns immer noch. Er ist der beste Freund, den ich jemals hatte. Und, von den Tätowierungen mal abgesehen, auch der stabilste und solideste.«

»Er hat dich nicht im Stich gelassen.«

Cilla nickte. »Nicht ein einziges Mal. Nie. Wenn es Steve nicht gäbe, könnte ich all das hier nicht. Er hat mir alles beigebracht. In seiner Familie gibt es seit fünf Generationen nur Handwerker. Dass er unbedingt Rockstar werden wollte, war zum Teil Rebellion dagegen, könnte man sagen. Aber schließlich stellte er fest, dass er als Handwerker viel besser war. Ich lieh ihm ein bisschen Geld für seine erste Renovierung, eine traurige kleine Bruchbude im Süden von

L.A.. Er machte ein hübsches Haus daraus, zahlte mir mein Geld zurück und kaufte ein anderes. Dann fragte er mich, ob ich mitmachen wolle, und, na ja, so führte eins zum anderen. Jetzt hat er seinen eigenen Betrieb und die Fernsehsendung. Er renoviert immer noch traurige kleine Bruchbuden, aber auch teure Anwesen. Er baut gerade eine Filiale in New York auf, und sie reden davon, seine Sendung auch an der Ostküste zu zeigen. Er war gerade da, um die Verhandlungen zu führen, und deshalb ist er auf dem Rückweg nach L.A. hier vorbeigekommen.«

»Und du bist auf seinen Arsch tätowiert.«

»Aus Sentimentalität. Bist du auch tätowiert?«

»Tätowiert?« Seltsamerweise kam er sich blöd vor. »Nein. Du?«

Lächelnd trank sie einen Schluck Bier. »In fünf Minuten Ehe kann eine ganze Menge passieren.«

Während Ford seine Pizza aß, überlegte er, was für eine Tätowierung Cilla wohl gewählt hatte und wo sie sich befinden mochte.

Da ihm die Sache nicht aus dem Kopf ging, beschloss er, Brid auch eine Tätowierung zu verpassen. Und während er sich damit beschäftigte, Symbole auszusuchen, dachte er wenigstens nicht so intensiv daran, ob Cilla und Steve nun über Hausrenovierung redeten oder guten Sex hatten.

Gegen zwei Uhr morgens schließlich fielen ihm die Augen zu. Aus Neugier trat er jedoch noch ans Fenster, um einen letzten Blick auf das Haus auf der anderen Straßenseite zu werfen. Als er den Strahl der Taschenlampe sah, der durch die Dunkelheit auf die Scheune zu schwankte, umspielte ein leises Lächeln seine Lippen.

Wenn Steve in der Scheune übernachten musste, stand guter Sex heute Nacht offensichtlich nicht auf dem Plan.

»Hoffentlich bleibt's dabei«, murmelte Ford, zog sich aus und fiel bäuchlings auf sein Bett.

»Hörst du das?« Steve rüttelte Cilla an der Schulter, um sie zu wecken. Das fiel ihm nicht schwer, da sie sich ihren Schlafsack teilten.

»Was? Nein. Schlaf weiter.« Cilla drehte sich um, wobei sie sich insgeheim schwor, dass Steve in der nächsten Nacht irgendwo anders schlafen musste.

»Ich habe etwas gehört. Ein Ächzen, so ein Geräusch, mit dem in unheimlichen Filmen immer Türen aufgehen. Wir sollten mal nachschauen.«

»Kannst du dich noch erinnern, was ich gesagt habe, als du vorgeschlagen hast, wir sollten miteinander schlafen?«

»Du hast nein gesagt.«

»Das sage ich jetzt auch. Schlaf weiter.«

»Ich weiß nicht, wie du in dieser Stille überhaupt schlafen kannst.« Er wälzte sich hin und her, bis sie ihn schließlich anknurrte. »Du brauchst eine Maschine mit weißem Rauschen.«

»Ich muss dir deinen eigenen Schlafsack besorgen.«

»Sei nicht so streng zu mir.« Er küsste sie auf den Scheitel. »Es wird dir noch leidtun, wenn irgendein Wahnsinniger mit einem Hackebeil auf dich losgeht.«

»Wenn das passiert, entschuldige ich mich, versprochen. Und jetzt halt den Mund oder hau ab. Die Handwerker kommen um sieben.«

Das fein ziselierte Messingkopfteil schlug rhythmisch gegen die rote Wand, untermalt von ihren Lustschreien. Das Mondlicht fiel auf ihre blauen Augen, als er in sie hineinstieß. Sie rief seinen Namen, sang ihn beinahe, während ihr Körper sich ihm entgegenbog.

Ford, Ford.

Vorwärts, Ford.

Er wachte mit einer spektakulären Morgenlatte auf, die Sonne schien ihm in die Augen, und ein leises Gefühl der Verlegenheit überflutete ihn, als er feststellte, dass es Steve war, der seinen Namen rief. Aber zumindest sank dadurch sein Ständer in sich zusammen.

Ford steckte den Kopf aus dem Fenster und rief: »Warte.« Er schlüpfte in seine Jeans und wankte die Treppe herunter.

»Ich habe Doughnuts«, sagte Steve, als Ford die Tür öffnete.

»Hä?«

»Hey, Mann, hast du etwa noch geschlafen?«

Ford starrte in Steves lächelndes Gesicht, auf die Schachtel mit den Doughnuts. »Kaffee.«

»Das wird das Beste sein.« Steve folgte ihm in die Küche. »Tolles Haus, Mann. Ernsthaft. Die Räume, die Materialien. Ich dachte, du wärst schon aufgestanden, weil Cilla in dein Studio gegangen ist. Ich dachte, vielleicht kann ich es ja auch benutzen, wenn ich Doughnuts mitbringe.«

»Okay.« Ford stellte einen Becher unter die Kaffeemaschine, drückte auf den Knopf und öffnete die Schachtel, die Steve mitgebracht hatte. Der Duft traf ihn wie ein Blitzschlag.

»Koffein und Zucker.« Steve grinste, als Ford sich einen Doughnut mit Gelee nahm. »Die beste Art, den Tag zu beginnen.«

Ford grunzte und füllte seinen Becher erneut mit Kaffee.

»Bei Cill ist heute Morgen schwer was los, deshalb habe ich mich für Doughnuts entschieden. Wir Handwerker stehen darauf. Hey, Mann, sieh dir mal deinen Hund an.«

Ford blickte durchs Fenster und sah Spock, der herumrannte, hochsprang und schnüffelte. »Ja, das sind die Katzen.«

»Was?«

»Er jagt Katzen. Imaginäre Katzen, die nur er sieht.«

»Ja, wahrhaftig, jetzt sehe ich es auch.« Steve grinste. »Geht es also in Ordnung, wenn ich morgens hier mit Cill trainiere? Stört es dich nicht?«

»Nein, ist schon in Ordnung.« Der Zucker hatte Ford wach

gemacht, und den letzten Rest Müdigkeit hatte der Kaffee vertrieben. »Ich hatte gedacht, du würdest heute länger schlafen. Gestern war ja schließlich ein langer Tag für dich, und du hast wahrscheinlich in der Scheune auch nicht so gut geschlafen.«

»Ich mag lange Tage.« Steve nahm den Kaffeebecher, den Steve ihm reichte und goss sich Milch hinein. »Was für eine Scheune? Cills Scheune? Cill hat mich nicht in der Scheune schlafen lassen. Ich habe ein Eckchen von ihrem Schlafsack abbekommen.«

»Oh.« Verdammt. »Ich habe lange gearbeitet und gesehen, wie du dorthin gegangen bist. Ich dachte nur...«

»Ich war nicht da draußen. Mann, es war *stockdunkel*! Ich komme aus der Stadt.« Er legte den Kopf schräg. »Du hast jemanden gesehen?«

»Ich habe den Strahl einer Taschenlampe gesehen. Glaube ich. Es war spät, vielleicht habe ich ja...«

»Nein, auf keinen Fall.« Er ließ seine Hand so fest auf Fords Arm niedersausen, dass Ford taumelte. »Ich habe ihr gesagt, dass ich etwas gehört habe, aber sie hat nur gemeint, ich soll den Mund halten und weiterschlafen. Wann war das?«

»Ich weiß nicht. Äh... kurz nach zwei.«

»Ja, genau. Sollen wir mal in die Scheune gehen und nachsehen?«

»Mist.« Ford trank noch einen Schluck Kaffee. »Ja, das wird wohl das Beste sein. Ich muss mir nur noch schnell ein Hemd und Schuhe anziehen.«

»Kann ich mit hochkommen? Ich möchte mir gern das Haus ansehen.«

»Ja, klar.« Er ärgerte sich, dass er in eine Freundschaft mit dem Mann hineingezogen wurde, der Sex mit der Frau hatte, die *er* wollte. Aber anscheinend konnte er sich nicht dagegen wehren. »So... du hast vermutlich keinen Schlafsack dabei?«

»Quatsch, Mann, ich übernachte in Hotels. Zimmerservice,

Matratzen, Kopfkissen. Cill hat es lieber ein bisschen rauer. Du hast nicht zufällig ein Gästezimmer, was?«

»Eigentlich ...«

»Boah! Himmel, Arsch und Zwirn! Das ist ja Cilla!«

Bevor Ford etwas erwidern konnte, war Steve schon in sein Atelier getreten und schaute sich die Skizzen an, die er an die Wand gehängt hatte.

»Super-Cilla. Mann.« Steve tippte mit dem Finger auf die Ecke eine Zeichnung. »Die sind ja toll. Du bist ein Genie. Das ist aber nicht der *Seeker*.«

»Nein. Eine neue Figur und eine neue Serie. Ich habe aber gerade erst angefangen.«

»Mit Cill als ... als ... Modell oder wie? Weiß sie davon?«

»Ja. Wir haben darüber gesprochen.«

Steve nickte und wandte sich wieder den Skizzen zu. »Ich habe gestern schon gemerkt, dass zwischen euch was ist. Aber das hier! Jetzt kapiere ich auch, warum sie mich letzte Nacht abgewiesen hat.«

»Sie ...« Im Geiste ballte Ford die Faust. »Ihr ... ihr beide seid also nicht ...«

»Der Weg ist frei, Mann. Also, ich sage mal frei heraus, es mit ihr zu tun, ist eine Sache – wenn sie damit einverstanden ist. Aber nur ein bisschen rummachen geht nicht. Wenn du das vorhast, reiße ich dir das Herz bei lebendigem Leib heraus. Aber alles andere ist okay.«

Ford musterte Steve und dachte bei sich, dass der Mann jedes Wort ernst meinte. »Ich habe verstanden. Ich hole schnell meine Schuhe.«

Steve steckte den Kopf ins Badezimmer und dann in Fords Schlafzimmer. »Du hast gutes Licht hier drinnen. Wie kommt es eigentlich, dass du es noch nicht angegangen bist?«

»Was? Das Licht?«

»Ach, Quatsch.« Steve schüttelte den Kopf, während Ford sich ein T-Shirt überzog. »Cilla. Sie ist doch schon seit über einem Monat hier.«

»Hör mal, ich will dir ja nicht zu nahe treten, aber ich finde ehrlich gesagt, dass dich das nichts angeht.«

»Schon kapiert. Aber es gibt eben niemanden, der mir so viel bedeutet wie sie. Ich will allerdings nicht behaupten, dass sie wie eine Schwester für mich ist, das wäre ein bisschen krank unter den Umständen.«

Ford setzte sich auf die Bettkante, um sich die Schuhe anzuziehen. »Die Dame scheint es langsam angehen zu wollen. Also gehe ich es auch langsam an. Mehr nicht.«

»Das ist in Ordnung. Ich finde dich nett, deshalb will ich dir einen Tipp geben. Sie ist schwierig und ein bisschen widerspenstig. Am liebsten regelt sie alles alleine. Aber sie hat auch Tiefen, und dort verbergen sich Verletzungen. Du musst vorsichtig mit ihr umgehen.«

»Das ist mir klar.«

»Okay. Dann wollen wir uns mal wie Männer benehmen und uns die Scheune ansehen.«

Das würde ihre Waschküche werden, dachte Cilla und richtete sich auf, um ihren schmerzenden Rücken zu strecken. Wie sie vermutet hatte, lag unter dem alten, vergilbten Linoleum ein zerschrammter, aber ansonsten unbeschädigter Holzfußboden. Sie würde lieber oben mit ihren Zerstörungsgeräten arbeiten, aber es war sinnvoller, sich hier unten abzuarbeiten. Ihr Schreiner brauchte sie oben nicht, zumal ja auch noch Steve auf der Baustelle war, deshalb …

Durch das Fenster sah sie Steve, der offensichtlich nicht oben war, sondern mit Ford zur Scheune ging. Rasch legte sie ihre Werkzeuge beiseite und eilte hinaus, um herauszufinden, warum Steve durch die Gegend spazierte, statt die Arbeiten am großen Schlafzimmer zu beaufsichtigen.

Das Scheunentor stand offen, und sie hörte, wie die beiden Männer darüber debattierten, wer von ihnen über die Leiter auf den Heuschober klettern sollte.

»Was zum Teufel macht ihr hier?«, wollte sie wissen.

»Wir schauen nach«, antwortete Steve. »Kannst du sagen, ob etwas fehlt?«

»Nein. Warum sollte denn etwas fehlen?«

»Ford hat gestern Nacht jemanden hier herumschleichen sehen.«

»Ich habe nicht ›schleichen‹ gesagt. Ich habe gestern Nacht jemanden mit einer Taschenlampe gesehen.«

»Wenn man mitten in der Nacht mit einer Taschenlampe auf einem fremden Grundstück ist, dann ist das Schleichen«, sagte Steve zu Cilla. »Ich habe dir doch gesagt, dass ich etwas gehört habe.«

Cilla wandte sich kopfschüttelnd an Ford. »Du hast von gegenüber, mitten in der Nacht, gesehen, wie jemand um meine Scheune herumgeschlichen ist?«

»Ich habe Licht gesehen. Jemand hat sich mit einer Taschenlampe auf deine Scheune zubewegt.«

»Das war wahrscheinlich nur eine Reflexion. Mondlicht oder so.«

»Ich weiß, wie der Strahl einer Taschenlampe aussieht.«

»Außerdem«, unterbrach Steve ihn, »hat die Tür gequietscht, als wir sie aufgemacht haben. *Genau* das gleiche Geräusch habe ich in der Nacht gehört. Jemand ist hier gewesen. Du hast eine Menge Zeug hier, Cill.«

»Und es sieht so aus, als ob alles noch da ist.«

»Vielleicht doch nicht alles«, warf Ford ein. »Hier sind eine ganze Menge Sachen, und du hast zwar sicher schon einen tapferen Versuch gemacht, alles zu organisieren, aber ich bezweifle, dass du genau weißt, wo alles ist oder wo du es hingetan hast, als du das letzte Mal hier aufgeräumt hast.«

»Okay, da hast du recht.« Sie stemmte die Hände in die Hüften und musterte prüfend die Stapel. Hatte sie die Kisten so hingestellt? Hatte sie den kaputten Schaukelstuhl nach links geräumt?

Woher sollte sie das wissen?

»Ich muss noch einiges durchsehen, aber bisher habe ich

noch nichts Wertvolles gefunden. Und okay«, fuhr sie fort, bevor Steve etwas sagen konnte, »ein Teelöffel, den Janet Hardy in die Zuckerdose gesteckt hat, wäre für viele Leute sicher einen Einbruch wert.«

»Wer weiß denn, dass du Sachen hier drin hast?«

»Jeder«, antwortete Ford an ihrer Stelle. »Hier im Haus arbeiten viele Leute, und sie haben alle gesehen, wie Cilla die Sachen hier hineingeschleppt hat. Zum Teil haben sie ihr sogar geholfen. Und sie werden ja bestimmt auch anderen davon erzählt haben. Also wissen es vermutlich alle.«

»Ich besorge ein Vorhängeschloss.«

»Gute Idee. Was ist mit den Briefen?«

»Was für Briefe?«, wollte Steve wissen.

»Hast du irgendjemandem außer mir von den Briefen erzählt, die du auf dem Speicher gefunden hast?«

»Meinem Vater, aber ich glaube kaum...«

»Du hast Briefe auf dem Speicher gefunden«, unterbrach Steve sie. »Geheime Briefe? Mann, das ist ja wie in einer dieser *Mystery* Shows auf BBC.«

»Das guckst du dir doch sowieso nie an.«

»Doch, wenn heiße englische Bräute mitspielen. Was für Briefe?«

»Briefe an meine Großmutter von dem Mann, mit dem sie in dem Jahr, bevor sie starb, eine Affäre hatte. Ja, geheime Briefe. Sie hatte sie versteckt. Ich habe nur Ford und meinem Vater davon erzählt – der es wahrscheinlich meiner Stiefmutter weitererzählt hat. Aber sonst weiß keiner davon.« Hoffentlich. »Es sei denn...« Sie stieß die Luft aus. »Mein Vater und ich standen unter einem offenen Fenster, deshalb habe ich ihn mitten im Satz weggezogen. Aber wenn einer der Männer gerade in der Nähe des Fensters war, hat er sicher genug gehört.«

Sie rieb sich die Augen. »Blöd. Außerdem habe ich meine Mutter gestern Morgen gefragt, ob Janet einen Liebhaber – hier aus der Gegend – gehabt hat, bevor sie starb. Sie würde es bestimmt weitererzählen, wenn ihr danach ist. Außerdem ist sie sauer auf mich.«

Steve tätschelte ihr die Schulter. »Das ist doch nichts Neues, Puppe.«

»Nein, natürlich nicht. Aber so wie sie im Moment drauf ist, bringt sie es glatt fertig, jemanden hier herauszuschicken, der sich nach etwas Wertvollem umschaut.«

»Gib mir die Briefe und alles, worüber du dir Sorgen machst. Bei mir sucht keiner danach«, schlug Ford vor.

Cilla runzelte die Stirn. »Ich denke mal darüber nach.«

»Auf jeden Fall können wir den Wahnsinnigen aus den Bergen mit dem Hackebeil schon mal ausschließen, oder? Jedenfalls, sobald Ford da hochgeklettert ist und sich vergewissert hat, dass dort oben keine Leichen liegen.«

»Ach, du liebe Güte.« Cilla blickte zur Leiter.

Ford schob sie beiseite. »Ich sehe mal nach.«

Vorsichtig prüfte er zuerst jede Sprosse, bevor er hinaufstieg. Der Gedanke, durchzukrachen und mit gebrochenen Knochen auf dem Betonboden zu liegen, behagte ihm gar nicht. Als er oben ankam, fluchte er laut.

»Was ist da?«, rief Cilla.

»Nichts. Ein Splitter. Hier oben ist gar nichts. Noch nicht einmal der abgeschlagene Kopf eines durchziehenden Erntehelfers.«

Als er wieder herunterkam, nahm Cilla seine Hand. Sie zuckte zusammen, als sie den großen Holzsplitter in seiner Handfläche bemerkte. »Komm mit ins Haus. Ich ziehe ihn dir heraus.«

»Ich kann doch…«

»Während ihr beide Doktor spielt, lege ich meinen Werkzeuggürtel um und mache Männerarbeit.«

Cilla warf Steve einen Blick zu. »Das wird auch langsam Zeit.«

»Ich musste erst noch Doughnuts besorgen. Bis später«, sagte er zu Ford und ging hinaus.

»Hat er dir Doughnuts vorbeigebracht?«

»Ja. Als Bestechung für das Studio.«

»Mmm. Vermutlich hat er dich auch geweckt.«

»Das siehst du ganz richtig.« Ford zog das Scheunentor hinter ihnen zu. »Und zwar aus einem äußerst interessanten Traum mit dir, einem roten Zimmer und dem Kopfteil eines Messingbettes. Aber die Doughnuts haben mich beinahe dafür entschädigt.«

»Steve glaubt an die Macht der Doughnuts. Was habe ich denn in einem roten Zimmer mit einem Messingbett gemacht?«

»Schwer zu beschreiben. Aber ich könnte es dir wahrscheinlich demonstrieren.«

Sie blickte in seine grünen Augen mit dem goldenen Rand. »Ich habe aber kein rotes Zimmer. Und du auch nicht.«

»Ich mache mich sofort auf den Weg und kaufe Farbe.«

Lachend betrat sie ihre Waschküche, und auf einmal stand sie mit dem Rücken zur Wand. Es überraschte sie immer wieder, wie gefährlich sein Mund sein konnte. Derselbe Mund, dachte sie vage, während er sie küsste, der so charmant lächeln konnte. Dann wurde sein Kuss leidenschaftlicher, und sie dachte gar nichts mehr.

Er knabberte leicht an ihrer Unterlippe, bevor er sich von ihr löste. »Ich dachte letzte Nacht, es wäre Steve, der in die Scheune ging, um dort zu schlafen.«

»Warum sollte Steve denn in der Scheune schlafen?« Es dauerte eine Minute, bis sie begriff, was er gemeint hatte. »Oh. Wir sind alle erwachsen, Ford. Ich werde Steve nicht zum Schlafen in die Scheune schicken.«

»Ja, das habe ich schon verstanden. Aber ich werde ihm meinen alten Schlafsack leihen. Ich habe ihn zwar seit ungefähr fünfzehn Jahren nicht mehr benutzt, aber er wird ihm gefallen. Es ist *Spider-Man*.«

»Du hast einen *Spider-Man*-Schlafsack?«

»Ich habe ihn zu meinem achten Geburtstag bekommen.

Es war ein richtiges Highlight, das nie seinen Glanz verloren hat.« Er streifte noch einmal mit seinen Lippen ihren Mund. »Und ich bin mehr als froh, ihn jetzt wieder auspacken zu können, damit Steve darin schlafen kann, solange er hier ist.«

»Sehr nachbarschaftlich von dir.«

»Eigentlich nicht besonders.«

Cilla öffnete ihren Erste-Hilfe-Kasten. »Hier ist alles, was ich brauche. Komm, wir machen das draußen, im Licht.« Als sie auf die Veranda traten, wies sie ihn an, sich hinzusetzen. Sie gab Superoxid auf ein Wattebällchen und reinigte die Wunde.

»Es ist deshalb nicht nachbarschaftlich«, fuhr Ford fort, »weil meine Motive völlig selbstsüchtig sind. Ich will nicht, dass er mit dir schläft.«

Sie reinigte eine Nadel und eine Pinzette mit Alkohol. »Ach, tatsächlich?«

»Wenn du mit ihm schlafen wolltest, dann hätte ich eben Pech.«

»Woher willst du denn wissen, dass ich es nicht schon getan habe?«

»Weil du mit mir schlafen willst. Au!« Er blickte auf seine Hand und das Loch, das sie mit der Nadel um den Splitter herum gebohrt hatte. »Du lieber Himmel!«

»Er steckt zu tief, um ihn herauszudrücken, deshalb musste ich schneiden. Saug ihn heraus. Wenn ich mit dir schlafen wollte, warum habe ich es dann noch nicht getan?«

Misstrauisch beäugte er die Nadel, die sie in der Hand hielt. »Weil du noch nicht dazu bereit bist. Ich kann warten. Aber – und stich mich bloß nicht noch einmal damit – ich will auf keinen Fall, dass du mit jemand anderem schläfst, alte Zeiten oder nicht, während ich auf dich warte. Ich will dich berühren. Und ich will, dass du darüber nachdenkst.«

»Und deshalb leihst du Steve deinen geliebten *Spider-Man*-Schlafsack, damit ich in Ruhe darüber nachdenken kann und nicht mit ihm schlafe, weil er greifbar ist.«

»So in etwa.«

»Sieh mal, da.«

Er drehte den Kopf, um in die von ihr gezeigte Richtung zu blicken. Der plötzliche, scharfe Stich ließ ihn zusammenzucken. Cilla hielt ihm den großen Splitter mit der Pinzette vor die Nase. »Willst du ihn als Souvenir behalten?«

»Nein, danke.«

»Du bist fertig.« Sie schloss den Erste-Hilfe-Kasten, dann packte sie ihn an den Haaren, zog ihn zu sich heran und küsste ihn gierig. Genauso plötzlich brach sie den Kuss wieder ab und stand auf. »Darüber kannst du nachdenken, während du wartest.«

Lächelnd ging sie wieder ins Haus und schlug das Fliegengitter hinter sich zu.

9

Cilla hatte sich so an die Autos gewöhnt, die langsamer fuhren oder unten an der Einfahrt stehen blieben, dass sie ihr kaum noch auffielen. Die Gaffer und Schaulustigen, selbst die, die wahrscheinlich fotografierten, stellten nicht unbedingt ein Problem dar. Früher oder später würden sie sich schon an sie gewöhnen, und deshalb fand sie es am besten, sie zu ignorieren oder ihnen höflich zuzuwinken.

Wenn sie dazugehören wollte, musste sie guten Willen zeigen. Deshalb kaufte sie im Supermarkt am Ort ein, beauftragte Handwerker aus dem Ort und besorgte sich auch ihr Material aus lokalen Quellen. Und sie plauderte mit den Verkäufern und den Handwerkern und unterschrieb Autogrammkarten für die, die sie noch als Katie aus dem Fernsehen kannten.

Sie betrachtete es als Erklärung ihres guten Willens, als sie Fords Rat befolgte und die Tore abmontieren ließ. Rechts und links von der Einfahrt pflanzte sie japanische Zierkirschen. Als sie am Straßenrand stand und das Ergebnis betrachtete, empfand sie es als Zeichen für ihr neues Leben. Und wenn die Bäume im nächsten Frühjahr blühten, wäre sie hier, um es zu sehen. Der Garten würde angelegt sein, mit jungen Bäumen und mit der prachtvollen alten Magnolie. *Ihre* prachtvolle alte Magnolie, dachte sie, die mit dem Duft ihrer wachsweißen Blüten die Luft erfüllte. Die Farbe am Haus würde nicht abblättern und schäbig sein, sondern frisch und sauber. Für die Veranda brauchte sie Stühle und Blumenkübel. Und wenn sie noch ein wenig aus dem Budget herausquetschen konnte, würde sie den Weg, der sich durch den üppig grünen Rasen schlängelte, pflastern lassen.

Und wenn dann die Leute langsamer fuhren, um einen Blick auf das Haus zu werfen, so wäre es, weil sie das schöne Haus und den prächtigen Garten bewunderten, und nicht, weil sie sich fragten, was zum Teufel diese Frau aus Hollywood mit dem Haus anstellte, in dem Janet Hardy zu viele Tabletten geschluckt und sie mit Wodka heruntergespült hatte.

Als sich ein Auto näherte, wich Cilla an die Mauer zurück, drehte sich jedoch um, als der kleine rote Honda hupend zum Stehen kam.

Es dauerte einen Moment – und leise Schuldgefühle stiegen in ihr auf –, bis sie die hübsche Blondine in abgeschnittenen Jeans und Häkeltop, die aus dem Auto sprang, erkannte.

»Hi!« Lachend kam Angela McGowan, Cillas Halbschwester, auf sie zugelaufen und umarmte sie.

»Angie!« Der frische Duft des jungen Mädchens hüllte sie ein. »Du hast deine Haare abgeschnitten! Lass dich mal anschauen! Nein! Umarm mich besser nicht noch mal, ich bin schmutzig.«

»Ja, das bist du wirklich.« Lachend trat Angie einen Schritt zurück und blickte Cilla aus ihren großen, braunen Augen an. Die Augen ihres Vaters, dachte Cilla. Die Tochter ihres Vaters. »Und du riechst auch ein bisschen streng.« Strahlend nahm

Angie Cillas Hände. »Wenn man das alles bedenkt, ist es ein Wunder, dass du trotzdem so schön bist!«

»Die Frisur ist toll.« Cilla fuhr mit den Fingerspitzen über Angies kurze Haare. »So kurz.«

»Ich bin morgens in zwei Sekunden fertig.« Angie schüttelte den Kopf, so dass der kurze Bob von alleine in Form fiel. »Ich könnte sie mir mit verbundenen Augen und Zigarette in der Hand kämmen.«

»Es sieht echt toll aus. Was machst du hier? Ich dachte, du bist auf dem College?«

»Das Semester ist vorbei, deshalb bleibe ich jetzt erst einmal eine Weile zu Hause. Ich kann es gar nicht glauben, dass du *hier* bist. Und das da.« Sie wies auf das Haus. »Du wohnst tatsächlich hier und renovierst es und … alles.«

»Ja, es ist eine ganze Menge Arbeit.«

»Die sind so hübsch. Viel schöner als das alte Tor.« Angie berührte einen der hängenden Zweige mit den hellrosa Blüten. »Alle reden darüber, was hier los ist. Ich bin erst seit einem Tag zu Hause, und meine Ohren glühen schon von all dem Gerede.«

»Wird denn gut oder schlecht geredet?«

»Warum sollten sie nicht gut reden?« Angie legte den Kopf schräg. »Das Haus hier war ein Schandfleck. Und im Moment ist es zwar immer noch nicht so schön, aber du *tust* ja wenigstens etwas. Niemand sonst hat sich darum gekümmert. Ist es schwer für dich? Ich meine nicht die Arbeit, das sieht man ja, nein, ich meine, ist es schwer für dich, hier zu leben?«

»Nein.« Cilla hatte gewusst, dass Angie das fragen würde. Sie machte sich tatsächlich Gedanken. »Nein, es ist sogar ganz leicht. Seltsamerweise fühlt es sich einfach richtig an.«

»Das ist doch nicht seltsam. Jeder gehört irgendwohin, und die Glücklichen finden ihren Ort. Du gehörst also zu den Glücklichen.«

»Ja, wahrscheinlich.« Angie war die geborene Optimistin.

Die Tochter ihres Vaters. Ihres *gemeinsamen* Vaters, korrigierte Cilla. »Möchtest du hereinkommen und dich umschauen? Es ist natürlich das reinste Chaos im Moment, aber wir machen Fortschritte.«

»Ich möchte es mir gerne ansehen, aber ein anderes Mal. Ich bin mit Freunden verabredet und habe nur schnell einen Umweg gemacht, weil ich hoffte, dich zu treffen. Ich hatte nicht erwartet, dass du gerade am Straßenrand stehst, also gehöre ich wahrscheinlich auch zu den Glücklichen. Wenn du also ... oh, oh.«

Cilla folgte Angies Blick. Ein weißer Kombi hatte auf der gegenüberliegenden Straßenseite angehalten.

»Weißt du, wer das ist?«, fragte Cilla. »Der Wagen hat hier schon ein paar Mal gestanden.«

»Ja, das ist Mr. Hennessys Kombi. Sein Sohn war ...«

»Ich weiß. Er war einer von den Jungen, die mit Janets Sohn in den Unfall verwickelt waren. Okay. Bleib hier.«

»O Gott, Cilla, geh da nicht hin.« Angie packte Cilla am Arm. »Er ist einfach grässlich. Ein gemeiner Kerl. Ich meine, es ist ja schrecklich, was passiert ist, aber er hasst uns.«

»Uns?«

»Uns alle. Daddy sagt, es ist eine Art Sippenhaft. Du solltest ihm lieber aus dem Weg gehen.«

»Ich denke nicht daran, Angie.«

Cilla ging über die Straße auf den Mann zu, der ihr hinter der Windschutzscheibe mit verkniffenem Gesicht und verbitterten Augen entgegenblickte. Ein Kombi mit einem Lift, sah sie jetzt. Einer, mit dem er den Rollstuhl seines Sohnes transportieren konnte.

Dass die Böschung sich an dieser Stelle absenkte, war von Nachteil für sie. So stand sie ein wenig tiefer als der Mann, der sie finster betrachtete.

»Mr. Hennessy, ich bin Cilla McGowan.«

»Ich weiß, wer Sie sind. Sie sehen ja schließlich genauso aus wie sie.«

»Ich habe gehört, dass Sie letztes Jahr Ihren Sohn verloren haben. Das tut mir leid.«

»Verloren habe ich ihn 1972, als Ihr wertloser Verwandter ihm das Rückgrat zerquetscht hat. Betrunken und high, und er war nur auf sich bedacht, weil er so aufgewachsen war. Alle anderen waren ihm egal.«

»Das mag sein. Ich weiß, dass die drei Jungs damals einen schrecklichen Preis gezahlt haben. Ich kann nicht…«

»Sie sind auch nicht besser, als sie es war. Sie halten sich bloß für was Besseres, weil Sie Geld haben und erwarten, dass die Leute vor Ihnen im Staub kriechen.«

Cillas Mitleid verflog. »Sie kennen mich doch gar nicht.«

»Ach was, ich kenne Ihre Sippe, Leute wie Sie. Sie glauben, Sie können einfach hierherkommen, wo diese Frau gehurt hat, wo sie ihre Kinder wie Wölfe hat herumlaufen lassen, wo sie meinem Jungen Arme und Beine, sein ganzes Leben genommen hat?« Wütend fuchtelte er mit den knochigen Fingern. »Glauben Sie etwa, Sie können mit ein bisschen Holz und Farbe zudecken, wie dieses Haus zum Himmel stinkt? Ich hätte es vor Jahren schon anzünden sollen. Es bis auf die gottverdammten Grundmauern abfackeln sollen.«

»Es ist ein Haus, Mr. Hennessy. Es ist nur Holz und Glas.« Und du, dachte sie, ohne jedes Mitgefühl, du bist ein Irrer.

»Es ist genauso verflucht wie sie. Und wie Sie.« Er spuckte aus dem Fenster, verfehlte nur knapp Cillas Stiefel. »Gehen Sie dahin zurück, wo Sie hergekommen sind. Wir wollen Sie und Ihresgleichen hier nicht.«

Er fuhr so schnell los, dass Cilla zurückspringen musste. Sie rutschte die Böschung herunter und fiel auf die Knie. Angie kam über die Straße gerannt.

»Bist du okay? Du lieber Himmel, er hat dich doch nicht geschlagen, oder?«

»Nein, nein.« Mit zusammengekniffenen Augen schaute sie dem Kombi hinterher. »Es geht mir gut.«

»Ich rufe die Polizei.« Bebend vor Empörung zog Angie

ein rosa Handy aus der Tasche. »Er hat dich *angespuckt*. Ich habe es gesehen, und er hat dich fast überfahren, und…«

»Nicht.« Cilla legte die Hand auf das Handy, als Angie es aufklappte. »Lass es. Seufzend rieb sie sich das Knie. »Lass es einfach.«

»Bist du verletzt? Du bist hingefallen. Wir müssen uns dein Knie ansehen.«

»Ist schon okay, Mom.«

»Im Ernst. Ich fahre dich zum Haus, und dann schauen wir nach, ob du es untersuchen lassen musst. Dieser Bastard!«

»Meinem Knie geht es gut. Ich bin nicht verletzt, nur stinksauer.«

Angie stieß die Luft aus. »Du siehst aber gar nicht stinksauer aus.«

»Doch, das kannst du mir glauben. Huren, Wölfe, verflucht, Ihre *Sippe*. Arschloch.«

Angie lachte. »Ja, das klingt schon eher so. Ich fahre dich jetzt zum Haus, kein Widerspruch.«

»Gut, danke. Benimmt er sich dir gegenüber auch so?«, fragte Cilla, als sie zu Angies Honda gingen.

»Er knurrt und starrt einen böse an, murmelt vor sich hin. Spucken tut er nicht. Ich weiß, dass er mal auf Dad losgegangen ist. Und ich meine, *Gott*, kennst du jemanden, der mitfühlender ist als Dad? Nur weil er mit Mr. Hennessys Sohn und den anderen befreundet war, war er doch noch lange nicht dafür, was passiert ist, verantwortlich, oder? Er war ja an dem Abend noch nicht mal *dabei*. Und du warst noch nicht mal auf der Welt.«

»Ich denke, ihm geht es um dieses Gerede von den ›Sünden der Väter‹. Wenn er hier vorbeifahren, anhalten, finster glotzen und schlechte Gedanken denken will, soll er doch.«

Als sie am Haus angekommen waren, öffnete Cilla die Autotür. Sie holte tief Luft und stellte fest, dass sie sich viel besser, viel *gelassener* fühlte, wenn Angie da war. »Danke, Angie.«

»Ich möchte mir noch dein Knie anschauen, bevor ich fahre.«

»Dem Knie geht es gut.« Um es zu beweisen und um die Stimmung fröhlicher zu machen, legte Cilla rasch einen kleinen Stepptanz auf dem Rasen hin und wirbelte zum Abschluss herum. Angie kicherte.

»Wow. Na ja, es wird wohl tatsächlich in Ordnung sein.«

»Gut gemacht, Puppe.« Steve kam auf die Veranda, mit nacktem tätowiertem Oberkörper und Werkzeuggürtel. »Und wer ist deine Freundin?«

»Wir sind keine Freundinnen«, erwiderte Angie. »Wir sind Schwestern.«

»Angela McGowan, Steve Chensky. Steve ist ein Freund aus L.A.. Er hilft mir für ein paar Tage.«

»Vielleicht auch länger.« Steve lächelte breit.

»Angie ist gerade vom College gekommen und will sich jetzt mit ein paar Freunden treffen.«

»Ja, das stimmt. Ich bin spät dran. Erzähl ihm von Mr. Hennessy«, befahl Angie und stieg wieder ins Auto.

»Ja, das mache ich. Viel Spaß.«

»Bestimmt. Ich komme wieder. War nett, dich kennen zu lernen, Steve.« Sie winkte aus dem Fenster, wendete und fuhr davon.

»Deine Schwester ist heiß.«

»Und gerade erst volljährig, also Finger weg. Wie läuft's im Speicher?«

»Es ist tierisch heiß. Sie sind gerade dabei, die Stromleitungen zu legen. Aber es geht voran. Hol dein Werkzeug, Puppe. Wir müssen das Tageslicht nutzen.«

»Ich bin schon da.«

Mit der Hitze hatte er recht gehabt. Cilla schätzte, dass sie mindestens zwei Pfund an Schweiß verloren hatte, als sie am Ende des Tages ihren Gürtel ablegte. Sie gönnte sich eine lange, kalte Dusche in ihrem fast fertiggestellten Badezimmer.

Es musste noch gestrichen und mit Lampen ausgestattet werden. Danach machte sie sich ein riesiges Sandwich.

Sie aß alleine auf der Veranda und stellte sich vor, wie es aussehen würde, wenn alle Sträucher und Stauden im Garten blühten. Unter die große Platane würde sie eine Steinbank stellen, und alle Wege und Terrassen wären neu gepflastert. Die Weiden am Teich, der rote Ahorn, die Schönheit der Magnolien.

Nicht verflucht, dachte sie und rieb sich leicht das Knie, das ein bisschen steif war und wehtat. Zu lange ignoriert und vernachlässigt, aber nicht verflucht, auch wenn der verbitterte alte Mann es behauptete.

Sie würde ein Vogelhaus aufstellen und Futterhäuschen für die Kolibris. Und die Vögel würden kommen. Den Staudengarten würde sie selber anlegen – nachdem sie herausgefunden hatte, was hier am besten gedieh –, und damit würde sie noch mehr Vögel und Schmetterlinge anziehen und zugleich Blumen für die Vase haben.

Sie würde sich einen Hund kaufen, dem sie Stöckchen werfen konnte, der Eichhörnchen und Kaninchen jagte, und den sie ausschimpfen würde, wenn er Löcher im Garten buddelte. Vielleicht würde sie sich sogar einen so charmant hässlichen Hund suchen, wie Spock es war.

Sie würde Partys feiern, mit Lampions in den Bäumen und Musik, und die Leute würden durch das Haus und über den Rasen laufen, und alles mit ihren Stimmen füllen.

Und sie würde jeden Morgen in ihrem eigenen Haus aufwachen.

Sie blickte auf den Pappteller auf ihrem Schoß und rieb sich erschreckt über die Wangen, als sie die Tränen tropfen sah. »O Gott, was ist das? Was ist das denn?«

Sie saß auf der ramponierten Veranda mit Blick auf den überwucherten Garten, ganz alleine, während die Sonne hinter den Bergen unterging. Und sie schluchzte vor sich hin. Ab und zu musste es wohl mal sein.

Hunde, Leute, bunte Lichter? Es war doch viel wahrscheinlicher, dass sie scheiterte. Nein, das Haus war nicht verflucht. Es hatte ein gutes Gerüst, gute Muskeln. Aber war sie vielleicht verflucht? Was hatte sie denn jemals geleistet? Was hatte sie jemals zu Ende gebracht? Sie würde auch hier versagen. Im Scheitern war sie am besten.

»Hör auf. Hör mit diesem *Scheiß* auf.«

Entschlossen unterdrückte sie ihr Schluchzen und stand auf. Sie packte den Pappteller und das halb aufgegessene Sandwich, ging rein und warf sie in den Abfalleimer. Dann atmete sie tief durch und spritzte sich kaltes Wasser ins Gesicht. Als sie sich wieder besser fühlte, ging sie nach oben und holte die Ausgabe von *Gatsby*.

Sie trug sie über die Straße und klopfte an Fords Tür.

»Du kommst gerade recht«, sagte er, als er die Tür öffnete. Spock raste freudig auf Cilla zu und drückte sich an ihr Bein. »Ich wollte mir gerade eine ganze Liste von Vorwänden ausdenken, warum ich zu dir kommen könnte.«

Sie trat ein und reichte ihm das Buch. »Du hast gesagt, du würdest sie für mich aufbewahren.«

»Klar. Die Briefe?«

Weil der Hund sie so liebevoll aus seinen hervorstehenden Augen anschaute, hockte sie sich hin und kraulte ihn ein bisschen. »Ich bin nicht so gut drauf, und ich möchte sie lieber nicht im Haus haben.«

»Okay.«

»Würdest du sie gelegentlich mal lesen, wenn du Zeit hast? Ich würde gerne wissen, was du davon hältst.«

»Ja, gerne. Dann brauche ich wenigstens den täglichen Kampf zwischen Neugier und Integrität nicht mehr auszufechten. Ich lege sie in mein Atelier. Möchtest du kurz heraufkommen? Ich möchte dir ein paar Skizzen zeigen, die dir bestimmt gefallen.«

»Ja.« Sie fühlte sich ruhelos. Und sie hatte ein bisschen Kopfschmerzen. Besser, sie blieb in Bewegung. »Ja, warum nicht.«

»Willst du ein Bier, einen Wein?«

»Nein, nein. Nichts.« Alkohol war nach so einer Heulattacke nicht gerade die beste Idee.

»Wo ist Steve? Ich meine, ich hätte vor einer Weile sein Motorrad gehört.«

»Er ist ausgegangen. Er sagte, er bräuchte ein bisschen Action, vielleicht würde er mit den anderen Handwerkern Billard spielen gehen oder so. Ich glaube, er hat ein Auge auf eine der Gärtnerinnen geworfen. Sie heißt Shanna.«

»Shanna und ich kennen uns schon lange. Nicht so, wie du glaubst«, fügte er rasch hinzu. »Wir waren schon als Kinder befreundet. Ich, sie, Bri und Matt.«

»Nett. Nett, so alte Freunde zu haben. Oh. Wow.«

Er hatte eine ganze Menge neuer Skizzen. Action-Posen, dachte sie. Mitten im Sprung, mitten im Schritt, mitten in der Drehung. Und in allen Bewegungen sah sie – und ihr Gesicht war nicht zu verkennen –, sah sie stark, kühn und strahlend aus.

Leider *fühlte* sie sich im Moment nur absolut nicht so.

»Ich denke über eine Tätowierung nach. Das geht mir die ganze Zeit im Kopf herum. Ich weiß nur noch nicht genau, was und wo.« Kritisch musterte er seine Skizzen. »Unten am Rücken, Schulterblatt, Bizeps. Es sollte irgendwas Kleines, Symbolisches sein, und an einer Stelle, wo es den Leuten bei Cass nicht auffällt. Oder noch besser, Cass hat gar keins, sondern es bildet sich erst, wenn sie sich in Brid verwandelt. So ist es nicht nur ein Symbol, sondern eine Kraftquelle.«

Er kniff die Augen zusammen. »Ich muss es mir genau überlegen, bevor ich mit den Panels beginne. Das Exposé für die Geschichte habe ich fertig, und sie gefällt mir auch. Es hält auf, aber …«

Weil Spock angefangen hatte zu winseln, blickte Ford auf. Fassungslos schaute er Cilla an. Tränen strömten ihr übers Gesicht.

»Oh, Mann. Mist. Was ist los?«

»Es tut mir leid. Es tut mir leid. Ich dachte, es wäre vorbei. Ich dachte, ich hätte es überstanden.« Sie wich zurück und wischte sich über die Wangen. »Ich muss gehen.«

»Nein. Oh, oh.« Er packte sie mit festem Griff am Arm. »Was ist los? Was habe ich getan?«

»Alles. Nichts. Du hast nichts getan. Es hat nur etwas mit mir zu tun. Nur mit mir, mir, mir. Das bin ich nicht.« Mit fahrigen Handbewegungen wies sie auf die Skizzen. Spock verkroch sich erschreckt in sein Körbchen bei ihrem Tonfall, ihren Gesten. »Ich bin überhaupt nicht so. Ich kann mich noch nicht einmal dazu aufraffen, Sex mit dir zu haben. Willst du wissen, warum?«

»Ja, das interessiert mich schon.«

»Weil ich alles immer ruiniere und dann mit niemandem darüber reden kann. Bei mir funktioniert einfach nichts. Ich verderbe alles, versage bei allem.«

»Das finde ich gar nicht.« Verwirrt schüttelte er den Kopf. »Wie kommst du darauf?«

»Durch die Realität. Durch die *Geschichte*. Du weißt doch davon gar nichts.«

»Dann erzähl es mir.«

»Du liebe Güte, ich habe es doch schon mit zwölf vergeigt. Ich hatte alle Möglichkeiten, ich hatte die Plattform, und ich habe versagt.«

»Das ist doch Blödsinn.« Sein Tonfall war nüchtern, was viel tröstlicher war als sanftes Mitgefühl. »Das glaubst du doch selber nicht. Dazu bist du zu klug.«

»Es spielt eigentlich keine Rolle, dass ich es *weiß*. Wenn du immer wieder gesagt bekommst, dass du ein Versager bist, dann glaubst du es am Ende auch. Diese gottverdammte Sendung war meine Familie, und dann war sie eines Tages vorbei. Weg! Ich bekam sie nicht wieder. Dann sollte ich Konzerte geben, in Liveshows auftreten, und das *kann ich nicht*. Ich kriege Lampenfieber, Panikattacken. Und Tabletten wollte ich keine nehmen.«

»Was für Tabletten?«

»Gott.« Sie drückte sich die Finger auf die Augenlider, dankbar dafür, dass die Tränen versiegt waren. Spock kam angewackelt und legte ihr einen zerkauten Bären vor die Füße. »Mein Manager, meine Mutter, die anderen Leute haben auf mich eingeredet, ich sollte etwas nehmen, damit ich auftreten konnte. Ich sollte doch weiter Geld verdienen, jeder sollte meinen Namen kennen. Aber ich wollte nicht, und das war es dann. Es gab schlechte Filme, schreckliche Presse – und dann, was noch schlimmer war, gar keine Presse mehr. Und Steve.«

Erregt marschierte sie auf und ab. »Zwei Sekunden, nachdem ich achtzehn war, habe ich mich in die Ehe gestürzt, weil da endlich, endlich jemand war, der mich verstanden hat. Aber selbst das konnte ich nicht halten.

Dann versuchte ich es auf dem College, aber ich habe es gehasst. Ich habe mich elend gefühlt und bin mir dumm vorgekommen. Ich hatte nicht damit gerechnet, dass so viele Leute mich scheitern sehen wollten. Und ich habe ihre Erwartungen erfüllt. Nach einem Semester war ich wieder draußen. Danach synchronisierte ich und spielte demütigend kleine Rollen. Ich schrieb ein Drehbuch, aber auch daraus wurde nichts. War Fotografie vielleicht was für mich? Nein, das konnte ich nicht. Dank Katie – und weil mein Vater, wie ich Jahre später herausfand, dafür gesorgt hatte, dass mein Geld sicher angelegt war, bis ich volljährig war – hatte ich ein Einkommen.

Mit vierzehn war ich in Therapie. Mit sechzehn dachte ich an Selbstmord. Ein heißes Bad, rosa Kerzen, Musik, eine Rasierklinge. Aber dann lag ich in der Wanne und dachte, das ist einfach *bescheuert*. Ich will nicht sterben. Also nahm ich nur ein Bad. Ich versuchte alles Mögliche, weil ich dachte, vielleicht würde mir etwas gelingen. Aber nichts klappte. Ich kann es einfach nicht.«

»Jetzt halt mal die Luft an«, befahl Ford so streng, dass sie ihn verwirrt anblinzelte. »Du warst ein süßes Kind, ein süßes, talentiertes Kind im Fernsehen.«

»Ach, zum Teufel.«

»Halt mal eine Minute den Mund. Ich weiß zwar nicht, wie diese Dinge genau funktionieren, aber ich könnte mir vorstellen, dass die Sendung einfach ausgelaufen war.«

»Und alles andere auch.«

»Aber niemand dachte daran, dass hier ein Kind beteiligt gewesen war, ein Kind, das in dieser Serie großgeworden war, und das sich deshalb so fühlte, als habe man ihm seine Familie genommen. Ein Kind, das glaubte, es wäre alles seine Schuld.«

»Ja, genau so war es. Natürlich weiß ich, dass es nicht stimmt, aber ...«

»Jeder, der einer Vierzehnjährigen Tranquilizer anbietet, damit sie auftreten kann, gehört erschossen. Meiner Meinung nach gibt es da keine Grauzone. Und diese Ereignisse kannst du dir nicht selber ankreiden. Tut mir leid, aber ich muss sie von der Liste streichen. Eigentlich ist es doch ganz klar«, fuhr er fort. »Das College funktionierte nicht, Schreiben, Fotografieren, was auch immer du versucht hast. Das hat nichts mit Scheitern zu tun, Cilla. Du hast Dinge ausprobiert, erforscht. Deine Ehe hat nicht funktioniert, aber ihr seid Freunde geblieben – echte Freunde. Ist das ein Versagen? Nein, für mich steht das eher auf der Plus-Seite. Und was ist mit den Häusern in Kalifornien, die du renoviert und verkauft hast? Wenn du auf ein Hindernis stößt, musst du es eben wegräumen.«

»Nein, das ist ja gar kein Hindernis.« Sie fuhr sich durch die Haare und atmete tief durch. »Eigentlich läuft ja alles gut im Moment. Es tut mir leid. Entschuldigung. Ich kann es gar nicht glauben, dass ich das alles bei dir abgeladen habe. Ich bin eben zu Hause einfach so in Tränen ausgebrochen, hatte aber gedacht, es wäre vorbei. Aus irgendeinem Grund jedoch haben die Skizzen die Schleusen wieder geöffnet.«

Sie bückte sich und streichelte Spock. Dann hob sie den zerfetzten Bären auf. »Das ist ja eklig.«

»Ja. Er hat ihn schon eine Weile. Er gibt ihn nur Menschen, die er liebt.«

»Nun.« Sie beugte sich vor und gab Spock einen Kuss. »Danke, Baby. Hier, ich gebe ihn dir besser zurück.«

Der Hund wedelte mit dem Schwanz, als wolle er sagen, Krise vorbei, und schleppte den Bären wieder zu seinem Körbchen.

»Und warum bist du zu Hause in Tränen ausgebrochen?«

»Oh, Mann.«

Sie trat ans Fenster. Die Sonne war schon tief hinter den Bergen versunken und tauchte die Gipfel in ihr rosiges Licht. Ihr Anblick – fern und ein wenig erhaben – war tröstlich.

»Meine Halbschwester ist heute kurz vorbeigekommen. Angie, die so ganz die Tochter meines Vaters ist. Mich sehe ich eigentlich weniger so, jedenfalls bis jetzt, weil es einfacher für mich war. Sie ist so *lebendig*. Glücklich, klug, hübsch. Ein nettes Mädchen, aber nicht so nett, dass man es nicht aushalten kann. Ich habe mich nie besonders um sie bemüht, ebenso wenig wie um meine Stiefmutter. Hin und wieder eine Karte und an Weihnachten und zum Geburtstag ein Geschenk. Eine Minute lang habe ich sie gar nicht erkannt. Sie hat sich die Haare schneiden lassen, aber das war nicht der Grund. Ich habe es einfach ausgeblendet. Ich kam mir steif und unbeholfen vor, und sie war ganz natürlich. Also hatte ich ein schlechtes Gewissen deswegen, und das machte mich noch steifer und unbeholfener, während sie sich einfach nur freute, mich zu sehen.«

Sie seufzte gereizt. Du benimmst dich wie ein großes Baby, dachte sie. Wenn nicht alles so läuft, wie du es dir vorstellst, dann jammerst du. »Ich hatte mich gerade dazu beglückwünscht, dass ich statt der Eisentore Bäume gepflanzt habe, sozusagen als Symbol dafür, dass alles geöffnet wird, in die Zukunft schaut, und sie hat mir vor Augen gehalten, dass ich mit Menschen und Beziehungen immer noch umgehe wie ein

Stein, den man über eine Wasserfläche hüpfen lässt. Ich will nicht einsinken.«

»Vielleicht hast du jetzt eher eine Zeitlang Wasser getreten.«

Sie warf einen Blick über die Schulter. Er sah so gut aus, dachte sie, in dem uralten Sweatshirt, den zerrissenen Jeans und mit den zerzausten Haaren. »Vielleicht. Auf jeden Fall, während wir da standen und redeten, hielt Mr. Hennessy auf der anderen Straßenseite. Ich habe seinen Kombi schon einmal da stehen sehen. Angie kannte ihn.«

Sie drehte sich um. »Wusstest du, dass er auf meinen Vater und seine Familie losgegangen ist?«

»Nein. Aber es ist durchaus möglich. Er ist ein harter Mann, Cilla.«

»Ja, das habe ich auch festgestellt, als ich zu ihm gegangen bin, um mit ihm zu reden. Er gibt mir und meiner Sippe, wie er sie bezeichnet, die Schuld daran, was seinem Sohn passiert ist. Das Haus ist verflucht, ich bin eine Hure wie meine Großmutter, und so weiter. Er hat mich bespuckt.«

»Bastard.«

»Ja. Und dann ist er so schnell losgefahren, dass ich das Gleichgewicht verloren habe. Angie hat sich aufgeführt wie eine Glucke.«

»Du solltest ihn anzeigen. Die Polizei wird mit ihm reden.«

»Und was wollen sie ihm sagen? Dass er mir nicht auf die Schuhe spucken soll? Besser ist es doch, wenn ich ihm erst gar nicht mehr die Gelegenheit dazu gebe. Ich bin es leid, für etwas belangt zu werden, was vor meiner Geburt passiert ist. Zuerst dachte ich, ich wäre bloß stinksauer, habe mich wieder an die Arbeit gemacht und es ausgeschwitzt. Aber später ist es eben alles rausgekommen, in diesem Anfall von Selbstmitleid, den ich eben mit dir geteilt habe.«

»Das zeigt bloß, dass du zu streng mit dir bist. Ich verstehe nichts vom Häuserbauen, aber ich kenne die Person von gegenüber. Sie ist kein Versager. Sie ist klug und geschickt und arbeitet für das, was sie will. Sie mag zwar nicht die mystischen Kräfte einer Göttin haben, aber…« Er tippte auf eine der Zeichnungen. »Das ist sie. Das bist du, Cilla. So wie ich dich sehe.« Er nahm eine Skizze von Brid, die die Streitaxt mit beiden Händen hielt, das Gesicht leuchtend vor Macht und Entschlossenheit.

»Nimm es mit und häng es irgendwo auf. Und wenn du das Gefühl hast, wieder in Tränen ausbrechen zu müssen, wirf einen Blick darauf. So bist du.«

»Du bist der Erste, der mich als Kriegergöttin sieht.«

»Sie ist mehr als das.«

Cilla blickte ihn an. Etwas in ihr krampfte sich zusammen, aber es stiegen keine Tränen in ihr auf, sondern sie hatte das Gefühl, als ob sich etwas langsam lösen konnte. »Danke für die Zeichnung und für alles andere. Und zum Dank dafür…«

Sie drehte sich um, und das Herz schlug ihr bis zum Hals, als sie ihr T-Shirt hochzog und sich vorbeugte, so dass er die Stelle sehen konnte, wo der Bund ihrer Jeans ein wenig abstand. Und dort war in Tiefblau eine dreifache Spirale eintätowiert.

Er spürte, wie sich seine Libido regte, noch bevor er das Zeichen mit dem Verstand erkannte. »Das keltische Symbol weiblicher Macht. Mädchen, Mutter, Matrone.«

Sie warf ihm einen Blick über die Schulter zu. »Na, du bist ja schlau!«

»Ich habe recherchiert.« Er trat näher, um die Tätowierung zu betrachten. »Und genau dieses Symbol stand ganz oben auf meiner Liste für Brid. Das ist Kismet.«

»Es sollte auf ihrem Bizeps sein.«

»Was? Entschuldigung, ich war gerade abgelenkt.«

»Bizeps.« Cilla streckte und beugte ihren Arm. »Dort wirkt es stärker. Nicht so sexy vielleicht, aber stärker, glaube ich. Und wenn du es erst entstehen lässt, während sie sich verwandelt, ist es ein noch deutlicheres Statement.«

»Du hast ja zugehört.«

»Du doch auch.« Sie hob die Hand und berührte seine Wange. »Das kannst du gut.«

»Okay. Wir müssen jetzt aus dem Haus.«

»Ach ja?«

»Ja. Sonst würde ich dich nämlich in mein Bett locken, und das möchte ich wirklich gerne. Und danach würden wir uns beide fragen, ob es daran lag, dass du einen schlechten Tag hattest und ich einfach da war. Angst und Verlegenheit würden folgen. Also... lass uns Eis essen gehen.«

Anscheinend ebenfalls ein wichtiges Wort für Spock, der sofort aus seinem Körbchen sprang.

Lächelnd ließ sie ihre Finger um seine Kinnlinie gleiten. »Ich möchte, dass du mich jetzt in dein Bett lockst.«

»Ja. Halt den Mund. Wir gehen Eis essen.«

Er nahm ihre Hand und zog sie mit sich. Der Hund rannte an ihnen vorbei zur Haustür.

»Du bist ein verwirrender Mann, Ford.«

»Die Hälfte der Zeit verstehe ich mich selbst nicht.«

10

Steve fand, dass es nur wenig gab, was besser war, als mit dem Motorrad eine Landstraße entlangzubrummen und sich im warmen Abendwind in die Kurven zu legen. Bei der scharfen Brünetten, der Gartenbauarchitektin Shanna, zu landen, hätte sicher eine noch höhere Punktzahl erreicht, aber er war schon nahe dran gewesen.

Und es gab immer noch ein nächstes Mal.

Er hatte auf jeden Fall das Gefühl, dass das gesamte Gericht durchaus halten würde, was der Vorgeschmack versprochen hatte. Ja. Er grinste vor sich hin. Nächstes Mal.

Für den Moment reichte es ihm schon völlig aus. Er hatte

ein Bier getrunken, ein bisschen Pool gespielt, sie hatten viel gelacht, und bei Shanna war er auch einen Schritt weitergekommen. Während er die leere Straße entlangfuhr, überlegte er, dass es eine gute Idee gewesen war, bei Cilla vorbeizufahren.

Sie hatte sich Großes vorgenommen, dachte er. Ein großes, kompliziertes Projekt und eine verzwickte persönliche Sache. Aber sie schaffte das schon. Er sah es ihr an, so wie sie aussah, wie sie redete. Außerdem brauchte sie das.

Er würde noch eine Woche, vielleicht auch zehn Tage bleiben und ihr helfen. Die Renovierung des Hauses hatte ihn auch gepackt, und es interessierte ihn zu sehen, was daraus wurde. Außerdem wollte er auch noch ein bisschen bei Cilla bleiben und ihr zuschauen, wie sie sich ihr neues Lebensgerüst zimmerte.

Und hoffentlich klappte es in dieser Zeit mit Shanna.

Eine Woche müsste eigentlich reichen, dachte er, als er auf die Straße einbog, die an Cillas Farm vorbeiführte. Dann würde allerdings der ländliche Charme des Shenoandoah Valley auch langsam nachlassen. Er brauchte das Leben in der Stadt, und obwohl es ihm in New York während seiner kurzen Aufenthalte immer gut gefiel, so war doch der Glanz von L.A. sein eigentliches Zuhause.

Bei Cilla war das anders. Steves Blick glitt über ein Auto, das am Straßenrand stand. Für Cilla war L.A. einfach immer nur ein Wohnort gewesen. Wahrscheinlich war das ein weiterer Grund dafür, dass ihre Ehe so gründlich schiefgegangen war. Selbst damals hatte sie schon weggewollt, während er unbedingt dableiben wollte.

Er bog in ihre Einfahrt und lächelte vor sich hin, als er feststellte, dass sie das Licht über der Haustür für ihn angelassen hatte. Auch drinnen brannte eine Lampe in einem der Fenster. Das war typisch für Cilla, dachte er. Sie dachte an die kleinen Dinge, erinnerte sich an Details.

Und das Licht im Fenster erinnerte ihn daran, dass es schon

nach zwei Uhr morgens sein musste. In der ländlichen Stille dröhnte seine Harley wie ein Tornado, der über OZ hinwegfegte. Sie würde wahrscheinlich weiterschlafen – wenn Cilla einmal schlief, konnte *nichts* sie aufwecken –, aber er drosselte trotzdem das Tempo und stellte den Motor schließlich ab, noch bevor er das Haus erreicht hatte.

Leise singend stieg er ab und schob die Maschine zur Scheune. Er nahm seinen Helm ab, schnallte ihn ans Motorrad und zog das quietschende Scheunentor auf. Die Scheinwerfer durchschnitten die Dunkelheit, als er rülpsend – das lag am Corona – den Ständer herunterzog. Als er das Vorderrad geradestellte, fiel das Licht des Scheinwerfers auf einen von Cillas Kartons. Er stand offen, der Deckel lag daneben und Fotos und Papiere lagen auf dem Boden.

»Hey.«

Er trat einen Schritt näher, um sich die Kiste anzuschauen. Er hörte nichts, sah nichts, spürte jedoch plötzlich einen heftigen Schmerz und fiel vornüber auf den Betonboden.

Die erste Zusammenkunft des Morgens hatte Cilla bereits kurz nach sieben mit Matt. Sie wollte sich auch mit dem Elektriker und dem Installateur zusammensetzen, wollte jedoch Steve dabeihaben, weil sie die Zeit ausnutzen wollte, in der er hier war.

Außerdem sollte er mit ihr auf Einkaufstour gehen. Sie musste Fliesen und Armaturen aussuchen und mehr Bauholz bestellen. Gegen halb acht war das Haus erfüllt von der Kakophonie von Sägen, Hämmern und Radios, und da sie davon ausging, dass Steve erst spät in der Nacht nach Hause gekommen war, hatte sie Mitleid mit ihm und ging mit einem Becher Kaffee in das Schlafzimmer, wo er in seinem geborgten *Spider-Man*-Schlafsack schlief.

Sie stieß die Luft aus, als sie den unbenutzten Schlafsack sah. »Irgendjemand hat Glück gehabt«, murmelte sie und trank den Kaffee selbst, während sie die Treppe hinunterlief.

Sie nahm ihre Listen, ihre Kladde und ihre Tasche. Als sie nach draußen kam, fuhr gerade die Gärtner-Mannschaft vor. Cilla zog die Augenbrauen hoch, als sie Shanna sah. Bei wem mochte Steve dann übernachtet haben?, fragte sie sich. Shanna winkte ihr zu und kam zu ihr herüber.

»Morgen. Brian musste heute früh auf eine andere Baustelle, aber er kommt in ein paar Stunden vorbei.«

»Ich wollte gerade losfahren, um Material zu kaufen. Brauchen Sie mich für irgendetwas?«

»Nein, wir kommen klar. Aber Sie sollten es sich ansehen, wenn Sie wiederkommen, weil wir heute schon mit der Terrasse und den Wegen anfangen.« Shanna blickte zum Haus. »Und, ist Steve schon unter den Lebenden heute früh?«

»Ich habe ihn noch nicht gesehen.«

»Das überrascht mich nicht.« Shanna rückte ihre Kappe über ihrem dunklen Zopf zurecht und lächelte sie an. »Wir waren so ungefähr die Letzten heute Nacht. Steve kann vielleicht tanzen!«

»Ja, das kann er gut.«

»Er ist süß. Er hat mich nach Hause gebracht, damit mir auch bestimmt nichts passiert, und hat noch nicht einmal gedrängt – jedenfalls nicht sehr –, mit zu mir kommen zu dürfen. Wenn er ein bisschen hartnäckiger gewesen wäre – wer weiß?« Sie lachte.

»Er ist nicht bei Ihnen geblieben?«

»Nein.« Shannas Lächeln erlosch. »Ist er denn heil nach Hause gekommen?«

»Ich weiß nicht. Ich habe ihn drinnen nicht gesehen, deshalb habe ich angenommen...« Schulterzuckend klimperte Cilla mit ihren Schlüsseln. »Ich sehe mal rasch nach, ob sein Motorrad in der Scheune steht.«

Shanna lief neben ihr her. »Als er fuhr, ging es ihm gut. Er hat nicht viel getrunken. Zwei Bier über den ganzen Abend verteilt. Ich wohne nur etwa zwanzig Minuten von hier entfernt.«

»Wahrscheinlich haben wir uns im Haus gerade verpasst.« Aber Cilla krampfte sich schon der Magen zusammen, als sie das Scheunentor erreicht hatten.

Staubflocken tanzten im Sonnenlicht, das durch die geöffnete Tür fiel. Cilla blinzelte, um ihre Augen an die plötzliche Dunkelheit zu gewöhnen, und ihre Angst wurde größer, als sie die Harley nicht gleich sah.

Drinnen sah sie, dass einige der Kartons umgeworfen worden waren. Ihr Inhalt lag auf dem Boden verstreut. Und auch die Harley war umgekippt, und unter der schweren Maschine lag Steve, mit gespreizten Armen und Beinen.

»O Gott.« Cilla rannte auf ihn zu und wuchtete als Erstes mit Shannas Hilfe das Motorrad von seinem leblosen Körper. Seine Haare waren blutverklebt und verkrustetes Blut bedeckte auch sein Gesicht. Sie traute sich nicht, ihn zu bewegen, und drückte ihre Finger an seine Kehle. Als sie seinen Puls dort fühlte, begann sie vor Erleichterung zu zittern.

»Er lebt. Ich kann seinen Puls fühlen. Rufen Sie …«

»Ja, sofort.« Shanna gab die Notrufnummer in ihr Handy ein. »Sollen wir eine Decke holen? Sollen wir …«

»Sagen Sie ihnen, sie sollen sich beeilen. Und bewegen Sie ihn nicht.« Cilla sprang auf und rannte zum Haus.

Für gewöhnlich hatte er einen festen Schlaf. Aber das Geschrei und die Sirenen drangen in Fords Träume. Zu benommen, um sie miteinander in Verbindung zu bringen, kroch er aus dem Bett und taumelte auf die Veranda. Gähnend blickte er zur Farm hinüber, wobei er sich sehnlichst eine Tasse Kaffee wünschte. Als er jedoch den Krankenwagen vor Cillas Scheune sah, war er mit einem Schlag hellwach. Er stürzte ins Haus und zog sich in fliegender Hast etwas an.

Als er Cillas Einfahrt entlanglief, zwang er sich, nichts zu denken, weil jedes Bild, das ihm in den Sinn kam, nur noch schlimmere nach sich zog. Und als er sie dann an der Trage stehen sah, bekam er vor Erleichterung beinahe weiche Knie.

Aber der Schreck raubte ihm sofort wieder den Atem, als er Steve auf der Trage erkannte.

»Ich fahre mit. Ich fahre mit.« Ihre Stimme schwankte zwischen äußerster Beherrschung und Hysterie. »Ich lasse ihn nicht alleine.« Sie umklammerte den Rand der Trage und ließ sie nicht los, als die Sanitäter sie in den Krankenwagen schoben.

Ford wurde es ganz kalt, als er die Angst in ihrem Blick sah. »Cilla. Ich fahre euch hinterher. Ich bin auch da.«

»Sie bekommen ihn nicht wach. Er wacht nicht auf.« Bevor jemand sie daran hindern konnte, stieg Cilla hinten in den Krankenwagen.

Er nahm ihre Tasche, die Shanna aufgehoben hatte und ihm in die Hand drückte. Shanna liefen die Tränen übers Gesicht.

»Er war in der Scheune«, stieß sie hervor und ließ sich von Ford in den Arm nehmen. »Er hat auf dem Boden unter dem Motorrad gelegen. Das Blut.«

»Okay, Shan. Okay, Süße. Ich muss jetzt los. Ich sage dir dann später, wie es ihm geht.«

»Ruf mich bitte an. Ruf mich an.«

»Sobald ich etwas weiß.«

Nach einer wilden Fahrt ins Krankenhaus, trug Ford Cillas Tasche in die Notaufnahme. Er war viel zu besorgt, um sich dabei albern vorzukommen.

Sie stand vor den Doppeltüren und wirkte hilflos.

»Ich habe ihnen seine medizinische Vorgeschichte erzählt, soweit ich mich erinnern konnte. Aber wer kann sich schon an alles erinnern?« Sie zupfte am Halsausschnitt ihres T-Shirts, als ob sie sich an etwas festhalten müsste. »Aber zumindest wusste ich seine Blutgruppe noch. A negativ, das wusste ich noch.«

»Okay. Komm, wir setzen uns.«

»Sie wollen mich nicht hineinlassen. Ich darf nicht bei ihm bleiben. Er wacht nicht auf.«

Ford legte ihr den Arm um die Schultern und führte sie zu einem Stuhl. Als sie sich gesetzt hatte, hockte er sich vor sie, so dass sie ihm in die Augen blicken musste. »Sie behandeln ihn jetzt. Er wird wieder gesund. Okay?«

»Er hat geblutet. Sein Kopf. Sein Gesicht. Er lag da und blutete. Ich weiß nicht, wie lange.«

»Erzähl mir, was passiert ist.«

»Ich *weiß* es nicht!« Sie schlug sich die Hände vor den Mund und begann, hin und her zu schaukeln. »Ich weiß es nicht. Er war nicht in seinem Zimmer, und ich dachte, na ja, auch egal, dann ist er bei einer gelandet. Das ist alles. Beinahe wäre ich weggefahren. Gott, Gott, ich wäre beinahe weggefahren, ohne nach ihm zu suchen. Er hätte noch Stunden da gelegen.«

»Atme tief durch.« Seine Stimme war scharf. Er nahm ihre Hände und drückte sie. »Sieh mich an und atme!«

»Okay.« Sie atmete und zitterte dabei am ganzen Leib, aber wenigstens kehrte ein Hauch von Farbe in ihre Wangen zurück. »Ich glaubte, er hätte bei Shanna übernachtet, und deshalb wollte ich alleine losfahren, um Material zu kaufen. Aber dort war er gar nicht. Ich meine, sie kam und sagte, er sei nicht bei ihr geblieben. Ich machte mir Sorgen, dass er sich vielleicht verirrt haben könnte oder so. Ich weiß gar nicht. Und dann habe ich nachgeschaut, ob sein Motorrad da war. Und dann haben wir ihn gefunden.«

»In der Scheune.«

»Er lag unter seinem Motorrad. Ich weiß nicht, was passiert ist. Sein Kopf, sein Gesicht.« Sie rieb sich mit der Hand zwischen den Brüsten. Ford konnte ihr Herz beinahe schlagen hören. »Ich habe gehört, wie sie gesagt haben, dass er vielleicht Rippen gebrochen hat, weil das Motorrad auf ihn drauf gefallen ist. Aber wie sollte es denn auf ihn fallen? Und... und die Kopfverletzungen. Seine Pupillen. Sie haben etwas über erweiterte Pupillen gesagt. Ich weiß, dass das nichts Gutes bedeutet. Ich hatte mal einen Gastauftritt in *Emergency Room*.«

Sie atmete stoßweise. Und dann fing sie an zu weinen. »Wer zum Teufel hat denn einen Motorradunfall in einer Scheune? Es ist so gottverdammt blöd.«

Ford setzte sich neben sie und hielt ihre Hand. Die Tränen und der Anflug von Wut waren wahrscheinlich ein gutes Zeichen.

Als die Türen aufgingen, sprangen sie beide auf. »Was ist los? Wohin bringen Sie ihn? Steve.«

»Miss.« Eine der Krankenschwestern stellte sich Cilla in den Weg. »Sie bringen Ihren Freund in den OP.«

»Warum in den Operationssaal? Was ist denn los?«

»Er hat eine Blutung im Gehirn von der Kopfverletzung und muss operiert werden. Ich bringe Sie zum Wartezimmer in der Chirurgie. Einer der Ärzte wird Ihnen alles erklären.«

»Wie schlimm steht es denn um ihn? Das können Sie mir doch sagen. Wie schlimm ist es?«

»Wir tun, was wir können. Unsere besten Chirurgen kümmern sich um ihn.« Sie führte sie zu einem Aufzug. »Wissen Sie, ob Mr. Chensky in einen Kampf verwickelt war?«

»Nein. Warum?«

»Die Verletzung an seinem Hinterkopf könnte von einem Schlag herrühren. Zu einem Sturz passt sie nicht. Wenn er natürlich ohne Helm Motorrad gefahren ist…«

»Es ist nicht beim Fahren passiert. Er war nicht auf der Straße.«

»Ja, das sagten Sie ja.«

»Cilla.« Ford legte ihr die Hand auf die Schulter. »Wir müssen die Polizei verständigen.«

Wie sollte sie denn nachdenken? Wie konnte sie hier in diesem Raum sitzen, während irgendwo anders Fremde Steve operierten? Cilla hielt es kaum noch aus.

»Miss McGowan?«

»Ja?« Mit leeren Augen starrte sie den Polizisten an. Wie hieß er noch mal? Sie hatte seinen Namen schon wieder vergessen. »Entschuldigung.« Sie versuchte, sich an die Frage zu erinnern, die er ihr gestellt hatte. »Ich weiß nicht genau, wann er zurückgekommen ist. Ich bin gegen Mitternacht zu Bett gegangen, und da war er noch nicht zu Hause. Shanna sagte, er habe sie vor zwei zu Haus abgeliefert. Kurz vor zwei, sagte sie.«

»Können Sie mir Shannas vollen Namen sagen?«

»Shanna Stiles«, warf Ford ein. »Sie arbeitet für Brian Morrow von ›Morrow Landscape and Design‹.«

»Sie haben Mr. Chensky etwa um halb acht heute Morgen gefunden?«

»Ja, habe ich Ihnen das nicht schon gesagt?« Cilla zupfte an ihren Haaren. »Er war nicht im Haus, deshalb habe ich in der Scheune nachgeschaut, ob sein Motorrad da war. Und da habe ich ihn gefunden.«

»Sie und Mr. Chensky leben zusammen?«

»Er ist zu Besuch bei mir. Er hilft mir für ein paar Wochen.«

»Wo wohnt er?«

»In Los Angeles. Er war in New York und ist auf dem Rückweg nach Los Angeles bei mir vorbeigekommen.« Sie hatte einen Kloß im Hals. »Spielt das eine Rolle?«

»Officer Taney.« Ford legte seine Hand auf Cillas. »Es ist Folgendes. Vor ein paar Nächten habe ich jemanden beobachtet, der in Cillas Scheune ging. Ich hatte lange gearbeitet, und es war schon spät, als ich auf dem Weg in mein Bett aus dem Fenster schaute und jemanden mit einer Taschenlampe sah. Ich nahm an, es wäre Steve und dachte mir nichts dabei.«

»Aber er war es nicht.« Cilla schloss die Augen. »Ich wollte eigentlich ein Vorhängeschloss kaufen, habe es aber vergessen. Ich habe nicht daran gedacht, und jetzt …«

»Was bewahren Sie in der Scheune auf?«, fragte Taney.

»Ich habe den Speicher ausgeräumt und die Sachen dort gelagert. Viele Dinge, die ich noch durchsehen muss. Und dann sind natürlich auch noch andere Sachen da, altes Werkzeug, Gerätschaften.«

»Wertsachen?«

»Für manche Leute ist alles, was mit meiner Großmutter zu tun hat, wertvoll. Wie dumm von mir zu glauben, ich könnte ganz von vorne anfangen.« Und es zu meinem Haus machen, dachte sie. Wie dumm von mir.

»Wurde etwas gestohlen?«

»Ich weiß es nicht. Ich weiß es einfach nicht.«

»Mr. Chensky ist etwa gegen acht Uhr gestern Abend in eine Bar gefahren. Sie kennen nicht zufällig den Namen der Bar …«

»Nein, das weiß ich nicht. Sie können Shanna Stiles fragen. Und wenn Sie glauben, dass er betrunken war und sich selbst auf den Hinterkopf geschlagen und sein Motorrad über sich gezogen hat, dann irren Sie sich. Steve wäre nie betrunken aufs Motorrad gestiegen. Sie können Shanna und alle anderen, die gestern Abend in der Bar waren, gerne fragen.«

»Das werde ich tun, Miss McGowan, und wenn es Ihnen recht ist, fahre ich jetzt hinüber und sehe mir Ihre Scheune an.«

»Ja, selbstverständlich.«

»Ich hoffe, Ihr Freund wird wieder gesund. Ich melde mich bei Ihnen«, fügte er hinzu und stand auf.

Ford blickte ihm nach, als er zum Schwesternzimmer ging und eine Karte herauszog.

»Er hält es für Trunkenheit am Steuer, oder er glaubt, dass Steve Drogen genommen hat.«

»Vielleicht.« Ford wandte sich wieder zu Cilla. »Vielleicht. Aber er wird sich trotzdem alles ansehen und mit den Leuten reden. Und wenn Steve wieder bei Bewusstsein ist, kann er ihm den Rest erzählen.«

»Er könnte sterben. Das brauchen sie mir nicht zu sagen, das weiß ich von ganz alleine. Er könnte nie mehr aufwachen.« Ihre Lippen bebten. »Und ich sehe ihn ständig vor mir, wie in dieser Szene in *Grey's Anatomy*, in der die Assistenzärzte oben hinter der Glasscheibe sitzen und auf Steve herunterblicken. Und jeder denkt mehr an Sex als an Steve.«

Ford umfasste ihr Gesicht mit beiden Händen. »Die Leute machen ihre Arbeit, während sie an Sex denken. Die ganze Zeit. Sonst würde nie jemand was erledigt kriegen.« Als Cilla ihren Mund zu einem schwachen Lächeln verzog, küsste er sie auf die Stirn. »Lass uns ein bisschen spazieren gehen, damit wir frische Luft bekommen.«

»Ich gehe besser nicht hier weg. Ich muss hierbleiben.«

»Es wird noch eine ganze Weile dauern. Komm, dann holen wir uns wenigstens einen Kaffee.«

»Okay. Ein paar Minuten. Du musst auch nicht hierbleiben.« Sie blickte auf ihre Hand, die er fest in seiner hielt, während sie zum Aufzug gingen. »Du musst wirklich nicht bleiben. Du kennst ja Steve kaum.«

»Sei doch nicht dumm. Natürlich kenne ich ihn, und ich mag ihn. Und außerdem will ich dich nicht alleinelassen.«

Sie sagte nichts. Ihre Augen brannten, und am liebsten hätte sie geweint. Ihr Körper schmerzte und sehnte sich danach, sich an ihn zu drücken, von ihm gehalten zu werden. Bei ihm wäre sie in Sicherheit, dachte sie.

»Willst du etwas essen?«, fragte er sie, als sie im Eingangsbereich aus dem Aufzug stiegen.

»Nein, ich bekomme nichts herunter.«

»Ist wahrscheinlich sowieso immer noch nicht so besonders.«

»Hast du Erfahrung damit?«

»Mein Dad war vor ein paar Jahren für ein paar Tage hier, deshalb habe ich ein- oder zweimal in der Cafeteria gegessen. Das Essen da war seit meiner Kindheit nicht besser geworden.«

»Weswegen warst du als Kind im Krankenhaus?«

»Sie haben mich über Nacht da behalten – Verdacht auf Gehirnerschütterung, gebrochenen Arm. Ich, äh, hatte die großartige Idee gehabt, Klettverschlüsse an meinen Handschuhen und Schuhen zu befestigen, um wie *Spider-Man* an Gebäuden hoch- und runterklettern zu können. Zum Glück lag mein Schlafzimmer nicht so hoch oben.«

»Vielleicht hättest du erst mal versuchen sollen, von unten hinaufzugehen, bevor du heruntergeklettert bist.«

»Rückblickend auf jeden Fall.«

»Du lenkst mich von Steve ab, und ich bin dir dankbar dafür. Aber...«

»Fünf Minuten«, sagte Ford und zog sie nach draußen. »Frische Luft.«

»Ford?«

Eine hübsche Frau in einem leuchtend roten Kostüm kam auf sie zu. Ein Lachen spielte um die Lippen, die im gleichen Rot wie das Kostüm geschminkt waren, und als sie ihre Sonnenbrille absetzte, enthüllte sie tiefdunkelbraune Augen.

Sie breitete die Arme aus und zog Ford mit einer besitzergreifenden Geste an die Brust. Dann trat sie einen Schritt zurück und schüttelte ihre glänzenden, braunen Haare. »Das ist ja eine Ewigkeit her!«

»Ja, eine ganze Weile«, stimmte Ford zu. »Sie sehen toll aus!«

»Ich tue mein Bestes.« Lächelnd wandte sie sich zu Cilla. »Hallo.«

»Cilla, das ist Brians Mom, Cathy Morrow. Bri arbeitet gerade für Cilla.«

»Ja, natürlich«, erwiderte Cathy. »Janet Hardys Enkelin. Ich kannte sie ein wenig. Sie sehen ihr sehr ähnlich. Und Sie renovieren die alte Farm?«

»Ja.« Das Gespräch war surreal. Cilla kam es vor wie Text aus einem Stück. »Brian ist großartig. Er ist sehr begabt.«

»Ja, er ist auch mein Sohn. Was macht ihr beiden hier?«

»Cillas Freund liegt im OP. Es hat einen Unfall gegeben.«

»O Gott, das tut mir aber leid.« Das fröhliche, flirtende Lächeln verwandelte sich in einen besorgten Gesichtsausdruck.

»Kann ich irgendetwas tun?« Wie selbstverständlich legte sie Cilla den Arm um die Schultern, und instinktiv schmiegte sich Cilla an die fremde Frau.

»Wir … können nur warten.«

»Das Warten ist das Schlimmste. Ich arbeite zwei Tage die Woche als Freiwillige hier und bin im Vorstand einiger Wohltätigkeitskomitees. Ich kenne viele Ärzte hier. Wer ist denn der Chirurg?«

»Ich weiß nicht; es ist alles so schnell gegangen.«

»Soll ich nicht versuchen, etwas mehr für Sie herauszufinden? Ich weiß nicht, warum sie einfach nicht begreifen, dass es uns besser geht, wenn wir wissen, was los ist.«

Das Angebot kam Cilla vor wie Wasser in der Wüste. »Könnten Sie das tun?«

»Ich kann es sicher versuchen. Kommen Sie, meine Liebe. Möchten Sie einen Kaffee? Wasser? Nein, ich sage Ihnen was. Ford, geh mal in die Cafeteria und besorg Cilla ein Ginger Ale.«

»Okay. Wir sehen uns dann oben. Du bist in guten Händen, Cilla.«

Es kam ihr auch so vor. Zum ersten Mal seit Langem hatte Cilla das Gefühl, dass sie sich einfach fallen lassen und jemand anderen die Verantwortung übernehmen lassen konnte.

»Was ist mit Ihrem Freund passiert?«

»Wir wissen es nicht genau. Das ist Teil des Problems.«

»Nun, wir werden es schon herausfinden.« Cathy drückte Cilla tröstend an sich, als sie in den Aufzug traten, der vor Besuchern und Blumen überquoll. »Wie heißt er?«

»Steve. Steven Chensky.«

Cathy zog ein rotes Ledernotizbuch und einen silbernen Kugelschreiber aus der Tasche, um sich den Namen zu notieren. »Wie lange ist er schon hier?«

»Ich weiß nicht genau. Ich kann nicht mehr klar denken. Wir sind etwa um acht hierhergekommen, glaube ich, zuerst in die Notaufnahme, und dort war er eine Zeitlang, bevor sie ihn hinaufgebracht haben. Vielleicht vor einer Stunde?«

»Ich weiß, dass Ihnen das lang vorkommt, aber eigentlich ist es das nicht. Hier.« Cathy tätschelte Cilla den Rücken, als sich die Aufzugtüren öffneten. »Setzen Sie sich hin, und ich sehe zu, was ich herausfinden kann.«

»Danke. Vielen Dank.«

»Sie brauchen sich nicht zu bedanken.«

Cilla ging wieder ins Wartezimmer, setzte sich aber nicht. Sie wollte nicht bei den anderen Besuchern sitzen, die darauf warteten, etwas über einen geliebten Menschen zu erfahren. Sie hätte sich gerne ans Fenster gestellt, aber im Wartezimmer gab es keine Fenster. Wer war bloß auf die Idee gekommen, einen innenliegenden Warteraum ohne Fenster zu entwerfen? Begriff denn hier niemand, dass man in so einer Situation hinausschauen musste?

»Hey.« Ford reichte ihr einen großen Pappbecher.

»Danke.«

»Cathy redet mit den Ärzten.«

»Das ist sehr nett von ihr. Sie mag dich sehr. Als sie auf uns zukam, dachte ich zuerst, sie wäre eine ehemalige Freundin von dir.«

»Mann.« Er wurde rot. »Sie ist Brians Mutter.«

»Viele Männer stehen auf ältere Frauen. Und sie sieht echt gut aus.«

»Eine Mutter«, wiederholte Ford. »Brians Mom.«

Cilla begann zu lächeln, wurde aber wieder angespannt, als Cathy auf sie zukam.

»Also, Dr. North operiert ihn«, begann Cathy in einem sachlichen Tonfall, der sehr tröstlich war. »Er ist einer der Besten. Da haben Sie echt großes Glück.«

»Danke.« Cilla atmete auf. »In Ordnung.«

»Möchten Sie alle medizinischen Fachausdrücke hören?« Cathy hob ihr Notizbuch.

»Ich … Nein. Nein, ich will es einfach nur wissen.«

»Er schlägt sich tapfer. Er ist stabil. Es wird aber mindestens noch zwei Stunden dauern. Und sie müssen sich auch um andere Verletzungen kümmern.« Jetzt schlug sie das Buch doch auf. »Zwei gebrochene Rippen. Seine Nase und sein linker Wangenknochen sind gebrochen, und seine Niere ist geprellt. Seine Kopfverletzungen sind jedoch am ernstesten, und daran arbeitet Dr. North. Er ist jung, fit, gesund, und diese Faktoren sprechen für ihn.«

»Okay.« Cilla nickte. »Danke.«

»Ich frage später noch mal nach, einverstanden?« Cathy ergriff Cillas Hand. »Danke, Mrs. Morrow. Vielen Dank.«

»Cathy. Schon gut. Pass auf sie auf«, sagte sie zu Ford und ließ sie alleine.

»Ich gehe nach draußen und rufe im Haus an. Es wollen bestimmt alle wissen, was los ist.«

»Das habe ich schon erledigt«, erwiderte Ford, »als ich dir etwas zu trinken geholt habe. Aber wir können sie ja auf den neuesten Stand bringen.«

Sie gingen auf und ab. Sie setzten sich. Sie starrten auf den Fernsehbildschirm im Wartezimmer, den jemand auf CNN eingestellt hatte. Als die zwei Stunden schon längst vorbei waren, kam Cathy zurück.

»Er ist aus dem OP heraus. Dr. North wird mit Ihnen sprechen.«

»Er ist …«

»Sie haben mir nicht viel gesagt, nur dass er es geschafft hat. Und das ist schon mal gut. Ford, sorg bitte dafür, dass Cilla meine Telefonnummer hat. Sie können mich jederzeit anrufen. In Ordnung?«

»Ja.« Cilla ballte die Fäuste, als der Arzt, der noch grüne OP-Kleidung trug, in der Tür stehen blieb. Er blickte sich um und erkannte offenbar Cathy, die Cilla kurz die Hand auf die Schulter legte.

»Rufen Sie mich an«, wiederholte sie und ging, als der Arzt auf sie zukam.

»Miss McGowan?«

»Ja. Ja. Steve?«

North setzte sich. Sein Gesicht wirkte ruhig, dachte Cilla. Beinahe gelassen und glatt, glatt wie brauner Samt. Er beugte sich vor und blickte sie aus seinen dunklen Augen an, während er sprach.

»Steve hat eine doppelte Schädelfraktur erlitten. Eine lineare Fraktur hier«, sagte er und fuhr mit dem Finger oben über seine Stirn. »Diese Frakturen heilen für gewöhnlich von selber, weil sich der Knochen dabei nicht verschiebt. Aber die zweite Fraktur war hier.« Er zeigte mit der Hand unten auf seinen Schädel. »Ein Schädelbasisbruch. Dieser schwere Bruch hat eine Gehirnquetschung und eine Blutung verursacht.«

»Sie haben ihn wiederhergestellt.«

»Er hat die Operation überstanden. Wir werden weitere Tests machen müssen. Wir beobachten den Druck in seinem Schädel auf der Intensivstation mit einer Vorrichtung, die ich ihm bei der Operation eingesetzt habe. Wenn die Schwellung zurückgeht, entfernen wir sie wieder. Er hat eine gute Chance.«

»Eine gute Chance«, wiederholte sie.

»Er könnte allerdings eine zeitweilige oder auch dauerhafte Hirnschädigung zurückbehalten. Im Moment kann man das noch nicht sagen. Im Moment können wir nur abwarten und ihn beobachten. Er liegt im künstlichen Koma. Sein Herz ist sehr stark.«

»Ja, das ist es.«

»Er hat eine gute Chance«, wiederholte North. »Hat er Familie?«

»Nicht hier. Nur mich. Kann ich ihn sehen?«

»Wir schicken jemanden, der Sie abholt und zur Intensivstation bringt.«

Als sie dort war, stand sie an seinem Bett und starrte auf ihn herunter. Unter all den Schwellungen und blauen Flecken war sein Gesicht totenbleich. Es war nicht richtig, dachte sie nur. Nichts davon war richtig. Er sah noch nicht einmal aus wie Steve, mit den tief eingesunkenen Augen, der geschwollenen Nase und den weißen Verbänden um den Kopf.

Sie hatten ihm den Ohrring abgenommen. Warum hatten sie das bloß getan?

Er sah gar nicht aus wie Steve.

Sie nahm den kleinen silbernen Ring aus ihrem Ohr und steckte ihn an sein Ohrläppchen. Dann hauchte sie einen Kuss auf seine geschwollene Wange.

»So ist es besser«, flüsterte sie. »So ist es besser. Ich bin hier, okay?« Sie hob seine Hand und küsste seine Finger. »Auch wenn ich nicht hier bin, bin ich bei dir. Du darfst nicht weggehen. Das ist die Regel. Du darfst mich nicht verlassen.«

Sie hielt seine Hand, bis die Krankenschwester sie wegschickte.

ZWEITER TEIL

Aufbau

Du kannst deine Meinung ändern, aber bewahre
dir deine Prinzipien;
Du kannst deine Blätter ändern, aber erhalte
deine Wurzeln.

Victor Hugo

11

Wir können uns abwechseln.« Ford, der am Steuer saß, warf Cilla einen Blick zu. Sie hatte nicht widersprochen, als er darauf bestanden hatte, dass sie nach Hause müsste, um sich auszuruhen und etwas zu essen. Und das bereitete ihm Sorgen. »Auf der Intensivstation sind sie sowieso besonders streng und lassen dich nicht so lange dableiben, deshalb werden wir uns abwechseln. Du und ich, Shanna und noch ein paar von den Jungs.«

»Sie wissen noch nicht, wie lange er im Koma bleiben wird. Es könnten noch Stunden oder Tage sein, und falls...«

»Wenn. Wir halten uns an *wenn*.«

»Ich war noch nie besonders optimistisch.«

»Das ist okay.« Er bemühte sich um einen Tonfall, der fest und einfühlsam zugleich klang. »Ich aber, und ich kann dir etwas davon abgeben.«

»Es sah so aus, als ob er zusammengeschlagen worden wäre. Einfach zusammengeschlagen.«

»Das liegt an der Schädelfraktur. Ich habe mit einer der Krankenschwestern gesprochen, als du bei ihm warst.« Aber das Wissen hatte ihm nichts genützt, hatte den Schock nicht gemildert, als er ebenfalls kurz zu Steve hineingedurft hatte. »Und mit dem Koma ist es genauso, Cilla. Es ist nichts Schlechtes, weil sich der Körper dadurch voll und ganz auf die Heilung konzentrieren kann.«

»Du bist wirklich voller Optimismus. Aber wir sind hier nicht in einem Comic-Roman, wo die Guten jedes Mal überleben. Und selbst wenn, kann er eine Hirnschädigung zurückbehalten.«

Das hatte er auch begriffen, aber es machte doch keinen Sinn, das schlimmste Szenario durchzuspielen. »Sowohl in meiner Comicwelt als auch in deiner dunkleren Version kann das Gehirn wieder neu lernen. Es ist ganz schön clever.«

»Ich habe das gottverdammte Vorhängeschloss nicht gekauft.«

»Wie kommst du denn auf den Gedanken, dass ein Vorhängeschloss jemanden abgehalten hätte, in die Scheune einzudringen und auf Steve loszugehen?«

Sie presste die Fingernägel in ihre Handflächen, als sie sich der Einfahrt näherten. »Und ich habe die Tore abreißen lassen. Und blöde Bäume gepflanzt.«

»Ja, es hat wahrscheinlich an den Bäumen gelegen. Und du bist schuld.« Er wartete darauf, dass sie eine wütende Bemerkung machte, aber sie schwieg. »Okay, noch einmal, wenn jemand hereinkommen wollte, wie sollten ihn denn dann die Eisentore aufhalten? Was ist mit deinem Pessimismus passiert?«

Aber Cilla schüttelte nur den Kopf und blickte auf das Haus. »Ich weiß nicht, was ich hier mache. Dieser verrückte alte Mann hatte wahrscheinlich recht. Der Ort ist verflucht. Mein Onkel ist gestorben, meine Großmutter, und jetzt stirbt möglicherweise auch noch Steve. Wofür? Damit ich dieses Haus wieder herrichten kann? Damit ich eine Verbindung zu meiner Großmutter herstellen kann, weil ich mit meiner Mutter nicht zurechtgekommen bin? Was soll das? Sie ist doch tot, was soll das also?«

»Es geht um deine Identität.« Ford berührte sie am Arm, bevor sie die Beifahrertür öffnen konnte. »Wie sollen wir wissen, wer wir wirklich sind, ehe wir wissen, wo wir herkommen und es akzeptieren können?«

»Ich weiß, wer ich bin.« Sie riss sich los, öffnete die Tür und schlug sie heftig wieder zu.

»Nein, das weißt du wirklich nicht«, erwiderte Ford.

Sie marschierte zum Haus. Arbeit, dachte sie, zwei Stunden körperliche Arbeit, und dann würde sie sich duschen und wieder ins Krankenhaus fahren. Die Terrasse war repariert worden, die neuen Schieferplatten lagen bereits, und die Wege waren mit Seilen gekennzeichnet und ausgeschachtet worden, abgesehen von dem einen, den sie noch zusätzlich in den Plan eingezeichnet hatte. Der Weg, der zur Scheune führte, die jetzt mit gelbem Absperrband versperrt war. Sie starrte darauf. Shanna ließ ihre Schaufel fallen und kam über den Rasen auf sie zugerannt.

Cilla zwang sich, auf die Frau einzugehen. Sie war schließlich nicht die Einzige, die sich Sorgen machte. »Es ist unverändert.« Sie ergriff Shannas ausgestreckte Hand.

Auch die anderen Gärtner hatten aufgehört zu arbeiten, und einige der Handwerker kamen aus dem Haus. »Es geht ihm unverändert«, wiederholte Cilla. »Er liegt auf der Intensivstation, und sie machen Tests und beobachten ihn. Wir können nur warten.«

»Fahren Sie wieder hin?«, fragte Shanna.

»Ja, gleich.«

»Brian?«

Brian nickte Shanna zu. »Mach schon.«

Shanna holte ihr Handy aus der Hosentasche und ging zum Haus.

»Ihre Schwester kann sie abholen«, erklärte Brian. Er nahm seine Kappe ab und fuhr sich mit den schmutzigen Fingern durch die kurzen braunen Haare. »Sie hat nur abgewartet, bis Sie wieder da sind. Sie möchte Steve gerne besuchen.«

»Gut. Das ist gut.«

»Die anderen von uns, und auch Matt und Dobby und so, besuchen ihn natürlich auch. Wir wissen zwar nicht, ob sie uns überhaupt zu ihm lassen, aber wir gehen auf jeden Fall ins Krankenhaus. Shanna macht sich Vorwürfe. Sie gibt sich die Schuld.«

»Warum?«

»Wenn er in der Nacht bei ihr geblieben wäre und so.«

Seufzend setzte er seine Kappe wieder auf. Er warf Ford einen Blick zu und wusste gleich Bescheid. Er nahm seine Sonnenbrille ab und blickte Cilla aus seinen sommerblauen Augen an. »Ich habe ihr gesagt, niemand hat Schuld außer demjenigen, der Steve überfallen hat. Wenn man erst mal mit wenn und aber anfängt, könnte man auch sagen, wenn Steve nicht an dem Abend Billard gespielt hätte, wäre er nicht in die Scheune gegangen. Und das ist Blödsinn. Am besten schicken wir ihm alle nur unsere guten Gedanken.«

Er zog ein Stirnband aus der Tasche und wischte sich den Schweiß vom Gesicht. »Die Polizei war hier, aber das sehen Sie ja vermutlich. Sie haben Fragen gestellt. Ich kann nicht sagen, was sie über uns denken.«

»Ich hoffe, sie glauben nicht mehr, er sei betrunken gewesen und hätte sich die Verletzungen selber beigebracht.«

»Shanna hat das sofort richtiggestellt.«

»Gut.« Das löste zumindest einen der Knoten in ihrem Magen. »Ich habe Ihre Mutter kennen gelernt.«

»Ja?«

»Im Krankenhaus. Sie hat mir sehr geholfen.« In ihren Augen brannten schon wieder Tränen. »Die Terrasse sieht gut aus.«

»Es hilft, wenn man arbeitet.«

»Ja. Geben Sie mir auch etwas zu tun?«

»Gerne.« Er lächelte Ford an. »Wie sieht es bei dir aus? Willst du eine Schaufel?«

»Ich schaue lieber zu«, erwiderte Ford gutmütig. »Und außerdem muss ich mal nach Spock sehen.«

»Ist mir recht. Wenn Sie dem Kerl eine Schaufel oder eine Hacke geben«, sagte er zu Cilla, »und ein Rohr oder ein Kabel liegt in der Nähe im Boden, dann trifft er es mit Sicherheit.«

»Das ist nur ein einziges Mal passiert. Na ja, vielleicht zweimal«, warf Ford ein.

Als die Handwerker Feierabend machten, hörte auch Cilla auf zu arbeiten und ging unter die Dusche. Sie hätte gerne gesagt, dass sie sich danach wieder wie ein Mensch fühlte, aber so weit war sie noch nicht. Wie ein Roboter zog sie sich frische Sachen an. Sie beschloss, sich ein paar Zeitschriften zu kaufen, damit sie im Krankenhaus etwas zu lesen hatte, und sich ein Sandwich aus dem Automaten zu ziehen.

Als sie die Treppe herunterkam, stand Ford in ihrem unfertigen Wohnzimmer.

»Ich würde ja gerne sagen, dass du Fortschritte machst, aber eigentlich finde ich nicht, dass es danach aussieht, und ich verstehe auch zu wenig davon.«

»Doch, wir machen Fortschritte.«

»Gut. Ich habe das Abendessen draußen auf der Veranda aufgebaut. Spock lässt dich schön grüßen, er speist heute Abend zu Hause.«

»Abendessen? Hör mal, ich …«

»Du musst etwas essen. Und ich auch.« Er nahm ihre Hand und zog sie nach draußen. »Es gibt meine zweitbeste Spezialität.«

Sie starrte auf die Pappteller und Becher, die Flasche Wein und die Dose Coke. Und mitten auf dem Klapptisch stand eine Schüssel mit Makkaroni-Auflauf.

»Du hast Makkaroni mit Käse gemacht?«

»Ja. Das heißt, ich habe die Packung nach Anweisung in die Mikrowelle geschoben. Hoffentlich schmeckt es dir.« Er goss ein wenig Wein in einen Pappbecher. » Mit dem Wein kannst du es hinunterspülen.«

»Du trinkst keinen Wein.«

»Nein, mir reicht die Coke. Ich fahre dich ins Krankenhaus.«

Ein warmes Essen. Freundschaft. Hilfe. Und alles, ohne etwas dafür zu verlangen. »Du brauchst das alles nicht zu tun.«

Er rückte ihr einen Stuhl zurecht, damit sie sich setzte. »Es ist viel befriedigender, etwas zu tun, das man nicht tun muss.«

»Warum machst du das?« Sie blickte ihn an. »Warum machst du das für mich?«

»Ich bin mir nicht ganz sicher, Cilla. Aber…« Er gab ihr einen Kuss auf die Stirn, bevor er sich ebenfalls setzte. »Ich glaube, du bist mir wichtig.«

Sie verkrampfte die Hände im Schoß, als er eine Portion Makkaroni mit Käse auf ihren Teller schaufelte. Dann räusperte sie sich und trank einen Schluck Wein. »Das ist schon der zweite Satz heute, den noch niemand zu mir gesagt hat.«

Er zog die Augenbrauen hoch. »Dir hat noch nie jemand gesagt, dass du ihm wichtig bist?«

»Steve vielleicht. Aber auf eine andere Art und Weise und nicht so.«

»Aber du bist mir wichtig. Und jetzt iss. Wenn das Zeug kalt wird, verwandelt es sich in Zement.«

»Der zweite – oder eigentlich der erste Satz heute war, dass du mich nicht alleinlassen würdest.«

Er blickte sie nur an, und sie konnte nicht erkennen, ob es Mitleid oder Verständnis oder vielleicht auch nur Geduld war, was sie in seinem Gesicht sah. Auf jeden Fall war es genau das, was sie jetzt brauchte. Und was sie nie zu finden erwartet hatte.

»Wahrscheinlich hast du es sogar ernst gemeint, denn du bist ja hier.« Sie begann zu essen. »Es schmeckt schrecklich. Danke«, sagte sie lächelnd und schob sich einen weiteren Bissen in den Mund.

»Bitte.«

Steves Zustand war unverändert, und auch als sie Stunden später die Klinik wieder verließen, hatte sich noch nichts getan. Cilla nahm das Handy mit ins Bett und hoffte inständig, dass die Nachtschwester sie anrufen und ihr sagen würde, dass Steve wach und ansprechbar sei.

Aber es kam kein Anruf. Dafür kam der Traum.

Shenandoah Valley
1960

»So sah sie aus, als ich sie das erste Mal sah. Meine kleine Farm.«

In einer roten Caprihose, weißer Bluse, die am Bauch zusammengeknotet war, und weißen Mokassins spazierten Janet und Cilla Arm in Arm über das Grundstück. Sonnenstrahlen tanzten auf Janets wippendem Pferdeschwanz.

»Natürlich stimmt das nicht ganz, denn beim ersten Mal war ja das gesamte Aufnahmeteam dabei, Scheinwerfer, Kabel, Sendewagen. Du weißt schon.«

»Ja, ich weiß.«

»Aber das übersehen wir jetzt einfach. Wie ich damals auch. Was siehst du?«

»Ein hübsches Haus mit schlichten Linien. Ein Haus für eine Familie mit breiten, einladenden Veranden mit alten Schaukelstühlen, in denen man das süße Nichtstun genießt. Hübsche Beete und hohe Bäume, die Schatten spenden.«

»Sprich weiter.«

»Die große rote Scheune, und oh! Pferde auf der Weide!« Cilla lief zum Weidezaun und spürte voller Freude, wie der Wind in ihren Haaren und den Mähnen der Stute und ihres Fohlens spielte. »Sie sind so schön!«

»Wolltest du nicht immer ein Pony haben?«

»Natürlich.« Lachend drehte Cilla sich zu Janet um. »Jedes kleine Mädchen wünscht sich ein Pony. Und einen kleinen Hund und ein Kätzchen.«

»Aber du hast sie nie bekommen.«

»Nein, stattdessen gab es Drehbücher und Text, den ich lernen musste. Das weißt du doch.«

»Ja, ich weiß.«

»Ein Hühnerhaus! Hör mal, wie sie gackern.« Das Geräusch brachte sie erneut zum Lachen. »Und Schweine gibt es auch. Schau dir die Felder an! Ist das Mais? Und da ist ein

Küchengarten. Ich kann die Tomaten von hier aus sehen. Tomaten könnte ich auch anpflanzen.«

Janet lächelte nachsichtig amüsiert. »Und du könntest dir ein Pony, einen kleinen Hund und ein Kätzchen anschaffen.«

»Ich weiß nicht, ob ich das überhaupt noch möchte? Ich bin nicht mehr zehn. Will ich das wirklich noch? Keine Ahnung. Wolltest du es denn?«

»Ich wollte alles, was ich nicht hatte, und wenn ich es bekam, war es nie so, wie ich es mir vorgestellt hatte. Selbst hier.« Sie machte eine anmutige Geste, wie eine Tänzerin, und deutete auf die Farm. »Ich verliebte mich, aber das tat ich gerne und oft, wie jeder weiß. Und ich dachte, ich muss diese Farm haben.«

Janet hob beide Arme und drehte sich im Kreis. »Das Haus für eine Familie mit den breiten, einladenden Veranden, der großen roten Scheune, den Tomatenstöcken. So etwas hatte ich noch nie. Aber ich kann es kaufen, ich kann es besitzen.« Sie hielt inne. »Aber ich musste es natürlich verändern. Der Garten musste üppiger werden, die Farben leuchtender, die Lichter heller. Ich brauchte strahlend helles Licht. Und obwohl ich es üppiger, strahlender und heller machte, obwohl ich die Stars hierherholte, die wie Gatsbys Gespenster über den Rasen spazierten, veränderte es sich nie wirklich. Es wirkte immer einladend. Und ich hörte nicht auf, es zu lieben.«

»Du bist hierhergekommen, um zu sterben.«

»Tatsächlich?« Janet neigte den Kopf und warf ihr unter langen Wimpern einen schlauen Blick zu. »Du machst dir Gedanken darüber, nicht wahr? Es ist einer der Gründe, warum du hier bist. Geheimnisse – wir alle haben Geheimnisse. Auch deine sind hier. Du hast dir gesagt, du wolltest das Haus wieder so herrichten, wie es war, und mich dadurch zurückholen. Aber genau wie ich wirst auch du Veränderungen vornehmen. Das hast du ja schon. Du suchst nicht nach mir, sondern nach dir.«

Im Traum überlief Cilla ein Schauer, ein Schauer der Wahrheit. »Ohne dich gibt es mich nicht. Ich sehe dich, wenn ich in den Spiegel schaue. Ich höre dich, wenn ich spreche. Ein leichter Schleier liegt darüber, so dass alles ein wenig gedämpft ist, aber darunter bist du.«

»Wolltest du das Pony oder das Drehbuch, Cilla?«

»Eine Zeitlang wollte ich beides. Aber mit dem Pony wäre ich glücklicher gewesen.« Cilla nickte und blickte zum Haus. »Ja, und das Haus für die Familie. Du hast recht. Deshalb bin ich hier. Aber es ist nicht genug. Die Geheimnisse, die Schatten sind immer noch hier. Menschen werden in der Dunkelheit verletzt. Steve ist in der Dunkelheit verletzt worden.«

»Dann schalt das Licht ein.«

»Wie?«

»Ich bin nur ein Traum.« Janet lächelte und zuckte mit den Schultern. »Ich kann dir keine Antworten geben.«

Als Cilla erwachte, hob sie das Handy auf, das sie im Schlaf fallen gelassen hatte, und rief im Krankenhaus an.

Immer noch nichts Neues.

Sie lag da, im Morgengrauen, das Handy an sich gepresst, und fragte sich, ob sie Angst oder Erleichterung verspüren sollte. Er war in der Nacht nicht gestorben, war nicht von ihr gegangen, während sie schlief. Aber er war immer noch in dieser Zwischenwelt gefangen, an diesem Ort zwischen Leben und Tod.

Sie würde mit ihm sprechen, so lange auf ihn einreden, bis er aufwachte. Sie stand auf, wusch sich und zog sich an. Sie würde sich jetzt einen Kaffee machen und dann die Listen für die Handwerker erstellen, nach denen sie arbeiten konnten, während sie im Krankenhaus war.

Als sie am Nebenzimmer vorbeikam, blieb sie stehen und betrachtete Ford. Er schlief tief und fest in seinem Schlafsack. Was von ihm zu sehen war, war nicht übel, wie sie zugeben musste.

Der Hund hatte sich am Fußende des Schlafsacks zusammengerollt und schnarchte wie eine Kettensäge. Ford hatte Spock über Nacht nicht allein lassen wollen, und hatte ihn geholt, bevor er sich für die Nacht in ihrem Gästezimmer niedergelassen hatte.

Er würde auch sie nicht alleine lassen.

Sie ging hinunter, kochte Kaffee und nahm ihren Becher mit auf die hintere Veranda. Im Traum hatte es keine Terrasse gegeben, aber ihr Unterbewusstsein hatte gewusst, dass Janet eine Terrasse und die Wege anlegen ließ. Der Küchengarten? Sie konnte sich nicht erinnern, ob er von Anfang an da gewesen war oder ob er auch Janet's Werk war. Auf jeden Fall wollte sie einen haben.

Und die Scheune? Rot war sie schon lange nicht mehr. Die Farbe war schon vor langer Zeit abgeblättert. Der Kaffee schmeckte bitter, als sie auf das gelbe Absperrband schaute. Wenn Steve starb, würde sie das verdammte Ding abreißen. Abreißen und verbrennen.

Sie kniff die Augen zu und kämpfte gegen die aufsteigende Wut an. Wenn er am Leben blieb, sagte sie sich, wenn er heil wieder aus dem Krankenhaus kam, würde sie sie wieder leuchtend rot streichen. Rot mit weißen Kanten.

»Bitte, Gott.«

Sie wusste nicht, ob es Gott überhaupt interessierte, ob sie die Scheune niederbrannte oder rot anstrich, aber etwas Besseres fiel ihr nicht ein.

Sie ging wieder ins Haus, goss Kaffee in einen frischen Becher und trug ihn nach oben zu Ford.

Dort setzte sie sich im Schneidersitz neben ihn auf den Boden und betrachtete ihn eingehend, während sie ihren Kaffee trank. Im Gegensatz zu seinem Hund schnarchte er nicht, was ihm Pluspunkte eintrug, aber er machte sich sehr breit. Dafür gab es Punktabzug. Da er sich gestern nicht rasiert hatte, war er ziemlich stoppelig im Gesicht, aber sie musste zugeben, dass es ihn sexy machte.

Er war zwar nicht übermäßig trainiert, aber doch muskulös, auch wenn er sehr schlank, fast schon dünn war.

Er hatte gute Arme. Stark und nicht so wuchtig. Arme, die umarmen konnten. Dafür gab es viele Punkte.

Ebenso wie für die Lippen – das war die höchste Punktzahl. Sie beugte sich vor und gab ihm einen leichten Kuss. Er gab einen summenden Laut von sich und griff nach ihr. Als sie zurückwich, machte er die Augen auf.

»Hey.«

»Selber hey.«

»Hast du schlecht geträumt?«

»Nein. Ich hatte einen seltsamen Traum, aber das habe ich öfter. Es ist Morgen.«

»Oh, oh.« Er drehte sein Handgelenk so, dass er auf seine Armbanduhr blicken konnte. Spock gähnte einmal und begann dann wieder zu schnarchen. »Quatsch. Zwanzig vor sieben ist nicht Morgen. Komm zu mir in den Schlafsack, dann beweise ich es dir.«

»Verlockend.« Umso mehr, als er ihren Kopf zu sich herunterzog und ihren Gute-Morgen-Kuss beträchtlich aufbesserte. »Sehr verlockend«, sagte sie. »Aber die Handwerker kommen in zwanzig Minuten.«

»In zwanzig Minuten schaffe ich das locker.« Er zuckte leicht zusammen. »Das hat sich jetzt wahrscheinlich nicht gerade zu meinem Vorteil angehört.«

»Trink einen Kaffee.« Sie hielt ihm den Becher unter die Nase.

»Du hast mir Kaffee gebracht?« Er setzte sich auf und trank den ersten Schluck. »Jetzt musst du mich heiraten.«

»Wirklich?«

»Ja, und mir acht Kinder gebären, jeden Dienstag nackt für mich tanzen und mich jeden Morgen – nach dem Sex – mit Kaffee wecken. Das ist das Gesetz von Kroblat.«

»Wer ist Kroblat?«

»Nicht wer. Der Planet Kroblat. Es ist ein sehr spiritueller

Ort«, erklärte er. »Ich versuche, mein Leben nach seinen Gesetzen zu gestalten. Also, wir müssen heiraten und alles andere.«

»Darüber reden wir noch mal.« Sie fuhr ihm mit der Hand durch die Haare. »Danke, dass du hiergeblieben bist.«

»Hey, dafür kriege ich ja schließlich Kaffee, eine Ehefrau und acht Kinder von dir. Gibt es etwas Neues von Steve?«

»Unverändert. Ich fahre jetzt zu ihm. Vielleicht kann ich ihn ja wachreden, weißt du?«

»Vielleicht. Gib mir zehn Minuten Zeit. Ich fahre dich.«

»Nein. Nein, es geht schon. Ich bleibe ein bisschen bei ihm und rede auf ihn ein, und dann gehe ich Material kaufen und bringe es hierher. Ich werde heute einige Male hin und her fahren müssen. Ich wollte dich noch was fragen. Wenn ich einen Handel mit mir – oder mit Gott, mit dem Schicksal – machen würde, und es ginge darum, dass ich die Scheune rot streichen würde, rot mit weißen Kanten, wenn Steve wieder gesund wird, könnte es dann schaden, wenn ich die Farbe schon vorher kaufe?«

»Nein. Eigentlich beweist du damit nur Vertrauen.«

Sie schüttelte den Kopf. »Ich wusste, dass du das sagen würdest. Ich bin das genaue Gegenteil. Ich habe viel zu viel Angst, um die verdammte Farbe zu kaufen.« Sie stand auf. »Bis später dann.«

»Ich komme im Krankenhaus vorbei.«

An der Tür blieb sie stehen und drehte sich zögernd zu ihm um. »Wenn du willst, kann ich was zum Abendessen kaufen.«

»Das wäre toll.«

»Ich will wirklich gerne mit dir schlafen.« Sie lächelte, als er sich fast am Kaffee verschluckte und sogar Spock die winzigen Ohren spitzte. Was sie doch für ein Paar waren! »Ich möchte zu gerne wissen, wie es ist, sich einfach fallen zu lassen. Aber wahrscheinlich ist es so ähnlich, wie jetzt die Farbe zu kaufen.«

Lächelnd blickte er sie an. »Ich habe Zeit.«

Als sie gegangen war, trank Ford seinen Kaffee und machte sich im Geiste eine Notiz, dass er die Sache mit Kroblat unbedingt aufschreiben musste. Irgendwann konnte er sie bestimmt einmal brauchen.

Für einen Mann, der auf dem Fußboden geschlafen hatte, fühlte er sich ziemlich gut, dachte er. Zumal es ihm schwergefallen war, nicht an die Frau zu denken, die nebenan auf dem Fußboden schlief.

Und da er nun zu dieser unchristlichen Stunde schon einmal wach war, würde er sich in sein Haus begeben, ein bisschen trainieren, sich nach Steve erkundigen, ein paar Stunden an seinem Roman arbeiten und dann ins Krankenhaus fahren.

»Du kannst deinen faulen Arsch auch erheben«, sagte er zu Spock und stupste den Hund mit dem Fuß an. Als er in seine Hose schlüpfte, hörte er bereits den ersten Truck vorfahren. Und als er angezogen war und sich die zweite Tasse Kaffee einschenkte, hatte der Baulärm bereits den roten Bereich erreicht. Er würde den Becher später zurückbringen, dachte Ford und ging nach draußen.

Brian dirigierte gerade eins der Fahrzeuge, das anscheinend Sand geladen hatte, nach hinten. Ford winkte ihm zu. »Hey, Bri.«

»Hey.« Brian trat zu ihm und warf einen vielsagenden Blick zum Haus. »Und noch mal hey.«

»Nö. Getrennte Zimmer. Ich wollte nicht, dass sie alleine ist.«

»Wie geht es ihr?«

»Heute Morgen kam sie mir stabiler vor. Sie ist schon auf dem Weg ins Krankenhaus.«

»Shanna hat im Krankenhaus angerufen. Noch keine Veränderung. Es ist wirklich eine üble Geschichte. Dabei ist er so ein netter Kerl.«

»Ja.« Ford blickte zur Scheune. »Was meinst du, wie viel Farbe man für die Scheune braucht?«

»Wenn ich das wüsste. Frag einen von den Anstreichern.«

»Ja, klar.« Ein weiteres Fahrzeug fuhr vor. »Das ist ja hier das reinste Irrenhaus. Ich gehe nach Hause.«

»Die Bullen.« Brian wies mit dem Kopf zu dem Auto. »Die Polizei ist wieder da. Hoffentlich wollen sie nicht schon wieder mit Shanna reden. Das macht sie fertig.«

»Ich kümmere mich darum.«

Keiner der Männer, die aus dem Crown Vic stiegen, war der Polizist – Taney, erinnerte sich Ford –, mit dem sie gestern geredet hatten. Sie trugen keine Uniform, sondern Anzug und Krawatte. Vermutlich Detectives, dachte er.

»Hey, guten Morgen.«

Der größere der beiden, mit grauen Haaren und scharf hervortretenden Wangenknochen, nickte Ford knapp zu. Der andere war kleiner, schlank, ein Schwarzer. Er musterte ihn kühl.

Und beide starrten den Hund an.

»Cilla – Miss McGowan – ist nicht zu Hause«, sagte Ford. »Sie ist vor etwa einer Viertelstunde ins Krankenhaus gefahren.«

Der große Weiße musterte ihn. »Wer sind Sie?«

»Sawyer. Ford Sawyer. Ich wohne gegenüber. Ich habe gestern mit Officer Taney gesprochen.«

»Sie wohnen gegenüber, aber letzte Nacht haben Sie hier geschlafen. Mit Miss McGowan.«

Ford trank einen Schluck Kaffee und erwiderte den Blick des kleinen Schwarzen. Spock brummte. »Ist das eine Behauptung oder eine Frage?«

»Ihre Haare sind noch nass vom Duschen.«

»Ja, das stimmt.« Ford lächelte freundlich.

Der große Weiße zog sein Notizbuch heraus und blätterte es durch. »Können Sie uns sagen, wo Sie gestern Nacht zwischen zwei und fünf Uhr morgens waren?«

»Ja, sicher. Würde es Ihnen etwas ausmachen, wenn Sie mir Ihre Ausweise zeigten? Das gibt es nicht nur im Fernsehen.«

»Detective Urick und mein Partner, Detective Wilson«, sagte der große Weiße, während beide Männer ihre Ausweise zückten.

»Okay. Ich war im Bett – da drüben –, von ungefähr ein Uhr an, bis ich gestern Morgen die Sirenen hörte.«

»Allein?«

»Mit Spock.« Er wies auf den Hund. »Sie könnten auch eine Aussage von ihm bekommen, aber das müsste ich Ihnen übersetzen, deshalb würde es wahrscheinlich nicht funktionieren. Hören Sie, mir ist klar, dass Sie alle überprüfen müssen, aber Tatsache ist, dass vor ein paar Nächten schon jemand hier war. Ich habe jemanden mit der Taschenlampe herumschleichen sehen.«

»Ja, das wissen wir.« Urick nickte. »Sie sind der Einzige, der behauptet, etwas gesehen zu haben. In welcher Beziehung stehen Sie zu Miss McGowan?«

Ford lächelte sie strahlend an. »Wir sind Freunde und Nachbarn.«

»Wir haben aus anderen Quellen die Information, dass Ihre Beziehung mehr als nur freundschaftlich ist.«

»Noch nicht.«

»Aber Sie hätten es gerne.«

Als Ford tief durchatmete, begann Spock, um die beiden Männern herumzulaufen. Er würde nicht beißen, aber Ford wusste genau, dass er durchaus in der Lage war, sein Bein zu heben, wenn er gereizt war.

Das war vermutlich keine gute Idee.

»Spock, sag hallo. Entschuldigung, aber er fühlt sich gerade ein bisschen ignoriert. Wenn Sie sich die Zeit nehmen, ihm die Pfote zu schütteln, ist es wieder gut.«

Wilson hockte sich hin und ergriff die Pfote. »Wie geht es dir? Das ist der hässlichste Hund, den ich je gesehen habe.«

»Da muss Bullterrier drin sein«, kommentierte Urick und beugte sich ebenfalls herunter, um Spock die Pfote zu schütteln.

»Ja, das hat man mir auch gesagt. Okay, zurück zum Thema. Ob ich mehr sein möchte als nur Freund und Nachbar? Haben Sie Cilla schon kennen gelernt? Wenn ja, müsste Ihnen klar sein, dass mit mir etwas nicht stimmen würde, wenn ich das nicht wollte. Was hat das mit Steve zu tun?«

Urick kraulte Spock, bevor er sich wieder aufrichtete. »Er ist Miss McGowans Exmann und wohnt bei ihr. Drei sind einer zu viel.«

»Kommt drauf an, wie man es sieht. Aber zumindest weisen Sie deutlich darauf hin, dass es sich nicht um einen Unfall gehandelt hat.« Ford drehte sich um und blickte zur Scheune. »Jemand war da drin, hat Steve den Schädel eingeschlagen und ihn einfach liegen lassen.«

Der Gedanke allein machte ihn wütend. »Der verdammte Hurensohn! Was zum Teufel hat er da drin gesucht?«

»Warum glauben Sie, dass jemand etwas gesucht hat?«, wollte Urick wissen.

Ford blickte ihn aus kühlen, grünen Augen an. »Ich bitte Sie. Und es war auch nicht irgendein Trödler oder ein Arschloch, das im Müll stochert, um ein Paar Schuhe von Janet Hardy bei eBay versteigern zu können. Das wäre unlogisch.«

»Sie scheinen ja ausgiebig darüber nachgedacht zu haben.«

»Ich denke viel nach. Sie können mich gerne überprüfen. Wenn Sie noch weitere Fragen haben, ich bin hier.«

»Wir finden Sie schon, wenn wir Sie brauchen«, rief Wilson ihm hinterher.

Daran zweifle ich nicht, dachte Ford und ging mit seinem Hund nach Hause.

12

Er wäre gerne in die Scheune gegangen, aber wenn er es versuchte, würde ihn das in den Augen der Polizei sicher noch verdächtiger machen.

Er war tatsächlich ein Tatverdächtiger. Eigentlich war das cool.

Gott, einmal ein Freak, immer ein Freak, dachte er, während er trainierte.

Als er schließlich verschwitzt und hungrig war, rief er im Krankenhaus an und schlang ein Müsli herunter. Geduscht, rasiert und angezogen betrat er sein Atelier und setzte sich an den Zeichentisch.

Er schloss die Augen, hob die Hände und sagte: »Draco braz minto.«

Das Kindheitsritual hielt alles von ihm fern, was nichts mit der Arbeit zu tun hatte. Ford setzte sich, nahm seine Feder und begann, das erste Panel für Brid zu zeichnen.

Cilla hatte ihren Stuhl so ans Bett gestellt, dass sie Steve direkt ins Gesicht blickte, während sie sprach. Sie achtete sorgfältig darauf, immer weiterzureden, so als ob Schweigen tödlich sein könnte.

»Es geht also immer weiter und funktioniert alles viel besser, als ich mir vorgestellt hatte, selbst mit den Veränderungen und Ergänzungen von den ursprünglichen Plänen. Der Speicher sieht echt vielversprechend aus. Ich suche gleich das Holz für den Fußboden da oben aus und die Armaturen und Fliesen für Bad und Schlafzimmer. Und wenn du aus dem Krankenhaus heraus bist, können wir Bier auf der Terrasse trinken. Was ich noch brauche, sind Blumenkübel. Zwei richtig große Kübel, Monster sozusagen. Oh, und ich will Tomaten pflanzen. Ich glaube, das ist jetzt auch die richtige Jahreszeit. Und Paprika, vielleicht auch Karotten und Bohnen. Eigentlich sollte ich damit ja besser bis nächstes Jahr warten, wenn das Haus fertig ist, aber ich glaube, ein kleines Fleckchen kann ich jetzt schon bepflanzen. Und dann…«

»Miss McGowan.«

Cilla holte tief Luft. Ihr Brustkorb schmerzte, und sie merkte, wie verkrampft sie war. »Ja.« Wie hieß die Krankenschwester mit den lockigen blonden Haaren und den warmen braunen Augen noch mal? »Dee. Ich heiße Cilla.«

»Cilla, die Polizei ist draußen, die Detectives. Sie möchten Sie gerne sprechen.«

»Oh. Ja, ich komme sofort. Ich erledige das schnell«, sagte sie zu Steve. »Gleich bin ich wieder da.«

Im Gang ging sie auf die beiden Detectives zu. »Ich bin Cilla McGowan.«

»Detective Wilson. Mein Partner, Detective Urick. Können wir uns irgendwo ungestört unterhalten?«

»Da hinten ist ein kleines Wartezimmer, und dort gibt es auch Kaffee. Sie untersuchen also jetzt den Fall«, sagte sie, während sie voranging.

»Ja, Ma'am.«

»Dann wissen Sie also, dass er nicht über seine eigenen Füße gestolpert ist, sich den Kopf eingeschlagen hat und unter sein Motorrad gestürzt ist.« Sie stellte eine Tasse in den Automaten und drückte auf Kaffee. »Haben Sie herausgefunden, was passiert ist?«

»Wir ermitteln gerade«, antwortete Urick. »Haben Sie eine Idee, wer Mr. Chensky etwas antun wollte?«

»Nein. Er ist ja erst seit ein paar Tagen hier. Steve findet sofort Freunde, er macht sich keine Feinde.«

»Sie waren verheiratet.«

»Das ist richtig.«

»Kein schlechter Nachgeschmack?«, fragte Wilson.

»Nein. Wir waren schon Freunde, bevor wir geheiratet haben. Und danach sind wir befreundet geblieben.«

»Er lebt bei Ihnen.«

»Nein, er ist zu Besuch, weil er mir für zwei Wochen bei den Umbauarbeiten helfen will. Ich renoviere gerade das Haus, und er arbeitet in der Branche.«

»*Rock the House*«, warf Urick ein. »Ich habe die Sendung mal gesehen.«

»Eine bessere gibt es nicht. Sie wollen sicher wissen, ob wir miteinander schlafen. Nein. Früher ja, aber jetzt nicht mehr.«

Wilson schürzte die Lippen und nickte. »Ihr Nachbar, Mr. Sawyer, hat ausgesagt, dass er vor ein paar Nächten einen Eindringling auf Ihrem Grundstück gesehen hat.«

»Ja. Das war in der Nacht, als Steve gerade angekommen war. Steve hat draußen ein Geräusch gehört.«

»Aber Sie nicht.«

»Nein, ich schlafe wie ein Stein. Aber Steve hat mich geweckt und mir gesagt, er habe etwas gehört. Ich habe es abgetan.« Schuldbewusst verzog sie das Gesicht. »Und am nächsten Tag erwähnte Ford, dass er den Strahl einer Taschenlampe gesehen hätte. Ich wollte ein Vorhängeschloss für die Scheune kaufen, habe es aber vergessen.«

»Wir haben gesehen, dass Sie in der Scheune Sachen aufbewahren. Kisten, Möbel ...«

»Müll«, beendete Cilla die Aufzählung und nickte Urick zu. »Ich habe den Speicher leer geräumt, weil ich ihn ausbauen lasse. Ich habe schon angefangen, die Sachen auszusortieren, aber es ist viel Arbeit. Ich hatte gedacht, ich hebe das, was mir wertvoll erscheint, in der Scheune auf, aber manchmal ist das schwer zu sagen.«

»Ist Ihnen aufgefallen, ob etwas fehlt?«

»Bis jetzt noch nicht.«

»Ein paar der Kartons waren zerdrückt, und die Möbel umgeworfen«, warf Wilson ein. »Es sah so aus, als ob Mr. Chensky auf seinem Motorrad in die Scheune hineingefahren ist, die Kontrolle verloren hat und gestürzt ist.«

»Aber so war es nicht. Sie wissen ja, dass er weder betrunken noch stoned war.«

»Nein, sein Alkoholpegel war weit unter der zulässigen Promillegrenze«, gab Urick zu. »Und er hatte auch keine Drogen genommen.«

Cillas Herz stolperte. »Ein nüchterner Mann, der seit über zwölf Jahren eine Harley fährt, steigt nicht vom Motorrad, um das Tor aufzumachen, setzt sich dann wieder auf die Maschine und rast wie ein Irrer über Kisten und Möbel.«

»Die Röntgenaufnahmen haben ergeben, dass Mr. Chensky einen Schlag auf den Schädel bekommen hat. Wahrscheinlich mit einem Wagenheber oder einem Schraubenschlüssel.«

Cilla presste sich die Hand auf das Herz, das sich schmerzhaft zusammenzog. »O Gott!«

»Die Wucht des Schlages schleuderte ihn nach vorne, so dass er mit dem Gesicht auf den Betonboden fiel, was die zweite Fraktur verursachte. Unsere Rekonstruktion hat ergeben, dass die Harley umgestoßen wurde, so dass sie auf Mr. Chensky fiel, ihm zwei Rippen brach und die Niere quetschte.«

Urick hielt inne und wartete, bis Cilla ihren Kaffee abgestellt hatte. Ihre Hand zitterte, und sie war leichenblass geworden. »Ich muss Sie noch einmal fragen: Können Sie sich vorstellen, wer Mr. Chensky Schaden zufügen wollte?«

»Nein. Nein, ich wüsste niemanden. Wer sollte denn so etwas tun?«

»Wie ist Sawyer mit ihm klargekommen?«

»Ford?« Sie blickte ihn verständnislos an. »Gut. Sie kamen blendend miteinander aus. Steve ist ein großer Fan. Er hat sogar … Ach, du lieber Himmel.«

Cilla fuhr sich mit beiden Händen durch die Haare, als ihr dämmerte, worauf der Detective hinauswollte. »Okay, noch mal zum Mitschreiben. Ich habe nicht mit Steve geschlafen. Ich schlafe nicht mit Ford, obwohl wir beide mit dem Gedanken spielen. Ford hat Steve nicht in einem Anfall von Eifersucht überfallen, zum einen, weil ich ihn überhaupt nicht für gewalttätig halte, und zum anderen, weil es keinen Anlass zur Eifersucht gab. Ich habe ihn über meine Beziehung zu Steve nicht im Unklaren gelassen, und an dem Abend, an dem Steve verletzt wurde, war ich sogar mit Ford aus. Und sowohl ich als auch Ford wussten, dass Steve an dem Abend ein Auge auf Shanna Stiles geworfen hatte. Es gibt hier kein romantisches oder sexuelles Dreieck. Hier geht es nicht um Sex.«

»Miss McGowan, es sieht so aus, als wäre jemand in Ihrer Scheune gewesen und hätte dort gewartet. Sie und Sawyer wussten, dass Mr. Chensky ausgegangen war und dass er sein Motorrad in der Scheune abstellte.«

»Das ist richtig. Das ist völlig richtig, Detective Wilson. Ebenso wie wir beide wussten, dass er hinter einer sehr attraktiven Brünetten her war. Keiner von uns beiden konnte wissen, ob er überhaupt nach Hause kommen würde. Sie meinen also, dass Ford, nachdem er den Abend mit mir verbracht hat, sich in meiner Scheune versteckt hätte, nur für den Fall, dass Steve nach Hause kam? Das ergibt keinen Sinn.«

Schock, Wut und Schuldgefühle verwandelten sich in kläglichen Jammer. »Nichts davon ergibt Sinn.«

»Wir möchten Sie bitten, bei den Sachen in der Scheune nachzusehen, ob etwas durcheinandergebracht oder gestohlen wurde.«

»In Ordnung.«

»Ihre Großmutter war sehr berühmt«, fuhr Wilson fort. »Die meisten Leute haben vermutlich gedacht, dass alles von Wert schon lange aus dem Haus geschafft wurde. Wenn sich das Gerücht verbreitet hat, dass noch etwas zu holen ist, dann könnte durchaus jemand daran interessiert gewesen sein, in die Scheune einzubrechen.«

»Und einem Mann den Schädel einzuschlagen. Ja. Die Sache ist nur die: Das meiste in der Scheune hat den McGowans gehört. Der gewöhnlichen Seite der Familie.«

Cilla ging wieder zu Steve, saß aber dieses Mal schweigend an seinem Bett.

Als sie ging, lief sie ihrem Vater in die Arme, der gerade aus dem Aufzug stieg. »Dad.«

»Cilla.« Rasch trat er zu ihr und packte sie an den Schultern. »Wie geht es ihm?«

»Unverändert. Sein Zustand ist noch kritisch. Die Operation hat er zwar überstanden, und das ist sicher ein Plus, aber … Es gibt zu viele Aber, wenn und vielleicht.«

»Es tut mir so leid.« Er zog sie kurz an sich. »Ich bin ihm ja nur zweimal begegnet, aber ich mochte ihn. Was kann ich tun?«

»Ich weiß es nicht.«

»Komm, wir gehen nach unten, du musst etwas essen.«

»Nein, ich wollte gerade gehen. Ich muss noch Besorgungen machen.« Ein zwei Stunden etwas tun, nicht daran denken. »Vielleicht … Meinst du, du könntest hineingehen und ein bisschen bei ihm sitzen bleiben? Mit ihm reden? Er mochte dich auch.«

»Klar, das mache ich.«

»Und wenn du gehst, sag ihm bitte, dass ich wiederkomme. Ich komme auf jeden Fall wieder.«

»In Ordnung.«

Cilla nickte und drückte auf den Knopf für den Aufzug. »Ich bin dir … ich bin dir echt dankbar, dass du gekommen bist. Du kennst ihn ja kaum. Du kennst ja mich kaum.«

»Cilla …«

»Aber du bist gekommen.« Sie trat in den Aufzug, drehte sich um und blickte ihren Vater an. »Du bist gekommen. Das bedeutet mir viel«, sagte sie, als sich die Türen schlossen.

Arbeit. Die Arbeit brachte sie durch den Tag. Und den nächsten Tag. Arbeiten konnte sie besser als ihre Gefühle ausdrücken, dachte sie – außer, sie standen in einem Drehbuch. Sie machte sich einen Plan und hielt sich daran. So viele Stunden im Haus, so viele Stunden im Garten, so viele im Krankenhaus, so viele in der Scheune.

Danach fiel sie erschöpft auf ihre Luftmatratze und schlief wie ein Stein.

So weit, so gut, dachte sie.

Aber in der Zwischenzeit war Steves Mutter angereist und hatte den Terminplan geändert. Jetzt hatte sie also noch mehr Zeit für die Arbeit, sagte sich Cilla. Mehr Zeit, etwas zu erledigen.

Sie nahm eine Stehlampe und betrachtete stirnrunzelnd den trichterförmigen Lampenschirm und den fleckigen Messingfuß. »Was haben sie wohl geraucht, als sie die gekauft haben?«

Aus einem Impuls heraus lief sie los und zielte mit der Lampe auf das offene Scheunentor, als sei sie ein Wurfspeer. Als Ford plötzlich auftauchte, schrie sie erschreckt auf. Er sprang rasch zur Seite, so dass die Lampe an ihm vorbeizischte.

»Du liebe Güte!«

»Es tut mir leid! Es tut mir leid! Ich habe dich nicht gesehen.«

»Müsstest du nicht eigentlich ›Achtung‹ oder so etwas rufen?«, fragte er. »Wie hätte ich denn das erklären sollen? Ja, Doktor, ich bin von der wahrscheinlich hässlichsten Stehlampe der Welt durchbohrt worden?«

»Ich glaube nicht, dass sie dich durchbohrt hätte. Eher zerbeult. Auf jeden Fall hat sie mein Auge beleidigt.«

»Ja, meins auch. Beinahe buchstäblich. Was machst du hier? Du bist früh dran«, fügte er hinzu, als sie ihn fragend ansah. »Ich habe dein Auto gesehen, und ich dachte …«

»Nein. Es gibt nichts Neues. Außer dass Steves Mutter gekommen ist.«

»Ja. Ich habe sie heute früh kurz kennen gelernt.« Er steckte die Hände in die Taschen und zog die Schultern hoch. »Sie ist fürchterlich.«

»Sie hasst mich. Weil ich Steve geheiratet habe, weil wir geschieden sind. Sie mag auch Steve nicht besonders gerne, aber mich? Mich hasst sie. Also habe ich das Weite gesucht. Ich bin sozusagen geflüchtet. Ich kann nicht so besonders gut mit Müttern umgehen.«

»Mit deiner Stiefmutter klappt es doch ganz gut. Sie hat dir gestern Abend diesen schönen Auflauf geschickt.«

»Nudeln mit Thunfisch. Ich weiß nicht, ob das ein Zeichen der Zuneigung sein soll.«

»Doch, das kannst du mir glauben.« Er trat in die Scheune und streichelte ihre Wange. »Du arbeitest zu schwer, schönes blondes Mädchen.«

»Ach was.« Sie entzog sich ihm und trat gegen eine der Kisten. »Die Polizei will, dass ich die Sachen hier durchgehe, um zu sehen, ob etwas fehlt.«

»Ja. Ich glaube, sie haben mich wieder von der Liste der Verdächtigen gestrichen, was ich seltsam enttäuschend finde. Der große Weiße hat mich gebeten, ihm *The Seeker: Indestructible* für seinen Enkel zu signieren.«

»Der große ... ach so, Urick. Ich habe ihnen gesagt, dass es nicht um dich oder Steve oder mich ging. Aber was zum Teufel soll hier sein? Was will denn jemand so unbedingt haben? Das ist doch nur Müll. Schrott. Ich sollte alles wegwerfen. Und das tue ich auch«, erklärte sie. »Du kannst mir dabei helfen.«

Er hielt sie zurück, als sie anfing, einen Karton herauszuziehen. »Nein. Wenn du so aufgewühlt bist, solltest du nichts wegwerfen. Und du weißt ganz genau, dass das, was jemand unbedingt haben möchte, nicht hier ist. Weil du es nämlich schon gefunden und woanders hingebracht hast.«

»Die Briefe.«

»Genau. Hast du der Polizei von den Briefen erzählt?«

»Nein.«

»Warum nicht?«

»Ich weiß es nicht genau. Zum Teil sicher, weil ich immer nur an Steve gedacht habe. Und was sollten sie mit den Briefen anfangen? Fünfunddreißig Jahre alte Briefe, nicht unterschrieben, ohne Absender.«

»Fingerabdrücke, DNA. Hast du noch nie *CSI* gesehen?«

»Fakten, Fantasie. Und es sickert durch. Irgendetwas sickert immer durch, das *ist* eine Tatsache. Briefe von einem Liebhaber, nur Tage vor ihrem Tod. War es Selbstmord? War es Mord? War sie schwanger mit einem Kind der Liebe? All die Spekulationen, die Presse, die Fernsehsendungen, die Reporter, die besessenen Fans. Und meine Chance, hier jemals ein friedliches Leben führen zu können, geht den Bach hinunter.«

»Warum?«

»Ich will nicht so leben. Ich will nicht, dass jeder meiner Schritte von Kameras verfolgt wird. Hier soll mein Zuhause sein.« Sie hörte selber, wie verzweifelt ihre Stimme klang, aber sie konnte nichts dagegen tun. »Ich wollte etwas von ihr und für sie wieder aufleben lassen. Aber letztendlich sollte es doch mir gehören.«

»Willst du denn gar nicht wissen, wer diese Briefe geschrieben hat?«

»Doch, das will ich. Aber ich will nicht sein Leben oder das seiner Kinder zerstören, weil er eine Affäre mit ihr hatte und sich von ihr getrennt hat. Er hat sich zwar grausam benommen, aber nach dreißig Jahren sollte das verjährt sein.«

»Da stimme ich dir zu.«

Mehr sagte er nicht. Er blickte sie nur an, bis sie die Augen niederschlug.

»Wie sollte das denn jemand beweisen?«, fragte sie schließlich. »Wenn, wenn, wenn sie nicht Selbstmord begangen hat. Wenn, wenn, wenn einige der Verschwörungstheorien der Wahrheit nahe gekommen sind und jemand – ihr Liebhaber – sie gezwungen hat, die Tabletten zu schlucken, oder sie ihr eingeflößt hat. Wie sollten wir das beweisen?«

»Ich weiß nicht, aber ein erster Schritt wäre bestimmt, den richtigen Leuten die richtigen Fragen zu stellen.«

»Ich kenne weder die Leute noch die Fragen, und ich kann im Moment auch nicht darüber nachdenken. Jetzt nicht. Ich muss den heutigen Tag überstehen, und dann muss ich morgen überstehen. Ich muss…«

Sie schlang die Arme um seinen Hals und küsste ihn. Er war auf ihren Ausbruch nicht vorbereitet, auf ihre Verzweiflung und ihren Hunger. Keuchend und leise stöhnend verschlang sie ihn. Sie legte eins ihrer langen Beine um seine Hüften, knabberte an seiner Unterlippe und zupfte daran. Und er reagierte hilflos und wurde auf der Stelle steinhart.

Sie rieb ihren Körper an ihm, bis er buchstäblich spürte, wie sein Blut aus dem Kopf nach unten floss. »Schließ die Tür ab«, flüsterte sie atemlos. »Schließ die Tür ab.«

Er zitterte vor Verlangen. »Warte«, sagte er, aber da war ihr Mund schon wieder gierig über seinem. Mit großer Willensanstrengung löste er sich von ihr, packte sie an den Schultern und schob sie ein Stück von sich weg.

»Warte«, wiederholte er, vergaß jedoch auf der Stelle, was er sagen wollte, als er in ihre strahlend blauen Augen sah.

»Nein. Jetzt.«

»Cilla. Oh, Mann. Was machst du nur mit mir?«

Sie zog seine Hände auf ihre Brüste. »Sieh es selbst.«

»Ja.« Weich und fest zugleich. Bedauernd und mit heroischer Willenskraft legte er seine Hände wieder auf ihre Schultern. »Wo war ich stehen geblieben? Also, selbst auf die Gefahr hin, dass es sich vollkommen albern anhört, aber das hier ist nicht richtig.«

Sie ließ ihre Hand über seinen Schritt gleiten. »Und was ist damit?«

»Der Penis hat seinen eigenen Kopf. Und Junge, Junge«, stieß er hervor, als er ihre Hand dort wegzog. »Dafür sollte man mir einen Preis verleihen. Ein Denkmal errichten. Lass uns aufhören.«

»*Aufhören?*« Schock und Beleidigung verschlugen ihr fast die Sprache. »Warum? Was ist denn los mit dir?«

»Mein Penis stellt genau die gleichen Fragen. Aber das Problem ist… warte«, befahl er und hielt sie fest, als sie sich umdrehen wollte. »Das Problem ist, wenn man so aufgewühlt ist, dann … schließ die Tür nicht ab.«

»Es ist doch nur Sex.«

»Vielleicht. Vielleicht. Aber wenn wir zusammen sind, will ich, dass es nur um uns beide geht. Um dich.« Er testete seine Willenskraft, indem er ihr einen langsamen, sanften Kuss gab. »Und um mich. Nicht um Steve oder Steves Mutter, nicht um Janet Hardy oder um ihre Briefe. Nur um uns, Cilla. Ich will dich dann für mich allein haben.«

Seufzend versetzte sie einer der Kisten einen halbherzigen Tritt. »Wie soll ich mir nach dieser Rede denn noch abgewiesen vorkommen?« Sie hakte die Daumen in die Taschen ihrer Jeans und blickte betont auf seinen Schritt. »Sieht so aus, als ob er noch ziemlich viel nachdenkt. Was willst du dagegen tun?«

»Ich brauche mir bloß Maylene Gunner vorzustellen.«

»Maylene Gunner.«

»Maylene war hinterhältig wie eine Schlange, gewaltig wie ein Schlachtschiff und hässlich wie die Nacht. Als ich acht war, hat sie mich so verprügelt, dass ich Rotz und Wasser geheult habe.«

Nein, wie sollte sie auf diesen Mann sauer sein? »Warum hat sie das denn gemacht?«

»Weil ich ein wenig schmeichelhaftes Porträt von ihr gezeichnet habe. So viel Talent hatte noch nicht mal Da Vinci. Ich habe sie wie so eine Art furzendes Michelin-Männchen dargestellt. Unter ihr klammerten sich kleinen Leute hilfesuchend aneinander, lagen bewusstlos am Boden oder rannten vor ihr weg.«

»Grausam«, sagte Cilla, aber ihre Lippen zuckten.

»Ich war acht. Auf jeden Fall bekam sie Wind davon – sozusagen –, lauerte mir auf und schlug mich zu Brei. Wenn es also sein muss, dann stelle ich mir einfach ihr Gesicht vor, und …« Er blickte an sich herunter und lächelte. »Siehst du. Er hat sich wieder zurückgezogen.«

Cilla musterte ihn einen Moment lang. »Du bist ein sehr seltsamer Mann, Ford. Aber auch seltsam anziehend. Wie dein Hund.«

»Pass auf, dass es nicht wieder von vorne losgeht. Selbst Maylene Gunner hat nur begrenzte Macht. Weißt du was? Ich helfe dir jetzt schnell, und dann fahren wir zusammmen zu Steve. Gemeinsam kommen wir auch gegen seine Mama an.«

Ja, dachte sie, ein sehr seltsamer, anziehender Mann. »Okay. Bring bitte als Erstes die Stehlampe zum Müllcontainer.«

Sie überstand den Tag, überstand die Nacht. Cilla wappnete sich für den zweiten Besuch des Tages und die nächste Konfrontation mit Steves Mutter. Während sie vor dem Krankenhauseingang hin und her lief, redete sie sich gut zu.

Es ging nicht um sie, um alte Streitigkeiten und Empfindlichkeiten. Und es ging nicht darum, dass sie der alten Hexe am liebsten einen Eimer kaltes Wasser über den Kopf gegossen hätte.

Es ging nur um Steve.

Sie ließ die Schultern kreisen, um sie zu lockern, wie ein Boxer, bevor er in den Ring geht, und marschierte gerade entschlossen auf die Türen zu, als jemand ihren Namen rief.

Es war zwar feige, erleichtert über den Aufschub zu sein, aber sie konnte nicht anders. Lächelnd drehte sie sich zu Cathy und Tom Morrow um.

Cathy rieb über Cillas Arm. »Wie geht es Ihrem Freund?«

»Unverändert. Immer noch das Gleiche. Ich möchte Ihnen noch einmal für Ihre Hilfe danken, als Steve im OP war.«

»Das war doch nichts.«

»Mir hat es viel bedeutet. Haben Sie heute Dienst?«

»Eigentlich sind wir hier, um unser Patenkind zu besuchen. Sie hat ein Baby bekommen.«

»Das ist schön. Nun …« Cilla blickte wieder zur Tür.

»Soll ich zuerst einmal mit Ihnen hinaufgehen?«, bot Cathy an.

»Nein, nein, es geht schon. Es ist nur … Steves Mutter ist wahrscheinlich da. Sie kann mich nicht ausstehen, und wenn wir beide uns im selben Zimmer aufhalten, wird es ziemlich eng da drin.«

»Daran kann ich etwas ändern.« Cathy hob einen Finger. »Wissen Sie was? Ich gehe jetzt hoch und locke sie für fünfzehn, zwanzig Minuten aus dem Krankenzimmer.«

»Wie wollen Sie das denn machen?«

»Wie freiwillige Helfer das immer machen. Ich lade sie zu einer Tasse Kaffee ein und leihe ihr mein Ohr. So kann sie sich ausweinen, und Sie haben ein paar Minuten alleine mit Ihrem Freund.«

»Das schafft sie locker«, warf Tom zustimmend ein. »Cathy kann niemand widerstehen.«

»Ich wäre Ihnen so dankbar.«

»Kein Problem. Tom, leiste Cilla ein paar Minuten Gesellschaft. Fünf müssten reichen.« Fröhlich winkend ging Cathy ins Krankenhaus.

»Sie ist großartig.«

»Ja, die Beste«, bestätigte Tom. »Kommen Sie, wir setzen uns dort drüben hin, damit sie ihren Plan umsetzen kann. Das mit Ihrem Freund tut mir leid.«

»Danke.« Drei Tage, dachte sie. Drei Tage im Koma.

»Weiß die Polizei, wie es passiert ist?«

»Nein, nicht wirklich. Wir hoffen alle, dass Steve es uns berichten kann, falls … wenn«, korrigierte sie sich, »wenn er aufwacht.«

Ein weißer Kombi fuhr über den Parkplatz, und Cilla fröstelte plötzlich. Rasch sah sie weg.

»Ich hoffe, das ist bald der Fall.« Tom tätschelte ihr die Hand. »Wie macht sich Brian so bei Ihnen?«

»Der Garten nimmt Formen an. Er leistet gute Arbeit. Sie sind sicher sehr stolz auf ihn.«

»Jeden Tag. Sie haben sich da ein ehrgeiziges Projekt vorgenommen. Das Grundstück, das Haus. Es wird viel Zeit, Geld und Schweiß kosten. So erzählt man sich jedenfalls«, fügte er hinzu.

»Aber es lohnt sich. Sie müssen bei Gelegenheit mal vorbeikommen und sich die Fortschritte anschauen.«

»Ich hatte gehofft, dass Sie mir das vorschlagen.« Er zwinkerte ihr zu.

»Jederzeit, Mr. Morrow.«

»Tom.«

»Jederzeit«, wiederholte Cilla und erhob sich. »Ich schleiche mich jetzt mal nach oben. Vielleicht hatte Cathy ja schon Erfolg.«

»Darauf können Sie wetten. Ich bete für Ihren Freund.«

»Danke.«

Und das, dachte Cilla, war der Grund dafür, dass sie hier leben wollte. Leute wie die Morrows und wie Dee und Vicki und Mike, das Pflegepersonal der Intensivstation, die sie jeden Tag sah. Leute, die Anteil nahmen und einem Zeit schenkten.

Leute wie Ford.

Sogar Leute wie der mürrische, aufbrausende Buddy.

Als sie aus dem Aufzug trat, sah sie Mike im Schwesternzimmer. »Wie geht es ihm?«

»Stabil. Die Nieren funktionieren normal, das ist eine Verbesserung.«

»Ja. Ist jemand bei ihm?«

Mike wackelte mit den Augenbrauen. »Mrs. Morrow ist mit Mrs. Chensky Kaffee trinken gegangen. Sie haben freie Bahn.«

»Halleluja.«

Sein Gesicht war immer noch voller blauer Flecken, aber sie wurden am Rand bereits gelb. Dicke Stoppeln bedeckten sein Kinn und pieksten sie, als sie ihn küsste. »Ich bin wieder da. Es ist heute Nachmittag heiß draußen. Wetter zum Ausziehen.«

Sie blickte zum Fenster und beschrieb ihm die Aussicht, bevor sie erzählte, wie es auf der Baustelle voranging. Dann sah sie die Skizze, die an der Glaswand klebte.

»Was haben wir denn hier? *Con, der Unsterbliche*?« Sie blickte Steve an. »Hast du das gesehen? Er sieht dir ja sehr ähnlich!«

Ford hatte ihn gezeichnet, das wusste Cilla, auch ohne dass sie seine Signatur unten in der Ecke sah. Steve stand mit einem Lendenschurz bekleidet, dicken schwarzen Schnüren über der Brust und Fellstiefeln breitbeinig da. Seine Haare flogen im Wind, und sein Gesicht war zu einem wilden, entschlossenen Grinsen verzogen. Seine Hand lag auf dem Knauf eines Schwertes, dessen Spitze zwischen seinen Füßen steckte.

»Großes Schwert, ein offensichtliches Symbol. Das würde dir gefallen. Und der Bizeps wölbt sich über den Armbändern und der Kette aus Fangzähnen. *Con, der Unsterbliche.* Jetzt hat er dich aber festgenagelt, was?«

Tränen traten ihr in die Augen, aber sie unterdrückte sie. »Das musst du dir wirklich ansehen, okay?« Sie trat wieder ans Bett und nahm Steves Hand. »Du musst aufwachen und es dir anschauen. Du hast jetzt lange genug geschlafen, Steve, wirklich. Verdammt noch mal. Der Quatsch muss jetzt aufhören, also lass es sein und ... o Gott.«

Hatte sich seine Hand bewegt? Oder hatte sie sich das eingebildet? Langsam stieß sie die Luft aus und blickte auf die Finger, die sie festhielt. »Ich will dich nicht schon wieder anschreien. Du weißt, dass ich schlimmer bin als deine Mutter, wenn ich wirklich ausraste. Und sie kommt im Übrigen gleich zurück, also ...«

Die Finger zuckten und krümmten sich. Sie drückte auf die Klingel. »Steve, na los, Steve, mach es noch einmal.« Sie hob die Hand und presste ihre Lippen darauf. Ganz zart biss sie hinein. Und lachte, als sich seine Finger wieder krümmten.

»Er hat mir die Hand gedrückt«, rief sie, als Mike hereinkam. »Zweimal hat er mir die Hand gedrückt. Er wacht auf, oder?«

»Reden Sie mit ihm.« Mike trat ans Bett und zog eins von Steves Augenlidern hoch. »Er muss Ihre Stimme hören.«

»Komm, Steve. Ich bin's, Cill. Wach auf, du fauler Hund. Ich habe Besseres zu tun, als hier herumzustehen und dir beim Schlafen zuzusehen.«

Auf der anderen Seite des Bettes überprüfte Mike den Puls, die Pupillen und den Blutdruck. Dann kniff er Steve fest in den Unterarm. Der Arm zuckte.

»Das hat er gespürt. Er hat sich bewegt. Steve, du bringst mich um. Mach die Augen auf.« Cilla umfasste sein Gesicht und beugte sich ganz dicht über ihn. »Mach die Augen auf.«

Die Augenlider flatterten, und noch etwas anderes spürte sie an ihrem Kinn. Das war mehr als sein Atem, stellte sie fest. Er hatte etwas gesagt.

»Was? Was? Sag es noch einmal.«

Sie beugte sich über ihn, ihr Ohr an seinen Lippen. Er atmete ein, und dann flüsterte er mit rauer, heiserer Stimme: »Verdammt.«

Cilla schluchzte auf und lachte zugleich. »Verdammt. Er hat verdammt gesagt!«

»Das kann ich gut verstehen.« Mike trat rasch zur Tür und sagte zu einer Krankenschwester: »Pieps Dr. North an. Sein Patient wacht auf.«

»Kannst du mich sehen?«, fragte Cilla, als er die Augen öffnete. »Steve? Kannst du mich sehen?«

Er stieß einen erschöpften Seufzer aus. »Hi, Puppe.«

Sie redete mit dem Arzt, und schaffte es sogar, Steves Mutter aufrichtig anzulächeln, bevor sie sich auf der Damentoilette einschloss, um ihren Tränen freien Lauf zu lassen. Nachdem sie sich das Gesicht gewaschen und sich eine Sonnenbrille aufgesetzt hatte, ging sie zurück ins Schwesternzimmer.

»Er schläft«, sagte Mike zu ihr. »Einen natürlichen Schlaf. Er ist noch schwach, und es wird noch eine Weile dauern, bis er wieder auf dem Damm ist. Sie sollten nach Hause gehen, Cilla, und auch ein wenig schlafen.«

»Ja, das mache ich. Wenn er nach mir fragt…«

»Dann rufen wir Sie an.«

Zum ersten Mal trat Cilla mit leichtem Herzen in den Aufzug. Während sie durch die Lobby ging, zog sie ihr Handy heraus und rief Ford an.

»Hey, schönes blondes Mädchen.«

»Er ist aufgewacht.« Sie hüpfte förmlich den Gehweg entlang zum Parkplatz. »Er ist aufgewacht, Ford. Er hat mit mir geredet.«

»Was hat er gesagt?«

»Zuerst verdammt.«

»Wie es sein sollte.«

»Er kannte mich, meinen Namen und alles. Seine linke Seite ist noch ein wenig schwächer als seine rechte, aber der Arzt sagt, es sieht gut aus. Sie müssen natürlich noch Tests machen, und…«

»Sie scheinen ja gute Arbeit geleistet zu haben. Soll ich vorbeikommen und dir was zu essen bringen?«

»Nein, ich fahre jetzt direkt nach Hause. Er schläft jetzt. Ganz normaler Schlaf. Ich wollte es dir nur schnell sagen. Ich wollte sagen, ich habe deine Zeichnung gesehen und habe ihn noch damit geneckt, kurz bevor er… ich glaube, das hat es bewirkt.«

»*Con, den Unsterblichen*, kann nichts aufhalten.«

»Du bist so… o Gott! Bastard!«

»Was? Was hast du gesagt?«

Sie starrte die Tür ihres Trucks an. »Ich komme gleich. Ich bin in ein paar Minuten da.«

Sie legte auf, bevor Ford antworten konnte. Auf die Fahrertür ihres Wagens hatte jemand mit schwarzem Filzstift geschrieben:

Huren zeugen Huren!

13

Ford sah Cilla zu, die mit ihrer Digitalkamera Aufnahmen von der Tür ihres Pickups machte. Er hätte am liebsten einen Wutanfall bekommen, wusste aber nicht, was er damit machen sollte, wenn er es erst einmal zulassen würde.

Gegen die Reifen treten? Mit Schaum vorm Mund herumlaufen? Nein, das kam ihm alles nicht so besonders hilfreich oder befriedigend vor. Stattdessen stand er nur da, die Hände in den Taschen, und hielt seine Wut auf einem erträglichen Level.

»Die Polizei wird auch Fotos machen«, bemerkte er.

»Ich will aber selber welche. Außerdem glaube ich nicht, dass Urick und Wilson diesem Fall große Bedeutung beimessen.«

»Es könnte aber eine Verbindung bestehen. Sie kommen morgen früh.«

Achselzuckend schaltete sie die Kamera aus und steckte sie in die Tasche. »Es geht auf jeden Fall nicht ab. Die Sonne hat den Filzstift förmlich eingebrannt, ich muss also die ganze Tür auswechseln. Ich habe das Auto erst seit drei Monaten.«

»Du kannst solange mein Auto nehmen.«

»Nein, ich fahre mit diesem.« Trotz und Wut standen in ihren Augen. »Ich weiß ja, dass ich keine Hure bin. Ich habe Hennessys Kombi auf dem Parkplatz gesehen, bevor ich zu Steve gegangen bin. Er könnte es gewesen sein. Vielleicht hat er auch Steve überfallen. Dazu wäre er bestimmt in der Lage.«

»Hat Steve irgendetwas gesagt?«

»Wir haben ihn nicht gefragt. Er war noch so schwach und desorientiert. Morgen wahrscheinlich, meinte der Arzt. Morgen kann er mit der Polizei sprechen. Verdammt!«

Erregt marschierte sie auf und ab. Dann blieb sie stehen und atmete tief durch. »Okay. Okay. Ich werde nicht zulassen, dass irgend so ein Arschloch mir diesen tollen Tag verdirbt. Gibt es in dem Alkoholladen im Ort Champagner?«

»Keine Ahnung. Aber ich habe welchen.«

»Wieso hast du immer alles?«

»Ich war bei den Pfadfindern. Im Ernst«, setzte er hinzu, als sie lachte. »Ich habe sogar Verdienstmedaillen bekommen.«
Sie hatte ja recht. So einen tollen Tag sollte man sich nicht von einem Arschloch verderben lassen. »Was hältst du davon, wenn wir eine gefrorene Pizza in den Backofen schieben und die Korken knallen lassen?«

Spock sprang von seinem Ausguck auf der Veranda auf und tanzte.

»Klingt gut.« Als sie auf ihn zutrat, um ihn zu küssen, ertönte lautes Hupen.

»Okay«, sagte Ford, als ein Mustang Cabrio in Feuerrot hinter Cillas Auto hielt, »irgendwann musste es ja mal passieren.«

Die lebhafte Farbe des Autos wurde noch übertrumpft von der roten Mähne der Frau, die ihnen vom Beifahrersitz aus zuwinkte. Sie zog ihre große Sonnenbrille herunter, um Cilla zu mustern, und schwang ihre Füße in eleganten Peep-Toes aus dem Wagen, um den vor Freude hüpfenden Hund zu begrüßen.

Auch der Fahrer stieg aus. Allein seine Größe und seine Figur versetzten Cilla in Alarmbereitschaft, noch bevor sie das entschlossene Kinn bemerkte.

Automatisch wurden ihre Handflächen feucht. Sie würde also jetzt seine Eltern kennen lernen. Darin war sie noch nie gut gewesen.

»Hallo, meine Zuckerschnute!« Penny Sawyer legte ihre Hände um Fords Wangen und gab ihm einen lauten Schmatz. Ihr Lachen klang rau und nach Whiskey.

»Hey, Mama. Daddy.« Der Mann mit den Cary Grant Silberhaaren umarmte ihn kurz. »Was macht ihr hier?«

»Wir fahren zu Susie und Bill. Poker-Turnier.« Penny stieß

Ford vor die Brust, während sein Vater sich hinhockte, um Spock die Pfote zu schütteln. »Wir haben gedacht, wir kommen bei dir vorbei, falls du mitfahren willst.«

»Ich verliere beim Pokern immer.«

»Du hast eben kein Spielerblut.« Penny drehte sich zu Cilla um. »Aber du hast Gesellschaft. Du brauchst mir gar nicht zu sagen, wer das ist. Sie sehen aus wie Ihre Großmama.« Penny trat mit ausgestreckten Händen auf Cilla zu. »Die schönste Frau, die ich jemals gesehen habe.«

»Danke.« Da ihr nichts anderes übrig blieb, wischte sich Cilla die Hände rasch an der Hose ab, bevor sie Penny begrüßte. »Schön, Sie kennen zu lernen.«

»Cilla McGowan, meine Eltern, Penny und Rod Sawyer.«

»Ich kenne Ihren Daddy sehr gut.« Penny warf ihrem Mann einen listigen Blick zu.

»Du versuchst schon wieder, mich eifersüchtig zu machen«, warf Rod trocken ein. »Ich habe viel Gutes über Sie gehört«, sagte er zu Cilla.

»Aber nicht von dem hier.« Erneut schubste Penny Ford.

»Ich bin ja auch die Diskretion in Person.«

Penny lachte wieder ihr tiefes, raues Lachen, dann kramte sie in ihrer Handtasche. Sie zog einen riesigen Kauknochen hervor, der Spock in einen Freudentaumel versetzte. Sein ganzer Körper bebte, und seine hervorstehenden Augen leuchteten.

»Mach Männchen«, sagte sie zu dem Hund, und Spock stellte sich auf die Hinterbeine. »So ist es gut«, gurrte sie und hielt ihm den Knochen hin. Spock packte ihn und rannte glücklich davon. »Ich muss ihn verwöhnen«, sagte sie zu Cilla. »Mehr an Enkelkind habe ich bisher von meinem Sohn noch nicht bekommen.«

»Du hast ja schon zwei von Alice«, erinnerte Ford sie.

»Und sie bekommen von mir auch Plätzchen, wenn sie zu Besuch kommen.« Sie wies auf das Haus gegenüber. »Es ist schön, dass Sie das Haus wieder zum Leben erwecken. Es hat es verdient. Dein Großvater nimmt heute Abend übrigens auch an dem Spiel teil, Ford. Mein Daddy war schrecklich verliebt in Ihre Großmutter.«

Cilla blinzelte. »Tatsächlich?«

»Ja. Er hat haufenweise Fotos von ihr. Er würde sie um keinen Preis der Welt verkaufen, obwohl ich ihm schon vorgeschlagen habe, sie zu rahmen und im Laden aufzuhängen.«

»Mama gehört das Book Ends im Village«, erklärte Ford Cilla.

»Ach, wirklich? Da war ich schon mal. Ich habe Gartenbücher gekauft. Es ist ein hübscher Laden.«

»Klein, aber fein«, sagte Penny. »Oh, sieh mal, jetzt kommen wir zu spät. Warum lässt du mich auch so viel reden, Rod?«

»Ich habe keine Ahnung.«

»Wenn ihr eure Meinung noch ändert, dann sorgen wir dafür, dass ihr noch einen Platz am Tisch bekommt. Cilla, es würden sich bestimmt alle freuen, wenn Sie auch kämen«, rief Penny über die Schulter, während Rod sie zum Auto schob. »Ich werde Daddy sagen, er soll Ihnen die Bilder zeigen.«

»Danke. Es war schön, Sie kennen zu lernen.«

»Ford! Du musst unbedingt mit Cilla irgendwann zum Abendessen kommen.«

»Ins Auto mit dir, Penny.«

»Ja, ich komme ja schon. Hörst du?«

»Ja, Ma'am!«, rief Ford. »Gewinn tüchtig.«

»Ich habe so ein *glückliches* Gefühl!«, erwiderte Penny. Rod legte den Rückwärtsgang ein und fuhr auf die Straße.

»Wow«, sagte Cilla.

»Ja, ich weiß. Man kommt sich vor, als wenn ein Hurrikan über einen hinwegfegt. Man ist ein bisschen überrascht und benommen und denkt, wenn der Wind noch einen Tick stärker gewesen wäre, läge man flach am Boden.«

»Du siehst deinem Vater sehr ähnlich, der übrigens ein sehr attraktiver Mann ist. Aber deine Mutter? Sie ist hinreißend.«

»Sie ist, wie dein Vater gerne sagt, ein Knüller.«

»Knüller.« Lachend ging Cilla ins Haus. Diskret rülpsend trottete Spock hinterher. »Also, ich mag sie, und dabei stehe ich Müttern normalerweise eher skeptisch gegenüber. Apropos: Wo ist der Champagner?«

»Im Kühlschrank in der Diele.«

»Ich hole ihn, hol du die Pizza.«

Kurz darauf kam sie mit einer Flasche Veuve Cliquot in die Küche. Verwirrt runzelte sie die Stirn. »Ford, was machst du mit all der Farbe?«

»Womit?« Er blickte vom Backofen auf. »Ach, das. Das ist literweise Grundierung, literweise rote Außenfarbe und ein bisschen weniger weiße Außenfarbe, für die Ränder.«

Sie stellte die Flasche auf die Theke. Ihr Herz machte einen Satz. »Du hast die Farbe für die Scheune gekauft.«

»Ich bin nicht abergläubisch. Ich glaube an positives Denken, was ja nichts anderes als Hoffnung ist.«

Alles in ihr öffnete sich für ihn. Sie trat zu ihm, legte ihm eine Hand auf die Wange und küsste ihn. Warm und weich wie Samt, zärtlich und langsam.

Als sie sich voneinander lösten, seufzte sie und legte ihre Wange an seine, eine Geste der Zuneigung, die sie kaum jemandem gewährte. »Ford.« Sie trat einen Schritt zurück und seufzte noch einmal. »Ich habe den Kopf zu voll mit Steve, um heute Abend deinen Anforderungen an Sex zu genügen.«

»Ah. Na ja.« Er fuhr mit den Fingerspitzen über ihren Arm. »Eigentlich sind es ja eher Richtlinien als strikte Anforderungen.«

Lachend streichelte sie ihm über die Wange. »Es sind gute Anforderungen. Ich würde mich gerne daran halten.«

»Daran bin ich ganz alleine schuld.« Er drehte sich um und schob die Pizza in den Backofen.

»Also essen wir schlechte Pizza, berauschen uns am Champagner und haben keinen Sex.«

Ford schüttelte den Kopf und öffnete die Flasche. »Beinahe meine Lieblingsbeschäftigung mit einer schönen Frau.«

»Ich verliebe mich normalerweise nicht«, sagte sie, als er innehielt und sie anschaute. »Jedenfalls habe ich mir das vorgenommen, weil ich erblich vorbelastet bin durch die Spuren, die meine Großmutter und meine Mutter auf diesem Gebiet hinterlassen haben. Steve war eine Ausnahme, und du siehst ja, was daraus geworden ist. Deshalb verliebe ich mich nicht. Aber in dich habe ich mich anscheinend verliebt.«

Der Korken knallte aus der Flasche. Ford blickte sie an. »Macht dir das Angst?«

»Nein.« Er räusperte sich. »Ein bisschen. Nicht sehr.«

»Mich macht es nervös. Deshalb dachte ich, ich sage es dir.«

»Ja, danke. Kannst du ›verlieben‹ vielleicht noch mal genauer definieren?«

Gott, dachte sie, als sie ihn anschaute. Oh, mein Gott. Lange halte ich das nicht mehr aus. »Willst du nicht Gläser holen? Ich glaube, wir könnten beide etwas zu trinken gebrauchen.«

Sie engagierte Anstreicher und ließ die Farbe zur Scheune schleppen. Sie redete mit der Polizei und ließ die Fahrertür ihres Trucks neu lackieren. Wann immer sie den weißen Kombi sah, reckte sie ohne Bedenken den Mittelfinger.

Es gäbe keinen Beweis, sagten die Polizisten. Nichts, was Hennessy in Verbindung mit dem Überfall auf Steve brachte. Keine Möglichkeit, ihm nachzuweisen, dass er voller Hass ihr Auto beschmiert hatte.

Sie würde warten, beschloss Cilla. Und beim nächsten Mal würde sie reagieren.

In der Zwischenzeit war Steve in ein normales Zimmer verlegt worden, und seine Mutter hatte sich wieder auf ihren Besenstiel geschwungen und war nach Westen geritten.

Schweißüberströmt von der Arbeit auf dem Speicher stand

Cilla vor dem Skelett des großen Badezimmers. »Es sieht gut aus, Buddy. Morgen wird es abgenommen.«

»Ich habe absolut keine Ahnung, warum jemand so viele Duschköpfe braucht.«

»Jet-Düsen. Das ist keine Dusche, sondern ein Erlebnis. Haben Sie die Armaturen gesehen? Sie sind heute früh gekommen.«

»Ja, habe ich gesehen. Sie sehen gut aus«, gab er so mürrisch zu, dass sie lächeln musste.

»Wie kommen Sie mit der Dampfdusche zurecht?«

»Ganz gut. Drängen Sie mich nicht.«

Sie zog eine Grimasse hinter seinem Rücken. »Apropos, ich müsste rasch noch unter die Dusche springen, bevor ich zu Steve fahre.«

»Das Wasser ist abgestellt. Und wenn ich hier fertig werden soll, bleibt es auch abgestellt.«

»Kapiert. Mist. Dann gehe ich eben bei Ford duschen.«

Buddys Grinsen entging ihr nicht, aber sie ignorierte es. Sie nahm saubere Sachen und stopfte sie in ihre Tasche. Unten wechselte sie noch ein paar Worte mit Dobby und diskutierte draußen zehn Minuten lang mit den Gärtnern.

Bevor noch jemand sie aufhalten konnte, rannte sie über die Straße und beschloss, lieber rasch im Studio zu duschen, damit sie Ford nicht stören musste.

Erst als sie sauber, trocken und in ein großes weißes Badetuch gewickelt war, stellte sie fest, dass sie ihre Tasche – mit ihren Kleidern – auf der vorderen Veranda stehen gelassen hatte.

»Oh, Mist.«

Sie musterte ihre verschwitzen, schmutzigen Klamotten, die sie ausgezogen hatte und fuhr sich mit der Hand durch ihre sauberen Haare. »Nein, die ziehe ich *nicht* wieder an.«

Sie würde wohl Ford doch stören müssen. Sie wickelte ihre Unterwäsche und ihre Arbeitsshorts in ihr T-Shirt und nahm das Bündel mit.

Ford blickte überrascht auf, als sie die Küchentür öffnete.

»Oh, hi. Hör mal…«

»Ford, du hast uns ja gar nicht gesagt, dass du Besuch hast.

»Das wusste ich selber nicht. Hey, Cilla.«

Verlegen stellte Cilla fest, dass Fords Mutter mit einem älteren Mann an der Küchentheke saß.

Sie blieb wie erstarrt stehen, während Spock angerannt kam und sich zur Begrüßung an ihren nackten Beinen rieb. »O Gott. O Gott. Es… Gott. Es tut mir leid. Entschuldigung.«

Ford nahm sie am Arm. »Wenn du noch weiter zurückweichst, fällst du gleich die Treppe herunter. Meine Mutter kennst du ja schon. Das ist mein Großvater, Charlie Quint.«

»Oh, na ja, hallo. Es tut mir leid. Ich, nun, was soll ich sagen? Ford, ich wollte dich nicht stören, weil ich dachte, du arbeitest. Bei mir zu Hause ist für eine Zeitlang das Wasser abgestellt, und deshalb habe ich unten deine Dusche benutzt – vielen Dank übrigens. Aber dann habe ich gemerkt, dass ich die Tasche mit meinen Kleidern auf der Veranda stehen gelassen habe, weil ich mit den Gärtnern über verschiedene Arten von Spiersträuchern diskutieren musste. Und jetzt wollte ich dich bitten, ob du schnell hinüberlaufen könntest, um sie mir zu holen. Meine Kleider.«

»Ja, klar.« Er schnüffelte an ihr. »Meine Seife riecht an dir besser als an mir.«

»Cilla, Sie trinken doch sicher ein Glas Eistee mit uns.« Penny stand auf, um ein Glas zu holen.

»Oh, machen Sie sich keine Umstände, ich…«

»Kein Problem. Ford, jetzt hol dem Mädchen schon seine Sachen.«

»Ja, in Ordnung. Aber irgendwie ist es schade. Findest du nicht auch, Granddad?«

»Hübsche Beine bei einer hübschen Frau sind eine Augenweide. Auch für alte Augen. Sie sehen ihr in Wirklichkeit viel ähnlicher als auf den Bildern, die ich von Ihnen gesehen habe.«

Wie viel peinlicher konnte alles noch werden?, fragte sich Cilla, als Ford augenzwinkernd verschwand. »Sie kannten meine Großmutter?«

»Ja. Ich habe mich auf den ersten Blick in sie verliebt, als ich sie auf der Leinwand sah. Sie war damals noch ein kleines Mädchen, und ich war ein Junge, es war eine richtige Kinderliebe. Aber die erste große Liebe vergisst man nie.«

»Ja, das stimmt wohl.«

»Hier, bitte, meine Liebe. Setzen Sie sich doch.«

»Nein, ich bleibe lieber stehen. Danke.« Sie starrte auf das Glas, das Penny ihr reichte und fragte sich, wie sie es nehmen sollte, da sie in einer Hand das Bündel mit ihrer Schmutzwäsche hielt und mit der anderen das Handtuch gepackt hatte.

»Oh, ist das Ihre schmutzige Wäsche? Geben Sie sie mir ruhig. Ich werfe sie rasch für Sie in Fords Waschmaschine.«

»Oh nein, bitte, das brauchen Sie nicht.«

»Es macht keine Mühe.« Penny nahm ihr das Bündel ab und drückte Cilla das kalte Glas in die Hand. »Daddy, willst du Cilla nicht die Fotos zeigen? Wir wollten gerade damit bei Ihnen vorbeikommen«, rief Penny aus der Waschküche. »Meine Güte, Sie haben aber fleißig gearbeitet!«

Cilla verdrehte zwar die Augen, trat aber gehorsam an die Theke, weil Charlie bereits das Fotoalbum aufgeschlagen hatte.

»Die sind ja wundervoll!«

Schon beim ersten Blick vergaß sie, dass sie nur ein Handtuch trug und rückte näher. »Ich habe sie noch nie gesehen.«

»Meine private Sammlung«, erwiderte er mit einem wehmütigen Lächeln. »Das hier zum Beispiel.« Er tippte mit dem Finger auf eins der Bilder. »Das ist das erste Foto, das ich je von ihr gemacht habe.«

Janet saß auf den Stufen zur Veranda, entspannt und lächelnd in aufgekrempelter Latzhose und karierter Bluse.

»Sie sieht so glücklich aus. Sie scheint sich ganz wohl zu fühlen.«

»Sie hatte gerade mit den Gärtnern gearbeitet – hatte ihnen gezeigt, wo sie ihre Rosen haben wollte und so. Sie hatte gehört, dass ich fotografiere und fragte mich, ob ich vorbeikommen und Aufnahmen von Haus und Garten machen könnte. Und sie selber ließ sich auch von mir fotografieren. Hier ist sie mit den Kindern. Das müsste Ihre Mutter sein.«

»Ja.« Auch sie sah glücklich aus, dachte Cilla, neben ihrem Bruder. »Sie sind alle so schön, nicht wahr? Es tut beinahe in den Augen weh.«

»Sie hat geleuchtet. Ja, wirklich.«

Cilla blätterte das Album um. Janet, golden und strahlend auf einem Palomino, Janet, die sich mit ihren Kindern am Boden wälzte, Janet lachend mit einem Fuß im Teich. Janet alleine, Janet mit anderen. Bei Partys auf der Farm. Mit den Reichen und Berühmten und mit den Alltäglichen.

»Und Sie haben nie eins davon verkauft?«

»Das ist doch nur Geld.« Charlie zuckte mit den Schultern. »Wenn ich sie verkaufen würde, würden sie nicht mehr mir gehören. Natürlich hat sie von den Fotos, die sie wollte, Abzüge bekommen.«

»Ja, es kann sein, dass ich ein paar davon gesehen habe. Meine Mutter hat ganze Kisten voller Fotos, und alle habe ich bestimmt noch nicht gesehen. Die Kamera liebte sie. Oh, das hier! Das ist bis jetzt mein Lieblingsbild!«

Janet lehnte in der Tür des Farmhauses, den Kopf schräg, die Arme verschränkt. Sie trug eine schlichte dunkle Hose und eine weiße Bluse. Ihre Füße waren nackt, und ihre Haare fielen offen herunter. Blumen blühten üppig in den Töpfen auf der Veranda, und oben an der Treppe schlief zusammengerollt ein Welpe.

»Den Hund hat sie von den Clintons gekauft.« Penny trat neben ihren Vater und legte ihm die Hand auf die Schulter. »Von der Familie Ihrer Stiefmama.«

»Ja, das hat sie mir erzählt.«

»Janet liebte diesen Hund«, murmelte Charlie.

»Du musst Abzüge für Cilla machen, Daddy. Familienfotos sind wichtig.«

»Ja, das kann ich gerne machen.«

»Granddad macht Abzüge für Cilla«, verkündete Penny, als Ford mit Cillas Tasche hereinkam. »Er hat die Negative.«

»Ich könnte sie scannen, wenn du sie mir anvertrauen willst. Hier bitte.« Ford reichte Cilla die Tasche.

»Danke.« Da sie Charlies Zögern spürte, rückte Cilla ab. »Es sind wundervolle Fotos. Ich würde sie mir schrecklich gern zu Ende anschauen, aber ich muss jetzt ins Krankenhaus. Ich laufe nur noch rasch...«

Sie hielt ihre Tasche hoch. »Nach unten.«

»Sie sehen ihr ähnlicher als Ihre Mutter«, sagte Charlie, als Cilla die Tür erreicht hatte. »Das liegt an den Augen.«

Und in seinen lag so viel Traurigkeit. Cilla erwiderte nichts und lief rasch die Treppe hinunter.

Im Geiste hüpfte Cilla vor Freude, als die ersten Fliesen in dem großen Badezimmer verlegt wurden. Das kühle Schwarz-weiß-Design hatte genau den richtigen Effekt.

Stan, der Fliesenleger, blickte über die Schulter. »Cilla, Sie müssen hier oben jetzt endlich den Strom anschließen.«

»Wir arbeiten daran. Bis Ende der Woche sind wir fertig, versprochen.«

Bis zum Ende der Woche musste sie wirklich auch hier oben Strom haben, dachte sie. Und das Bett, das sie bestellt hatte, musste ebenfalls da sein. Auf einer Baustelle, im Schlafsack, konnte Steve nicht gesund werden.

Sie machte sich wieder daran, die Regale in den Schlafzimmerschrank einzubauen. Wenn alles nach Plan lief, dachte sie, hatte sie in zwei Wochen zwei fertige Bäder, das dritte, vierte und die Gästetoilette in Arbeit. Dann konnte sie beginnen, den Speicher zu spachteln, und es würde alles neu verputzt sein.

Dobby könnte mit den Deckenmedaillons beginnen. Jedenfalls, wenn sie sich endlich mal für einen Entwurf entschieden hätte.

Während sie arbeitete, abmaß und ausrichtete, ging sie im Geiste noch einmal alles durch.

In ein paar Wochen würde sie ihre Handwerksprüfung ablegen. Aber daran wollte sie jetzt noch nicht denken. Wenn sie sie nicht bestand, musste sie am Ende des Jahres einen ihrer Handwerker um einen Job bitten. Und sie würde sich das hübsche kleine Anwesen im Ort, das sich *ganz bestimmt* als hervorragendes, profitables Objekt erweisen würde, nicht leisten können.

Wenn sie sie nicht schaffte, dann war sie eben wieder mal gescheitert.

Positiv denken, ermahnte sie sich. Das würde Ford jetzt sagen. Und es konnte ja nichts schaden, wenn sie es mal versuchte.

»Ich werde es schaffen«, erklärte sie laut und trat einen Schritt zurück, um ihre Arbeit zu bewundern. »Ich werde das blöde Examen schaffen. Cilla McGowan, Handwerker mit Lizenz.«

Sie sammelte ihre Werkzeuge ein und ging hinaus. Rasch prüfte sie die Fortschritte an der Außentreppe zu ihrem Büro und warf noch einen schnellen Blick auf die Arbeit der Fliesenleger. Draußen hatten die Anstreicher bereits das Gerüst um die Scheune aufgebaut und begannen damit, sie rot zu streichen.

Es roch nach dem Mulch, den Shanna und Brian um die neuen und alten Anpflanzungen verteilt hatten. Rosen, Hortensien, Spiräen und altmodische Weigelien, Staudenbeete und einjährige Pflanzen, die bereits üppig blühten.

Es gab noch eine ganze Menge zu tun, dachte sie, aber hier waren bereits Fortschritte zu erkennen. Hier wurde schon aufgebaut und erneuert.

Sie dachte an Charlies Fotoalbum. Kurz entschlossen unterbrach sie die Arbeit und lief ins Haus, um ihre Kamera zu holen und die Fortschritte zu dokumentieren.

Männer mit nacktem Oberkörper schwitzten hoch oben auf dem Gerüst. Shanna, in Shorts und einem hellrosa T-Shirt arbeitete mit Brian zusammen an einer niedrigen Trockenmauer. Die Stützen ihrer Treppe, die halbfertige hintere Veranda. Und die fertige vorne.

Einen Moment lang sah sie Janet vor sich, wie sie lächelnd am Rahmen in der offenen Tür lehnte.

»Es kommt wieder«, sagte Cilla leise.

Als sie sich umdrehte, sah sie Ford und Spock die Einfahrt entlangkommen. Der Hund trottete auf sie zu, lehnte sich an ihr Bein und blickte sie dann voller Liebe und Freude an. Sie kraulte und tätschelte ihn, küsste ihn auf die Nase.

»Ich habe dir was mitgebracht.« Ford reichte ihr eine von zwei Coke-Dosen, die er in der Hand hielt. »Ich bin kurz bei Steve vorbeigefahren. Er hat mir erzählt, dass sie ihn in zwei Tagen entlassen.«

»Ja, er ist schnell wieder zu Kräften gekommen.« Wie die Farm, dachte sie. »Ich muss mich beeilen, damit ich auch im ersten Stock Strom habe, und ich habe ein Bett bestellt.«

»Er soll sich auf einer Baustelle von einem Schädelbruch erholen? Hörst du das?«, fragte Ford und tippte sich aufs Ohr.

Cilla zuckte mit den Schultern. »Für Leute wie Steve und mich klingt der Lärm wie Kammermusik.«

»Das muss ich dir wohl glauben. Aber er könnte auch bei mir wohnen. Ich habe ein Bett, Strom und Internetanschluss.«

Cilla trank einen Schluck und musterte ihn. »Du meinst das wirklich ernst, oder?«

»Genau. Mir tut jeder leid, der keinen Internetanschluss hat.«

»Ja, das hab ich mir schon gedacht. Aber du wirst mir meinen Exmann nicht abnehmen. Er muss... Wer ist das denn?«, fragte sie, als ein schwarzer Lexus vorsichtig in ihre Einfahrt einbog.

»Ein Stadtauto«, kommentierte Ford. »Aus einer großen Stadt.«

»Ich kenne keinen, der … Scheiße.«

Ford zog die Augenbrauen hoch, als zwei Männer aus dem Auto stiegen. »Freunde von dir?«

»Nein. Aber der Fahrer ist die Nummer fünf meiner Mutter.«

»Cilla!« Mario, schön wie die Sünde, in Prada-Loafers und Armani-Jeans, breitete die Arme aus und strahlte über das ganze Gesicht. Seine anmutige Vorwärtsbewegung wurde jäh gestoppt, weil er dem schnüffelnden Spock ausweichen musste.

Die Sonnenbrille verbarg seine Augen, aber Cilla nahm an, dass sie funkelten. Dunkelhaarig, gebräunt, geschmeidig wie ein Panther zog er sie an sich, umarmte sie überschwänglich und küsste sie auf die Wangen. »Na, du siehst aber fit und tüchtig aus.«

»Das bin ich auch. Was machst du hier, Mario?«

»Eine kleine Überraschung. Cilla, das ist Ken Corbert, einer unserer Produzenten. Ken, Cilla McGowan, meine Stieftochter.«

»Es ist mir ein Vergnügen.« Ken, klein und drahtig, mit schwarzen Haaren, die an den Schläfen bereits silbern waren, schüttelte Cillas Hand wie einen Pumpenschwengel. »Ich bin ein großer Fan von Ihnen. Und das …« Er blickte sich um. »Das ist also die Farm.«

»Meine Farm«, sagte sie kühl. »Ford, Mario und Ken. Es tut mir leid, aber ich kann Sie nicht hereinbitten. Wir stecken mitten in der Arbeit.«

»Das sehe ich.« Marios strahlendes Lächeln wurde nicht schwächer. »Und ich höre es.«

»Spock, sag hallo«, befahl Ford – nachdem sein Hund sich ausgiebig den Autoreifen gewidmet hatte. »Er möchte, dass Sie ihm die Pfote schütteln«, erklärte er den Männern. »Damit er sicher sein kann, dass Sie in freundlicher Absicht kommen.«

»Ah.« Mario musterte den Hund zweifelnd und ergriff die dargebotene Pfote vorsichtig mit den Spitzen von Daumen und Zeigefinger.

Ken schüttelte Spocks Pfote genauso heftig wie zuvor Cillas Hand.

»Hübsche Gegend«, fuhr Mario fort. »Sehr hübsch hier. Wir kommen aus New York. Wir hatten einige Termine dort. Deine Mutter schickt dir liebe Grüße«, fügte er hinzu. »Sie wäre ja gerne selbst mitgekommen, aber du weißt ja, wie schwierig es für sie ist. All die Erinnerungen hier.«

»Sie ist in New York?«

»Ja, ein Kurztrip. Wir sind kaum zum Luftholen gekommen. Anproben, Sprechproben, Termine, Medien. Aber Ken und ich müssen dich hier weglocken. Können wir hier irgendwo mit dir etwas essen oder trinken gehen?«

»Nein, ich kann hier nicht weg. Ich arbeite.«

»Habe ich es dir nicht gesagt?« Mario lachte herzlich, während Spock sich hinsetzte und ihn misstrauisch anblickte. »Cilla ist eine großartige Frau. So viele Talente. Eine Stunde wirst du doch noch erübrigen können, *cara*.«

»Nein, ich kann wirklich nicht. Vor allem, wenn es um meinen Auftritt in Moms Show geht. Ich habe ihr schon gesagt, dass ich nicht interessiert bin.«

»Wir sind extra hierhergekommen, um dich zu überreden. Sie entschuldigen uns vielleicht«, sagte Mario zu Ford.

»Nein, das wird er nicht.« Cilla sah Ford an. »Das tust du nicht.«

»Nein, ich kann Sie leider nicht entschuldigen.«

Kurz presste Mario irritiert die Lippen zusammen. »Du hast die Chance, Geschichte zu machen, Cilla. Drei Generationen treten gemeinsam auf. Hast du Célines Auftritt mit Elvis gesehen? Wir haben die Technologie. Wir können Janet mit dir und Bedelia auf die Bühne bringen. Eine außergewöhnliche Performance. Live.«

»Mario ...«

»Ich kann ja verstehen, dass du zögerst, alle Duette mit deiner Mutter zusammen zu singen, obwohl ich dir sagen muss – und Ken wird das bestätigen –, wie gut das für die Show und für dich, für deine Karriere, wäre.«

»Werbung und Promotion stehen schon«, warf Ken ein. »Wir können überall ausverkaufte Vorstellungen garantieren. Dann ein Special im Fernsehen, die CD, die DVD. Die ausländischen Märkte summen bereits. Unter Umständen können wir auch eine zweite CD, speziell für Sie allein anhängen. Mario und ich haben auch schon Ideen für Videos. Und du hast recht, Mario, hier zu drehen, gäbe dem Ganzen noch den entscheidenden Kick.«

»Ihr habt euch aber viele Gedanken gemacht, oder?« Cillas Stimme war leise und unheilschwanger. »Und ihr habt eure Zeit verschwendet. Nein. Es tut mir leid, Ken, ich glaube, Mario hat Sie nicht vollständig informiert. Ich möchte weder überredet noch wiederbelebt oder promoted werden. Du hast nicht das Recht, mit Produzenten, Promotern und Werbeleuten über mich zu sprechen«, sagte sie zu Mario. »Du bist weder mein Agent noch mein Manager. Ich habe keinen Agenten und keinen Manager. Ich leite meinen eigenen Betrieb. Und ich baue Häuser. Ich wünsche euch viel Vergnügen beim Betrachten der Landschaft auf dem Rückweg.«

Sie wusste, dass Mario sich nicht so schnell geschlagen geben würde. Sie hatte sich noch nicht ganz umgedreht, als er auch schon ihren Namen rief. Und sie hörte, wie Ford mit Ken sprach, wobei er sich absichtlich einfältig gab. »Spock, aus. Ihr seid also den ganzen Weg von New York City hierhergefahren?«

»Cilla. *Cara*. Lass mich ...«

»Wenn du mich auch nur anrührst, schlage ich dir eine rein.«

»Warum bist du so wütend?« Seine Stimme klang verwirrt und bekümmert. »Das ist doch eine unglaublich gute Gelegenheit. Ich will doch nur dein Bestes.«

Sie blieb stehen und kämpfte mit ihrer Wut. »Das glaubst du wahrscheinlich sogar. Ich kann mich um mich selbst kümmern, das tue ich schließlich schon lange genug.«

»Liebling, du bist falsch gemanagt worden, sonst wärst du heute ein großer Star.«

»Wenn ich das Talent und die Fähigkeit besessen hätte, wäre ich vielleicht heute ein großer Star. Hör gut zu, was ich dir jetzt sage: Ich will kein großer Star sein. Ich will nicht auftreten. Ich will dieses Leben nicht. Ich bin glücklich hier, Mario, wenn dich das überhaupt interessiert. Ich bin glücklich mit dem, was ich habe und bin.«

»Cilla, deine Mutter braucht dich.«

»Lass dir was Besseres einfallen.« Verächtlich wandte sie sich ab.«

»Ihr Herz hängt daran. Und mit dir zusammen wird der Auftritt viel erfolgreicher sein. Sie ist so…«

»Ich kann es nicht, Mario. Und ich will es nicht. Ich bin nicht nur störrisch. Ich kann es nicht. Ich habe es nicht in mir. Du hättest mit mir reden sollen, bevor du hierhergekommen bist und ihn mitgebracht hast. Und du solltest mir *zuhören,* wenn ich nein sage. Ich bin nicht Dilly. Ich tue nicht so, als ob. Ich spiele nicht. Und sie hat ihre ganzen Schuldpunkte mir gegenüber schon aufgebraucht. Ich tue das nicht für sie.«

Sein Gesicht, seine Stimme wurden traurig. »Du bist sehr hart, Cilla.«

»Okay.«

»Sie ist deine Mutter.«

»Das stimmt. Und das macht aus mir, na was wohl? Ihre Tochter. Dieses eine Mal hätte sie vielleicht darüber nachdenken können, was ich brauche, was ich möchte.« Sie hob die Hand. »Glaub mir, wenn du jetzt irgendetwas sagst, machst du es nur noch schlimmer. Lass es. Du bist doch clever. Sag ihr, ich wünsche ihr Hals- und Beinbruch. Und das meine ich ernst. Aber mehr ist nicht drin.«

Er schüttelte den Kopf, als sei sie ein trotziges Kind. Dann drehte er sich um und ging in seinen teuren Schuhen zu dem großen Stadtauto, um mit Ken wieder wegzufahren.

Spock lehnte sich an Cillas Bein. Ford trat neben sie und blickte zur Scheune. »Dieses Rot wird gut aussehen.«

»Ja. Willst du nicht fragen, worum es ging?«

»Das habe ich schon mitbekommen. Sie wollten etwas, du aber nicht. Sie haben dich bedrängt, aber du hast dich nicht umstimmen lassen. Sie haben dich wütend gemacht, was gut ist. Aber letztendlich hat es dich traurig gemacht. Und das ist nicht gut. Deshalb ist es mir gleichgültig, was sie wollten. Ich sage, Scheiß drauf, und diese Scheune wird in diesem Rot gut aussehen.«

Cilla musste unwillkürlich lächeln. »Es ist schön, dich hier zu haben, Ford.« Sie bückte sich und tätschelte Spock. »Euch beide. In L.A. habe ich für diese Art von Therapie Hunderte von Dollar gezahlt.«

»Wir stellen es dir in Rechnung. Aber in der Zwischenzeit kannst du mir gerne schon mal zeigen, was heute hier so passiert ist.«

»Komm, wir belästigen den Fliesenleger. Das ist bisher mein Liebling.« Sie nahm Fords Hand und zog ihn ins Haus.

14

Als Cilla Dobby das Design zeigte, das sie für die Medaillons ausgesucht hatte, kratzte er sich am Kinn. Seine Mundwinkel zuckten.

»Shamrocks«, sagte sie.

»Das sehe ich. Ich habe früher am Saint Patrick's Day

gerne schon mal ein Bierchen getrunken. Ich weiß, dass es das irische Kleeblatt ist.«

»Ich habe auch mit anderen Symbolen gespielt, die subtiler oder komplizierter waren. Aber schließlich habe ich gedacht, was soll es, ich mag Shamrocks. Sie sind einfach, und sie bringen Glück. Ich glaube, Janet hätten sie gefallen.«

»Ja, das nehme ich auch an. Wenn sie hier war, gefiel ihr das Einfache immer am besten.«

»Kriegen Sie das hin?«

»Ja, ich denke schon.«

»Ich möchte drei davon.« Sie war aufgeregt wie ein junges Mädchen. »Drei ist eine Glückszahl. Eins für das Esszimmer, eins für mein Schlafzimmer und eins hier im Wohnzimmer. Und in jedem drei Kreise mit Kleeblättern. Es soll nicht so gleichförmig, sondern eher symmetrisch aussehen, aber das überlasse ich Ihnen«, fügte sie hinzu.

»Es tut gut, hier zu arbeiten. Das macht mich wieder jung.«

Sie saßen an einem provisorischen Tisch, einer Spanplatte auf zwei Böcken. Während Jack das letzte Stück Wand verputzte, tranken sie zusammen Eistee.

»Haben Sie sie gesehen, wenn sie hierherkam?«

»Ab und zu. Sie hatte immer ein freundliches Wort für einen. Sie lächelte einen an und sagte, hallo, wie geht es Ihnen.«

»Dobby, in den letzten beiden Jahren, hat es da Gerede gegeben, dass sie… mit einem Mann aus dem Ort befreundet war?«

»Sie meinen, ob sie was mit einem gehabt hat?«

»Ja, das meine ich.«

Er zog die Stirn in Falten und dachte angestrengt nach. »Kann ich nicht sagen. Als sie tot war und all die Reporter hierherkamen, haben ein paar von ihnen etwas davon gemunkelt. Aber es wurde so vieles geredet, und das meiste kam der Wahrheit nicht einmal nahe.«

»Nun, ich habe Informationen, die mich auf den Gedanken bringen, dass es da vielleicht jemanden gegeben hat. Jemanden, den sie gerngehabt hat. Sehr gern. Haben Sie eine Ahnung, mit wem sie in den letzten anderthalb Jahren häufig zusammen war? Sie ist in dieser Zeit oft hier gewesen.«

»Ja, das stimmt«, erwiderte er. »Nachdem der Junge gestorben war, hat es geheißen, sie würde das Haus verkaufen, weil sie nicht mehr herkommen wolle. Aber sie verkaufte nicht. Sie gab allerdings auch keine Partys mehr und hatte keine Leute mehr zu Besuch. Das Mädchen – also Ihre Mutter – hat sie auch nie mehr mitgebracht, soweit ich weiß. Nein, ich kann mich nur daran erinnern, dass sie allein kam. Wenn irgendjemand sie mit einem Mann von hier gesehen hätte, dann wäre bestimmt darüber geredet worden.«

»Damals gab es hier nicht so viele Leute, die was hätten sehen können«, kommentierte Jack. »Ich meine, damals gab es ja noch keine Häuser um die Farm herum. Das stimmt doch, Grandpa, oder?«

»Ja, das stimmt. Damals standen gegenüber auf den Feldern noch keine Häuser. Die sind erst vor fünfundzwanzig oder dreißig Jahren gebaut worden. Das muss gewesen sein, als die Buckners ihre Farm verkauft haben.

»Also gab es keine direkten Nachbarn.«

»Buckners wohnten wahrscheinlich am nächsten. Etwa einen Kilometer weit entfernt.«

Das war interessant, dachte Cilla. Es konnte ja nicht besonders schwer gewesen sein, eine heimliche Affäre zu haben, wenn es keine neugierigen Nachbarn gab. Natürlich waren da immer noch die Medien, aber wenn Janet auf der Farm war, hatten die Reporter auch nicht die ganze Zeit am Straßenrand campiert.

Nach dem, was Cilla gelesen und gehört hatte, war Janet sehr geschickt darin gewesen, bestimmte Bereiche ihres Lebens vor der Öffentlichkeit geheim zu halten. Nach ihrem Tod gab es unendlich viele Gerüchte, Geheimnisse und Andeutungen.

Und trotzdem, dachte Cilla, blieb die Identität von Janets letztem Liebhaber im Dunkeln. Wollte sie dieses Geheimnis im Leben ihrer Großmutter unbedingt enthüllen?

Ja, schon, gestand sie sich ein. Die Antwort auf diese Frage war der Schlüssel für die Beantwortung der viel wichtigeren Frage.

Warum starb Janet Hardy mit neununddreißig?

Cilla fand es großartig und erschreckend zugleich, Steve nach Hause zu holen. Er lebte und war so weit wiederhergestellt, dass er das Krankenhaus verlassen konnte. Zwei Wochen zuvor hatte sie noch an seinem Bett gesessen und versucht, ihn mit ihrer Willenskraft aus dem Koma zu holen. Jetzt stand sie neben ihm, als er das Farmhaus betrachtete. Er stützte sich auf einen Stock, auf dem Kopf trug er eine Baseballkappe, eine dunkle Sonnenbrille schützte seine Augen, und seine Kleider hingen um seinen abgemagerten Körper.

Am liebsten hätte sie ihn sofort ins Bett gesteckt und mit Suppe gefüttert.

Ihre Angst entsprang ihrer Unsicherheit, ob sie überhaupt kompetent genug war, ihn zu pflegen.

»Hör auf, mich anzustarren, Cill.«

»Du solltest besser aus der Sonne gehen.«

»Ich war die ganze Zeit aus der Sonne. Es ist schön hier draußen. Die Scheune gefällt mir. Scheunen sollten immer rot sein. Wo zum Teufel sind sie denn alle? Es ist mitten am Tag, aber kein Mensch ist hier.«

»Ich habe allen Handwerkern gesagt, sie sollten heute nicht kommen. Ich dachte, du bräuchtest ein bisschen Ruhe und Frieden.«

»Du lieber Himmel, Cilla, wann hätte ich jemals Ruhe und Frieden gebraucht? Das warst immer du.«

»Ja, okay, ich wollte Ruhe und Frieden. Lass uns hineingehen. Du siehst ein bisschen angeschlagen aus.«

»Das legt sich schon wieder. Ich schaffe es schon«, fuhr er

sie an, als sie seinen Arm nehmen wollte. Er ging die Treppe hinauf, über die Veranda.

Als er ins Haus trat und sich umschaute, erhellte sich seine finstere Miene.

»Der Putz ist gut geworden. Die Tür da drüben solltest du rausnehmen und die Öffnung vergrößern. Das macht es harmonischer.«

»Ich habe gedacht, ich mache so eine Art Morgenzimmer hier draus. Es hat schönes Licht. Und später, wenn ich Lust habe, könnte ich noch eine Sauna anbauen, mit einem Whirlpool und so.«

»Klingt gut.«

Sie hörte ihm die Anstrengung an, aber wenn sie jetzt zu sehr um ihn herumtanzte, würde sie ihn nie ins Bett bekommen. Also änderte sie ihre Taktik. Als Erstes musste sie ihn nach oben bekommen.

»Im ersten Stock haben wir einiges geschafft. Das große Schlafzimmer musst du dir unbedingt ansehen.«

Diese Treppe war länger, und sie spürte förmlich, wie seine immer noch schwächere linke Seite zu zittern begann. »Wir hätten Fords Angebot annehmen sollen. Bei ihm wäre es bestimmt komfortabler für dich.«

»Ich kann wohl noch eine Treppe hinaufgehen. Ich habe nur ein bisschen Kopfschmerzen. Das ist die ungewohnte Umgebung.«

»Wenn du dich hinlegen möchtest ... Ich habe deine Tabletten hier.«

»Ich will mich noch nicht hinlegen.« Er schob die Hand, die sie ihm bot, beiseite. »Du hattest immer schon einen Blick dafür. Gute Linien. Gutes Licht. Hübscher Schrank, Puppe.«

»Der beste Freund einer Frau. Die Inneneinrichtung habe ich gestern erst gebaut. Sie öffnete schwungvoll die Tür, um sie ihm zu zeigen.

»Zedernholz. Gute Arbeit.«

»Ich hatte ja auch den besten Lehrer.«

Er wandte sich ab und humpelte zum Badezimmer, aber sie hatte den Ausdruck in seinen Augen gesehen. »Was ist? Was ist los?«

»Nichts. Sexy, hat Klasse«, sagte er zum Badezimmer. »Wann hast du dich denn für den Glasblock als Duschwand entschieden?«

»Erst in der letzten Minute. Der Effekt gefällt mir, und ich finde, es sieht toll aus mit den schwarz-weißen Fliesen.« Sie lehnte die Stirn an seine Schulter. »Bitte, sag mir, was los ist.«

»Wenn ich nun nie mehr arbeiten kann? Wenn ich die Werkzeuge nicht mehr halten kann? Ich denke so langsam, und diese Kopfschmerzen machen mich fertig.«

Sie hätte ihn gerne in den Arm genommen, ihn gestreichelt und getröstet. Stattdessen schalt sie ihn leicht verärgert aus. »Steve, du bist den ersten Tag aus dem Krankenhaus. Was hast du denn erwartet? Dass du sofort wieder einen Hammer schwingst?«

»Sowas in der Art.«

»Du stehst auf deinen Füßen. Du sprichst mit mir. Der Arzt hat gesagt, es dauert seine Zeit. Und er hat auch gesagt, du hast dich erstaunlich gut erholt, und es gibt allen Grund zu der Annahme, dass du wieder ganz gesund wirst.«

»Aber es kann Monate dauern. Vielleicht sogar Jahre. Und ich kann mich an nichts erinnern.« Sie spürte seine Angst hinter der Frustration. »Verdammt, ich kann mich an nichts mehr erinnern, was an jenem Abend passiert ist. Ich kann mich nicht mehr an die Bar erinnern, nicht mehr daran, dass ich Shanna nach Hause gebracht habe, wie sie sagt. Es ist einfach nur leer. Ich kann mich erinnern, hier aufs Motorrad gestiegen zu sein. Und ich kann mich erinnern, dass ich gedacht habe, ich könnte vielleicht bei Shanna mit den großen braunen Augen und dem tollen Fahrgestell landen. Und das Nächste, was ich weiß, ist, dass du mich anschreist und dich über mich beugst. Dazwischen ist alles weg. Einfach weg.«

Cilla zuckte mit den Schultern. »Es ist doch ganz klar, dass du gerade diese Nacht vergessen hast.«

Steve rang sich ein Lächeln ab. »Du bist der reinste Sonnenschein. Ich werde mich einfach eine Zeitlang gehenlassen, Tabletten schlucken und mich gehenlassen.«

»Gute Idee.«

Er stützte sich schwer auf sie, als sie ihn ins Gästezimmer führte. An der Tür blieb er stehen. Die Wände waren in einem weichen, ruhigen Blau gestrichen, wie auch die Wandpaneele. Die originalen Walnuss-Fensterrahmen hatte sie eigenhändig abgebeizt und restauriert. Der Boden glänzte. Das blaugrau gestrichene Kopf- und Fußteil des Eisenbettes passte zu dem einfachen weißblauen Quilt und dem blau eingefassten Teppich. Auf einem Tisch vor dem Fenster stand eine kobaltblaue Vase mit einem Strauß Maßliebchen.

»Was zum Teufel ist das denn?«

»Überraschung. Ich finde, es ist ein bisschen hübscher als ein Zimmer im Krankenhaus.«

»Es ist ein tolles Zimmer.« Sein Gesicht strahlte vor Freude, auch wenn er es sich nicht anmerken ließ. »Was hast du dir eigentlich dabei gedacht, den Fußboden nur in einem einzigen Zimmer fertig zu machen?«

»Ich finde es schön, ein Zimmer schon mal fertig oder beinahe fertig zu sehen. Ich muss noch ein paar Bilder aufhängen, und die Fußleisten fehlen noch, aber ansonsten. Stell dir mal vor!« Sie öffnete einen alten Schrank und enthüllte einen Flachbildschirm. »Ich habe auch Kabelanschluss!« Sie grinste ihn an. »Digital, darauf hat Ford bestanden. Das Bad ist auch fertig. Und es sieht toll aus, möchte ich mal sagen.«

Steve setzte sich auf die Bettkante. »Es verdirbt den Zeitplan, wenn du bei einer Renovierung so vorgehst.«

»Ich habe es nicht eilig.« Sie schenkte Wasser aus einem Krug in ein Glas, das sie auf den Nachttisch gestellt hatte. Dann holte sie die Flasche mit den Tabletten. »So, und jetzt ziehen wir dich aus und packen dich ins Bett.«

Er verzog ganz leicht das Gesicht. »Früher bist du mal mitgekommen, Puppe.«

»Früher.« Sie hockte sich vor ihn, um ihm die Schuhe auszuziehen.

»Morgen sollen aber die Handwerker wieder kommen.«

»Seit wann hast du hier zu bestimmen?« Aber sie lächelte dabei. Sie erhob sich und bedeutete ihm, die Arme zu heben, damit sie ihm das T-Shirt ausziehen konnte. »Sie kommen schon wieder. Sie wollten dir eine Willkommensparty geben, mit Bier und so. Das habe ich abgeblasen. Vielleicht hätte ich das besser nicht getan.«

»Ich glaube, für Partys bin ich noch nicht in der richtigen Stimmung.« Er legte sich hin, damit sie ihm die Jeans ausziehen konnte. »Wenn ich mich von einer Frau ausziehen lasse, ohne das Bedürfnis zu verspüren, auch sie auszuziehen, kann ich noch keine Partys feiern.«

»Ich gebe dir eine Woche.« Sie konnte der Versuchung nicht mehr widerstehen und streichelte ihm über die Wange. »Ich habe doch gehört, wie du alle Krankenschwestern angemacht hast.«

»Das wird von dir erwartet. Mike habe ich allerdings ausgelassen.« Er lächelte sie schwach an. »Obwohl das auch nicht so übel wäre.«

Cilla schlug die Decke zurück, half ihm, sich hinzulegen, nahm ihm die Sonnenbrille ab und zog ihm die Kappe vom rasierten Schädel. Der Anblick der Narbe, die sich über die haarlose Wölbung zog, schmerzte sie. »Ich bin unten und erledige Schreibkram. Wenn du etwas brauchst, ruf mich. Wenn du fernsehen willst, hier ist die Fernbedienung. Egal, was du willst, Steve, ich bin hier.«

»Im Moment will ich nur ein bisschen Ruhe.«

»Okay.« Sie küsste ihn auf die Stirn und ging aus dem Zimmer.

Als er alleine war, starrte er an die Decke. Dann schloss er seufzend die Augen.

Cilla ging mit ihrem Laptop hinaus, um zu arbeiten. Obwohl sie in der ersten Stunde zweimal nach oben schlich, um nach Steve zu schauen, kam sie voran mit ihren Rechnungen und Kostenvoranschlägen. Als sie Schritte auf dem Kies hörte, blickte sie auf. Ford und Spock kamen auf sie zu.

»Hi, Nachbarin«, rief er. »Ich habe mir gedacht, wenn du hier draußen bist, geht es unserem heimgekehrten Helden wohl ganz gut.«

»Er schläft.« Sie blickte auf die Uhr. »O Gott, wieso ist es denn auf einmal schon fünf?«

»Die Erde kreist um die Sonne, während sie sich zugleich um die eigene Achse dreht, deshalb …«

»Blödmann.«

»Anwesend. Und apropos.« Er schüttelte den Beutel, den er in der Hand hielt. »ich habe etwas für Steve. Ein paar DVDs.«

Cilla legte den Kopf schräg. »DVDs? Pornos?«

Ford zog die Augenbrauen zusammen. »Porno ist so ein hartes Wort. Hör es dir nur an, wie es aus deinem Mund kommt. Diese kurzen, harten Silben. *Spider-Man*, das Set mit drei Filmen. Es kam mir passend vor. Und dann noch zwei andere Filme mit nackten Frauen und Motorrädern, die ich als Erwachsenen-Unterhaltung bezeichnen würde. Spock hat sie ausgesucht.«

Sie blickte den Hund an, der ihren Blick unschuldig erwiderte. »Steve freut sich bestimmt darüber.«

»Spock findet, *Sleazy Rider* ist völlig unterbewertet.«

»Das glaube ich ihm unbesehen.« Als sie Schritte hörte, sprang sie auf und zog die Verandatür auf, als Steve gerade danach greifen wollte. »Du bist ja auf. Warum hast du mich nicht gerufen? Du solltest nicht alleine die Treppe hinuntergehen.«

»Mir geht es gut. Ford.«

»Schön, dich zu sehen.«

»Schön, am Leben zu sein, Hey, Spock. Hey, Junge.« Er

setzte sich auf einen der weißen Plastikstühle und streichelte den Hund, der Steve seinen Kopf aufs Knie legte.

»Du siehst besser aus«, stellte Cilla fest.

»Zauberpillen und Schlaf. Ich brauche in der letzten Zeit so viel Schlaf wie ein Dreijähriger, aber es hilft mir.«

»Du bist doch bestimmt hungrig. Soll ich dir was zu essen machen? Möchtest du etwas trinken? Soll ich …«

»Cill.« Er wollte ihr schon erwidern, sie solle sich nicht so viel Mühe machen, besann sich jedoch. »Ja, ich hätte gern ein Sandwich oder so. Nichts, was an Krankenhauskost erinnert. Vielleicht könntest du ja für uns drei was kochen.«

»Klar. Mache ich gleich.«

Als sie hineinstürzte, schüttelte Steve den Kopf. »Sie ist wie eine Glucke, Mann.«

»Die Nachtpfanne habe ich ihr ausgeredet.«

»Dafür hast du bei mir was gut. Was ist in der Tasche?«

Ford reichte sie ihm, und Steve grinste nach einem raschen Blick auf den Inhalt. »Na, das ist doch mal was Brauchbares. Danke. Hör mal, ich muss ein bisschen trainieren. Begleitest du mich auf einem kleinen Spaziergang?«

»Okay.«

Ford wartete, bis Steve die Treppe heruntergestiegen war, dann gingen sie los. »Hast du etwas auf dem Herzen?«

»Eher im Kopf. Das Denken funktioniert noch nicht so gut. Die Bullen haben nichts rausgekriegt, oder?«

»Nein.«

»Es sieht so aus wie eine einmalige Geschichte. Einfach nur Pech. Ich meine, seitdem ist ja nichts mehr passiert.«

»Nein.«

»Das würdest du mir doch sagen, oder?«, fragte Steve.

Ford dachte an Cillas Autotür, verwarf den Gedanken jedoch. »Niemand ist in die Scheune eingebrochen oder hat versucht, ins Haus einzudringen.«

»Ich habe gehört, du hast hier übernachtet, während ich im Krankenhaus gelegen habe.«

»Ja, in meinem Schlafsack.«

»Was? Du hast noch nicht mit Cilla geschlafen?«

»Noch nicht.«

»Aber du bist doch scharf auf sie. Hör mal, es geht mich ja eigentlich nichts an, aber ich muss wissen, ob du auch noch auf sie aufpasst, wenn ich weg bin.«

Ford blieb stehen. »Hast du vor wegzugehen?«

»Ich habe ihr noch nichts gesagt. Ich wollte es, als wir aus dem Krankenhaus kamen, aber du liebe Güte, sie hat das Zimmer für mich fertig gemacht. Mit allem Drum und Dran. Sogar Blumen hat sie hingestellt. Ach so, und danke für das Kabel.«

»Das ist nur richtig.«

Steve nickte und ging weiter. »Die Sache ist die, ich hätte eigentlich schon letzte Woche spätestens zurück sein müssen, aber ich musste ja meine Pläne wegen einer Kopfoperation ändern. Ich würde hierbleiben, wenn ich das Gefühl hätte, sie braucht mich, damit ich auf sie aufpasse oder ihr helfe. Natürlich kommt sie alleine klar, aber ... zum Teufel, vielleicht liegt es an dieser Nahtoderfahrung. Was auch immer. Ich will jedenfalls nach Hause. Ich will am Strand in der Sonne sitzen. Aber ich muss einfach wissen, dass jemand auf sie aufpasst.«

»Das mache ich, Steve.«

Steve blieb erneut stehen und betrachtete die Scheune. »Sie hat gesagt, du hättest die Farbe gekauft, als ich noch im Koma lag.« Er nickte zufrieden. »Du bist in Ordnung, Ford. Absolut nicht der Typ, den sie sonst ranlässt. Aber es wird auch Zeit. Sie steht auf Kerzen. Wenn du es mit ihr tust«, fügte Steve hinzu, »solltest du dafür sorgen, dass viele Kerzen da sind. Musik ist ihr egal. Sie braucht sie nicht unbedingt, hat aber einen guten Geschmack, wenn es drauf ankommt. Licht an, Licht aus, das ist ihr auch egal. Aber die Kerzen müssen sein.«

Ford räusperte sich. »Danke für die Tipps. Wie kommst du zurück nach L.A.?«

»Der Doc will mich am Freitag noch mal sehen, also bleibe ich bis Samstag. Ich habe einen Freund in New Jersey, der mit seinem Wohnmobil kommt. Wir laden mich und das Motorrad auf und fahren nach Westen. Sag ihr noch nichts, okay? Ich möchte es ihr selber sagen.«

Cilla pfiff von der Veranda. »Kommt ihr zum Essen?«

Spock war am schnellsten da.

»Die Berge sind cool«, meinte Steve, als sie zurückgingen. »Das ist einer der Gründe, warum es sie nach Osten gezogen hat. Sie hat mir immer gesagt, dass sie sich in den Bergen zu Hause fühlt. Und ich? Mir fehlt das Meer.« Er stieß Ford mit dem Ellbogen an. »Und die Frauen in sehr knappen Bikinis.«

Sie schlief schlecht, weil sie mit einem Ohr immer auf Steve lauschte und weil ihr nicht aus dem Kopf ging, dass er in ein paar Tagen aufbrechen wollte.

Wie sollte sie sich um ihn kümmern, wenn er dreitausend Meilen weit entfernt war?

Einen Tag aus dem Krankenhaus heraus und schon plante er wieder Reisen quer durchs Land. Das sah ihm so ähnlich, dachte sie, während sie sich unruhig herumwälzte. Immer in Bewegung, nie zu lange an einem Ort. Deshalb verkaufte er auch ständig die Häuser, die er renovierte. Auf die Art und Weise brauchte er sich nie irgendwo niederzulassen.

Aber er wollte ja nicht auf sie hören. Und die Tatsache, dass er gerade erst aus dem Krankenhaus entlassen worden war, machte es unmöglich, ihn in den Hintern zu treten. Wer würde denn regelmäßig in der Nacht nach ihm schauen? Es war ihm gut gegangen, aber was, wenn nicht?

Sie drehte sich auf die andere Seite und schlug ihr Kissen um. Schließlich gab sie auf.

Es wurde sowieso gleich hell. Sie würde noch einmal nach ihm schauen und dann hinuntergehen und Kaffee kochen. In ein paar Monaten, dachte sie, hatte sie eine richtige Küche.

Restaurierte alte Geräte, eine Arbeitplatte, Schränke. Richtiges Geschirr. Und sie würde sich eine schicke Espressomaschine zulegen.

Vielleicht würde sie sogar kochen lernen. Sie konnte Patty bitten, ihr ein paar Gerichte beizubringen. Nichts zu Kompliziertes oder so. Das hatte sie schon einmal versucht und war dabei kläglich gescheitert. Aber vielleicht Tomatensauce oder Fleisch und Kartoffeln. Und sie konnte doch bestimmt lernen, wie man Hähnchenbrust zubereitete.

Sobald das Haus fertig war, gelobte sie sich. Sobald sie ihre Lizenz besaß und ihren Alltag im Griff hatte. Sie würde kochen lernen, damit sie nicht mehr von Sandwiches, Dosensuppen oder Fertigpizza leben musste.

Sie ging mit dem Kaffee nach draußen, atmete tief den Duft der Dämmerung über dem frisch angepflanzten Garten ein und sah zu, wie sich der Dunst über dem Teich, den sie noch säubern musste, langsam hob.

Jeden Tag, dachte sie. So wollte sie jeden Tag beginnen. Im ersten Licht aus dem Haus treten und sich alles anschauen.

Ganz gleich, was sie ihrer Mutter für dieses Haus, für dieses Leben gezahlt hatte, hier in der Dämmerung wusste sie, dass alles, was sie sehen, riechen und berühren konnte, ein Geschenk von der Großmutter war, die sie nie kennen gelernt hatte.

Sie hatte sich bei ihren Morgenspaziergängen sicher auch Kaffee mitgenommen, dachte Cilla, als sie die Treppe von der Veranda herunterging. Den Berichten zufolge war sie eine Frühaufsteherin, weil die Dreharbeiten oft früh begannen, manchmal schon in der Dämmerung.

Oft auch *bis* zur Dämmerung, dachte Cilla. Aber das war eine andere Seite von ihr gewesen. Das Partygirl, die Hollywood-Queen, der Star, der zu viel trank und zu viele Tabletten schluckte.

In der morgendlichen Stille sehnte sich Cilla nach Janets Gegenwart. Sie hatte diese Ecke von Virginia geliebt, sich eine

Promenadenmischung zugelegt und Rosen unters Fenster gepflanzt.

Sie musste lächeln, als sie bei ihrem Spaziergang ums Haus die große rote Scheune betrachtete. Sie war nicht mehr mit Tatort-Band verklebt, sondern mit einem Vorhängeschloss fest verschlossen. Und Steve, dachte sie, schnarchte in dem hübschen Eisenbett im Zimmer oben.

Der Alptraum war vorbei. Ein Einbrecher, der nach Erinnerungsfetzen gesucht hatte und in Panik geraten war. Die Polizei glaubte das, warum sollte sie es also anzweifeln? Wenn sie unbedingt ein Geheimnis lösen wollte, dann wäre es die Identität des Verfassers der Liebesbriefe im *Gatsby*. Und dadurch könnte sie auch eine weitere Seite von Janet kennen lernen.

Als sie sich der Vorderseite des Hauses näherte, wurde es langsam heller. Die Vögel begannen zu zwitschern, und es duftete nach Rosen und frisch umgegrabener Erde. Tau prickelte kühl auf ihren bloßen Füßen. Sie fand kaum Worte dafür, wie sehr es sie freute, in Pyjamahose und T-Shirt über ihr eigenes Land zu laufen.

Und niemand achtete darauf.

Sie trank ihren Kaffee auf der vorderen Veranda aus und blickte über den Rasen.

Nach und nach erlosch ihr Lächeln, und ein verwirrter Ausdruck breitete sich auf ihrem Gesicht aus, als ihr Blick auf die vordere Mauer fiel.

Wo waren ihre Bäume? Eigentlich müsste sie doch von der Veranda aus die Wipfel der hängenden Zierkirschen sehen. Stirnrunzelnd stellte sie ihren Kaffeebecher auf die Reling und ging über den Rasen auf die Einfahrt zu.

Dann begann sie zu laufen.

»Nein. Verdammt noch mal, nein!«

Die jungen Bäumchen lagen auf dem schmalen Grünstreifen zwischen Mauer und Straßenböschung. Die schlanken Stämme waren mit der Axt abgehackt worden. Dazu hatte nicht viel Kraft gehört, dachte sie, als sie sich hinhockte und mit den Fingern über die Blätter fuhr. Höchstens drei oder vier Schläge.

Stehlen wollte sie keiner. Sie auszugraben hätte mehr Zeit erfordert, mehr Mühe gemacht. Hier wollte jemand zerstören. Töten.

Ihr Magen zog sich in einer Mischung aus Trauer und Wut zusammen. Das war kein Zufallstäter gewesen, dachte sie. Auch keine Kinder. Kinder hackten keine Bäume um.

Sie holte tief Luft und blickte auf ihre sterbenden Bäume. Auf einmal stockte ihr der Atem, und erneut stiegen Trauer und Wut in ihr auf. Auf die alte Steinmauer hatte jemand mit schwarzer Farbe eine hässliche Botschaft gepinselt.

Geh zurück nach Hollywood, du Schlampe!
Leb wie eine Hure, stirb wie eine Hure

»Fick dich!«, sagte sie leise. »Oh, verdammt noch mal, Hennessy, fick dich!«

Außer sich vor Wut stürmte sie ins Haus, um die Polizei zu rufen.

Cilla sah nur noch rot, und sie erklärte allen Handwerkern, dass jeder, der Steve gegenüber die Bäume oder die Mauer erwähnen würde, auf der Stelle entlassen würde. Ohne Ausnahme.

Dann rief sie Brian an. Er sollte zwei neue Bäume pflanzen, und zwar am selben Tag noch.

Als um zehn die Polizei da gewesen war, sie sicher sein konnte, dass ihre Drohung gewirkt hatte und die Handwerker Steve drinnen beschäftigten, machte sie sich zusammen mit dem Steinmetz daran, die Mauer zu säubern.

Ford sah sie dabei, als er mit seiner ersten Tasse Kaffee für den Tag auf die Terrasse trat. Und er sah auch, was auf der Mauer stand. Sofort stellte er seinen Kaffeebecher auf die Reling und rannte barfuß zu ihr.

»Cilla.«

»Sag Steve nichts davon. Das ist das Wichtigste. Ich will nicht, dass du auch nur ein Wort zu Steve sagst.«

»Hast du die Polizei gerufen?«

»Ja, sie waren hier. Aber ich weiß nicht, ob das was nützt. Es muss Hennessy sein, es muss dieser Hurensohn sein. Aber solange er keine schwarze Farbe und Holzsplitter unter den Fingernägeln hat, wie sollen sie ihn da festnageln?«

»Holz…« Er sah die abgeschlagenen Stämme und fluchte. »Warte mal, lass mich mal nachdenken.«

»Ich habe keine Zeit. Ich muss das hier abkriegen. Mit dem Sandstrahler kann ich nicht arbeiten, das beschädigt den Stein und den Mörtel zu sehr und richtet genauso viel Schaden an wie die blöde Farbe. Am besten ist es hier mit dem Lösungsmittel. Wahrscheinlich muss ich die Mauer neu streichen lassen, aber etwas anderes bleibt mir nicht übrig.«

»Als die Steine mit einer Bürste zu bearbeiten?«

»Ja, genau.« Sie attackierte das C in Schlampe wie einen Erzfeind. »Das lasse ich nicht zu. Ich lasse nicht zu, dass er beschädigt oder zerstört, was mir gehört. Ich habe das verdammte Auto nicht gefahren. Ich war ja noch nicht mal auf der Welt!«

»Und er muss etwa achtzig sein. Ich kann ihn mir nur schwer vorstellen, wie er mitten in der Nacht zwei Bäume fällt und eine Mauer beschmiert.«

»Wer sonst?« Cilla drehte sich zu Ford um. »Wer hasst mich oder dieses Haus sonst so sehr wie er?«

»Ich weiß nicht. Aber wir sollten es wohl besser herausfinden.«

»Das ist mein Problem.«

»Sei nicht blöd.«

»Es ist mein Problem, meine Mauer, meine Bäume. Ich bin die Schlampe.«

Er erwiderte ihren wütenden Blick kühl. »Im Moment will ich dir bei Letzterem gar nicht widersprechen, aber der Rest ist Quatsch. Du willst es Steve nicht erzählen? In Ordnung, das verstehe ich. Aber ich fahre nicht weg. Ich fahre nicht nach L.A. oder sonst wohin.«

Er packte sie am Arm und zog sie zu sich herum. »Ich bleibe hier, also gewöhn dich endlich daran.«

»Ich versuche gerade, mich an das hier zu gewöhnen, und an die Tatsache, dass mein bester Freund fährt, obwohl er kaum fünf Meter am Stück laufen kann. Ich versuche, mich an ein Leben zu gewöhnen, von dem ich bis vor ein paar Monaten noch nicht einmal wusste, dass ich es wollte. Ich weiß nicht, ob ich mich an noch mehr gewöhnen kann.«

»Doch, das kannst du.« Er umfasste ihr Gesicht und küsste sie. »Hast du noch eine Bürste?«

15

Den größten Teil des Tages verbrachte Cilla mit der schweißtreibenden Reinigungsaktion, die sie nur unterbrach, um Termine wahrzunehmen. Zuerst schrubbte sie die Obszönitäten ab, da Leute langsamer fuhren oder sogar anhielten, um ihre Kommentare abzugeben oder Fragen zu stellen.

Irgendwann im Laufe des Tages verwandelte sich ihre brennende Wut langsam in Frustration. Warum hatte das blöde Arschloch nur so viel geschrieben?

Am nächsten Morgen machte sie sich erneut an die Arbeit, noch bevor der Steinmetz oder die anderen Handwerker kamen. Neue Bäume flankierten den Eingang, und sie betrachtete sie jetzt eher mit Trotz als mit Freude. Und das gab ihr neue Energie.

»Hey.«

Sie blickte sich um. Ford stand auf der gegenüberliegenden Straßenseite, und Spock, der ein rotes Halstuch trug, bebte zwar vor Ungeduld, saß aber gehorsam neben ihm. »Früh für dich«, stellte sie fest.

»Ich habe mir den Wecker gestellt. Das muss Liebe sein. Komm für ein paar Minuten herüber.«

»Ich habe zu tun.«

»Wann nicht? Süße, ich bin schon erschöpft, wenn ich dir nur zuschaue. Komm, gönn dir eine Minute. Ich habe Kaffee gekocht.« Er hielt seine übergroße Tasse hoch.

Er hatte sich den Wecker gestellt, und obwohl sie nicht genau wusste, was sie davon halten sollte, freute sie sich darüber. Und gestern hatte er ihr geholfen, obwohl sie ihn angeblafft hatte. Sie legte die Bürste beiseite und ging zu ihm.

Er reichte ihr den Kaffee, und als sie sich bückte, um Spock zu begrüßen, zeigte er auf die Mauer. »Lies es mal von hier aus. Laut.«

Achselzuckend drehte sie sich um. Sie trank einen Schluck Kaffee und musste unwillkürlich grinsen. »Geh nach Hollywood, leb wie ein Husten.«

»Husten«, überlegte er. »Das ist nicht schlecht. Er hat versucht, dich zu verletzen und einzuschüchtern, und du hast einen Witz daraus gemacht. Hübsch.«

»Unerwartet lächerlich. Das ist wahrscheinlich ein Plus. Mein Zorn ist beinahe verraucht. Du brauchst heute nicht mehr mitzuschrubben, Ford. Wie willst du eine Kriegergöttin aus mir machen, wenn du Graffiti wegwischen musst?«

»Zwei Stunden kann ich erübrigen, bevor ich mich wieder an die Arbeit mache. Spock hat heute auch einen Arbeitstag. Er geht zu Matt und Brian und bleibt bei ihnen, um mitzuhelfen. Deshalb das rote Halstuch.«

»Weißt du, ich werde wahrscheinlich auch mit dir schlafen, ohne dass du mir bei der Arbeit hilfst.«

»Das will ich doch hoffen.« Er lächelte sie fröhlich an. »Und weißt du auch, dass ich dir bei der Arbeit helfen würde, wenn du nicht mit mir schläfst?«

Nachdenklich trank sie einen Schluck Kaffee. »Dann ist

ja das Gleichgewicht wiederhergestellt. Gut.« Sie wandte sich zum Gehen. Ford und Spock kamen mit über die Straße. »Mein Vater hat davon gehört und mich gestern Abend angerufen. Ob er etwas tun könnte? Wie er mir helfen könnte? Und ob ich nicht eine Weile bei ihnen wohnen wollte, bis die Polizei den Täter gefasst hat. Aber das wird ja wohl nie der Fall sein. Und meine Stiefmutter hat mir angeboten, mit mir einkaufen zu gehen.«

»Wie einkaufen? Eine neue Mauer?«

»Nein, keine Mauer.« Sie stieß ihn in die Seite. »Patty, Angie und Cilla ziehen durch die Outlets. Als ob das meine Probleme lösen würde.«

»Also fährst du nicht mit?«

»Ich habe weder Zeit noch Lust, um mir die passenden Schuhe zu einem reizenden Sommerkleid auszusuchen.«

»Rote Schuhe, weißes Kleid. Entschuldigung«, fügte er hinzu, als sie ihn fragend ansah. »Ich denke immer in Bildern.«

»Hmm. Ich glaube, ich bin einfach nicht daran gewöhnt, dass andere mir völlig selbstlos Zeit oder Hilfe anbieten.«

»Das ist schade, oder vielleicht ist es ja so, wenn man wie ein Husten lebt.«

Lachend reichte sie ihm seine Arbeitshandschuhe und begann zu schrubben.

»Geh spielen«, sagte er zu Spock, der mit seinem roten Halstuch zum Haus trottete.

»Ich versuche, die Angebote ohne jeden Zynismus zu akzeptieren, aber es dauert bestimmt noch eine Weile.«

Schweigend arbeiteten sie einige Zeit. »Weißt du, was ich sehe, wenn ich hier rüberschaue?«

»Trucks, einen riesigen Container, ein Haus, das dringend einen Anstrich bräuchte?«

»Nein, ein Dornröschenschloss.«

»Wo? Warum?«

»Ich muss gestehen, dass ich als Kind auf Märchen ebenso

gestanden habe wie auf *Dark Knight*, *X-Men* und so. Du kennst ja die Geschichte, wie die böse Fee das Schloss mit einer riesigen Dornenhecke umgab. Es wurde ein dunkler, abweisender Ort, an dem es nur Kummer und eine gefangene Schönheit gab.«

»Okay.«

»Der Held musste sich durch die Dornenhecke kämpfen und große Gefahren überwinden, aber als er sein Ziel erreichte, erwachte das Schloss wieder zum Leben. Und, du weißt ja, danach herrschte Frieden im Land.«

Sie rieb mit der Drahtbürste über die Mauer. »Muss ich die Prinzessin küssen?«

»Gut, das ist eine neue Perspektive. Interessant. Die Metapher hat einige Mängel, aber im Grunde wartet das schlafende Schloss darauf, von einem Helden geweckt zu werden. Manche möchten diese Aufgabe übernehmen. Und andere…« Er tippte mit seiner Bürste auf ein großes schwarzes *E*. »Andere wollen es verderben.«

»Ich bin fasziniert von einem Mann, der zugibt, dass er Märchen liebt – und dann auch noch einen Abstecher in eine erotische Begegnung zwischen zwei Frauen macht. Du bist ein vielschichtiger Mann, Ford.«

»Ich und *Shrek*, wir sind die reinsten Zwiebeln.«

Oh ja, dachte sie, ich verliebe mich immer mehr in ihn.

Sie unterbrachen die Arbeit, als Buddys Lieferwagen neben ihnen hielt. Der Installateur lehnte sich aus dem Fenster und runzelte die Stirn. »Was soll das denn?«

»Ford meint, manche Leute zerstören eben gern.«

»Diese verdammten Kinder. Die haben vor nichts mehr Respekt.«

»Ich will nicht, dass Steve davon erfährt. Er hat schon genug Probleme. Ich muss mit Ihnen über den Abzug für die Dampfdusche sprechen. Ich habe mir das gestern Abend noch einmal angesehen, und… Ich muss mit Buddy auf die Baustelle«, sagte sie zu Ford.

»Geh nur. Ich bin noch eine Zeitlang hier.«

»Danke. Nehmen Sie mich mit, Buddy?« Sie sprang auf den Beifahrersitz, und während Buddy in die Einfahrt einbog, stellte sie sich das Haus als Dornröschenschloss vor, dessen Dornenhecke schon fast zur Hälfte niedergerissen war.

Ford hatte eine Menge geschafft, bevor er sich zurücklehnte und seine Panels und die Bleistiftskizzen betrachtete. Die Geschichte hatte ihn ein bisschen erregt, aber das war gut. Heute Abend würde er den Text noch bearbeiten, damit er zu den neuen Bildern und der Action, die ihm eingefallen war, passte.

Aber dazu musste er es jetzt erst einmal eine Weile ruhen lassen. Es sollte sozusagen in seinem Hinterkopf vor sich hin simmern, so dass er jetzt Zeit für ein Bier und ein kleines Computerspiel hatte.

Unten trat er rasch auf die Veranda, um einen kurzen Blick auf Cillas Welt, wie er es nannte, zu werfen, und dabei sah er Steve, der mit einem Sixpack in der einen und dem Stock in der anderen den Weg entlanggehumpelt kam.

»Na, das nenne ich perfektes Timing.«

Auch Spock tanzte fröhlich um den Besucher herum.

»Ich bin geflüchtet. Die Aufseherin musste einkaufen fahren, und da habe ich ihr Bier gestohlen und bin abgehauen.«

»Wer könnte dir das verdenken?« Ford nahm sich ein Bier und wies mit dem Daumen auf einen Stuhl.

»Der Doc hat mir grünes Licht gegeben. Ich reise morgen ab.« Er stieß hörbar die Luft aus, als er sich auf den Stuhl sinken ließ.

»Du wirst uns fehlen.« Ford öffnete zwei Bierflaschen und reichte ihm eine.

»Wenn ich es schaffe, versuche ich, im Herbst wiederzukommen. Bei ihrem Tempo werden dann nur noch kleine Ausbesserungsarbeiten nötig sein.«

Ford blickte misstrauisch über die Straße. »Wenn du das sagst.«

»Ich bin ihr im Moment nur im Weg.«

»Das empfindet sie aber nicht so.«

Steve trank einen Schluck Bier. »Sie hat mich zur Sau gemacht, weil ich auf den Speicher gegangen bin, um mit den Jungs zu reden. Ich soll wie ihr Großvater im Schaukelstuhl sitzen und mit einem Farbfächer spielen. Du lieber Himmel, als Nächstes muss ich noch Kreuzworträtsel lösen oder so einen Scheiß.«

»Es gibt Schlimmeres. Stell dir vor, du müsstest stricken.«

Steve grunzte nur. Stirnrunzelnd blickte er über die Straße zur Mauer. »Was glaubst du, wer das war?«

»Entschuldigung?«

»Lass den Quatsch. Mein Gehirn funktioniert noch. Handwerker klatschen wie Mädchen. Ich habe gehört, dass irgend so ein Arschloch die Mauer beschmiert hat. Es gab ungefähr sechs verschiedene Versionen, was darauf gestanden haben soll, aber das Prinzip ist immer das Gleiche.«

»Ich vermute, dass das Arschloch, das die Wand beschmiert hat, eine aggressive Ader hat. Es könnte durchaus derselbe sein, der auf dich losgegangen ist. Sie glaubt, es war der alte Hennessy.«

»Aber du bist nicht der Meinung?«

»Er ist zu alt. Andererseits wüsste ich nicht, wer sonst etwas gegen sie haben könnte. Und er ist zäh. Dünn, aber zäh.«

»Wenn ich wieder ganz gesund wäre, würde ich hierbleiben. Aber im Moment kann ich ihr nicht viel helfen.« Er prostete Ford zu. »Auf dich, Sparky, und auf deinen kleinen Hund.«

»Wir schaffen das schon.«

»Ja.« Steve trank noch einen Schluck. »Das glaube ich auch.«

Cilla weinte nicht, als Steve an dem kühlen, nassen Samstag auf den Beifahrersitz des Wohnmobils stieg. Sie versagte sich jede Bemerkung darüber, dass er vielleicht warten sollte, bis sich das Wetter besserte. Sie küsste ihn zum Abschied und stand im Regen, um ihm nachzuwinken.

Und sie fühlte sich schrecklich allein.

So allein, dass sie sich im Haus vergrub. Anstreichen oder pflanzen konnte man bei diesem Regen sowieso nicht. Kurz überlegte sie, ob sie ihre Sachen ins Gästezimmer räumen sollte, aus dem Steve ja jetzt ausgezogen war, aber das erinnerte sie zu sehr an *Haushalt*. Sie wollte arbeiten, keine lästigen Pflichten erledigen.

Sie schaltete das Radio ein und drehte es auf volle Lautstärke, um das Haus mit Leben zu erfüllen. Schließlich begann sie damit, den Vorratsschrank in der Speisekammer neben der Küche zu bauen. Diese Arbeit stand eigentlich erst in ein paar Wochen an, aber für den Moment war sie genau das Richtige, weil sie beruhigend auf sie wirkte.

Sie maß aus, zeichnete an und sägte, und ihre Laune besserte sich zusehends. Zufrieden sang sie die Songs im Radio mit, während sie mit dem Akkuschraubenzieher Bretter anschraubte.

Sie ließ ihn beinahe fallen, als sie aus den Augenwinkeln eine Bewegung wahrnahm und sich umdrehte.

»Es tut mir leid! Es tut mir leid!« Patty hob erschrocken die Hände. »Ich wollte dich nicht erschrecken. Wir haben geklopft, aber… Es ist so laut hier.«

Cilla schaltete das Radio aus. »Ich muss es so laut stellen, um es über den Werkzeugen überhaupt zu hören.«

»Ich habe mir Sorgen gemacht, als du die Tür nicht aufgemacht hast, und dann der ganze Lärm, und dein Wagen steht draußen. Deshalb sind wir einfach hereingekommen.«

»Es ist schon in Ordnung. Ich habe mich nur erschreckt. Wir?«

»Angie und Cathy. Wir wollten auch noch Penny mitbringen, aber sie ist im Laden. Es ist so ein blödes Wetter, dass wir gedacht haben, wir könnten in die Mall fahren, dann ins

Kino gehen und den Tag mit einem Abendessen abrunden. Wir sind gekommen, um dich zu kidnappen.«

»Oh, das klingt gut.« Eher wie Folter, dachte sie. »Das ist lieb von euch, aber ich stecke mitten in der Arbeit.«

»Du hast dir mal einen freien Tag verdient. Ich lade dich ein.«

»Patty ... »

»Ich kann kaum glauben ...« Cathy trat ein und brach ab. Sie blickte Cilla mit aufgerissenen Augen an. »Wir sind einfach hier eingedrungen. Du liebe Güte, Sie sehen so tüchtig aus. Ich kann kaum einen Nagel in die Wand schlagen, um ein Bild aufzuhängen, aber Sie!«

»Meine Schwester, die Handwerkerin.« Angie, die einen pinkfarbenen Kapuzenpullover trug, strahlte sie an. »Können wir uns mal umsehen? Es heißt, im ersten Stock ist am meisten passiert.«

»Ja, klar. Äh, auch dort ist noch viel zu tun. Im ganzen Haus.«

»Ich muss gestehen, ich wollte schon immer mal einen Blick in dieses Haus werfen.« Cathy blickte sich in dem kahlen Raum um. »Wie können Sie leben ohne Küche?«

»Ich kann sowieso nicht besonders gut kochen. Der Herd und der Kühlschrank, die hier drin standen, werden gerade aufgearbeitet – sie sind wundervoll. Aber es dauert natürlich seine Zeit, und deshalb steht die Küche ganz unten auf meiner Liste. Ah, und dort drüben ist der Essbereich, es ist ein großzügiger, sehr heller Raum. Und man hat einen schönen Blick von hier.«

»Der Garten sieht so hübsch aus!« Patty trat näher an die Verandatüren. »War die Terrasse früher schon hier?«

»Wir mussten sie erneuern. Die gesamte Gartenanlage war eine schwierige Aufgabe. Ihr Sohn hat gute Arbeit geleistet«, sagte Cilla zu Cathy. »Er ist sehr begabt.«

»Danke. Das finden wir auch.«

»Das Esszimmer geht auf die Terrasse hinaus, und diesen Bereich werde ich als eine Art Fernseh- oder Lesezimmer abseits vom Wohnzimmer nutzen. Die Gästetoilette bekommt neue Fliesen und neue Armaturen. Hinter den Eingang kommt der Garderobenschrank. Es gibt jede Menge Platz.«

»Ich finde es schön, dass du von jedem Zimmer nach draußen kannst.« Angie wirbelte herum.

Cilla führte sie nach oben, wo die drei unerwarteten Gäste die Fliesen und die Einrichtung des fertigen Badezimmers bewunderten und über ihre Pläne für das große Badezimmer diskutierten.

»Ich weiß nicht, was ich mit einer Dampfdusche anfangen sollte, aber Fußbodenheizung im Badezimmer könnte mir gefallen.« Patty lächelte Cilla an. »Ich finde es toll, wie du das alles geplant hast, und die fertigen Räume sind einfach wundervoll. Wie aus einer Wohnzeitschrift.«

»Der Wiederverkaufswert wird wie eine Rakete hochschnellen«, warf Cathy ein.

»Ja, das glaube ich auch, wenn ich vorhätte zu verkaufen.«

»Entschuldigung, der Einfluss meines Mannes.« Cathy kicherte. »Und ich brauche ihn gar nicht zu fragen – er möchte bestimmt der Erste sein, der davon erfährt, wenn Sie jemals Ihre Meinung ändern sollten. Was für eine wundervolle Aussicht. Es kommt einem alles so weitläufig vor, trotz der anderen Häuser hier. Ich muss ja zugeben, dass ich es bequemer und sicherer finde, näher am Ort zu leben, aber wenn ich je auf dem Land wohnen wollte, müsste es hier sein.«

»Hast du jemals das Gefühl, dass sie in der Nähe ist? Janet, meine ich.«

»Angie.«

Ihre Mutter warf ihr einen vorwurfsvollen Blick zu, und Angie fügte hastig hinzu: »Entschuldigung. Darf ich das nicht fragen?«

»Ist schon in Ordnung«, erwiderte Cilla. »Manchmal ja. Ich stelle mir gerne vor, dass sie das, was ich hier tue, billigt, auch wenn ich die ursprüngliche Anlage verändere. Für mich ist das wichtig.«

»Es steckt so viel Geschichte in diesem Haus«, sagte Cathy. »All die Leute, die hierherkamen, die Partys, die Musik. Und auch die Tragödie. Dadurch ist es irgendwie mehr als nur ein Haus. Es ist eher eine Legende, oder? Ich weiß noch genau, als es passierte. Ich war gerade schwanger mit meinem mittleren Kind – erst im zweiten Monat oder so, und mir war es jeden Morgen übel. Ich hatte mich gerade übergeben, und Tom versuchte Marianna – unserer Ältesten – ihr Frühstück zu geben. Sie war damals knapp zwei, und überall klebte Haferbrei. Meine direkte Nachbarin – Abby Fox, erinnerst du dich noch an sie, Patty?«

»Ja. Wenn sie irgendwo Klatsch witterte, setzte sie alles daran, es zu erfahren.«

»Sie wusste immer alles als Erste, und auch das hier war keine Ausnahme. Sie kam herüber und erzählte es uns. Ich brach in Tränen aus. Die Hormone wahrscheinlich. Mir wurde wieder schlecht, und ich weiß noch, dass Tom nicht mehr ein noch aus wusste, weil er sich neben dem Baby auch noch um mich kümmern musste. Es war ein schrecklicher Tag. Entschuldigung.« Sie schüttelte sich. »Ich weiß gar nicht, warum ich jetzt davon angefangen habe.«

»Das liegt am Haus«, erklärte Patty. »Komm, Cilla, zieh dich um und komm mit uns. Der Regen und der trübe Tag machen uns ganz traurig. Wir lassen ein Nein nicht gelten.«

Vermutlich ließ sie sich überreden, weil sie drei gegen eine waren und weil Cathys Erinnerungen sie tatsächlich traurig gemacht hatten. Und dann stellte sie überrascht fest, dass sie es genoss, in den Läden in der Mall zu stöbern, sich einen schmalzigen Liebesfilm anzuschauen, Margaritas zu trinken und einen Caesar Salad mit gegrilltem Hühnchen zu essen.

Auf der Damentoilette stand Angie neben ihr am Waschbecken, zupfte an ihren Haaren und legte frischen Lipgloss auf. »Na ja, es ist zwar nicht der Rodeo Drive, mit Premiere und Dinner im angesagtesten Restaurant, aber es war ein schöner Tag, oder?«

»Ich hatte Spaß. Und am Rodeo Drive bin ich sowieso nur selten ausgegangen.«

»Also, ich würde es genießen, wenn ich da leben würde. Selbst wenn ich mir nur Schaufenster anschauen und träumen könnte. Fehlt dir das Leben da wirklich nicht?«

»Nein, wirklich nicht. Ich – Entschuldigung«, sagte sie, als ihr Handy klingelte. Cilla zog es aus der Tasche, drückte das Gespräch aber weg, als sie die Nummer ihrer Mutter auf dem Display erkannte.

»Du kannst ruhig drangehen. Ich gehe schon mal vor.«

»Nein. Der Anruf hätte mir garantiert die Laune verdorben. Verbringst du eigentlich oft einen verregneten Samstag mit deiner Mutter?«

»Ja, schon. Ich bin gerne mit ihr zusammen. Wir haben immer versucht, uns einen gemeinsamen Tag zu reservieren, und seit ich auf dem College bin, bemühen wir uns noch mehr. Manchmal haben wir Freundinnen dabei, manchmal sind wir aber auch alleine.«

»Du kannst dich glücklich schätzen.«

Angie legte eine Hand auf Cillas Arm. »Ich weiß ja, dass sie nicht deine Mutter ist, aber ich weiß auch, dass sie wirklich gerne deine Freundin sein möchte.«

»Sie ist meine Freundin. Wir kennen uns nur nicht sehr gut.«

»Noch nicht?«

»Noch nicht«, stimmte Cilla zu, und Angie lächelte sie an.

Als Cilla nach Hause kam, hörte sie ihren Anrufbeantworter ab. Zwei Anrufe von Ford, stellte sie fest – vermutlich genau in der Zeit, als sie ihr Handy im Kino ausgeschaltet hatte – und einer von ihrer Mutter.

Sie spielte den von ihrer Mutter ab. Es war die übliche

Leier, von kalter Verachtung bis hin zu wütenden Vorwürfen, mit einem kurzen tränenreichen Beben dazwischen.

Cilla löschte sie und hörte sich dann Fords erste Nachricht an.

»Hey. Meine Mutter hat Spaghetti und Fleischklößchen gemacht und mich gefragt, ob ich essen kommen und eine Freundin mitbringen will. Du hast die Tür nicht aufgemacht, und jetzt gehst du auch nicht ans Telefon. Also frage ich mich, ob ich mir Sorgen machen, mich um meinen eigenen Kram kümmern oder wahnsinnig eifersüchtig sein soll, weil du mit einer Sahneschnitte namens Antonio durchgebrannt bist. Ruf mich auf jeden Fall an, damit ich es weiß.«

Sie hörte sich auch die zweite Nachricht an. »Ignorier die Nachricht von eben. Mein Vater hat deinen Vater getroffen, also viel Spaß mit den Mädels. Ah, das war der Ausdruck deines Vaters. Die Mädels. Du wirst köstliche Hackbällchen verpassen.«

»Gott, du bist so süß«, murmelte Cilla. »Und wenn ich nicht so müde wäre, würde ich auf der Stelle zu dir marschieren und dich anspringen.«

Gähnend ging sie mit zwei Einkaufstüten die Treppe hinauf. Oben erwartete sie ein echtes Bett, fiel ihr ein. Sie konnte sich auf einer richtigen Matratze mit richtiger Bettwäsche ausstrecken und so lange schlafen, wie sie wollte. Diese Vorstellung erschien ihr wie das Paradies, als sie sich zum Gästebad wandte.

Es war, als habe sie jemand mitten ins Herz getroffen. Der hübsche Boden war zerstört – die Fliesen waren aufgebrochen, zerschlagen, mit langen Rissen. Das neue Waschbecken lag zertrümmert am Boden. Schockiert taumelte sie zurück, die Tüten fielen ihr aus den Händen, und der Inhalt ergoss sich auf den Fußboden, als sie zum großen Badezimmer eilte.

Ihr Magen krampfte sich zusammen. Auch hier die gleiche sinnlose Zerstörung.

Ein Vorschlaghammer, dachte sie, vielleicht eine Hacke. Jemand hatte auf alles blindwütig eingeschlagen, die Fliesen, der Glasblock, die Wände. Unzählige Arbeitsstunden, alles zerstört.

Eine eisige Hand griff nach ihr, als sie die Treppe hinunterlief und in den Regen trat, um die schon vertraute Nummer der Polizei zu wählen.

»Er ist durch die Hintertür gekommen«, sagte Wilson. »Hat das Glas zerbrochen, hineingegriffen und den Schlüssel umgedreht. Er hat anscheinend Ihre Werkzeuge benutzt – diesen Vorschlaghammer mit dem kurzen Griff, die Hacke –, um den Schaden anzurichten. Wer wusste, dass Sie heute Abend nicht da sein würden?«

»Niemand. *Ich* wusste es ja selber vorher nicht. Es war ein spontaner Einfall.«

»Und Ihr Auto stand die ganze Zeit über hier, gut sichtbar von der Straße aus?«

»Ja. Ich habe das Licht auf der Veranda angelassen, und auch zwei Lampen drinnen – eine oben, eine unten.«

»Und Sie sind etwa um zwei Uhr nachmittags aufgebrochen, haben Sie gesagt?«

»Ja, in etwa. Wir waren in der Mall, im Kino und haben zu Abend gegessen. Ich war gegen halb elf wieder hier.«

»Die drei Frauen, mit denen Sie unterwegs waren, wussten, dass niemand im Haus sein würde?«

»Ja, sicher. Auch mein Nachbar wusste es, weil er mich angerufen hat, als ich aus war. Mein Vater wusste es und die Eltern meines Nachbarn. Mrs. Morrows Ehemann wusste es vermutlich auch. Im Grunde, Detective, hätte so ziemlich jeder, der ein Interesse daran hatte, zu wissen, wo ich war, es herausfinden können.«

»Miss McGowan, ich würde vorschlagen, Sie legen sich eine Alarmanlage zu.«

»Ach ja, das schlagen Sie also vor?«

»Die Gegend hier ist dünn besiedelt, was natürlich zum Teil ihren Charme ausmacht. Sie wohnen hier recht abgelegen, und Ihr Besitz war schon mehrmals die Zielscheibe für Vandalismus. Wir tun, was wir können, aber wenn ich an Ihrer Stelle wäre, würde ich Maßnahmen ergreifen, um meinen Besitz zu schützen.«

»Das werde ich tun, das können Sie mir glauben.«

Cilla sprang auf, als sie Fords Stimme hörte, der sich mit einem der Polizisten stritt, die im Moment über ihr Grundstück liefen. »Das ist mein Nachbar. Ich möchte, dass er hineinkommt.«

Wilson gab ein Zeichen. Einen Moment später stürmte Ford herein. »Bist du verletzt? Geht es dir gut?« Er umfasste ihr Gesicht mit den Händen. »Was ist denn jetzt schon wieder passiert?«

»Jemand ist eingebrochen, während ich weg war. Sie haben die zwei Badezimmer im ersten Stock zerstört.«

»Mr. Sawyer, wo waren Sie heute Nachmittag und Abend zwischen vierzehn und dreiundzwanzig Uhr?«

»Detective Wilson ...«

»Ist schon gut.« Ford nahm Cillas Hand und drückte sie. »Ich habe bis gegen vier Uhr nachmittags zu Hause gearbeitet, dann bin ich losgefahren und habe eine Flasche Wein und Blumen für meine Mutter gekauft. Gegen fünf war ich bei meinen Eltern und habe dort zu Abend gegessen. Etwa gegen neun, vielleicht war es auch halb zehn, bin ich nach Hause gekommen, habe noch ein bisschen ferngesehen und bin dabei auf der Couch eingeschlafen. Irgendwann bin ich wach geworden und nach oben gegangen. Ich warf noch einen Blick aus der Haustür – das ist mir mittlerweile zur Gewohnheit geworden – und sah die Polizei.«

»Ms. McGowan hat erklärt, Sie hätten gewusst, dass sie nicht zu Hause war.«

»Ja, ich habe sie angerufen, weil ich sie auch zum Abendessen bei meinen Eltern einladen wollte. Nein, zuerst bin ich herübergegangen, um sie einzuladen. Sie hat aber die Tür nicht aufgemacht, und ich war ein wenig besorgt, weil ja in der letzten Zeit doch einiges passiert ist. Dann habe ich angerufen. Kurz darauf rief mein Vater an, weil er mir Bescheid sagen wollte, dass ich noch Milch kaufen sollte. Ich erzählte ihm, dass ich Cilla nicht erreichen könne, um sie einzuladen, und er sagte, er habe ihren Dad getroffen, und sie sei mit Freundinnen aus.«

»Um wie viel Uhr sind Sie hier herübergekommen?«

»Ach, so gegen drei, schätze ich. Als sie die Tür nicht aufmachte, ging ich zur Scheune, aber das Vorhängeschloss hing dran, und weil ich mir Sorgen machte, ging ich noch ums Haus. Alles sah okay aus. Wie ist er hereingekommen?«

»Durch die Hintertür«, antwortete Cilla.

»An der Hintertür war alles in Ordnung, als ich ums Haus ging. Wie schlimm ist es?«

»Ziemlich schlimm.«

»Du kannst es wieder reparieren.« Er griff nach ihrer Hand. »Das kannst du.«

Sie schüttelte den Kopf und setzte sich auf die Treppe. »Ich bin müde.« Sie schlug die Hände vors Gesicht und ließ sie dann in den Schoß sinken. »Ich bin alles so leid.«

»Geh doch zum Schlafen zu mir. Ich übernachte hier, damit jemand im Haus ist.«

»Wenn ich jetzt gehe, komme ich nicht mehr wieder. Ich muss darüber nachdenken. Ich muss nachdenken, ob es für mich überhaupt noch Sinn hat hierzubleiben. Im Moment weiß ich es nicht.«

»Ich bleibe bei dir. Ich nehme den Schlafsack. Lassen Sie Polizisten hier?«, fragte er Wilson.

Wilson nickte. »Ein Streifenwagen mit zwei Beamten bleibt vor dem Haus. Ms. McGowan? Ich weiß ja nicht, ob es an Ihren Gefühlen etwas ändert, aber mich macht das Ganze hier langsam stinkwütend.«

Cilla seufzte. »Stellen Sie sich hinten an.«

Während Ford den Hund holen ging, nagelte Cilla Spanplatten über das zerbrochene Glas an der Hintertür – eine Art von Symbol, allerdings war sich Cilla in diesem Moment nicht sicher, ob es ein Symbol der Verteidigung oder der Niederlage war. Brutale Müdigkeit überwältigte sie, als sie den Hammer sinken ließ.

»Du brauchst nicht im Schlafsack zu schlafen. Es ist ein großes Bett, und du bist viel zu anständig, um unter diesen Umständen einen Annäherungsversuch zu machen. Und außerdem möchte ich nicht alleine schlafen.«

»Okay. Dann komm. Wir überlegen uns alles Weitere morgen.«

»Er hat meine eigenen Werkzeuge benutzt, um alles kaputtzumachen.« Sie ließ sich von Ford durchs Haus, die Treppe hinaufführen. »Das macht es irgendwie noch schlimmer.«

Im Schlafzimmer schlüpfte sie aus ihren Schuhen. Dann zog sie ihre Bluse aus. Und trotz allem berührte und amüsierte es sie, als Ford sich räusperte und ihr den Rücken zuwandte.

»Die Toiletten hat er nicht kaputtgemacht«, sagte sie, während sie ein Tanktop und eine Baumwollhose anzog. »Ich weiß nicht, ob ihm bloß die Luft ausgegangen ist oder ob er wusste, dass die Fliesen, die Waschbecken und der Block wesentlich teurer waren und viel schwerer zu ersetzen sind. Aber auf jeden Fall brauchst du zum Pinkeln nicht hinauszugehen.«

»Ist schon gut, danke.«

»Du kannst dich jetzt umdrehen.«

Sie legte sich aufs Bett, ohne es aufzuschlagen. »Du brauchst nicht in deinen Kleidern zu schlafen. Ich weiß zwar nicht, ob ich so anständig bin wie du, aber ich bin sowieso viel zu müde, um irgendetwas anzufangen.«

Er zog sich bis auf seine Boxer Shorts aus, dann streckte er sich neben ihr aus, wobei er viel Platz zwischen ihnen ließ.

Cilla schaltete das Licht aus. »Ich werde nicht weinen«,

sagte sie nach einer Weile. »Aber wenn es dir nichts ausmacht, könntest du mich ein bisschen im Arm halten.«

Er drehte sich zu ihr, legte einen Arm um sie und zog sie so an sich, dass sie mit dem Rücken an seinem Körper lag. »Besser?«

»Ja.« Sie schloss die Augen. »Ich weiß nicht, was ich tun soll. Was ich will, was ich brauche, was ich tun soll, was nicht. Ich weiß es einfach nicht.«

Er küsste sie auf den Hinterkopf, und ihr stiegen doch Tränen in die Augen. »Du wirst es schon noch herausfinden. Hör mal, es fängt wieder an zu regnen. Es ist ein schönes Geräusch, so mitten in der Nacht. Wie Musik. Du kannst einfach hier liegen und auf die Musik lauschen.«

Sie lauschte auf die Musik, wie sie um das Haus sang, das sie lieben gelernt hatte. Und in seinem Arm, der sie warm umschloss, fiel sie in einen erschöpften Schlaf.

16

Die Musik war noch da, als sie aufwachte. Das gleiche stetige Trommeln und Tropfen des Regens, das sie in den Schlaf gewiegt hatte, begrüßte sie auch beim Erwachen. Verträumt dachte sie daran, dass er sie in den Arm genommen hatte, als sie ihn darum gebeten hatte. Er hatte sie einfach festgehalten, und sie war beim Rauschen des Regens eingeschlafen.

Obwohl sie sich dunkel daran erinnerte, einfach auf die Bettdecke gesunken zu sein, war sie jetzt warm zugedeckt.

Und allein.

Ein Teil von ihr wollte sich dem Tag nicht stellen, wollte die Erinnerungen gar nicht erst aufsteigen lassen, sondern sich einfach nur wieder vom Regen in den Schlaf wiegen lassen.

Aber dazu bist du schon zu weit gekommen, sagte sich

Cilla. Du kannst jetzt nicht einfach aussteigen. Stell dich den Tatsachen und handele.

Mühsam stand sie auf. Dann sah sie den Kaffee.

Ihr isolierter Reisebecher stand auf dem Nachttisch. Daran lehnte einer ihrer Notizblocks, auf dem sie akkurat und wenig schmeichelhaft so dargestellt war, wie sie jetzt aussah. Mit zerzausten Haaren, verquollenen Augen, zerknittert und mit finsterer Miene. Darunter stand in kühnen Blockbuchstaben:

ICH BIN KAFFEE!!
TRINK MICH!
(UND DANN DREH DIE SEITE UM)

»Komischer Typ«, brummelte sie. Sie legte die Kladde auf das Bett und griff zum Becher. Der Kaffee darin war zwar nur lauwarm, aber er war stark und süß. Genau das, was ihr der Arzt verschrieben hatte. Sie saß da und ließ sich langsam vom Koffein aufwecken.

Dann blätterte sie die Seite im Notizbuch um.

Sie hatte nicht damit gerechnet, dass sie Grund zum Lachen haben würde, dass irgendetwas den Nebel der Depression durchdringen und ihr ein überraschtes Schmunzeln entlocken würde.

Er hatte sie lebhaft, mit großen Augen, übertriebenen Brüsten und schwellendem Bizeps gezeichnet, mit wehenden Haaren und breitem, selbstbewussten Lächeln. Den Kaffeebecher, aus dem ein Dampfwölkchen aufstieg, hielt sie fest in der Hand.

»Ja, du bist ein komischer Typ.«

Sie legte den Notizblock beiseite und machte sich auf die Suche nach ihm.

Als sie die Schlafzimmertür öffnete, hörte sie das Klirren bereits. Glas – nein, kaputte Fliesen, dachte sie – gegen Plastik. Sie ging zum großen Schlafzimmer, öffnete die Tür und trat an die Badezimmertür.

Er hatte sich Arbeitshandschuhe übergestreift und einen kleinen Spaten und mehrere Eimer mit hinaufgebracht. Zwei davon waren bereits voller Fliesenscherben. Heute Morgen war der Anblick der Zerstörung fast noch schwerer zu ertragen als gestern Abend.

»Du verlierst deinen Status als Langschläfer.«

Er warf eine weitere Schaufel voll Scherben in den Eimer und richtete sich auf, um sie anzuschauen. »Du hast mich wahrscheinlich für alle Zeit verdorben. Wie schmeckt der Kaffee?«

»Danke, gut. Du musst das nicht machen, Ford.«

»Vom Bauen verstehe ich nichts, aber jede Menge vom Aufräumen.«

»Wir werden wesentlich mehr brauchen als Eimer und Schaufel.«

»Ja, das ist mir klar. Aber ich habe mir gedacht, dass ich eigentlich schon anfangen könnte aufzuräumen, bevor es mich zu sehr … sagen wir mal, belebt, an einem verregneten Sonntagmorgen mit dir im Bett zu liegen.«

»Nennst du das so?«

Er nickte ernst. »Ja, in Gesellschaft.«

Sie nickte und trat näher, um die Risse und Brüche in ihrer Glasmauer zu betrachten. Sie hatte sie so schön gefunden, wenn das Licht hindurchfiel. Sie hatte sich vorgestellt, wie es auf den Chromarmaturen wie flüssiges Silber glänzen würde. Ihre elegante Oase, und ja, vielleicht ein persönlicher Gruß an Hollywood.

Die Wurzeln ihrer Wurzeln.

»Ich weiß noch nicht, was ich tun werde. Ich weiß ehrlich noch nicht, ob ich das alles wieder aufbauen will, ob ich die Kraft habe, diesen Krieg zu führen, den mir irgendjemand erklärt hat. Ich bin doch nicht hierhergekommen, um Krieg zu führen. Ich wollte etwas aufbauen, für mich und für sie. Aber wenn das Fundament bricht, dann stürzt immer wieder alles ein.«

»Es ist nicht von selbst eingestürzt, Cilla, es ist zerstört worden. Das ist ein Unterschied.« Er verstand, dass sie damit ebenso sehr sich selbst wie dieses Zimmer meinte. Deshalb legte er den Kopf schräg und musterte sie eingehend. »Ich sehe keine Risse.«

»Sie war ein Junkie, eine Alkoholikerin. Vielleicht hat man sie dazu gemacht, ausgebeutet, missbraucht. Ich weiß, wie das ist. Vielleicht nicht so gut wie sie, aber ich habe zumindest eine Ahnung, wie es für sie gewesen sein mag. Ich hätte ja woanders ein Haus umbauen können, aber ich habe mich ganz bewusst für diesen Ort hier entschieden. Es hat etwas mit ihr zu tun. Und es hat mit diesem Ort zu tun. Ich muss mir beweisen, was ich wert bin. All das hängt damit zusammen.«

»Es sind gute Gründe.« Er zuckte mit den Schultern. »Du bleibst also, räumst hier auf. Baust weiter. Nach deinen Bedingungen.«

Sie schüttelte den Kopf. »Du hast keine Ahnung, wie kaputt ich bin.«

»Doch, in etwa. Was ist mit dir? Hast du eine Ahnung, wie stark du bist?«

Wie konnte sie dieser eigensinnigen Überzeugung widersprechen? »Es geht auf und ab. Im Moment bin ich ziemlich tief unten.«

»Vielleicht brauchst du bloß ein bisschen Aufmunterung.«

»Noch mehr Kaffee?«

»Ein herzhaftes Sonntagsfrühstück.« Er zog die Arbeitshandschuhe aus und warf sie auf den Toilettendeckel. »Du brauchst ja nicht jetzt, in dieser Minute, über den Rest deines Lebens zu entscheiden. Lass dir einfach ein bisschen Zeit. Wir machen uns einen schönen Tag. Wir holen Spock aus dem Garten, fahren Pfannkuchen frühstücken und … gehen in den Zoo.«

»Es regnet.«

»Es kann nicht ewig regnen.«

Sie blickte ihn einen Augenblick lang an, sein entspanntes

Lächeln, die warmen, geduldigen Augen. Er würde sie festhalten, dachte sie. Er hatte ihr Kaffee gemacht und sie zum Lachen gebracht, bevor sie noch ganz wach war. Er räumte ihren Schutt weg und verlangte absolut nichts dafür.

Er glaubte an sie, wie noch niemand, noch nicht einmal sie selbst, an sie geglaubt hatte.

»Nein, das stimmt. Es kann nicht ewig regnen.«

»Also, zieh dich an! Wir stopfen uns mit Kohlehydraten voll, und dann schauen wir uns die Affen an.«

»Pfannkuchen klingt eigentlich ganz gut. Danach.«

»Nach was?«

Sie lachte und packte ihn am T-Shirt. »Komm wieder ins Bett, Ford.«

»Oh.«

Sie zog ihn mit sich. »Nur wir zwei sind hier. Ich habe nichts anderes im Sinn. Und ich könnte ein bisschen Energie vertragen.«

»Okay.« Er nahm sie in die Arme und küsste sie.

Als er sich von ihr löste, lächelte sie ihn an. »Für den Anfang nicht schlecht.«

»Ich hatte es anders geplant. Mit Ortswechsel und so«, sagte er, als er sie ins Schlafzimmer trug. »Aber ich bin ja flexibel.«

Sie lächelte. »Ich auch.«

»Oh, Mann.«

Lachend schlang sie ihm die Arme um den Hals und senkte ihre Lippen auf seine. Nur wir beide, dachte sie, als sie aufs Bett sanken. Alles andere war später. Nur sie und die Musik des Regens. Im weichen Licht, auf dem zerwühlten Bett, vergaß sie alles um sich herum.

Er hätte sie einfach immer weiterküssen können. Ihr Mund war eine endlose Quelle der Faszination für ihn. Aber es gab so viel zu entdecken. Ihr anmutiger Hals verzauberte ihn, die Linie ihrer Wange, die zarte Haut an ihrer Kehle boten ihm unendliche Freuden.

Seine Lippen glitten an ihrem Körper entlang, er schmeckte und berührte sie, neckte und quälte sie beide, bis sie sich ihm fordernd entgegenbog. Er fand Wärme, Seide und Geheimnisse, als seine Zunge unter den Baumwollstoff glitt, und sie leise stöhnte.

Er schob ihr Hemdchen hoch, und seine Finger glitten leicht über ihre bloße Haut. Er hob den Kopf und blickte sie an.

Ihr Herzschlag setzte einen Moment lang aus, und ihr ganzer Körper seufzte.

»Das kannst du wirklich gut.«

»Es lohnt sich ja auch … Ich habe dich viel angeschaut. Als Künstler.« Sein Blick wanderte zu seinen Fingern, die über ihre Brüste streichelten. »Ich habe viel über dich nachgedacht.«

Seine Hände jagten Schauer über ihren Körper.

»Ich habe mir vorgestellt, dich zu berühren. Dich dabei zu beobachten. Zu spüren, wie du unter meinen Händen zitterst. Es hat sich gelohnt, auf dich zu warten.«

Wieder fanden sich ihre Lippen in einem leidenschaftlichen Kuss. Er senkte seinen Körper über sie, und wo ihre nackte Haut aufeinandertraf, entzündete sich Hitze. Sie zitterte am ganzen Leib, als er sich langsam, mit Händen und Lippen, tiefer bewegte.

Er berührte sie mit einer Vorsicht, einer Neugier, als sei sie die erste Frau in seinem Leben. Und Cilla hatte das Gefühl, noch nie so berührt worden zu sein. Lust hüllte sie ein, und sie packte mit beiden Händen die Bettdecke, um sich in dem strahlenden Licht, das sie umgab, festzuhalten.

Er führte sie immer weiter hinauf, in strahlende Höhen, bis schließlich die Lust wie eine Flamme durch ihren Körper schoss.

Er weidete sich an ihrem Anblick, als sie unter ihm bebte, bewunderte ihre schlanke Taille und die geschwungene Linie ihrer Hüften. Lange, schöne Oberschenkel gingen in prachtvoll geformte Waden über.

Sie stöhnte, und er ließ seine Zunge erneut in ihre warme, nasse Mitte gleiten. Als sie kam, sagte sie atemlos keuchend seinen Namen. Ihre Finger packten in seine Haare, fuhren über seinen Rücken.

Sie berührte sein Gesicht und blickte ihn an, als er in sie eindrang. Und er nahm sie mit langen, langsamen Stößen, als ihre eisblauen Augen wieder glasig wurden.

Sie bog sich ihm hilflos entgegen. Wieder und wieder entfachte er ihr Verlangen, und sie ließ es geschehen.

Schließlich lag sie erschlafft unter ihm und kehrte langsam wieder in die Realität zurück. Sie hörte das Trommeln des Regens, spürte das zerknitterte, verschwitzte Laken unter ihrem Rücken, und als sie wieder einigermaßen klar denken konnte, fragte sie sich, ob die Tatsache, dass sie gerade den besten Sex ihres Lebens gehabt hatte, bedeutete, dass es von nun an nur noch bergab ging.

Ford wandte den Kopf und rieb seine Lippen an ihrer Schulter. Sie hätte schwören können, dass ihre Haut schimmerte.

Er schob ihr die Haare von der Wange und lächelte schläfrig auf sie hinunter. »Okay?«

»Okay?« Cilla lachte leise. »Ford, du hast einen Orden verdient oder zumindest eine Auszeichnung. Ich fühle mich, als ob jeder Zentimeter meines Körpers… gepflegt wurde«, erklärte sie.

»Ich würde ja sagen, meine Arbeit ist getan, aber dazu mache ich sie zu gerne.« Er senkte den Kopf, und wieder tanzten Funken durch ihren Körper, als er sie küsste. »Allerdings könnte ich eine Kaffeepause vertragen.«

Sie hatte sich noch nie in ihrem ganzen Leben entspannter oder zufriedener gefühlt. Liebevoll schlang sie ihm die Arme um den Hals. »Verständlich. Wenn sich meine Knochen wieder ein wenig stabilisiert haben, würde ich gerne duschen. Aber mir fällt gerade ein, dass wir hier nicht duschen können.«

Ford rollte von ihr herunter. »Wir gehen zu mir.« Dort hatte sie auch nicht ständig die Zerstörung vor Augen. »Wirf dir etwas über.«

»In Ordnung. Wenn ich mich nicht irre, hast du auch Pfannkuchen erwähnt?«

»Ganze Stapel. Wir brauchen Treibstoff, um den Rest des Tages zu überstehen.«

Zum Pancake House kamen sie nicht mehr. Nach einer langen, erotischen und Kraft spendenden Dusche beschlossen sie, zu Hause zu bleiben und selber Pfannkuchen zu machen. Das Ergebnis war ein wenig chaotisch, aber durchaus essbar.

»Man braucht jede Menge Sirup dazu.« Cilla saß in Fords T-Shirt an der Küchentheke und ertränkte ihren merkwürdig geformten Pfannkuchen in Sirup.

»So übel sind sie gar nicht.« Ford spießte einen Bissen auf die Gabel. »Und es macht mehr Spaß als Spiegeleier. Ich hatte übrigens gerade eine Idee. Statt in den Zoo zu gehen und uns die Affen anzusehen, könnten wir hierbleiben und Affensex haben.«

»Bis jetzt haben sich deine Ideen als ganz gut herausgestellt. Warum sollte ich also widersprechen? Was machst du denn für gewöhnlich an verregneten Sonntagen?«

»Du meinst, wenn ich nicht gerade Pfannkuchen mit attraktiven Blondinen esse?« Er zuckte mit den Schultern. »Ich arbeite ein bisschen, je nachdem wie ich Lust habe, oder liege auf der Couch und lese. Manchmal unternehme ich auch was mit Matt oder Brian, oder auch mit beiden. Wenn es absolut nicht mehr anders geht, wasche ich. Und du?«

»In L.A.? Wenn ich ein Hausprojekt hatte, habe ich Innenarbeiten gemacht oder Schreibkram erledigt. Wenn ich gerade kein Projekt hatte, habe ich das Internet oder die Zeitungen nach passenden Angeboten durchforstet. So in etwa ist in den letzten Jahren mein Leben verlaufen. Das ist wirklich jämmerlich.«

»Nein, das finde ich nicht. Du wolltest es doch. Viele Leute fanden es auch jämmerlich, dass ich lieber in der Bude gehockt und gezeichnet habe, statt Basketball zu spielen, zum Beispiel. Obwohl ich groß bin, war ich in Basketball nie besonders gut. Ich habe das Spiel nie begriffen. Aber im Zeichnen war ich gut und wurde immer besser.«

»Du bist so erschreckend ausgeglichen und stabil. Jedenfalls im Vergleich zu mir.«

»Von meiner Warte aus wirkst du auch ziemlich stabil.«

»Ich habe Angst, verlassen zu werden.« Sie gestikulierte mit ihrer tropfenden Gabel. »Ich habe auch eine Drogenphobie, was wahrscheinlich am Medikamentenmissbrauch in meiner Familie liegt. Ich fange schon an zu schwitzen, wenn ich nur Aspirin kaufen muss. Ich leide an akutem Lampenfieber, was in meiner Jugend so eskalierte, dass ich es kaum aushielt, mit drei Leuten gleichzeitig in einem Raum zu sein. Mit meiner Mutter komme ich nur klar, wenn ich mich von ihr fernhalte, und die meiste Zeit werfe ich abwechselnd mir oder meinem Vater vor, dass wir uns nicht richtig kennen.«

»Pph«, machte Ford abschätzig. »Ist das alles?«

»Willst du noch mehr?« Sie aß weiter. »Ich kann dir noch mehr erzählen. Ich habe Träume, in denen ich mich mit meiner toten Großmutter unterhalte, die ich nie kennen gelernt habe, und der ich mich näher fühle als jedem anderen lebenden Mitglied meiner Familie. Mein bester Freund ist mein Exmann. Ich hatte vier Stiefväter und unzählige ›Onkel‹, und da ich nicht blöd bin, begreife ich sehr wohl, dass das ein Grund dafür ist, dass ich außer mit Steve noch nie eine lange, normale Beziehung mit einem Mann hatte. Ich erwarte förmlich, ausgebeutet und missbraucht zu werden, und sabotiere deshalb von vorneherein jede potentielle Langzeitbeziehung. Ich will dich nur warnen.«

Ford widmete sich ebenfalls seinem Pfannkuchenstapel. »Bist du fertig?«

Lachend schob Cilla ihren Teller weg und nahm ihre Kaffeetasse. »Fürs Frühstück reicht es wahrscheinlich.« Sie erhob sich und streckte die Hand aus. »Komm, wir gehen im Regen spazieren. Und wenn wir zurückkommen, legen wir uns in deinen Whirlpool.«

Sie ließen die Küche unaufgeräumt und machten einen langen Spaziergang mit dem Hund. Gab es etwas Romantischeres, als im Regen geküsst zu werden?, fragte sich Cilla. Etwas Schöneres als die Berge, eingehüllt von Wolken und Dunstschwaden? Etwas Befreienderes, als Hand in Hand durch den Sommerregen zu laufen, während alle sich drinnen hinter verschlossenen Türen und Fenstern zurückgezogen hatten?

Durchnässt kamen sie wieder am Haus an und zogen sich die nassen Sachen aus. Im heißen, sprudelnden Wasser nahmen sie einander langsam.

Schließlich wankten sie erschöpft nach oben, um auf Fords Bett eng aneinandergeschmiegt zu schlafen.

Cilla weckte ihn auf, und sie liebten sich erneut. Als sie wieder einschliefen, war aus dem Regen nur noch ein leises Tröpfeln geworden.

Später stand Cilla auf und schlich auf Zehenspitzen an Fords Schrank, um sich ein Hemd herauszuholen. Leise verließ sie das Zimmer. Eigentlich wollte sie sich unten eine Flasche Wasser holen, entschied jedoch spontan, einen Umweg über sein Atelier zu machen. Der Durst konnte warten.

Als sie das Licht einschaltete, entdeckte sie die Zeichnungen sofort. Es war so seltsam, ihr Gesicht auf dem Körper einer Kriegerin zu sehen, dachte sie. Na ja, ihr Körper war es auch.

Er hatte ihre Tätowierung, wie sie es vorgeschlagen hatte, auf Brids Bizeps gemalt.

Sie trat an seinen Arbeitstisch und betrachtete konzentriert die Blätter auf dem Zeichenbrett. Es waren lauter kleine Skizzen, alle in unterschiedlichen Kästchen, und jede mit einer gepunkteten, vertikalen Linie versehen, die nach unten lief. In manchen Kästchen waren Sprechblasen mit Zahlen darin.

Sie breitete die Blätter aus, um sie besser anschauen zu können.

Es war wie ein Storyboard, stellte sie fest. Die Figuren, die Action, die Abfolge. Und wenn sie sich nicht irrte, waren Form und Größe der Kästchen mathematisch wie künstlerisch berechnet. Ausgewogenheit und Wirkung, dachte sie.

Wer hätte gedacht, dass in einem Comic so viel Arbeit steckte?

Auf der anderen Seite des Zeichenbrettes lag ein größeres Blatt auf der Arbeitsfläche. Weitere Quadrate und Rechtecke mit detaillierten Zeichnungen, schattiert und … geinkt. Ja, genau, das war der Fachausdruck. Obwohl sie noch keinen Dialog enthielten, erregte die Kunst schon Aufmerksamkeit, so wie Wörter in einem Buch.

Im Mittelpunkt stand Dr. Cass Murphy in ihrem Professorenkostüm. Konservativ, streng. Kühl. Die Kleidung, der dunkle Rahmen der Brille und die Haltung definierten die Persönlichkeit auf einen Blick. Es war brillant, dachte Cilla. Er konnte in einem einzigen Bild den gesamten Charakter einer Figur einfangen. Die ganze Person.

Ohne nachzudenken nahm sie das Panel, trat an die Schautafel und hielt es vor die Zeichnung von Brid.

Die gleiche Frau, ja, natürlich die gleiche Frau. Und doch war die Verwandlung bemerkenswert. Von Repression zu Befreiung, von Zögern zu Entschlossenheit. Vom Schatten zum Licht.

Als sie das Panel wieder zurücklegte, fiel ihr Blick auf einen weiteren Stapel Blätter. Maschinenbeschriebene Blätter. Sie überflog die ersten Zeilen.

Ford erwachte hungrig und tief enttäuscht, dass Cilla nicht neben ihm lag, um wenigstens einen Appetit zu stillen. Er konnte einfach nicht genug von ihr bekommen.

Sie war so schön, so sexy, sensibel und klug. Sie konnte mit schweren Werkzeugen umgehen und hatte ein Lachen, bei dem ihm das Wasser im Mund zusammenlief. Er hatte sie hart erlebt und völlig am Boden. Er wusste, wie viel Liebe sie einem Freund schenken konnte, wie sie mit peinlichen Situationen umging und wie sie war, wenn sie wütend wurde.

Sie konnte arbeiten, und, oh Mann, sie konnte spielen.

Sie war eigentlich ziemlich perfekt.

Wo zum Teufel war sie bloß?

Er stand auf, stieg in seine Hose und machte sich auf die Suche nach ihr.

Er wollte gerade nach ihr rufen, da sah er sie. Sie saß an seinem Arbeitstisch, die Beine übereinandergeschlagen, die Schultern hochgezogen. Ford dachte flüchtig, dass er noch Tage später verkrampft wäre, wenn er auch nur zehn Minuten lang so dasitzen würde.

Er trat hinter sie und begann die Muskeln an ihrem Nacken zu massieren. Und sie zuckte zusammen, als hätte sie jemand mit der Axt angegriffen.

Sie fuhr in seinem Drehstuhl herum und presste sich die Hände auf die Brust. Lachend rief sie: »Gott! Du hast mich vielleicht erschreckt!«

»Ja, das habe ich gemerkt, als du dir beinahe den Kopf an meinem Zeichenbrett gestoßen hättest. Was machst du hier?«

»Ich habe… O Gott! Oh, Scheiße!« Sie schob den Stuhl zurück und ließ die Hände in den Schoß sinken. »Es tut mir leid. Ich bin in deine Privatsphäre eingedrungen. Ich habe mir die Zeichnungen angeschaut, und dabei habe ich das Buch gesehen. Ich wollte nur die erste Seite überfliegen, aber es hat mich so gefesselt. Ich hätte nicht…«

»Hör auf mit deiner Selbstbezichtigung! Ich habe dir doch gesagt, dass du es mal lesen könntest. Ich hatte es ja nur noch nicht aufgeschrieben. Und wenn es dich gefesselt hat, umso besser.«

»Ich bin an deine Sachen gegangen.« Sie nahm das Panel und hielt es hoch, »Ich hasse es, wenn Leute meine Sachen anfassen.«

»Ich weiß ja, wo es hingehört. Du hast anscheinend Glück, dass ich in dieser Hinsicht nicht so empfindlich bin wie du.« Er legte das Panel wieder zurück. »Und, was hältst du davon?«

»Ich finde die Geschichte gut, aufregend und unterhaltsam, mit scharfem Humor und ziemlich feministisch.«

Ford zog die Augenbrauen hoch. »Das alles?«

»Du weißt schon, was ich meine. Cass benimmt sich auf eine bestimmte Art und Weise und erwartet ein bestimmtes Verhalten ihr gegenüber, weil sie bei einem dominanten, kalten Vater aufgewachsen ist. Sie ist sexuell unterdrückt und emotional gestört, hat gelernt, männliche Überlegenheit zu akzeptieren, genauso wie die Tatsache, dass ihr in ihrem von Männern beherrschten Beruf nicht genügend Respekt entgegengebracht wird. All das kann man in der Porträtzeichnung von ihr erkennen. Das Panel, das du gerade wieder zurückgelegt hast.

Und weil sie so daran gewöhnt ist, Befehle von männlichen Autoritätspersonen entgegenzunehmen, wird sie verraten und scheinbar tot liegen gelassen. Und im Angesicht des Todes, als sie dagegen ankämpft, wird sie auf einmal zur Kriegerin. Alles, was in ihr steckt, vereint sich in Brid. Durch Macht wird sie stark.«

Faszinierend und schmeichelhaft, dachte er, wie sie seine Geschichte und seine Figuren zusammenfasste. »Es hat dir also gefallen?«

»Ja, wirklich, und nicht nur, weil ich noch von unserem Sex benommen bin. Es ist wie ein sehr gutes Drehbuch. Du hast ja sogar Kameraeinstellungen und Regieanweisungen.«

»Das hilft mir dabei, mich daran zu erinnern, wie ich es beim Schreiben gesehen habe, auch wenn es sich im Entstehungsprozess verändert.«

»Und du fügst diese kleinen Kästen wie auf den Zeichnungen hinzu.«

»Das ist nützlich für das Layout, aber das kann sich

auch noch ändern. Genau wie der Plot sich manchmal ändert.«

»Du hast Steve noch mit hineingenommen. Den Unsterblichen. Er wird … er dreht bestimmt vor Freude durch.«

»Sie brauchte die Brücke, die Verbindung zwischen Cass und Brid. Eine Figur, die in beiden Welten zu Hause ist und unserer Heldin dabei helfen kann, beide Seiten in sich zu verstehen.«

Auf ähnliche Weise half ja auch Steve Cilla, dachte Ford. »Es war eine Menge Arbeit, ihn noch einzufügen, aber es wird dadurch stärker. Ich hätte von Anfang an daran denken sollen. Auf jeden Fall ist es immer noch in der Entwicklung. Die Geschichte steht da, und ich muss sie mit den Zeichnungen erzählen. Dadurch kann sich die Handlung manchmal auch noch verschieben. Wir müssen mal sehen.«

»Mir gefällt besonders das Bild von Brid, wo sie eine Fouetté macht, um ihr Opfer mit dem Bein k. o. zu schlagen.«

»Fouetté?«

»Ein Ballettschritt.« Cilla trat zu der Zeichnung und zeigte darauf. »So sieht er tatsächlich aus, sogar die Arme sind in der richtigen Position. Um genau zu sein, müsste der Standfuß noch ein wenig mehr ausgestellt sein, aber …«

»Du kannst Ballett? Kannst du mir das vormachen?«

»Eine Fouetté? Aber bitte. Acht Jahre Ballettunterricht.« Sie vollführte eine rasche Drehung. »Stepptanz. Und Jazz.«

»Cool. Bleib so.« Er zog eine Schublade auf und holte eine Kamera heraus. »Mach noch einmal die Ballettdrehung.«

»Ich bin fast nackt.«

»Ja, deshalb werde ich das Foto auch ins Internet stellen. Ich möchte die Fußstellung sehen, die du beschrieben hast.«

Er hatte keine Ahnung, was für ein Vertrauensbeweis es für sie war, vor seiner Kamera zu posieren.

»Noch einmal, ja? Gut. Toll. Danke. Eine Fouetté. Ballett.« Er legte die Kamera beiseite. »Irgendwo muss ich das schon mal gesehen haben. Acht Jahre? Das erklärt wahrscheinlich, wie du diese hohen Sprünge machen konntest, als du in *Wasteland Three* auf der Flucht vor dem wiederbelebten Psychokiller warst.«

»Grand Jetés.« Sie lachte. »Sozusagen.«

»Ich dachte, du würdest es schaffen, so wie du geflogen bist. Ich meine, schließlich hast du es ja zur Hütte geschafft, bist der Todesfalle *und* der fliegenden Sichel entronnen, und dann machst du die Tür auf…«

»Und muss feststellen, dass der wiederbelebte Psychokiller eine Abkürzung genommen hat. Schluchzende Erleichterung«, fuhr sie fort und machte ihm die Szene vor, »Schock, Schrei. Gemetzel.«

»Es war ein irrer Schrei. Dafür gibt es Stimmen-Doubles, oder? Und sie werden bestimmt auch technisch verstärkt.«

»Manchmal. Bei mir jedoch…« Sie holte tief Luft und stieß einen so markerschütternden Schrei aus, dass Ford zurückwich. »Ich hatte kein Double«, sagte sie.

»Wow. Du hast anscheinend fantastische Lungen. Was hältst du davon, wenn wir hinuntergehen und ein Glas Wein trinken, während wir abwarten, ob sich meine Trommelfelle jemals wieder regenerieren?«

»Schrecklich gerne.«

17

Sie dachte nicht mehr an den Vandalismus, beziehungsweise, sie verbot sich jeden Gedanken daran, was sie auf der anderen Straßenseite erwartete. Das hat doch keinen Zweck, dachte sie. Sie wusste ja noch gar nicht, was sie überhaupt tun wollte.

Ein Tag Auszeit schadete niemandem. Ein Traumtag, voller Sex und Schlaf, während draußen der Regen rauschte. Sie konnte sich nicht erinnern, wann sie zuletzt so zufrieden in der Gesellschaft eines Mannes gewesen war, ohne dass es etwas mit ihrer Arbeit zu tun hatte.

Selbst Wein und Videospiele fand sie verlockend. Bis Ford sie zum dritten Mal nacheinander besiegte.

»Sie ... wie heißt sie noch mal? ... Halle Berry.«

»Storm«, erwiderte Ford. »Halle Berry ist die Schauspielerin und echt scharf. Storm ist eine Schlüsselfigur der *X-Men*, und auch echt scharf.«

»Na ja, sie *stand* einfach nur da.« Cilla blickte finster auf die Schalttafel. Woher soll ich denn wissen, auf welchen Knopf ich drücken muss und wo ich ziehen soll und so?«

»Übung. Und wie gesagt, du musst dein Team strategischer aufstellen. Du hast ein reines Frauenbündnis geschaffen. Du hättest es besser gemischt.«

»Meine Strategie bestand in Geschlechtssolidarität.« Spock, der unter dem Sofatisch lag, schnaubte. »Sei still«, murmelte sie. »Außerdem glaube ich, dass mein Schaltknüppel kaputt ist, weil ich normalerweise über eine hervorragende Hand-Augen-Koordination verfüge.«

»Sollen wir die Plätze tauschen und noch eine Runde spielen?«

Sie musterte ihn mit zusammengekniffenen Augen. »Wie oft spielst du das?«

»Ab und zu. Mein ganzes Leben lang schon«, gab er grinsend zu. »Ich bin in dieser Version von *Ultimate Alliance* bisher ungeschlagen.«

»Angeber.«

»Loser.«

Sie reichte ihm ihren Joystick. »Räum dein Werkzeug weg.«

Na, sieh dir das mal an, dachte sie, als er tatsächlich aufstand. Was für ein ordentlicher, scharfer Typ. Ein ordentlicher und aufrichtiger scharfer Typ. Wie viele davon mochte es auf der Welt wohl geben?

»Die Welt zu retten hat mich hungrig gemacht. Wie geht es dir?«

»Ich habe ja nicht die Welt gerettet«, erwiderte sie.

»Aber du hast es versucht.«

»Das war jetzt selbstgefällig. Du klebst ja förmlich vor Selbstgefälligkeit.«

»Dann gehe ich mich jetzt wohl besser waschen. Dank Penny Sawyer habe ich noch Spaghetti mit Hackbällchen.«

»Du hast es wirklich schön hier, Ford. Arbeit, die du liebst, und ein wundervolles Haus. Deinen hinreißenden Hund. Einen Freundeskreis, der bis zur Schulzeit zurückgeht. Eine Familie, die dir sogar Essen mitgibt. Es ist wirklich toll.«

»Ich beklage mich ja auch nicht. Cilla …«

»Nein, noch nicht.« Sie sah das Mitleid in seinen Augen. »Ich will jetzt noch nicht daran denken. Spaghetti und Hackklößchen sind bestimmt genau das Richtige.«

»Kalt oder aufgewärmt?«

»Also, wenn wir sie kalt essen können, müssen sie schon außergewöhnlich gut sein.«

Er stand auf und reichte ihr die Hand. »Komm mit«, sagte er und führte sie zur Küche. »Setz dich.« Er nahm die Schüssel aus dem Kühlschrank, zog den Deckel ab und nahm eine Gabel. »Du hast deine Portion schon gehabt«, sagte er zu Spock, der aufgeregt vor ihm hin und her tanzte. Er stellte die Schüssel auf die Theke und drehte Spaghetti um die Gabel. »Probier mal.«

Cilla öffnete den Mund und ließ sich füttern. »Oh. Okay, die schmecken echt gut. Wirklich. Gib mir die Gabel.«

Er reichte sie ihr lachend. Er gab Spock ebenfalls ein paar Nudeln in seinen Napf und schenkte Wein ein. Dann setzten sie sich an die Küchentheke, tranken Wein und aßen kalte Pasta direkt aus der Schüssel.

»Als ich ein Kind war, hatten wir eine Köchin aus Sizilien. Annamaria. Ich schwöre es, ihre Pasta war nicht so gut wie die hier. Was ist?«, fügte sie fragend hinzu, als Ford den Kopf schüttelte.

»Es kam mir nur gerade komisch vor, dass ich jemanden

kenne, der sagen kann: ›Als ich ein Kind war, hatten wir eine Köchin.‹

Cilla grinste. »Wir hatten auch einen Butler.«

»Hinaus mit dir.«

Sie zog die Augenbrauen hoch und spießte ein Hackbällchen auf. »Zwei Hausmädchen, einen Chauffeur, einen Gärtner, einen Untergärtner, den persönlichen Assistenten meiner Mutter, einen Pool-Boy. Und als meine Mutter entdeckte, dass der Pool-Boy, mit dem sie schlief, gleichzeitig auch mit einem der Hausmädchen schlief, feuerte sie beide. Es war ein großes Drama, und sie musste eine Woche nach Palm Springs, um sich davon zu erholen. Dort lernte sie Nummer drei kennen – ironischerweise am Pool. Ich bin mir ziemlich sicher, dass *er* es irgendwann auch mit dem Pool-Boy getrieben hat. Mit dem neuen Pool-Boy, der Raoul hieß.«

Er fuchtelte mit seiner Gabel herum. »Du bist in einer Soap Opera der achtziger Jahre aufgewachsen.«

Cilla überlegte. »Ja, so ungefähr. Aber auf jeden Fall ist deine Mutter Klassen besser als Annamaria.«

»Es wird sie freuen, wenn sie das hört. Aber im Ernst, wie war es denn so, mit Butler und Hauspersonal aufzuwachsen?«

»Voll. Und überhaupt nicht toll. Ich weiß, das klingt snobistisch«, fuhr sie fort, »und jede Frau, die Haushalt und Beruf unter einen Hut bringen muss, würde mich sicher gerne dafür beschimpfen, aber…« Sie zuckte mit den Schultern. »Immer ist jemand da, und du bist nie alleine. Du kannst dir vor dem Abendessen kein Plätzchen aus der Küche klauen. Obwohl, Plätzchen gab es sowieso nicht, weil die Kamera einem noch zusätzliche Pfunde verleiht. Wenn du dich mit deiner Mutter streitest, wissen alle im Haus, worum es geht. Schlimmer noch, irgendwann erzählt einer vom Personal der Presse alle Einzelheiten oder schreibt seine Erinnerungen, und dann kannst du alles noch mal nachlesen.

Alles in allem«, schloss sie, »esse ich lieber übrig gebliebene Spaghetti.«

»Aber, wenn ich mich recht erinnere, kannst du nicht kochen.«

»Ja, das ist das Problem.« Sie griff nach ihrem Weinglas. »Ich habe schon gedacht, ich frage Patty, ob sie mir ein paar Tipps geben kann. Ich hacke gerne.« Sie ließ zur Demonstration die flache Hand ein paar Mal niedersausen. »Du weißt schon, Gemüse, Salat. Ich bin ein guter Hacker.«

»Das ist doch schon mal was.«

»Genügsamkeit, das ist wichtig. Du hast sie.«

»Das stimmt, aber ich habe auch noch nie einen Butler gehabt. Zweimal die Woche kommt eine Putzfrau, und ich kenne jede Menge Take-aways. Außerdem habe ich eine Direktleitung zu Brian, Matt und Shanna, die gegen Bier bei kleineren Notfällen im Haushalt einspringen.«

»Gutes System.«

»Läuft wie geschmiert.« Er schob ihr eine Haarsträhne hinter die Ohren.

»Wenn und falls ich jemals etwas anderes kochen kann als gegrilltes Käse-Sandwich und Dosensuppe, habe ich ein weiteres Fernziel erreicht.«

»Was hast du sonst noch für Ziele?«

»Hochfliegende, persönliche Ziele? Ein Haus renovieren und es mit Gewinn verkaufen. Mein eigenes Geschäft haben und damit tatsächlich meinen Lebensunterhalt bestreiten. Dazu muss ich allerdings erst meine Handwerkslizenz bekommen, was bedeutet, dass ich die Prüfung bestehen muss. Und zwar in zwei Wochen, wenn ich …«

»Du musst eine Prüfung machen? Ich liebe Prüfungen.« Seine Augen leuchteten tatsächlich auf. »Brauchst du jemanden zum Abhören?«

Cilla hielt inne. Sie hatte langsam sowieso genug gegessen, fand sie. »Du liebst Prüfungen?«

»Ja. Es gibt Fragen und Antworten. Ja oder nein, multiple choice, Aufsatz. Das muss man doch einfach lieben. Möchtest du, dass ich dir dabei helfe?«

»Ich glaube eigentlich, dass ich keine Hilfe mehr brauche. Ich bereite mich schon seit einiger Zeit darauf vor. Ich glaube, Leute wie dich habe ich in meiner kurzen, unseligen College-Erfahrung getroffen. Du bist derjenige, der mir ständig den Weg versperrt hat, und deshalb bist du einer der Hauptgründe dafür, dass ich nach einem Semester aufgehört habe.«

»Du hättest Leute wie mich bitten sollen, dich abzuhören. Außerdem solltest du den Leuten meines Schlages dankbar sein, weil sie dich genau dahin befördert haben, wo du jetzt sein möchtest.«

»Hm.« Entschlossen schob sie ihm die Schüssel zu, damit sie nicht weiteraß. »Das ist sehr clever. Frühere Demütigung und Versagen führen zu Spaghetti und Hackbällchen, was Zufriedenheit hervorruft.«

»Oder, anders zusammengefasst, manchmal passiert Scheiße zu deinem Besten.«

»Das sollte man sich aufs Auto kleben. Ich muss mich bewegen.« Sie drückte eine Hand auf den Bauch und glitt vom Hocker. »Und ich werde meine Genügsamkeit und Dankbarkeit für meine aktuelle Zufriedenheit dadurch demonstrieren, dass ich den Abwasch mache, was bedeutet, dass ich auch das Frühstücksgeschirr spülen muss.«

»Wir waren ja auch mit anderen Dingen beschäftigt.«

»Das ist wohl wahr.«

Ford trank einen Schluck Wein und beobachtete sie. Aber dann reichte ihm das nicht mehr, und er stand auf. Er trat hinter sie und drehte sie zu sich um. Sie hielt gerade einen Holzlöffel in der Hand und lächelte ihn an. Er packte ihre Haare, und ihre Augen weiteten sich vor Überraschung. Der Holzlöffel fiel klappernd zu Boden, als er sie zu sich zog und leidenschaftlich küsste.

Lust stieg in ihm auf, und ungeduldig zerrte er an ihrem Hemd, an ihrem Höschen, während seine Lippen erneut ihren Mund suchten.

Ein Wirbelsturm voller Verlangen fegte über sie hinweg. Sie

war nackt, bevor sie Luft holen konnte, und ihr drehte sich der Kopf, als er sie hochhob, sie auf die Theke setzte und ihr die Beine auseinanderschob.

Und dann drang er in sie ein.

Seine Finger bohrten sich in ihre Hüften, als er voller Gier in sie hineinstieß. Und sie erwiderte sein Verlangen und schlang die Beine um seine Taille, damit er noch tiefer in sie eindringen konnte.

Das Blut pochte unter seiner Haut, in einem wilden Trommelwirbel. Er küsste und biss sie und erfüllte sie mit demselben verzweifelten Verlangen, das in ihm brannte.

Als er kam, zitterte er am ganzen Leib, und Cilla, die keuchend, in kurzen, harten Stößen atmete, ließ den Kopf auf seine Schulter sinken.

»Oh«, stieß sie hervor. »*Gott.*«

»Warte eine Minute. Ich helfe dir gleich herunter.«

»Lass dir Zeit, mir geht es gut, wo ich bin. Wo bin ich?«

Er lachte leise, den Mund an ihren Hals gedrückt. »Vielleicht war etwas in der Spaghetti-Sauce.«

»Dann müssen wir uns unbedingt das Rezept geben lassen.«

Er löste sich von ihr und blickte sie an. »Jetzt hätte ich gerne eine Kamera. Du bist die erste Frau, die jemals nackt auf meiner Küchentheke gesessen hat. Ich werde sie mit Acrylharz versiegeln lassen. Den Augenblick möchte ich zu gerne dokumentieren.«

»Keine Chance. Mein Vertrag sieht keine Nacktszenen vor.«

»Das ist eine Schande.« Er strich ihr die Haare zurück. »Vermutlich sollte ich dir nach diesem Zwischenspiel wenigstens beim Abwasch helfen.«

»Wenigstens. Gibst du mir bitte mein Hemd, ja?«

»Nein, ich habe deine Kleider konfisziert. Du musst nackt abwaschen.«

Sie legte den Kopf schräg und zog die Augenbrauen hoch.

Seufzend hob Ford ihr Hemd auf. »Es war einen Versuch wert.«

Er wachte in einem stillen Haus und einem leeren Bett auf. Verschlafen und verwirrt stand er auf, um nach ihr zu suchen. Ein Teil seines Hirns behielt sich das Recht vor, sauer zu sein, wenn sie hinübergegangen war, ohne ihm Bescheid zu sagen.

Seine Haustür stand offen, und er sah sie in einem der Stühle sitzen. Spock lag zu ihren Füßen. Als er die Gittertür aufstieß, roch er den Kaffee.

Sie blickte auf. »Morgen.«

»Solange es noch dunkel ist, ist es noch nicht Morgen.« Er setzte sich neben sie. »Gib mir mal einen Schluck.«

»Du solltest wieder ins Bett gehen.«

»Gibst du mir jetzt einen Schluck Kaffee, oder muss ich mir selber eine Tasse holen?«

Sie reichte ihm ihren Becher. »Ich muss entscheiden, was ich tun soll.«

»Um …« Er nahm ihr Handgelenk und drehte es so, dass er auf ihre Armbanduhr schauen konnte. »Um sechs Minuten nach fünf morgens?«

»Gestern habe ich mich nicht damit befasst, habe gar nicht daran gedacht. Nicht viel jedenfalls. Ich habe sogar mein Handy drüben gelassen, damit die Polizei mich nicht erreichen konnte. Und auch sonst konnte mich keiner anrufen. Ich habe mich einfach verkrochen.«

»Du hast eine Pause gemacht. Es gibt keinen Grund, warum du nicht noch ein bisschen länger warten solltest, bis du dir im Klaren über alles bist.«

»Es gibt reale, praktische Gründe, warum ich mir nicht mehr Zeit lassen kann. In zwei Stunden kommen die ersten Handwerker, wenn ich nicht allen absage. Wenn ich sie aber für ein paar Tage abbestelle, bringt das nicht nur meinen Terminplan durcheinander, sondern vor allem ihren und den ihrer Angestellten. Handwerker jonglieren immer mit ihren

Aufträgen, und wenn ich sie jetzt aus dem Rhythmus bringe, könnte ich wichtige Leute verlieren. Und wenn ich mich dafür entscheide aufzugeben, müsste ich es ihnen auch heute sagen.«

»Für die Umstände kannst du nichts, und niemand wird dir einen Vorwurf machen.«

»Nein, natürlich nicht. Aber es erzeugt auf jeden Fall einen Dominoeffekt. Außerdem muss ich mein Budget im Auge behalten, was auch in Gefahr ist. Ich bin zwar versichert, aber mit einem Eigenanteil, was ich auch ins Kalkül ziehen muss. Ich bin bereits am oberen Ende der Fahnenstange angekommen, aber das war ja meine Entscheidung, weil ich zusätzliche Veränderungen geplant habe.«

»Wenn du...«

»Nein«, unterbrach sie ihn. »Finanziell komme ich zurecht, und wenn ich es nicht alleine machen kann, kann ich es eben nicht. Wenn ich wirklich noch mehr Geld bräuchte, dann könnte ich immer noch ein paar Anrufe machen und als Synchronsprecherin arbeiten. Entscheidend ist, dass ich das Haus nicht einfach so halbfertig stehen lassen kann. Ich habe im März Schränke bestellt, und die Rechnung wird bei Lieferung fällig. Die Küchengeräte kommen auch in zwei Monaten. Und es gibt noch zahlreiche andere Details, die zu beachten sind. Es muss also fertig gemacht werden, das ist nicht wirklich die Frage. Die Frage ist, ob ich bleiben will. Kann ich das? Sollte ich es überhaupt?«

Er trank noch einen Schluck Kaffee. Ernste Gespräche, dachte er, erforderten ernste Aufmerksamkeit. »Was würdest du denn tun, wenn du dich entschließen würdest, es von jemand anderem fertigstellen zu lassen? Wenn du gehen würdest.«

»Es gibt viele Orte, wo ich hinkönnte. Ich könnte eine Nadel in eine Landkarte stecken und irgendeinen aussuchen. Geld verdienen könnte ich als Synchronsprecherin. Ich könnte mir auch ein anderes Haus suchen, das ich ausbauen könnte.

Ich könnte auch eine Hypothek aufnehmen, schließlich habe ich regelmäßige Einkünfte von *Our Family*. Oder wenn ich mir den Stress nicht machen will, könnte ich bei Steves New Yorker Firma anheuern.«

»Deine hochfliegenden persönlichen Pläne würdest du dann aufgeben.«

»Vielleicht würde ich sie nur verschieben. Das Problem ist…« Sie schwieg und trank einen Schluck von ihrem Kaffee, den er ihr reichte, »…ich liebe dieses Haus. Ich liebe, was es war und was ich daraus machen kann. Ich liebe diesen Ort und fühle mich wohl hier. Ich liebe, was ich sehe, wenn ich aus dem Fenster blicke oder aus meiner Tür trete. Und ich bin wütend, dass ich mich von der Gemeinheit einer einzelnen Person so beeinflussen lasse, dass ich überlege aufzugeben.«

Seine Anspannung löste sich ein wenig. »Es gefällt mir besser, wenn du wütend bist.«

»Mir auch, aber es ist schwer, es auf diesem Level zu halten. Der Teil von mir, der nicht wütend oder entmutigt ist, hat Angst.«

»Das liegt daran, dass du nicht dumm bist. Jemand versucht absichtlich, dich zu verletzen. Du musst Angst haben, bis du weißt, wer es ist und warum er es tut, damit du ihm Einhalt gebieten kannst.«

»Ich weiß aber nicht, wo ich anfangen soll.«

»Glaubst du immer noch, dass es der alte Hennessy ist?«

»Er ist auf jeden Fall der Einzige, den ich hier kenne, der ganz deutlich gemacht hat, dass er mich hasst. Wenn das hier ein Drehbuch wäre, dann würde es bedeuten, dass er nicht hinter alldem stecken könnte, weil es zu offensichtlich ist. Aber…«

»Wir gehen zu ihm und reden mit ihm.«

»Und was sollen wir sagen?«

»Es wird uns schon etwas einfallen, aber er wird auf jeden Fall erfahren, dass du hierbleibst und dir hier ein Zuhause schaffen willst und dass weder du noch das Haus für etwas verantwortlich ist, was vor über dreißig Jahren passiert ist. Und ich werde auch Kopien von den Briefen machen, die du gefunden hast. Ich werde sie mir noch einmal genauer anschauen, und du solltest das auch tun. Du solltest sie vielleicht auch der Polizei übergeben. Wenn es nämlich nicht Hennessy ist, muss es jemand sein, der etwas mit den Briefen zu tun hat. Vielleicht hat ja jemand Wind davon bekommen, dass du sie gefunden hast, und das wäre doch ein richtiger Skandal: Janet Hardys verheirateter Liebhaber entdeckt!«

Daran hatte sie auch schon gedacht. Aber… »Sie sind nicht unterschrieben.«

»Vielleicht gibt es ja irgendwelche Hinweise auf seine Identität. Vielleicht auch nicht, aber es ist fünfunddreißig Jahre her. Kannst du dich an alles erinnern, was du vor fünfunddreißig Jahren geschrieben hast?«

»Ich bin erst achtundzwanzig, aber ich verstehe, was du meinst.« Cilla blickte ihn nachdenklich an. »Du hast viel darüber nachgedacht.«

»Ja. Der Erste, der in deiner Scheune herumgewühlt hat, könnte natürlich jemand gewesen sein, der gehofft hat, Souvenirs von Janet Hardy zu finden. Das Haus hat jahrelang leer gestanden, und natürlich habe ich hier ab und zu Leute herumschnüffeln sehen. Aber die meisten Leute wussten ja gar nicht, ob im Haus überhaupt noch etwas zu holen war. Und wenn, dann hielten sie es für wertlosen Schrott von den Mietern. Aber dann kamst du.«

»Ich räume alles aus, lagere es in der Scheune, und es ist offensichtlich, dass ich die Sachen durchsehe und das herausnehme, was meiner Großmutter gehört hat.«

»Jemand wird neugierig, ein bisschen gierig. Möglich. Das zweite Mal, als Steve angegriffen wurde, könnte auch damit zu tun haben. Jemand stöbert herum, es kommt einer. Panik. Aber der Überfall hat natürlich nichts mehr mit einem harmlosen, ärgerlichen Übergriff zu tun. Und wenn jemand die Briefe sucht, dann kann man das als versuchten Totschlag, vielleicht sogar versuchten Mord werten.«

Cilla lief ein Schauer über den Rücken. »Jetzt kriege ich aber langsam richtig Angst.«

»Gut, weil du dann vorsichtiger bist. Dann deine Autotür. Das gilt ganz persönlich nur dir. Ebenso wie die Schmiererei auf der Mauer. Vielleicht sind es ja zwei verschiedene Personen.«

»Oh, das ist echt hilfreich. Zwei Personen, die mich hassen.«

»Wie gesagt, es ist möglich. Zuletzt schließlich die Zerstörung in deinem Haus. Es ist persönlicher, direkter und aggressiver. Als Erstes kaufst du dir heute eine Alarmanlage.«

»Ach ja?«

Er zuckte nicht mit der Wimper bei ihrem kühlen Tonfall. »Einer von uns wird sie kaufen. Da es dein Haus ist, gehe ich davon aus, dass du es lieber selber machen möchtest. Aber wenn du es heute nicht machst, dann mache ich es. Ich darf das jetzt, da du nackt auf meiner Küchentheke gesessen hast. Wenn du dir nicht die Mühe gemacht hast, das Kleingedruckte zu lesen, brauchst du mir jetzt auch nichts vorzujammern.«

Cilla schwieg einen Moment lang und kämpfte gegen den Drang an, sich aufzuregen. »Ich wollte mich sowieso entscheiden – bleiben oder gehen.«

»Gut. Und du hast für Ultimaten nichts übrig. Ich normalerweise auch nicht, aber in diesem speziellen Fall mache ich eine Ausnahme. Ich kann drüben im Haus mit dir schlafen, freue mich sogar darauf. Aber irgendwann muss man tatsächlich einmal schlafen, so wie es irgendwann unvermeidlich ist, dass das Haus einmal leer steht. Du musst dich sicher fühlen, und du musst deinen Besitz schützen.

Und, Cilla, gehen kommt nicht in Frage. Du hast dich schon entschieden zu bleiben.«

Es fiel ihr schwer, ruhig zu bleiben. »Du benimmst dich

zwar wie ein Macho, indem du mir einfach so ein Ultimatum stellst, aber so weit, dass du mir rätst, mich in Sicherheit zu bringen, während du den Drachen tötest, gehst du auch nicht.«

»Meine glänzende Rüstung wird gerade poliert. Und vielleicht liebe ich den Sex zu sehr, als dass ich dir empfehlen würde zu fliehen. Vielleicht möchte ich auch einfach nicht, dass du etwas aufgibst, was du liebst.«

Ja, er machte es ihr wirklich schwer. »Als ich hier heraus kam, sagte ich mir, es ist ja nur ein Haus. Ich habe viel von mir in andere Häuser gesteckt – das macht die Renovierungen so befriedigend –, und dann habe ich sie losgelassen. Es ist nur ein Haus, Holz, Glas, Rohre und Leitungen auf einem Stück Land.«

Er legte seine Hand über ihre, und seine Geste sagte ihr, dass er sie verstand. »Natürlich ist es nicht nur ein Haus, jedenfalls nicht für mich. Ich will es eigentlich nicht loslassen, Ford. Ich würde es ja nie zurückbekommen, würde nie zurückbekommen, was ich hier gefunden habe.«

Sie drehte ihre Hand so, dass sie ihre Finger mit seinen verschränken konnte. »Außerdem gefällt mir der Sex.«

»Das kann man nicht oft genug betonen.«

»Okay.« Sie holte tief Luft. »Ich muss mich fertig machen und loslegen.«

»Warte, ich ziehe mir rasch Schuhe an. Ich bringe dich nach Hause.«

Matt stand mitten im großen Badezimmer, die Hände in die Hüften gestemmt, das Gesicht grimmig verzogen. »Es tut mir schrecklich leid, Cilla. Ich weiß nicht, was in die Leute gefahren ist, ehrlich nicht. Wir werden diese Wand wieder aufbauen, machen Sie sich keine Sorgen. Und Stan wird wieder kommen und Ihnen die Fliesen neu legen. Einer meiner Männer kann die beschädigten Fliesen herausklopfen, aber den Glasblock überlassen wir besser Stan. Ich rufe ihn an.«

»Das ist lieb von Ihnen. Ich muss in den Ort fahren, um neue Fliesen und Glasbausteine zu kaufen und mich vor allem um eine Alarmanlage kümmern.«

»Das muss man sich mal vorstellen. Als ich ein Kind war, hat hier kein Mensch seine Tür abgeschlossen. Die Zeiten ändern sich. Eine Schande, wenn so etwas passiert. Sie haben gesagt, die haben eine Scheibe in der Hintertür eingeschlagen? Ich lasse Ihnen eine neue einsetzen.«

»Ich bestelle eine neue Tür und Sicherheitsschlösser für vorne und hinten. Im Moment tut es die Sperrholzplatte. Die Wand müssen Sie wohl einreißen. Die kann man nicht mehr reparieren.«

»Ja, gut. Cilla, wenn ich sonst noch irgendetwas für Sie tun kann, sagen Sie mir Bescheid. Ist das andere Badezimmer auch hier oben?«

»Ja. Das hat auch ziemlich gelitten.«

»Dann schauen wir es uns mal an.«

Sie sahen sich den Schaden an und besprachen die Reparaturarbeiten. Als sie ihre Listen verteilte, äußerten auch die anderen Handwerker ihr Mitgefühl, stellten Fragen, drückten ihren Abscheu aus. Als sie aufbrach, dröhnte ihr der Kopf.

Es war unvermeidlich, dass sie ihrem Berater im Fliesenzentrum alles erklärte, schließlich brauchte sie etliche Quadratmeter einer Fliese, die sie schon einmal gekauft hatte. All das verzögerte den Vorgang erheblich, aber es war wohl unvermeidlich, dachte Cilla. Selbst in L. A. hatte sie zu den Handwerkern und Verkäufern im Baumarkt eine Beziehung gehabt. Das war so in dieser Branche, und gute Beziehungen zahlten sich aus.

Genauso lief es im Sanitärgeschäft, wo sie ein neues Waschbecken und andere Dinge, die auf ihrer Liste standen, kaufte. Während sie auf den Verkäufer wartete, betrachtete sie die Armaturen. Chrom, Nickel, Messing, Kupfer. Gebürstet, seidenmatt, auf antik getrimmt. Einhebel-Armaturen. Knebel-Armaturen. Passende Handtuchhalter, Haken für Bademäntel.

All das zu betrachten und zu prüfen, machte ihr genauso viel Vergnügen, wie es andere Frauen wohl bei Tiffany's empfanden.

Kupfer. Vielleicht sollte sie sich bei dem Badezimmer neben ihrem Büro für Kupfer entscheiden. Mit einer Steinschale als Waschbecken und...«

»Cilla?«

Überrascht blickte sie auf. Tom Morrow und Buddy kamen auf sie zu. »Dachte ich mir doch, dass Sie das sind«, sagte Tom. »Kaufen Sie oder überlegen Sie noch?«

»Beides.«

»Ich auch. Ich muss eine Wohnung ausstatten. Normalerweise macht das meine Bad- und Küchendesignerin, aber sie ist im Mutterschaftsurlaub. Außerdem habe ich von Zeit zu Zeit ganz gerne selber die Finger darin. Sie wissen ja, wie das ist.«

»Ja.«

»Und meinen Berater habe ich mitgebracht«, erklärte er mit einem Augenzwinkern. »Buddy passt auf, dass ich das Richtige kaufe.«

»Sie haben auch schon öfter Fehler gemacht«, warf Buddy ein.

»Was Sie mich nie vergessen lassen. Ich habe gehört, dass es am Samstag schön war auf Ihrem Damenausflug?«

»Ja.«

»Cathy sagt immer, Einkaufen sei ihr Hobby. Ich habe mein Golfspiel, sie hat die Mall und die Outlets.«

»Ich kann mit beidem nichts anfangen.« Buddy schüttelte den Kopf. »Mir gefällt Angeln.«

»Entschuldigung.« Der Verkäufer trat zu Ihnen. »Wir haben alles auf Lager, Ms. McGowan. Sie können unser letztes freihängendes Waschbecken bekommen.«

»Wie freihängend?«, wollte Buddy wissen. »Im dritten Bad mache ich doch die Installationen für einen Standfuß.«

»Das ist ein Ersatzbecken. Das Becken, das Sie im Gästebad im ersten Stock installiert haben, wurde beschädigt.«

Wenn er ein Hahn gewesen wäre, dachte Cilla, wäre ihm sicher der Kamm geschwollen.

»Wie zum Teufel ist das denn passiert? Als ich es eingebaut habe, war noch alles in Ordnung.«

Okay, dachte Cilla, noch einmal. »Am Samstag ist bei mir eingebrochen worden. Es wurde einiges verwüstet.«

»Mein Gott! Wurden Sie verletzt?«, fragte Tom.

»Nein, ich war ja nicht zu Hause. Ich war mit Ihrer Frau und Patty und Angie unterwegs.«

»Die Einbrecher haben ein Waschbecken zerschlagen?« Buddy zog seine Kappe ab und kratzte sich den Kopf. »Warum das denn?«

»Keine Ahnung. Aber beide Bäder im ersten Stock sind zerstört worden. Wie es aussieht, haben sie meinen Vorschlaghammer und meine Hacke benutzt und damit die Fliesen, eine Wand, das Waschbecken und den Glasblock zerschlagen.«

»Das ist schrecklich. So etwas passiert normalerweise hier nicht. Die Polizei…«

»Sie tun, was sie können«, sagte Cilla zu Tom. »Das haben sie mir jedenfalls gesagt.« Da sie wollte, dass alle davon erfuhren, fügte sie hinzu: »Ich lasse eine Alarmanlage installieren.«

»Das kann ich Ihnen nicht verübeln. Es tut mir so leid, Cilla.«

»Ich hätte was dagegen, wenn meine Tochter so einsam da draußen wohnt.« Buddy zuckte mit den Schultern. »Ich meine ja nur. Nach dem, was mit Steve passiert ist.«

»Schlimme Dinge passieren überall. Ich muss jetzt weiter. Viel Glück bei Ihrem Einkauf.«

»Cilla, wenn Cathy oder ich etwas tun können, rufen Sie einfach an. Der Ort hier wird langsam größer, aber das heißt noch lange nicht, dass wir uns nicht umeinander kümmern.«

»Danke.«

Es wärmte ihr das Herz, und das Gefühl der Wärme hielt noch an, als sie alles eingekauft hatte und nach Hause fuhr.

18

Cilla gönnte sich das Vergnügen, die alten, wettergegerbten Türen mit der abgeblätterten Farbe selbst auszubauen und durch die neuen zu ersetzen. Die alten Türen behielt sie jedoch und lagerte sie in der Scheune.

Man wusste schließlich nie, wann man eine alte Tür noch einmal brauchen konnte.

Sie hatte sich für Mahagoni entschieden, elegant und einfach. Die Glasscheiben in der Eingangstür ließen Licht herein und wahrten trotzdem die Privatsphäre.

Passt perfekt, dachte sie zufrieden, nachdem ihr einer der Arbeiter geholfen hatte, die Tür einzuhängen. Wie die Faust aufs Auge. Als der Mann gegangen war, strich sie mit den Händen über das Holz und schnurrte: »Hallo, meine Schöne. Jetzt gehörst du mir!« Leise summend brachte sie das Schloss an.

Sie hatte sich für die geölte Bronze entschieden, die sie auch in anderen Bereichen des Hauses eingesetzt hatte, und während sie das Schloss einbaute, dachte sie, dass sie auch hier die perfekte Wahl getroffen hatte. Der dunkle Bronzeton hob sich schön von dem rötlichen Mahagoni ab.

»Das ist aber eine schöne Tür.«

Cilla blickte über die Schulter. Ihr Vater stieg gerade aus dem Auto. Sie war so daran gewöhnt, ihn im Anzug zu sehen, dass es eine Minute dauerte, ehe sie ihn in Jeans, T-Shirt und Kappe erkannte.

»Es muss ja auch von der Straße her gut aussehen«, rief sie.

»Das ist dir mit Sicherheit gelungen.« Er blieb stehen und blickte über den Rasen. Er war frisch gemäht, und die Stellen, an denen nachgesät worden war, bedeckte eine dünne Strohschicht. Rhododendren und Azaleen waren gepflanzt worden, Hortensien und schlanker, roter Ahorn, dessen Blätter in der Sonne leuchteten.

»Es bleibt immer noch genug zu tun. Blumen setze ich erst nächstes Frühjahr in die Beete, von ein paar Herbstblühern vielleicht abgesehen. Aber es wird schon alles.«

»Bis jetzt hast du großartige Arbeit geleistet.« Er trat zu ihr auf die Veranda, und der Duft von *Irish Spring* stieg ihr in die Nase. Er betrachtete die Tür und das Schloss. »Das sieht sehr solide aus. Was ist mit der Alarmanlage? Gerüchte verbreiten sich hier schnell«, fügte er hinzu, als sie die Augenbrauen hochzog.

»Ja, das hatte ich auch gehofft, weil sie vielleicht genauso abschreckend wirken wie die Alarmanlage. Ich habe sie übrigens gestern einbauen lassen.«

Er blickte sie aus seinen haselnussbraunen Augen ernst an. »Ich wünschte, du hättest mich angerufen, Cilla, wegen des Einbruchs.«

»Du hättest ja auch nichts tun können. Warte mal gerade, ich bin fast fertig.« Sie drehte die letzten Schrauben fest, legte den Akku-Schraubenzieher beiseite und trat einen Schritt zurück, um das Ergebnis zu bewundern. »Ja, es sieht gut aus. Ich hätte mich fast für eine Griffplatte entschieden, fand aber dann, es sieht zu schwer aus. Das hier ist besser.« Sie öffnete und schloss die Tür ein paar Mal. »Gut. Die gleiche Tür habe ich für hinten gekauft, habe aber dann beschlossen, einen Vorraum anzubauen… Entschuldigung. Das interessiert dich sicher nicht.«

»Doch, natürlich. Ich bin an allem interessiert, was du machst.«

Ein bisschen überrascht von seinem verletzten Tonfall wandte sie sich ihm zu. »Ich meinte ja nur die üblichen Details – Knauf oder Türgriff und so. Möchtest du hereinkommen?« Sie öffnete die Tür. »Es ist zwar laut, aber kühler.«

»Cilla, was kann ich tun?«

»Ich... Hör mal, es tut mir leid.« Gott, sie war so schlecht in solchen Vater-Tochter-Geschichten. »Ich wollte damit nicht andeuten, dass es dir gleichgültig ist, was ich mache.«

»Cilla.« Gavin schloss die Tür wieder, um den Lärm von innen abzublocken. »Wie kann ich dir helfen?«

Schuldbewusstsein stieg in ihr auf und leise Panik. Sie konnte keinen klaren Gedanken mehr fassen. »Wobei?«

Er stieß einen lauten Seufzer aus und steckte die Hände in die Taschen. »Ich bin ja kein Heimwerker, aber einen Nagel einschlagen oder etwas zusammenschrauben kann ich schon. Ich kann anpacken und Sachen tragen. Ich kann Eistee machen oder Sandwiches besorgen. Ich kann einen Besen benutzen.«

»Du... du willst hier im Haus mitarbeiten?«

»Den Sommer über ist keine Schule, und ich habe keine Sommerklassen übernommen. Ich habe Zeit, und ich möchte dir gerne helfen.«

»Und warum?«

»Ich weiß, dass du Leute engagiert hast, die etwas davon verstehen und die dafür bezahlt werden. Aber ich habe noch nie etwas für dich getan. Ich habe den Unterhalt bezahlt, der vom Gericht festgesetzt worden ist. Ich hoffe allerdings, du weißt, dass ich ihn auch freiwillig gezahlt hätte. Aber ich habe dir nicht Fahrrad fahren oder Auto fahren beigebracht. Ich habe dir nie an Weihnachten oder an deinem Geburtstag geholfen, Spielzeug zusammenzubauen – oder die wenigen Male, als ich es gemacht habe, warst du wahrscheinlich noch viel zu klein, um dich daran zu erinnern. Ich habe dir nie bei den Hausaufgaben geholfen oder habe wach im Bett gelegen, bis du von einer Verabredung nach Hause gekommen bist, damit ich endlich schlafen konnte. Ich habe all diese Dinge nicht für dich getan. Deshalb möchte ich jetzt etwas für dich tun. Etwas Greifbares, wenn du mich lässt.«

Ihr Herz flatterte, eine seltsame Mischung aus Freude und Kummer. Offenbar war es schrecklich wichtig, dass sie jetzt das Richtige sagte. »Äh. Hast du jemals angestrichen?«

Seine Anspannung wich einem erfreuten Lächeln. »Zufällig bin ich ein hervorragender Anstreicher. Möchtest du Referenzen?«

Cilla erwiderte sein Lächeln. »Du bekommst einen Probeauftrag. Komm mit.«

Sie führte ihn zum Wohnzimmer. Eigentlich brauchte dieser Bereich noch nicht gestrichen zu werden, aber es sprach auch nichts dagegen. »Es ist verputzt, und ich habe die Zierleisten entfernt. Sie mussten zum Teil herunter. Auf jeden Fall brauchst du nichts abzukleben. Ach so, und auf die Steine am Kamin brauchst du auch nicht zu achten, ich mache Granitplatten drum herum. Oder Marmor. Hier in diesem Bereich wird im Moment nicht gearbeitet, deshalb bist du keinem im Weg, und auch dich stört niemand. Den Fußboden und das Material, das hier lagert, können wir mit Tüchern abdecken.«

Sie stemmte die Fäuste in die Hüften. »Trittleiter, Eimer, Rollen und Pinsel findest du dort drüben. Grundierung ist in diesen 45-Liter-Eimern, es steht drauf. Die Farbe für den Wohnraum ist mit WR markiert. Bei Duron war Ausverkauf, deshalb habe ich sie im Voraus gekauft. Du bist sowieso erst mal mit der Grundierung beschäftigt.«

Sie ging im Geiste ihre Checkliste durch. »Soll ich dir helfen, alles aufzubauen?«

»Nein, ich komme schon klar.«

»Gut. Hör zu, es ist viel Arbeit, also mach Pause, wenn du müde wirst. Wenn du etwas brauchst – ich arbeite an der Hintertür.«

»Lass dich nicht abhalten. Ich schaffe das schon.«

»Okay. Äh… wenn ich mit der Küchentür fertig bin, komme ich wieder und schaue es mir an.«

Sie unterbrach die Arbeit an der neuen Tür zweimal – einmal, weil sie sich so über ihre neue Außentreppe freute, dass sie sie ausprobieren musste. Die Stufen mussten noch abgeschliffen und versiegelt werden, und die Türöffnung zu ihrem Büro blieb noch mit einer Spanplatte vernagelt, bis sie *diese* Tür eingebaut hatte. Aber die Treppe selber fand sie so wunderbar, dass sie unter den Pfiffen und dem Beifall der Handwerker einen kleinen spontanen Tanz auf den Stufen hinlegte.

Drei Stunden lang dachte sie überhaupt nicht an ihren Vater, und als er ihr wieder einfiel, lief sie schuldbewusst ins Wohnzimmer. Halb erwartete sie, die Amateur-Arbeit eines Freizeit-Heimwerkers vorzufinden. Stattdessen sah sie auf einen professionell abgedeckten Bereich, eine grundierte Decke und zwei grundierte Wände.

Und ihr Vater pfiff ein fröhliches Liedchen, während er mit der Rolle Grundierung auf der dritten Wand auftrug.

»Du bist engagiert«, sagte sie von hinten.

Er senkte die Rolle und drehte sich schmunzelnd um. »Ich arbeite nur, wenn ich noch Limonade kriege.« Er nahm ein großes Glas. »Ich habe es mir aus der Küche geholt. Und dabei habe ich deine Tanzeinlage gesehen.«

»Was?«

»Deine Ginger-Rogers-Nummer auf der Treppe draußen. Du hast so glücklich ausgesehen.«

»Das bin ich auch. Die Treppe wurde von Cilla McGowan und Matt Brewster gebaut.«

»Ich hatte ganz vergessen, dass du so tanzen kannst. Ich habe dich nicht tanzen sehen, seit… Du warst noch ein Teenager, als ich auf deinem Konzert in D. C. war. Ich weiß noch, wie ich vor deinem Auftritt hinter die Bühne gekommen bin. Du warst weiß wie die Wand.«

»Lampenfieber. Ich hasste diese Konzertauftritte. Ich hasste es überhaupt aufzutreten.«

»Aber gerade hast du es getan.«

»Nein, es gibt einen Unterschied zwischen Auftreten und Spielerei. Das hier war Spielerei. Aber bei dir ist das offensichtlich nicht der Fall. Wirklich gute Arbeit. Und du?« Sie trat näher – er roch immer noch nach Seife. »Du hast kaum einen Farbspritzer an dir.«

»Jahrelange Erfahrung. Wir haben an der Schule Kulissen gemalt, und Patty hat ständig das Haus umdekoriert. Es sieht so anders hier aus«, fügte er hinzu. »Der breitere Durchgang verändert die Form des Raums und macht ihn offener.«

»Findest du es zu anders?«

»Nein, Liebes. Häuser müssen sich verändern, um die Menschen widerzuspiegeln, die in ihnen leben. Und ich glaube, du verstehst, was ich meine, wenn ich sage, dass sie noch hier ist. Janet ist immer noch hier.« Er streckte die Hand aus und legte sie auf ihre Schulter. »Ebenso wie meine Großeltern und mein Vater. Sogar ein bisschen von mir. Ich sehe hier eine Wiederbelebung.«

»Willst du mal sehen, wohin die Treppe führt? Mein Dachgeschoss?«

»Ja, gerne.«

Es machte ihr Spaß, ihn herumzuführen, sein Interesse an ihrem Entwurf und ihren Plänen für ihr Büro zu spüren. Und es überraschte sie, dass seine Billigung sie so befriedigte.

»Dann willst du also weiter mit Häusern arbeiten«, sagte er, als sie die unfertige Treppe vom Speicher wieder heruntergingen.

»Ja, das habe ich vor. Entweder renoviere ich für mich, um es dann später zu verkaufen, oder aber für Kunden. Vielleicht berate ich auch ein bisschen. Es hängt alles von meiner Handwerkslizenz ab. Ich kann zwar auch ohne Lizenz arbeiten, aber mit darf ich mehr.«

»Und meinst du, du bekommst die Lizenz?«

»Morgen ist die Prüfung.« Sie hielt beide Hände hoch und kreuzte die Finger.

»Morgen? Warum lernst du nicht?, fragt der Lehrer.«

»Glaub mir, ich habe genug gelernt. Mir hat der Kopf geraucht, als ich den Online-Test durchgearbeitet habe. Zweimal«, fügte sie hinzu.« Sie blieb am Gästebad stehen. »Dieser Raum ist fertig – zum zweiten Mal.«

»War das das Bad, das zerstört wurde?«

»Ja. Aber jetzt merkt man es nicht mehr«, sagte sie und fuhr mit der Hand über die neu verlegten Fliesen. »Und das alleine zählt.«

»Was zählt ist, dass du nicht verletzt worden bist. Wenn ich daran denke, was mit Steve passiert ist…«

»Ihm geht es gut. Ich habe gestern mit ihm gesprochen. Die Physiotherapie tut ihm gut, was wahrscheinlich vor allem daran liegt, dass der Physiotherapeut eine Frau ist. Hältst du es für möglich, dass es Hennessy war?«, fragte sie aus einem Impuls heraus. »Ist er dazu fähig, körperlich und charakterlich?«

»Eigentlich gehe ich nicht davon aus, aber Tatsache ist, dass er nie aufgehört hat zu hassen.« Gavin stieß einen Seufzer aus. »Ich meine, er ist heute noch mehr von Hass erfüllt als damals, als es passierte. Und ob er körperlich dazu in der Lage ist? Na ja, er ist ein zäher alter Bursche.«

»Ich möchte mit ihm sprechen, um ein Gefühl dafür zu bekommen. Ich weiß nur noch nicht, wie ich es anfangen soll. Und falls er es gewesen sein sollte, kann es ihn natürlich noch wütender machen. Ich hatte jetzt fast zwei Wochen lang keine Probleme, und eigentlich möchte ich gerne, dass es so bleibt.«

»Er ist ein paar Tage lang nicht in der Stadt. Er und seine Frau besuchen ihre Schwester, ich glaube, oben in der Stadt. Der Sohn meiner Nachbarn mäht bei ihnen Rasen«, erklärte Gavin.

Wie praktisch, dachte sie, als ihr Vater sich wieder an die Arbeit machte.

Und da der Wohnbereich gestrichen wurde, beschloss sie,

draußen aufzuhören und sich um die Fußleisten zu kümmern.

Am nächsten Morgen stellte Cilla fest, dass es dumm und kurzsichtig von ihr gewesen war, Ford am Abend zuvor aus dem Haus zu verbannen. Sie wollte nicht abgelenkt werden, während sie sich die Prüfungsunterlagen noch einmal anschaute, und hatte eigentlich vorgehabt, früh zu Bett zu gehen und acht Stunden am Stück zu schlafen.

Stattdessen war sie ruhelos durchs Haus gelaufen und hatte an die Prüfung gedacht. Als sie schließlich eingeschlafen war, hatten Angstträume sie gequält.

Am Morgen wachte sie völlig verkrampft und angespannt auf. Vor lauter Aufregung war ihr übel. Sie zwang sich, ein halbes Bagel zu essen, aber es lag ihr so schwer im Magen, dass ihr lieber gewesen wäre, sie hätte es nicht gegessen.

Dreimal überprüfte sie den Inhalt ihrer Tasche, um absolut sicherzugehen, dass sie alles eingesteckt hatte, was sie brauchte, dann verließ sie eine halbe Stunde zu früh das Haus, falls sie in einen Stau geraten oder sich verfahren sollte.

»Ruhig, ruhig«, mahnte sie sich, als sie zu ihrem Pickup ging. Schließlich hing ja nicht das Schicksal der gesamten Welt von ihrem Prüfungsergebnis ab.

Nur ihres, dachte sie. Nur ihre gesamte Zukunft.

Sie konnte warten. Sie konnte auch noch später in die Prüfung gehen. Wenn sie mit dem Haus fertig war. Wenn sie sich eingelebt hatte. Wenn ...

Lampenfieber, dachte sie seufzend. Angst zu versagen. Ihr zog sich der Magen zusammen, als sie die Trucktür öffnete.

Und dann musste sie doch lachen.

Die Zeichnung lag auf dem Sitz. Ford hatte sie wahrscheinlich am Abend zuvor dort hingelegt.

Sie stand in Arbeitsstiefeln da, einen Werkzeuggürtel um die Taille geschlungen wie ein Holster. In der einen Hand hielt sie eine Nagelpistole, in der anderen ein Maßband. Um sie herum waren Holzstapel, Kabelschlangen, Ziegelsteine. An einem Band um ihren Hals hing eine Sicherheitsbrille, und aus der Tasche ihrer Latzhose lugten Arbeitshandschuhe. Ihr Gesicht wirkte entschlossen, beinahe arrogant.

Unter dem Bild stand:

DAS GROSSARTIGE, UNGLAUBLICHE HANDWERKSMÄDCHEN

»Du kennst auch alle Tricks, was?«, sagte sie laut.

Sie blickte über die Straße und blies einen Kuss in seine Richtung. Wahrscheinlich schlief er noch. Als sie in ihren Wagen stieg und den Motor anließ, hatten sich sämtliche Knoten in ihrem Magen gelöst.

Die Zeichnung lag auf dem Beifahrersitz, und Cilla drehte die Musik laut und fuhr singend ihrer Zukunft entgegen.

Ford richtete sich mit seinem Laptop, seinem Zeichenblock, einem Krug Eistee und einer Tüte Doritos, die er mit Spock teilte, auf der vorderen Veranda ein. Er wusste nicht genau, wann Cilla zurückkommen würde. Die Strecke von und nach Richmond war nicht ganz unproblematisch, selbst außerhalb der Rushhour. Außerdem wusste er nicht, wie lange die Prüfung dauerte, und was sie danach noch vorhatte, um sich zu entspannen.

Deshalb platzierte er sich ab zwei Uhr nachmittags so, dass er ihre Rückkehr nicht verfehlen konnte, und arbeitete. Er beantwortete E-Mails und schaute bei den Blogs und Chatrooms hinein, die er für gewöhnliche frequentierte. Außerdem brachte er seine Website auf den neuesten Stand.

Da er in den letzten ein, zwei Wochen so sehr mit der schlanken Blondine beschäftigt gewesen war, hatte er seine Internetcommunity ein wenig vernachlässigt, und so war er jetzt erst einmal gute zwei Stunden damit beschäftigt, bis ihm auffiel, dass zumindest ein Teil der Handwerker gegenüber Feierabend machten.

Matt bog auf die Straße, hielt vor Fords Haus an und

beugte sich aus dem Fenster. »Na, schaust du dir die Pornoseiten an?«

»Tag und Nacht. Wie läuft es drüben?«

»Es geht voran. Heute haben wir den Speicher isoliert. Ein Scheißjob. Ja, hey, Spock, wie geht's?«, fügte er hinzu, als der Hund ein tiefes, kurzes Bellen von sich gab. »Ich fahre jetzt nach Hause und genehmige mir ein kaltes Bier. Kommst du eigentlich am Vierten zu Burgers und Hot Dogs vorbei?«

»Das möchte ich um nichts in der Welt verpassen. Ich bringe deinen Boss mit.«

»Das habe ich mir schon gedacht. Ich weiß zwar nicht, was sie an dir findet, aber ich schätze, es hat was damit zu tun, dass ich verheiratet bin.«

»Ja, bestimmt. Irgendwo musste sie ihre sexuelle Frustration ja ausleben.«

»Du kannst dich später bei mir bedanken.« Grinsend und hupend fuhr Matt davon.

Ford schenkte sich noch ein Glas Eistee ein und nahm seinen Zeichenblock zur Hand. Mit seinem Bild des Bösewichts war er bisher noch nicht zufrieden. Er hatte große Ähnlichkeit mit seinem Mathelehrer aus der zehnten Klasse, aber die Geschichte hatte eine Wendung genommen, die eigentlich nach etwas… Eleganterem verlangte. Er brauchte einen kalten, würdevollen Bösen. Er spielte mit verschiedenen Gesichtstypen herum, in der Hoffnung, dass eins heraustreten würde.

Als jedoch nichts passierte, überlegte er, ob er sich auch ein kaltes Bier genehmigen sollte. Aber dann vergaß er Arbeit und Bier, weil Cillas Wagen in die Einfahrt bog.

Er wusste es, noch bevor sie ausgestiegen war. Dabei spielte es keine Rolle, dass sie die Sonnenbrille aufgesetzt hatte. Ihr Grinsen sagte alles. Er eilte sofort hin, einige Schritte hinter einem glücklichen Spock, und sie warf sich in seine Arme.

»Ich rate jetzt mal: Du hast bestanden.«

»Mit *Glanz und Gloria!*« Lachend bog sie sich zurück, so dass er sie festhalten musste. »Zum ersten Mal in meinem Leben habe ich eine Prüfung mit Bravour bestanden. Und zwar in jeder Hinsicht! Puh!«

Sie schlang ihm die Arme um den Hals. »Ich bin ein Handwerksmädchen! Dank dir!« Sie küsste ihn. »Danke. Danke. Ich war ein zitterndes Nervenbündel, bis ich deine Zeichnung gesehen habe. Sie hat mir solchen Auftrieb gegeben, wirklich!« Sie küsste ihn noch einmal. »Ich werde sie einrahmen. Es wird das Erste sein, was ich in meinem Büro aufhänge. In meinem lizenzierten Handwerksbüro!«

»Herzlichen Glückwunsch.« Er hatte geglaubt zu wissen, wie viel ihr die Lizenz bedeutete, aber jetzt merkte er, dass er es nicht einmal annähernd geahnt hatte. »Das müssen wir feiern.«

»Ja, ich habe schon eingekauft.« Sie zog den entzückten Spock in die Arme und bedeckte seinen großen Kopf mit Küssen. Dann ließ sie ihn los und rannte nach hinten zu ihrem Pickup. »Baguette, Kaviar, ein gebratenes Hühnchen mit Beilagen, jede Menge Zeug und kleine Erdbeerkuchen und Champagner. Es ist alles auf Eis.«

Sie begann, eine Kühltasche aus dem Wagen zu zerren, aber Ford schob sie beiseite.

»Gott, der Verkehr war die Hölle. Ich dachte schon, ich komme nie mehr hier an. Komm, wir machen ein Picknick. Wir machen hinten ein Feier-Picknick und tanzen nackt auf dem Rasen.«

Das *Zeug*, das sie gekauft hatte, wog gute fünfzig Pfund, dachte er, aber zu sehen, wie sie strahlte, ließ ihn das Gewicht vergessen. »Als ob du meine Gedanken gelesen hättest.«

Er breitete eine Decke auf dem Rasen aus und steckte drei Bambusfackeln in den Boden, um die richtige Atmosphäre zu schaffen und Insekten fernzuhalten. Cillas Einkäufe nahmen die Hälfte der Decke ein.

Spock und sein zerkauter Bär mussten sich mit einem alten Handtuch und einer Schüssel Hundefutter begnügen.

»Kaviar, Ziegenkäse, Champagner.« Ford setzte sich auf die Decke. »Bei meinen Picknicks gibt es immer nur Hühnchen, Kartoffelsalat und Bier.«

»Man merkt mir Hollywood eben immer noch an.« Sie stellte ein paar Köstlichkeiten auf einem Teller zusammen.

»Was ist das?«

»Das sind Blinis, für den Kaviar. Ein Klecks Crème fraîche, ein bisschen Beluga und… Hast du das noch nie gegessen?«, fragte sie, als sie seinen Gesichtsausdruck sah.

»Nein.«

»Du hast Angst davor?«

»Angst ist ein starkes Wort. Ich habe Bedenken. Kommt Kaviar nicht direkt von…«

»Denk nicht darüber nach, iss es einfach.« Sie hielt ihm das Blini vor den Mund. »Mach den Mund auf, du Feigling.«

Er zuckte zwar ein wenig zusammen, biss aber tapfer hinein. Eine Kombination von verschiedenen Geschmacksrichtungen – salzig, cremig, leicht süß – traf seine Geschmacksknospen. »Okay, besser als ich erwartet habe. Was ist mit dir?«

Lachend belegte sie sich ebenfalls eins.

»Und wie willst du dein Geschäft jetzt einrichten?«, fragte er kauend.

»Mmm.« Sie spülte den Kaviar mit Champagner hinunter. »Die kleine Farm ist mein Sprungbrett. Sie wird beachtet, und je besser mir die Renovierung hier gelingt, desto größer ist die Chance, dass die Leute sehen, wie viel ich von meiner Arbeit verstehe. Die Handwerker, die ich engagiert habe, werden ebenfalls darüber reden. Ich werde auf Mundpropaganda bauen, muss aber auch Werbung machen und Anzeigen schalten, um bekannt zu machen, dass ich ein Geschäft habe. Und ich muss Verbindungen nutzen, über Brian zu Brians Vater zum Beispiel. Gott, das Hühnchen schmeckt toll. Im Umkreis von zwanzig Kilometern gibt es zwei Häuser zu verkaufen, ernsthafte Kandidaten für die Renovierung, wenn auch ein bisschen teuer für die Gegend und ihren Zustand. Aber ich behalte sie im Auge. Vielleicht mache ich auch auf eins ein niedriges Angebot und schaue mal, wo es hingeht.«

»Bevor du hier fertig bist?«

»Ja. Du musst ja bedenken, dass es bis zum Notartermin noch einmal dreißig bis neunzig Tage dauern würde, selbst wenn ich mit dem Verkäufer sofort einig würde. Dadurch wird es unter Umständen Herbst, bevor ich Geld hinlegen muss. Und ich habe noch sieben, acht Monate Zeit, mich um die kleine Farm zu kümmern. Dann kann ich mich da an die Arbeit machen, habe auch die Handwerker wieder frei dafür. Das Haus würde dann in etwa drei Monaten renoviert, was den Preis realistisch hält.«

Sie belud ein weiteres Blini für sie. »Gier und Unkenntnis des Marktes können den Profit genauso schmälern, wie wenn man zu spät herausfindet, dass das Fundament marode ist oder das Haus über einer Grube sitzt.«

»Was schätzt du, wie viel du daran verdienen könntest?«

»Bei dem Haus, das ich mir angeschaut habe? Wenn ich es zu dem Preis bekäme, den ich zahlen will, und wenn ich das Budget einhalten kann, das ich mir vorstelle, und es zu einem guten Preis verkaufen kann?« Sie biss in ein Blini, während sie rechnete. »Nach Abzug aller Kosten würde ich versuchen, etwa vierzigtausend herauszubekommen.«

Seine Augenbrauen gingen hoch. »Vierzigtausend in drei Monaten?«

»Lieber wären mir natürlich fünfundvierzigtausend, aber fünfunddreißigtausend würden schon reichen.«

»Nett.« Was das Hühnchen anging, hatte sie auch recht. »Und wenn ich das andere kaufen würde? Und dich engagieren würde?«

»Na ja, du liebe Güte, Ford, du hast es ja noch nicht einmal gesehen.«

»Aber du. Und du weißt, was du tust – jedenfalls bei Häusern und Picknicks. Ich könnte etwas Geld investieren, und eine solche Investition macht auch noch Spaß. Außerdem könnte ich dadurch dein erster Kunde sein.«

»Du musst dir zumindest das Haus anschauen, kalkulieren, wie viel du investieren willst und wie lange du das Geld entbehren kannst.« Sie hob ihr Champagnerglas. »Und wie viel Verlust du dir leisten kannst, denn der Immobilienmarkt ist riskant.«

»Der Aktienmarkt auch. Wirst du mit zwei Häusern gleichzeitig fertig?«

Sie trank einen Schluck. »Ja, klar, aber ...«

»Lass es uns einmal versuchen. Mach mir einen Vorschlag, wann wir uns mal hinsetzen und alles durchsprechen können, und dann reden wir über das Potential, die Möglichkeiten, dein Honorar und andere praktische Themen.«

»Okay, okay. Aber wir müssen uns einig darüber sein, dass es auch in Ordnung ist, wenn du ablehnst, nachdem du das Haus gesehen hast, und mir erklärst, dass du dir lieber Lotterielose kaufst als diesen Schrotthaufen.«

»Ja, einverstanden. Nachdem wir jetzt das Geschäftliche abgeklärt haben ...« Er beugte sich vor und küsste sie. »Hast du irgendwelche Pläne für den Vierten?«

»Den Vierten was? Blini?«

»Nein, Cilla. Den vierten Juli. Du weißt schon, Hot Dogs, Apfelkuchen, Feuerwerk.«

»Oh. Nein.« Ach, du lieber Gott, dachte sie, es war schon fast Juli. »Wo guckt man sich denn hier in der Gegend das Feuerwerk an?«

»Es gibt mehrere Möglichkeiten. Aber wir sind hier in Virginia, deshalb veranstalten wir unser eigenes.«

»Ja, ich habe die Schilder gesehen. Ihr seid alle verrückt.«

»Das mag sein. Auf jeden Fall will Matt im Garten grillen, und sein Haus ist nur ein paar Schritte von dem Park entfernt, wo die Veteranen-Kapelle Marschmusik spielt und der weltberühmte Wettbewerb im Kuchenessen stattfindet, den Big John Porter vier Jahre hintereinander gewonnen hat. Anschließend findet das Feuerwerk statt. Willst du mit mir dort hingehen?«

»Ja, gerne.« Sie schlang ihm die Arme um den Hals. »Ford?«

»Ja?«

»Wenn ich noch einen einzigen Bissen esse, wird mir schlecht.« Sie sprang auf und nahm seine Hände. »Komm, lass uns tanzen.«

»Also, ich hatte ja eigentlich eher vor, hier liegen zu bleiben wie ein geschlagener römischer Legionär und dir beim Tanzen zuzuschauen.«

»Nein, das tust du nicht. Auf, auf!«

»Es gibt nur ein Problem. Ich kann nicht tanzen.«

»Jeder kann tanzen. Sogar Spock.«

»Aber ich nicht. Hast du jemals *Seinfeld* gesehen? Die Fernsehsendung?«

»Ja, natürlich.«

»Hast du die Folge gesehen, wo Elaine auf seiner Büroparty ist und anfängt zu tanzen, um die Leute ebenfalls zum Tanzen zu animieren?«

»Ach, ja.« Die Szene stand ihr vor Augen, und sie musste lachen. »Das war übel.«

»Gegen mich sieht Elaine aus wie Jennifer Lopez.«

»So schlecht kannst du doch gar nicht sein. Ich weigere mich, das zu glauben. Na los, zeig es mir!«

Ford verzog schmerzerfüllt das Gesicht. »Wenn ich es dir zeige, willst du nie wieder mit mir schlafen.«

»Absolut falsch. Zeig mir, wie du dich bewegst, Sawyer.«

Schwer seufzend erhob er sich.

»Nur ein kleiner Boogie«, schlug sie vor. Sie bewegte die Hüften, die Schultern und die Füße.

»Du willst es nicht anders«, murmelte er.

Er begann sich zu bewegen, und sie hätte schwören können, dass sie das Quietschen und Ächzen von rostigen Zahnrädern hörte. Er sah aus wie der Blechmann von Oz vor dem Ölkännchen.

»Nun, das ist nicht... Okay, das ist echt schlecht.« Sie musste einen Lachanfall unterdrücken, aber es gelang ihr nicht ganz. Rasch trat sie auf ihn zu. »Warte, warte. Entschuldigung. Ich kann dir Unterricht geben.«

Spock schnaubte. »Das haben andere schon versucht, aber es ist keinem gelungen. Ich habe kein Gefühl für Rhythmus. Aber ich habe gelernt, damit zu leben.«

»Quatsch. Jeder, der sich im Liegen so bewegt wie du, kann es auch im Stehen. Hier.« Sie nahm seine Hände, drückte sie auf ihre Hüften und legte ihre darüber. »Die Bewegung geht von hier aus. Wir reden nicht von Tanzschritten wie für einen Walzer oder Quickstep, sondern nur vom Bewegen. Ganz locker. Du musst dein ganzes Gewicht nach rechts oder links verlagern, nicht nur deine Hüfte.«

»Ich komme mir vor wie ein Roboter.«

»Du siehst aber nicht so aus.« Cilla warf Spock einen warnenden Blick zu, und der Hund wandte den Kopf ab. »Entspann dich. Und jetzt beweg weiter deine Hüften und leg deine Hände auf meine Schultern. Genau so. Spür meine Schultern und übernimm meine Bewegungen. Bleib ganz locker. Ja, genau so. Ja, es geht doch. Du tanzt.«

»Das ist doch kein Tanzen.«

»Doch.« Sie legte ihm die Hände auf die Schultern und ließ sie dann an seinen Armen heruntergleiten, bis sie sich an den Händen hielten. »Und jetzt tanzt du mit mir.«

»Ich stehe wie ein Idiot auf der Stelle.«

»Um die Füße kümmern wir uns später. Wir fangen ganz langsam an. Es wäre sogar sexy, wenn du nicht mehr so angestrengt gucken würdest. Hör nicht auf!«

Sie drehte sich schnell, so dass sie sich mit dem Rücken an ihn drückte, und hob den Arm, um ihm über die Wange zu streicheln.

»Oh, na, wenn *das* Tanzen ist.«

Lachend wirbelte sie wieder in die Ausgangsposition zurück. »Schwing die Hüften. Noch ein bisschen.« Sie schlang ihm die Arme um den Hals und hob ihm die Lippen entgegen. »Schön.«

Er küsste sie, während seine Hände über ihren Rücken glitten.

»Ich finde, dass wir tanzen«, flüsterte sie.

Als er nach dem Kuss wieder die Augen öffnete, stellte er fest, dass er in die entgegengesetzte Richtung schaute und sie ein paar Meter weitergekommen waren. »Wie ist das denn passiert?«

»Du hast es geschehen lassen. Du hast aufgehört, darüber nachzudenken.«

»Also kann ich zumindest mit dir tanzen.«

»Nur noch eins.« Sie wackelte verführerisch mit den Hüften und begann, ihre Bluse aufzuknöpfen.

»Ich finde, der Anlass schreit gerade zu nach Nackttanzen.«

Ford blickte zu den nächsten Nachbarn. Die Dämmerung war hereingebrochen, aber die Fackeln verbreiteten genügend Licht. Er musterte seinen Hund, der ihnen anscheinend fasziniert zusah.

»Vielleicht sollten wir dieses Ereignis nach drinnen verlegen.«

Sie schüttelte den Kopf, und in der Bewegung glitt ihr die Bluse von den Schultern. »Nein, auf dem Gras.«

»Äh, Mrs. Berkowitz…«

»Sie sollte ihre Nachbarn nicht bespitzeln, selbst wenn sie uns durch diesen großen Walnussbaum hindurch sehen könnte.« Cilla öffnete ihre Hose und schlüpfte aus ihren Schuhen, die sich Spock sofort schnappte und zu seinem Handtuch trug. »Und wenn wir genug nackt getanzt haben, wird auf dem Gras noch etwas anderes stattfinden.«

»Was?«

»Ich werde dich reiten, wie du in deinem ganzen Leben noch nicht geritten worden bist.« Sie zog ihre Hose aus, tanzte dabei weiter und fuhr sich mit den Händen über den Körper, der jetzt nur noch von zwei winzigen weißen Wäschestücken bedeckt war.

Ford vergaß den Hund, die Schuhe, die Nachbarn. Alles Blut wich aus seinem Kopf, als er zuschaute, wie sie langsam den Vorderverschluss ihres Büstenhalters öffnete. Im Schein der Fackeln schimmerte ihre Haut golden, und ihre Augen leuchteten blau wie das Meer im Sonnenschein.

Der Büstenhalter fiel zu Boden, und sie fuhr mit der Fingerspitze über den tief sitzenden Bund ihres Höschens. »Du bist ja immer noch angezogen. Willst du nicht mit mir tanzen?«

»Ja. Oh ja. Darf ich vorher noch etwas sagen?«

Sie ließ ihre Hände über ihre Brüste gleiten und lächelte ihn an. »Ja, sicher.«

»Oh, Himmel«, stieß er hervor, als sie die Haare hob und sie über die Schultern fallen ließ. »Du bist die schönste Frau, die ich jemals gesehen habe. Und in diesem Augenblick bin ich der glücklichste Mann im gesamten Universum.«

»Du wirst noch glücklicher werden.« Sie warf ihre Haare zurück und trat auf ihn zu. Sie presste ihren nackten Körper an seinen. »Und jetzt tanz mit mir.«

19

Am Morgen des vierten Juli rollte sich Ford aus Cillas Bett. Es überraschte ihn nicht, dass sie trotz des Feiertags schon wach war. Er betrachtete es als seine Pflicht als Amerikaner, lange zu schlafen, aber anscheinend teilte sie seine patriotische Auffassung nicht. Verschlafen wankte er die Treppe hinunter und folgte den nun schon vertrauten Geräuschen, die aus dem Wohnzimmer drangen.

Sie stand auf der Leiter und schoss Nägel in einen Fensterrahmen.

»Du arbeitest ja!«, sagte er anklagend.

Sie warf ihm einen Blick über die Schulter zu. »Nur ein bisschen. Ich wollte sehen, wie die Rahmen mit der Farbe wirken. Ich kann es immer noch nicht fassen, dass mein Vater hier alles angestrichen hat. Und so gut! Wenn er nicht schon einen Job hätte, würde ich ihn einstellen.«

»Gibt es Kaffee?«

»Ja. Spock ist draußen. Er hat Angst vor der Nagelpistole.«

Sie machte weiter, als er sich in die Küche schleppte. Die Kaffeemaschine stand auf einem kleinen Stück der Theke, das noch nicht abgerissen worden war. Er nahm sich einen Becher und schenkte sich Kaffee ein, wobei er seine Augen mit einer Hand gegen das grelle Sonnenlicht abschirmte, das durch die Fenster fiel. Nach den ersten Schlucken wurde das Licht angenehmer, und er war beinahe wach.

Er ging mit dem Becher wieder in den Wohnraum und sah Cilla einen Moment bei der Arbeit zu.

Sie stand jetzt auf dem Boden und passte die untere Leiste ein. Ihm kam es fast wie Zauberei vor, als der dunkle, breite Holzrahmen das Fenster umgab.

Sie legte die Nagelpistole weg und trat ein paar Schritte zurück. Er hörte sie flüstern: »Ja, genau.«

»Es sieht gut aus. Was hast du mit der Umrandung gemacht, die vorher da war?«

»Eigentlich war es genau das hier. Ich musste nur das Fensterbrett neu bauen, weil es beschädigt war.«

»Ich dachte, es wäre weiß gewesen.«

»Ja, weil irgendein Idiot das schöne Walnussholz mit weißer Farbe zugekleistert hat. Ich habe es abgebeizt, lasiert, und jetzt ist es wieder im ursprünglichen Zustand.«

»Ach so, es sieht gut aus. Die neue Wandfarbe habe ich auch noch nicht so gesehen. Ich fand sie ein bisschen langweilig, aber mit dem Holz wirkt sie wärmer. Wie, äh, wie ein Wald im Nebel.«

»Sie heißt Shenandoah, und ich fand, das passte. Wenn man hier aus den Fenstern blickt, sieht man die Berge, den Himmel, die Bäume. Es ist einfach richtig.« Sie trat einen Schritt zurück und nahm eine andere Zierleiste.

»Du arbeitest ja immer noch.«

»Wir müssen doch erst in…« Sie blickte auf ihre Uhr. »In etwa anderthalb Stunden gehen, und bevor ich mich fertig mache, kann ich noch ein paar Leisten anbringen.«

»Okay. Ich gehe mit dem Kaffee und meinem Hund hinüber. Ich hole dich dann in anderthalb Stunden ab.«

»Gut. Aber du solltest dir zuerst eine Hose anziehen.«

Ford blickte auf seine Boxershorts. »Ja, klar. Ich ziehe eine Hose an, wahrscheinlich auch Schuhe, und gehe dann mit dem Kaffee hinüber.«

»Ich warte dann auf dich.«

Er hatte nicht damit gerechnet, dass sie fertig sein würde. Nicht, weil sie eine Frau war, sondern weil er wusste, wie sie sich in der Arbeit verlieren konnte. Wenn er ihr nicht den Wecker stellte, war es die Norm, dass sie zu spät kam.

Deshalb überraschte es ihn, dass sie schon aus dem Haus trat, als er vorfuhr. Und ihr Aussehen verschlug ihm für einen Moment die Sprache.

Ihre offenen Haare flossen wie dunkles Gold über ihren Rücken. Sie trug ein weißes, hellrot gemustertes Kleid aus einem dünnen Stoff mit Spaghettiträgern und einem weiten, schwingenden Rock.

Selbst Spock, der aus dem Autofenster schaute, schien eine Art bewundernden Pfiff auszustoßen.

Ford stieg aus – das musste er einfach tun – und sagte: »Wow!«

»Gefällt es dir? Sieh mal.« Sie drehte sich um und enthüllte ihren Rücken, über den sich die Träger kreuzten.

»Noch einmal wow. Ich habe dich noch nie in einem Kleid gesehen, und das hier sieht toll aus.«

Besorgt blickte sie ihn an. »Ist es zu aufgedonnert für eine Grillparty im Park? Ich kann mich noch schnell umziehen.«

»Nur über meine Leiche. Nein, es ist großartig. Du siehst aus wie der Sommer höchstpersönlich. Ich wünsche mir im Moment nur, ich hätte mal daran gedacht, dich irgendwohin auszuführen, wo man Kleider trägt. Wir werden demnächst mal ganz schick essen gehen.«

»Mir ist ein Picknick im Garten lieber.«

»Ja, das steht auch ganz oben auf meiner Liste.«

Sie hatte erwartet, dass es am Anfang ein bisschen steif und peinlich sein würde, aber sie kannte so viele Leute da, dass sie sich sofort in Matts Garten mit der großzügigen Terrasse und dem qualmenden Grill wohl fühlte.

Josie, Matts hübsche, hochschwangere Frau, zog Cilla fast sofort von Ford weg. »Hier.« Josie reichte Ford ein Bier. »Geh weg. Wein, Bier, Saft?«, fragte sie Cilla.

»Ah, ich fange mit Saft an.«

»Probieren Sie mal die Limonade, sie ist lecker. Und dann entführe ich Sie für zehn Minuten in den Schatten. Ich würde ja mit Ihnen ein bisschen herumlaufen, aber im achten Monat kann man nur noch watscheln. Ich wollte Sie unbedingt kennen lernen.«

»Sie können jederzeit im Haus vorbeischauen.«

»Das wollte ich auch schon ein paar Mal, aber mit dem hier.« Sie klopfte auf ihren Bauch. Und mit dem da.« Sie zeigte auf eine Gruppe von Kindern, die am Schaukelgerüst spielten. »Der kleine Junge mit den blauen Shorts und dem roten T-Shirt, der gerade Spock erdrückt, ist meiner. Ich habe es einfach nicht geschafft, zumal ich auch noch halbtags arbeite. Aber Matt hat mir erzählt, dass es ziemlich toll aussieht.«

»Ich arbeite furchtbar gerne mit ihm zusammen. Er ist sehr begabt.«

»Ja. Ich habe ihn kennen gelernt, als meine Familie hierhergezogen ist. Ich war siebzehn und habe es meinem Vater sehr übel genommen, dass er mich von Charlotte und meinen Freunden weggerissen hat. Mein Leben war natürlich vorbei. Bis im Sommer darauf meine Eltern einen Anbau von einem Handwerksbetrieb am Ort durchführen ließen und in der Mannschaft ein junger, gut aussehender Schreiner war. Es dauerte vier Jahre«, fügte sie augenzwinkernd hinzu, »aber letztendlich habe ich ihn bekommen.«

Sie setzte sich und seufzte erleichtert.

»Aber ich komme vom Thema ab. Ich habe Katie geliebt. Ich hatte sogar eine Katie Puppe, das heißt, ich habe sie immer noch. Ich habe sie für mein Baby aufgehoben.« Sie strich sich sanft über den Bauch. »Dieses Mal wird es ein Mädchen. Ich habe die meisten oder vielleicht sogar alle Filme Ihrer Großmutter gesehen, und *Barn Dance* habe ich auf DVD. Ich hoffe, dass wir uns mögen, weil Sie mit Ford zusammen sind, und ich liebe ihn. Matt weiß genau, dass ich mich an Ford heranmachen werde, sollte ich ihn einmal leid sein und mich von ihm trennen wollen.«

Cilla trank einen Schluck Limonade. »Ich glaube, ich mag Sie schon.«

In der drückenden Schwüle saßen die Leute unter den Sonnenschirmen auf der Terrasse oder im Schatten der hohen Bäume. Den Kindern schien die Hitze nichts auszumachen, sie rannten unermüdlich durch den Garten oder turnten am Schaukelgerüst. Cilla schätzte, dass sich in Matts großem Garten, der riesigen Holzterrasse und dem hübschen zweistöckigen Haus im Kolonialstil bestimmt etwa hundert Menschen aus fünf Generationen aufhielten.

Sie saß mit Ford, Brian und einigen anderen Leuten an einem der Gartentische. Überall standen Platten mit Burgers und Hot Dogs, zahlreiche Schüsseln mit sommerlichen Salaten. Von ihrem Platz aus sah sie ihren Vater und Patty, die mit Fords Eltern an einem Tisch auf der Terrasse saßen, aßen und sich unterhielten. Patty lachte und streichelte kurz Gavins Wange. Ihr Vater nahm die Hand seiner Frau und drückte einen leichten Kuss auf die Knöchel, ohne das Gespräch zu unterbrechen.

Leise Eifersucht stieg in Cilla auf, aber gleichzeitig begriff sie: Sie liebten sich. Das hatte sie natürlich gewusst, aber jetzt wurde ihr diese beständige Liebe deutlich vor Augen geführt, durch die halb unbewussten Gesten, die keinem der beiden im Gedächtnis bleiben würden. Nicht nur Gewohnheit oder Pflicht, und auch nicht das Band nach – wie lange waren sie jetzt zusammen? Dreiundzwanzig, vierundzwanzig Jahre? Nein, auch nicht das Band eines halben Lebens.

Sie hatten das große Los gezogen.

Angie trat zu ihnen – so jung, frisch und hübsch – mit dem schlaksigen Jungen in tief hängenden Shorts, den sie Cilla als Zach vorgestellt hatte. Einen Moment lang überwältigte Cilla das Verlangen, nahe genug zu sein, um den raschen, belebten Wortwechsel mitzubekommen. Dann beugte Angie sich vor, die Hand auf der Schulter ihrer Mutter, und drückte ihrem Vater einen Kuss auf den Scheitel, bevor sie weiterging.

Das sagte alles, dachte Cilla. Sie waren eine Einheit. Im Herbst würde Angie wieder aufs College gehen. Sie konnte Tausende von Meilen von ihnen entfernt sein, aber sie würden immer eine Einheit bilden.

Entschlossen wandte sie den Blick ab.

»Ich glaube, ich hole mir ein Bier«, sagte sie zu Ford. »Willst du auch eins?«

»Nein, danke. Ich hole dir eins.«

»Nein.« Sie drückte ihn wieder auf den Stuhl zurück, als er aufstehen wollte. »Ich hole es mir schon selber.«

Sie ging zu der großen, mit Eis gefüllten Zinkwanne, die voll mit Flaschen und Dosen war. Eigentlich wollte sie gar kein Bier, aber sie nahm sich trotzdem eine Dose und trat zu Matt, der den Grill bediente.

»Machen Sie eigentlich auch mal eine Pause?«, fragte sie ihn.

»Doch, ich hatte schon zwei. Aber die Leute kommen und gehen den ganzen Tag, so ist das eben bei diesen Festen. Ich muss den Grill am Laufen halten.«

Sein kleiner Junge kam angelaufen, legte die Arme um Matts Bein und schnatterte etwas in einer Kleinkindsprache, von der Cilla kein Wort verstand. Matt jedoch schien sie fließend zu beherrschen. »Lass mich mal sehen«, sagte er zu seinem Sohn.

Der Kleine zog sein T-Shirt hoch, um ihm seinen Bauch zu zeigen. Matt nickte und piekte ihn mit dem Finger. »Okay, dann sag es Grandma.«

Als der Junge wieder weg war, bemerkte Matt Cillas verwirrten Gesichtsausdruck. »Er hat gesagt, er hätte seinen Hot Dog aufgegessen und ob er bitte ein großes Stück von Grandmas Kuchen haben könnte.«

»Ich wusste gar nicht, dass Sie zweisprachig sind.«

»Ich habe viele Talente.« Und wie zum Beweis drehte er drei Burger auf einmal um. »Da wir gerade von Fähigkeiten sprechen, Ford hat mir erzählt, dass Sie im Wohnzimmer schon die Zierleisten angebracht haben.«

»Es sieht, wenn ich so sagen darf, absolut toll aus. Ist das Ihre Werkstatt?« Sie wies mit dem Bier auf das Holzblockhaus hinten im Garten.«

»Ja. Wollen Sie sie mal sehen?«

»Natürlich, sehr gern, aber das machen wir ein anderes Mal.«

»Wo wollen Sie denn Ihre einrichten?«

»Ich kann mich nicht entschließen. Ich schwanke noch, ob ich etwas ganz Neues aufbauen oder einen Teil der Scheune umbauen soll. In der Scheune wäre es einfacher.«

»Aber es macht sicher mehr Spaß, eine neue Werkstatt zu bauen.«

»Das habe ich noch nie getan, deshalb wäre es schon verlockend. Was meinen Sie, wie viel Quadratmeter ich bräuchte?«, fuhr sie fort und verfiel automatisch in ein vertrautes Fachgespräch.

Gegen Abend gingen die Leute allmählich in den Park hinüber. In der stillen Seitenstraße wimmelte es auf einmal von Klappstühlen, Kühltaschen, Decken, Babys und Kleinkindern. Im Park empfingen sie die Klänge einer Blaskapelle.

»Marschmusik«, sagte Ford, »wie angekündigt.« Er nahm die Klappstühle, die sie mitgenommen hatten, unter den Arm, während Cilla Spock an der Leine führte. »Und? Amüsierst du dich?«

»Ja. Matt und Josie haben ein tolles Grillfest auf die Beine gestellt.«

»Du hast eben ein wenig verloren ausgesehen.«

»Ja?«

»Beim Essen. Bevor du aufgestanden bist, um dir ein Bier zu holen und bei Matt und Fachgesprächen hängen geblieben bist.«

»Wahrscheinlich zu viel Nudelsalat. Nein, ich finde es schön. Es ist mein erstes Gartenfest im Shenandoah Valley, und bis jetzt genieße ich jede Minute.«

Der Park erstreckte sich unterhalb der Berge, und die Luft schien hier vor Hitze zu flirren. Hunderte von Menschen bevölkerten den Park und saßen auf den Rasenflächen. An zahlreichen Buden, die im Schatten der Bäume aufgebaut waren, konnte man Schinken-Sandwiches, Kuchen oder Saft und Limonade kaufen. Es duftete nach Fett und Zucker, nach Gras und Sonnencreme.

Die Lautsprecher rauschten, und dann verkündete eine Stimme, dass in dreißig Minuten vor dem Nordpavillon der Wettbewerb im Kuchenessen stattfinden würde.

»Den Wettbewerb habe ich erwähnt, oder?«

»Ja, und auch, dass Big John Porter ihn viermal in Folge gewonnen hat.«

»Widerlich. Wir sollten ihn auf keinen Fall versäumen. Komm, wir sichern uns ein Plätzchen auf dem Rasen.« Ford blieb stehen und blickte sich um. Wir müssen uns weit genug ausbreiten, damit auch genug Platz für Matt, Josie und Sam ist. Oh, hey, Brian hat schon einen Platz gefunden. Das Mädchen bei ihm ist Missy.«

»Ja, ich habe sie kennen gelernt.«

»Du hast heute Nachmittag den halben Bundesstaat kennen gelernt.« Er warf Cilla einen Blick von der Seite zu. »Niemand erwartet von dir, dass du dich an alle Namen erinnerst.«

»Missy Burke, Versicherungsangestellte, geschieden, keine Kinder. Gerade redet sie mit Tom und Dana Anderson, die eine kleine Kunstgalerie im Ort haben. Und Shanna läuft dort hinten mit Bill – seinen Nachnamen konnte mir niemand sagen –, einem Fotografen.«

»Ich muss mich wirklich korrigieren.«

»Partygeplauder war ein Teil meines Lebens.«

Sie stellten die Stühle auf und sicherten sich den Platz auf dem Rasen, und dann zog Ford sie zum Kuchenwettbewerb.

Etwa fünfundzwanzig Männer saßen da mit weißen Plastiklätzchen um den Hals. Sie kamen aus allen Altersgruppen, Kinder und Großväter, und der Favorit war Big John Porter, der mindestens zweihundertfünfzig Pfund wog.

Auf ein Signal senkten sich die Gesichter über gedeckten Blaubeerkuchen. Cilla musste unwillkürlich lachen, was allerdings im allgemeinen Jubeln und Schreien unterging.

»O Gott! Das ist tatsächlich widerlich!«

»Aber unterhaltsam. Mann, er schafft es bestimmt wieder! Big John!« Ford feuerte den Mann an. Die Menge fiel ein, und wilder Applaus ertönte, als Big John sein rundes, blau verschmiertes Gesicht hob.

»Unübertroffen«, sagte Ford, als Porter zum Sieger erklärt

wurde. »Der Typ ist nicht zu schlagen. Er ist der Superman der Kuchenesser. Okay, im Süd-Pavillon ist Tombola. Komm, wir kaufen uns Lose für die hässlichsten, nutzlosesten Gewinne aller Zeiten.«

Nach eingehender Beratung entschieden sie sich für eine leuchtend rote Wanduhr in Form eines Plastikhahns. Ford trat an das Kassenhäuschen. »Hi, Mrs. Morrow. Wie läuft das Geschäft?«

»Sehr gut dieses Jahr. Wir brechen möglicherweise alle Rekorde. Hallo, Cilla! Sie sehen fantastisch aus. Amüsieren Sie sich?«

»Sehr.«

»Das freut mich. Es ist wahrscheinlich viel zahmer und ländlicher als das, was Sie an solchen Feiertagen gewöhnt sind, aber ich finde, wir haben ein schönes Fest organisiert. Und, wie viele Lose möchten Sie?«

»Wir nehmen zwanzig.«

»Jeder«, erklärte Cilla und zog ihr Portemonnaie heraus.

»Das höre ich gerne!« Cathy zählte die Lose ab. »Viel Glück. Und gerade noch rechtzeitig. Wir verkünden die Gewinner der Preise in etwa zwanzig Minuten. Ford, wenn Sie Ihre Mama sehen, sagen Sie ihr, sie soll bei mir vorbeikommen. Ich möchte gerne mit ihr …«

Cilla hörte nicht mehr zu, als sie plötzlich Hennessy sah, der sie von der anderen Seite des Pavillons aus anstarrte. Sein ganzer Hass stand ihm im Gesicht geschrieben. Neben ihm stand eine kleine Frau, mit müden Augen in einem müden Gesicht. Sie zupfte ihn am Ärmel, aber er blieb wie erstarrt stehen.

Wärme, Licht und Farbe wichen aus dem Tag. Hass, dachte Cilla, ist stärker als Freude. Aber sie würde sich nicht abwenden, die Genugtuung wollte sie ihm nicht gönnen.

Also war er es letztendlich, der dem Drängen seiner Frau nachgab und sich von ihr aus dem Pavillon ziehen ließ.

Cilla sagte Ford nichts davon. Sie wollte den schönen Tag

nicht verderben. Sie trank eine Limonade, um das Brennen in ihrer Kehle zu beruhigen, und bewegte sich in der Menge, als sei nichts geschehen.

Sie redete, sie lachte. Sie gewann die Hahn-Uhr. Langsam ließ ihre Anspannung nach. Als es dunkel wurde, setzte sich Sam auf Fords Schoß, um mit ihm ein aufgeregtes, unverständliches Gespräch zu führen.

»Woher weißt du, was er sagt?«, fragte Cilla.

»Es ist so ähnlich wie Klingonisch.«

Die Nationalhymne wurde angekündigt, und alle erhoben sich. Ford setzte sich den Jungen auf die Hüfte. Sie standen unter einem indigoblauen Himmel, um sie herum blitzten Glühwürmchen und Leuchtstäbe, und aus einem plötzlichen Bedürfnis heraus nahm Cilla Fords Hand und hielt sie fest, bis der letzte Ton verklungen war.

Kaum hatten sie sich wieder gesetzt, begann das Feuerwerk. Sam sprang aus Fords Schoß zu seinem Vater. Der leere Platz wurde sofort von Spock eingenommen.

Dort, wo sie immer in Sicherheit waren, dachte Cilla. Wo sie immer in Sicherheit sein würden.

»Gut?«, fragte Ford, als sie durch die stillen Straßen nach Hause fuhren.

»Sehr gut.« Erstaunlich gut, stellte sie fest. »Von Anfang bis Ende.«

»Was willst du mit dem Ding anfangen?« Er warf einen Blick auf die Uhr.

»Ding?« Cilla umfasste den Hahn. »Musst du so über unser Kind sprechen?« Sie tätschelte ihn. »Ich glaube, es kommt in die Scheune. Ich könnte eine Uhr dort brauchen, und ich finde sie passt gut dorthin. Außerdem möchte ich gern ein Erinnerungsstück an meinen ersten vierten Juli haben. Wenn ich mit der Farm fertig bin, ist es schon viel zu spät für eine Grillparty, aber nach der heutigen Erfahrung möchte ich, glaube ich, doch gerne eine Party geben. Eine große Einweihungsparty vielleicht. Feuer im Kamin, jede Menge zu essen, Blumen und Kerzen. Ich möchte mal erleben, wie es ist, das Haus voller Leute zu haben, die nicht dort arbeiten.«

Sie streckte die Beine aus. »Aber für heute habe ich genug gefeiert. Es wird schön sein, nach Hause in die Stille zu kommen.«

»Wir sind gleich da.«

»Möchtest du die Stille mit mir teilen?«

»Das hatte ich vor.«

Sie sahen sich an, als sie in die Einfahrt bogen. Als die Scheinwerfer über den roten Ahorn glitten, wandte Ford seinen Kopf. »Was hängt denn ...«

»Mein Pickup!« Cilla hielt sich am Armaturenbrett fest. »Oh, verdammt, der verdammte Hurensohn! Halt an! Halt an!«

Sie hatte bereits den Gurt gelöst und riss die Tür auf, noch bevor der Wagen hinter dem Truck zum Stehen kam.

Lose Teile des zerbrochenen Sicherheitsglases hingen im Rückfenster. Der Kiesweg war mit Glassplittern übersät.

Ford gab bereits die Notrufnummer in sein Handy ein. »Warte. Cilla, warte.«

»Alle Fenster. Er hat alle Fenster zerschlagen.«

Auch die Windschutzscheibe war zu einem einzigen Spinnennetz zerborsten. Kalte Wut stieg in Cilla auf, als sie die zerschmetterten Scheinwerfer und den zerbeulten Kühlergrill sah.

»Das hat mir die Alarmanlage also genützt.« Sie hätte weinen können. Sie hätte schreien können. »Verdammt viel hat sie mir genützt.«

»Wir gehen jetzt hinein und überprüfen die Alarmanlage. Ich schaue im Haus nach, und dann bleibst du drin.«

»Es ist zu viel, Ford. Es ist einfach zu viel. Bösartig, rachsüchtig und *wahnsinnig*. Der alte Bastard gehört eingesperrt.«

»Hennessy? Er ist gar nicht in der Stadt.«

»Doch, ich habe ihn heute im Park gesehen. Er ist wieder da. Und ich schwöre zu Gott, wenn er dort mit dem Baseballschläger oder dem Rohr oder was auch immer er hier benutzt hat, auf mich hätte losgehen können, dann hätte er es getan.«

Sie war außer sich vor Wut. Und dann sah sie auf einmal, was in den Zweigen ihres hübschen roten Ahorns hing.

Ford packte sie am Arm, als sie hinlaufen wollte. »Lass uns hineingehen. Wir warten auf die Polizei.«

»Nein.« Sie schüttelte seine Hand ab.

Sie war sechs gewesen, erinnerte sich Cilla, als sie diese spezielle Puppe auf den Markt gebracht hatten. Sie trug ihre Haare – ein sonniges Blond, das nicht im Laufe der Jahre nachgedunkelt war – in Rattenschwänzen mit rosa Bändern über beiden Ohren. Die Bänder passten in der Farbe zu dem rosaweißen Baumwollkleid. Spitze kräuselte sich am Saum der weißen Söckchen, die sie zu den glänzenden Lackschuhen trug.

Ihr Lächeln war so sonnig wie ihre Haare, so süß wie die rosa Bänder.

Er hatte sie an einer Wäscheleine aufgehängt, stellte sie fest. Und auf der Pappe über der Gürtelschleife stand: HURE.

»Zu den Original-Accessoires für diese Puppe – die getrennt verkauft wurden – gehörte ein Teegeschirr. Es war eins meiner Lieblingsspielzeuge.« Sie wandte sich ab und streichelte den zitternden, winselnden Spock. »Du hast recht. Lass uns hineingehen und nachsehen, ob im Haus alles in Ordnung ist.«

»Gib mir die Schlüssel. Ich möchte, dass du auf der Veranda wartest. Bitte.«

Cilla hörte die Autorität unter der höflichen Bitte. »Wir wissen doch, dass er nicht da drin ist.«

»Aber du kannst trotzdem auf der Veranda warten.« Um die Diskussion abzukürzen, öffnete er einfach ihre Tasche und holte die Schlüssel heraus.

»Ford …«

»Warte hier draußen.«

Die Tatsache, dass er die Tür offen ließ, sagte Cilla, dass er nicht daran zweifelte, dass sie seinem Befehl gehorchen würde. Achselzuckend trat sie ans Geländer. Niemand war im Haus gewesen, deshalb konnte es auch nicht schaden zu warten. Und es hatte keinen Sinn, ihm zu widersprechen.

Außerdem konnte sie von hier aus den Truck betrachten und grübeln. Sie hatte sich so verdammt gut gefühlt an dem Tag, als sie den Pickup gekauft hatte, und sie hatte ihn voller Vorfreude für die Fahrt nach Osten beladen.

Der erste Schritt zu ihrem Traum.

»Es ist alles okay«, sagte Ford hinter ihr.

»Nein, das ist es wirklich nicht.« Am liebsten hätte sie die tröstenden Hände, die sich auf ihre Schultern legten, abgeschüttelt. Aber sie rief sich zur Ordnung.

»Weißt du, wie ich mir heute vorgekommen bin? Wie in einem Film. Ich meine das gar nicht negativ, im Gegenteil. Szenen aus einem Film, in dem ich gerne mitspielen wollte. Ich war noch nicht ganz angekommen, fühlte mich noch ein bisschen neu am Set. Aber ich begann bereits, mich in meiner Haut echt wohl zu fühlen.«

Sie holte tief Luft und stieß sie wieder aus. »Aber das jetzt ist die Realität. Zerbrochenes Glas. Aber seltsam ist, heute, das war ich, das war wirklich ich. Und gegen wen ist das hier gerichtet? Gegen das Bild, die Illusion. Rauch und Spiegel.«

Forest Lawn Cemetery
1972

Die Luft war ganz still, und der Smog lag darüber wie ein Fleck von einem verschwitzten Finger. Ringsherum Gräber, in denen Stars und normale Sterbliche ruhten. Und unzählige Blumen, blühende Tränen von den Lebenden für die Toten.

Janet trug schwarz. In ihrer Trauer wirkte sie geschrumpft; ihre Anmut war brüchig geworden. Ein breitkrempiger schwarzer Hut und eine dunkle Sonnenbrille verbargen ihr Gesicht, aber die Trauer drang trotzdem durch den Schutzschild.

»Sie können den Stein noch nicht aufstellen. Der Boden muss sich erst senken. Aber du kannst ihn sehen, nicht wahr? Sein Name in weißen Marmor geschnitten, die kurze Zeitspanne, die ihm vergönnt war. Ich habe versucht, ein Gedicht auszusuchen, ein paar Zeilen, die auch auf dem Stein stehen sollten, aber wie hätte ich klar denken können? Also ließ ich sie eingravieren ›Die Engel weinten‹. Nur das. Das haben sie bestimmt auch getan. Sie haben bestimmt um meinen Johnnie geweint. Kannst du die Engel sehen, die weinend auf ihn herunterblicken?«

»Ja. Ich war schon einmal hier.«

»Dann weißt du ja, wie es aussieht. Wie es immer aussehen wird. Er war die Liebe meines Lebens. Alle Männer, Ehemänner, Liebhaber, sie kamen und gingen. Aber Johnnie? Er kam *von* mir.« Ihre Worte waren schwer vor Trauer. »Ich hätte … so vieles. Kannst du dir vorstellen, wie es für eine Mutter ist, am Grab ihres Kindes zu stehen und zu denken, hätte ich doch?«

»Nein. Es tut mir leid.«

»Es tut vielen leid. Sie überschütten mich mit ihrem Mitleid, aber es berührt mich nicht. Später hilft es mir ein wenig, aber in diesen ersten Tagen, den ersten Wochen, berührt mich nichts. Ich werde dort liegen.« Sie wies auf den Boden neben dem Grab. »Ich weiß das sogar jetzt, weil ich es so arrangiert habe. Ich und Johnnie.«

»Und deine Tochter? Meine Mutter?«

»Wenn sie will, kann sie auf der anderen Seite von mir liegen. Aber sie ist jung, und sie wird ihren eigenen Weg gehen.

Sie will... alles. Du weißt das, und ich habe im Moment nichts für sie, ich kann ihr nichts geben in diesen ersten Tagen und Wochen. Aber bald schon werde ich neben Johnnie in der Erde liegen. Jetzt weiß ich noch nicht, wann, ich weiß nicht, wie schnell es geschehen wird. Aber ich denke jeden Tag daran, es zu tun. Wie kann ich ohne mein Baby leben? Ich denke darüber nach, wie. Tabletten? Eine Rasierklinge? Ins Wasser gehen? Ich kann mich nie entscheiden. Trauer vernebelt einem die Gedanken.«

»Was ist mit Liebe?«

»Wenn sie echt ist, öffnet sie dich. Deshalb kann sie ja auch so wehtun. Du fragst dich, ob ich es hätte verhindern können, wenn ich ihn strenger erzogen hätte. Die Leute haben gesagt, ich wäre zu nachgiebig gewesen.«

»Ich weiß nicht. In jener Nacht ist auch ein anderer Junge gestorben, und der dritte war gelähmt.«

»War das meine Schuld?« In Janets Stimme hörte man jetzt hinter der Trauer die Bitterkeit. »Johnnies Schuld? Schließlich sind sie alle an jenem Abend ins Auto gestiegen, oder? Betrunken, stoned. Jeder von ihnen hätte hinter dem Steuer sitzen können, und es hätte nichts geändert. Ja, ja, ich habe ihn verwöhnt, und ich danke Gott dafür. Gott sei Dank habe ich ihm in der kurzen Zeit, in der er gelebt hat, alles gegeben, was ich konnte. Ich würde es wieder ganz genauso machen.« Sie schlug die Hände vors Gesicht. Ihre Schultern zuckten. »Ganz genauso.«

»Ich mache dir keinen Vorwurf. Wie könnte ich. Hennessy gibt dir die Schuld.«

»Was will er denn *noch*? Blut?« Sie ließ die Hände sinken und streckte die Arme aus. Über ihre blassen Wangen liefen Tränen. »Zumindest hat er seinen Sohn noch. Ich habe nur noch einen Namen, der in weißen Marmor geritzt ist.« Sie sank auf die Knie.

»Ich glaube, er will tatsächlich Blut. Meins.«

»Mehr kann er nicht haben. Sag ihm das.« Janet lag neben

dem Grab und fuhr mit den Händen darüber. »Es ist genug Blut geflossen.«

20

Cilla sagte es niemandem. Sie hatte den Mietwagen genommen, den die Versicherung ihr stellte, damit sie Besorgungen machen konnte, und damit schien der Fall erledigt.

Sie hielt vor dem Haus der Hennessys, in einer schattigen Straße in Front Royal. Der weiße Kombi stand in der Einfahrt, neben einer Rampe, die zur Haustür des einstöckigen Hauses führte.

Ihr Herz klopfte heftig, ob aus Nervosität oder Wut konnte sie nicht sagen. Aber es spielte auch keine Rolle. Sie würde tun, was sie tun musste, sagen, was sie sagen musste.

Die Tür ging auf, noch bevor Cilla sie erreichte, und die Frau, die sie im Park gesehen hatte, kam heraus. Cilla sah, dass ihre Hand, mit der sie den Türknauf umklammert hielt, zitterte. »Was wollen Sie hier?«

»Ich möchte mit Ihrem Mann sprechen.«

»Er ist nicht zu Hause.«

Cilla blickte betont zu dem Kombi, dann sah sie Mrs. Hennessy wieder in die Augen.

»Er ist mit meinem Auto in die Werkstatt gefahren. Glauben Sie, ich lüge?«

»Ich kenne Sie nicht. Sie kennen mich nicht. Und ich kenne Ihren Mann genauso wenig, wie er mich.«

»Und trotzdem schicken Sie uns ständig die Polizei ins Haus. Heute Morgen schon wieder mit ihren Fragen und Verdächtigungen, mit *Ihren* Anschuldigungen.« Mrs. Hennessy holte tief Luft. »Ich will, dass Sie gehen. Gehen Sie und lassen Sie uns in Ruhe.«

»Das würde ich nur zu gerne tun. Liebend gerne. Sagen Sie mir einfach, was ich tun muss, damit er aufhört.«

»*Womit* aufhört? Er hat mit Ihren Problemen nichts zu tun. Haben wir nicht selber genug Probleme? Müssen Sie da auch noch ständig mit dem Finger auf uns zeigen?«

Sie würde nicht zurückweichen, sagte Cilla sich. Sie würde sich nicht schuldig fühlen, weil sie diese kleine, verängstigte Frau bedrängte. »Er fährt fast jeden Tag an *meinem* Haus vorbei. Und fast jeden Tag parkt er am Straßenrand, manchmal über eine Stunde lang.«

Mrs. Hennessy schürzte die Lippen und rang die Hände. »Das ist nicht gesetzeswidrig.«

»Hausfriedensbruch ist gesetzeswidrig, einem Mann den Schädel einzuschlagen ist gesetzeswidrig. Einbruch und Zerstörung privaten Eigentums ist gesetzeswidrig.«

»Er hat nichts dergleichen getan.« Die Angst blieb, aber jetzt spürte man auch eine Spur von Wut. »Und Sie sind eine Lügnerin, wenn Sie das behaupten.«

»Ich bin keine Lügnerin, Mrs. Hennessy, und ich bin keine Hure.«

»Ich weiß nicht, was Sie sind.«

»Wenn Sie nicht so wahnsinnig sind wie er, wissen Sie genau, dass ich nicht für das verantwortlich bin, was mit Ihrem Sohn passiert ist.«

»Reden Sie nicht von meinem Jungen. Sie kennen meinen Jungen nicht. Sie wissen nichts darüber.«

»Das ist absolut richtig. Ich weiß nichts darüber. Warum wollen Sie mir dann die Schuld daran geben?«

»Ich gebe Ihnen nicht die Schuld.« Sie wirkte völlig erschöpft. »Warum sollte ich Ihnen die Schuld für etwas geben, was vor so langer Zeit passiert ist? Daran hat niemand Schuld. Ich werfe Ihnen lediglich vor, dass Sie meinem Mann die Polizei auf den Hals hetzen, obwohl er Ihnen nichts getan hat.«

»Als ich zu seinem Auto gegangen bin, um mich vorzustellen und ihm mein Mitgefühl auszudrücken, hat er mich als Schlampe und als Hure beschimpft, und er hat mich angespuckt.«

Mrs. Hennessys Wangen färbten sich rot. Ihre Lippen zitterten, und sie wich Cillas Blick aus. »Das behaupten Sie.«

»Meine Halbschwester war dabei. Ist sie etwa auch eine Lügnerin?«

»Selbst wenn es so ist, ist es trotzdem kein Grund, uns die Polizei auf den Hals zu jagen.«

»Sie haben doch gesehen, wie er mich gestern Abend im Park angeschaut hat. Sie wissen doch, wie sehr er mich hasst. Ich bitte Sie, Mrs. Hennessy, halten Sie ihn von mir und meinem Haus fern.«

Cilla wandte sich ab. Sie war noch nicht halb die Rampe hinuntergegangen, als die Haustür zufiel und sie hörte, wie abgeschlossen wurde.

Seltsamerweise fühlte sie sich nach diesem Gespräch, so angespannt und schwierig es gewesen war, besser. Sie hatte nicht nur die Polizei geholt und auf die nächste Attacke gewartet, sondern sie hatte selber etwas getan.

Voller Tatendrang fuhr sie beim Immobilienbüro vorbei, um ein Angebot auf das erste Haus, das sie sich ausgesucht hatte, zu machen. Sie begann niedrig, wesentlich niedriger, als das Haus ihrer Meinung nach wert war. Für Cilla gehörten auch die Verhandlungen, die Angebote und Gegenangebote zum Spaß dazu.

Als sie wieder in ihrem Mietwagen saß, rief sie den Makler des zweiten Objekts an, um mit ihm einen Besichtigungstermin zu vereinbaren. Warum sollte sie zu lange warten, sagte sie sich. Dann fuhr sie nach Morrow Village und erledigte weitere Einkäufe, bevor sie sich auf den Heimweg machte.

Sie entdeckte den weißen Kombi, noch bevor Hennessy sie sah. Da er aus der Richtung der kleinen Farm kam, nahm sie an, dass er zu Hause gewesen war, mit seiner Frau gesprochen hatte und dann losgefahren war, während sie ihre Besorgungen gemacht hatte.

Als die Fahrzeuge aneinander vorbeifuhren, erkannte er sie.

»Ja, genau«, murmelte sie und fuhr um die Kurve, »das ist nicht mein Truck. Den hast du ja gestern Abend zu Schrott geschlagen.« Als sie in den Rückspiegel blickte, sah sie, dass der Kombi hinter ihr her kam.

Ach, willst du das austragen?, dachte sie. Von Angesicht zu Angesicht? Ja, meinetwegen. Toll. Sollte er ihr doch nach Hause folgen…

Das Lenkrad ruckte in ihrer Hand, als der Kombi sie von hinten rammte. Der Schock ließ keinen Raum für Wut oder Angst, und sie umklammerte das Lenkrad fester.

Erneut rammte er sie – ein metallisches Geräusch, quietschende Reifen. Der Wagen schien ausbrechen zu wollen, und sie lenkte ihn wieder in die Spur. Bevor sie Gas geben konnte, rammte er sie ein drittes Mal. Sie schleuderte auf den Seitenstreifen, der Kühlergrill küsste die Leitplanke, und als ihr Körper hin und her geworfen wurde, schlug sie mit der Schläfe hart an das Seitenfenster.

Helle Punkte tanzten vor ihren Augen, und sie biss die Zähne zusammen. Einen Moment lang fürchtete sie, der Wagen würde sich überschlagen, aber dann kam sie auf dem gegenüberliegenden Seitenstreifen zum Stehen, und mit einem lauten Knall öffnete sich ihr Airbag.

Später dachte sie, dass es sicher am Adrenalin gelegen hatte, dass sie aus dem Wagen sprang und die Tür hinter sich zuknallte. Eine Frau kam über den Rasen eines Hauses, das ein wenig abseits von der Straße lag, angerannt und rief: »Ich habe gesehen, was er getan hat! Ich habe alles gesehen! Ich habe die Polizei gerufen!«

Weder Cilla noch Hennessy achteten auf sie. Er stieg aus dem Kombi und kam mit geballten Fäusten auf sie zu.

»Sie kommen nicht in mein Haus! Sie reden nicht mit meiner Frau!«

»Verpissen Sie sich! *Verpissen* Sie sich! Sie sind ja wahnsinnig! Sie hätten mich umbringen können!«

»Dann wären Sie jetzt mit den anderen in der Hölle!« Er fletschte die Zähne und stieß sie heftig nach hinten.

»Fassen Sie mich nicht an, alter Mann!«

Wieder schubste er sie, und sie taumelte gegen die Rückseite ihres Trucks. »Wir sehen uns in der Hölle! Wir sehen uns da, du Schlampe!«

Dieses Mal hob er die Faust. Cilla trat ihm in den Schritt, und er sank zu Boden.

»O Gott. Oh, mein Gott!«

Benommen sah Cilla, wie die Frau auf sie zurannte. Sie hielt ein Telefon in der Hand, einen Zaunpfahl in der anderen.

»Ist alles in Ordnung? Schätzchen, sind Sie in Ordnung?«

»Ja, ich glaube schon. Ich… mir ist ein bisschen übel. Ich muss mich…« Cilla setzte sich und ließ den Kopf zwischen die hochgezogenen Knie sinken. Sie bekam keine Luft mehr und spürte ihre Finger nicht. »Können Sie jemanden für mich anrufen?«

»Ja, natürlich. Rühren Sie sich bloß nicht, Mister. Ich schlage Ihnen damit über den Schädel, das schwöre ich. Wen soll ich denn anrufen, Schätzchen?«

Cilla hielt den Kopf gesenkt und wartete, bis die Übelkeit ein wenig nachließ. Dann gab sie ihrer neuen Freundin Fords Nummer.

Er war da, noch bevor die Polizei eintraf, und flog förmlich aus seinem Auto. Cilla versuchte aufzustehen. Sie war dankbar dafür, dass Lori Miller wie eine Gefängnisaufseherin über Hennessy wachte.

Hennessy saß am Boden, kreidebleich und schweißüberströmt.

»Wo bist du verletzt? Du blutest.«

»Es ist schon okay. Ich habe mir nur den Kopf gestoßen. Ich glaube, sonst ist alles in Ordnung.«

»Ich wollte einen Krankenwagen rufen, aber sie hat nein gesagt. Ich heiße Lori.« Die Frau zeigte auf ihr Haus.

»Ja. Danke. Danke. Cilla…«

»Ich bin nur noch ein bisschen zitterig. Ich dachte zuerst, mir würde schlecht, aber das ist wieder vorbeigegangen. Hilf mir mal aufstehen, ja?«

»Sieh mich erst an.« Er umfasste ihr Kinn und musterte ihre Augen. Anscheinend stellte ihn zufrieden, was er sah, denn er half ihr aufzustehen.

»Meine Knie sind etwas wackelig«, sagte sie zu ihm. »Hier tut es weh.« Sie legte ihre Finger an die Schläfe. »Aber etwas Schlimmeres ist glaube ich nicht. Ich weiß nicht, wie ich Ihnen danken soll«, fuhr sie an Lori gewandt fort.

»Ich habe ja gar nichts gemacht, wirklich nicht. Sie können schon auf sich selber aufpassen. Da kommen sie.« Lori zeigte auf den Streifenwagen. »Jetzt wackeln *mir* die Knie. Aber das passiert wahrscheinlich immer, wenn das Schlimmste überstanden ist.«

Sie erzählte die Geschichte einem der beiden Bezirkssheriffs, während Lori bei dem anderen ihre Zeugenaussage machte. Die Reifenspuren waren vermutlich Beweis genug. Soweit sie sehen konnte, weigerte Hennessy sich, auch nur ein Wort zu sagen. Sie sah zu, wie der Sheriff ihn hinten in den Streifenwagen verfrachtete.

»Ich habe noch Sachen im Truck. Ich muss sie herausholen, bevor sie ihn abschleppen.«

»Ja, ich schicke jemanden, der sie holt. Komm.«

»Ich war fast zu Hause«, sagte sie zu Ford, als er ihr ins Auto half. »Noch ein Kilometer, dann wäre ich zu Hause gewesen.«

»Wir müssen die Beule kühlen, und du musst mir ehrlich sagen, ob dir woanders noch etwas wehtut. Du musst es mir sagen, Cilla.«

»Im Moment spüre ich gar nichts. Ich bin ganz benommen und erschöpft.« Sie stieß einen langen Seufzer aus, als er vor seinem Haus hielt. »Ich möchte mich nur einen Moment lang setzen, um wieder zu mir zu kommen. Sagst du den Jungs drüben Bescheid, damit sie die Sachen aus dem Wagen holen?«

»Ja, mach dir keine Gedanken.«

Er legte ihr den Arm um die Taille und führte sie ins Haus. »Bett oder Sofa?«

»Ich dachte eher an einen Stuhl.«

»Bett oder Sofa?«, wiederholte er.

»Sofa.«

Er brachte sie in den Wohnraum, damit er sie im Auge behalten konnte, während er eine Tüte gefrorener Erbsen für ihre Schläfe holte. Spock kam an und rieb seinen Kopf an ihrem Arm. »Ich bin okay«, sagte sie zu ihm. »Ist schon gut.« Er stellte sich mit den Vorderpfoten auf die Couch und leckte ihr über die Wange.

»Aus«, befahl Ford, als er hereinkam.

»Nein, es ist schon in Ordnung. Eigentlich wäre es mir ganz lieb, wenn er eine Weile hierbliebe.«

Ford klopfte auf die Couch, und Spock sprang hinauf, kuschelte sich neben Cilla und legte ihr seinen Kopf tröstend in den Schoß.

Ford stopfte Kissen hinter ihren Kopf. Er brachte ihr etwas Kaltes zu trinken, drückte ihr den kalten Beutel an die Schläfe und küsste sie leicht auf die Stirn.

»Ich rufe an. Brauchst du sonst noch etwas?«

»Nein, ich habe alles. Es geht mir schon besser.«

»Das machen die magischen Erbsen.« Er lächelte.

Als er sich jedoch abwandte und auf die Veranda trat, um die notwendigen Anrufe zu erledigen, wich sein Lächeln kalter Wut. Mechanisch schlug er mit der Faust gegen den Pfosten, während er die Nummern eingab.

»Ich kann jetzt nicht genauer darauf eingehen«, sagte er, als Matt abnahm. »Cilla ist hier. Es geht ihr gut.«

»Wie meinst du …«

»Ich erkläre es dir später.«

»Okay.«

»Ihr Truck steht ungefähr einen Kilometer von hier in Richtung Stadt. Schick bitte jemanden hin, der herausholt, was sie heute eingekauft hat. Hennessy war hinter ihr her, und die Polizei hat ihn mitgenommen.«

»Ach, du liebe Sch …«

»Ich rufe dich später an, wenn ich sprechen kann.«

Als er sich ein wenig beruhigt hatte, ging Ford wieder nach drinnen. Weil sie ganz still, mit geschlossenen Augen dalag, einen Arm über den Hund gelegt, öffnete er die Fenstertruhe und nahm eine Decke heraus. Als er sie über sie legte, öffnete sie die Augen.

»Ich schlafe nicht. Ich habe gerade versucht zu meditieren.«

»Meditieren?«

»Kalifornien, verstehst du? Jeder, der länger als ein Jahr in Kalifornien lebt, muss wenigstens ein Minimum an Meditationsfähigkeiten nachweisen. Leider war ich immer ganz schlecht darin. Ich kann einfach nicht an gar nichts denken. Immer, wenn ich es versuche, füllt etwas die Leere. Und auch jetzt rede ich schon wieder Unsinn.«

»Ist schon okay.« Er setzte sich auf die Sofakante und drehte den Beutel mit den Erbsen um, damit die kältere Seite auf ihrer Schläfe lag.

»Ford, er wollte mich wirklich umbringen.« Er sah den Schmerz in ihren Augen, als sie sich aufrichtete. »Das hatte nichts mit großen Sprüngen durch den Wald zu tun, während der wiederbelebte Psychokiller hinter dir her ist. Es hat immer Leute gegeben, die mich nicht gemocht haben. Manchmal sogar meine eigene Mutter. Manche Leute wollten mich auch tatsächlich verletzen. Ich bin einmal mit einem Typen ausgegangen, der mich verprügelt hat. Allerdings nur ein einziges Mal«, fügte sie hinzu. »Die Chance hat er nicht ein zweites Mal bekommen. Aber selbst er hat mich nicht gehasst. Er wollte mich nicht töten.

Ich weiß gar nicht, wie ich damit umgehen soll. Ich weiß nicht, wie ich das in meinem Leben unterbringen soll.«

»Das brauchst du auch nicht. Etwas, das so irre und unlogisch ist, brauchst du nicht zu verstehen. Und du hast ihn ja aufgehalten, Cilla.«

»Ja, mit einem gekonnten Tritt in seine achtzigjährigen Eier. Ich war so *wütend*, Ford, dass ich nicht klar denken konnte. Statt im Truck zu bleiben, die Türen zu verriegeln und die Polizei zu rufen, springe ich raus und trete diesem … diesem Wahnsinnigen entgegen, der gerade versucht hat, mich von der Straße zu drängen. Als ob er Angst vor meiner scharfen Zunge hätte! Und als er dann noch angefangen hat, mich zu schubsen, da war es ganz vorbei. Ich hätte doch einfach weglaufen können – er könnte ja mein Großvater sein!«

»Du läufst nie weg.« Er legte ihr den Finger auf die Lippen, als sie etwas erwidern wollte. »Und ich weiß nicht, ob es mir lieber gewesen wäre, wenn du dich im Truck eingeschlossen und mich angerufen hättest. Vielleicht. Dann hätte ich ihm in die Eier treten können. Aber ich fühle mich irgendwie besser, wenn ich weiß, dass du auf dich selber aufpassen kannst, wenn jemand dir etwas tun will.«

»Darauf könnte ich gut verzichten.«

»Ich auch.« Er strich ihr über die Haare, und sie legte den Kopf an seine Schulter. »Ich auch.«

Und vielleicht hätte er auch noch länger nicht gemerkt, wie sehr er sie liebte. Es hätte einfach so locker weitergehen können. Beiläufig und leicht. Stattdessen war es ihm wie eine Faust in den Magen geschlagen, ein harter, schmerzvoller Schlag, als er gesehen hatte, wie sie am Straßenrand hockte.

Daran war nichts zu ändern, sagte er sich. Das war ganz schlechtes Timing. Sie brauchte jetzt eine Schulter zum Anlehnen, jemanden, der ihr einen Beutel tiefgefrorene Erbsen zum Kühlen und ein ruhiges Plätzchen zum… Meditieren gab.

»Wie geht es deinem Kopf?«

»Es ist merkwürdig, aber er fühlt sich so an, als wäre er gegen ein Fenster geknallt.«

»Willst du ein Aspirin nehmen?«

»Ja. Und ich möchte mich gerne in deinen Whirlpool legen. Ich bin völlig steif und verspannt. Es hat mich ganz schön herumgewirbelt.«

Er musste sich zusammenreißen, um sie nicht zu sehr an sich zu drücken. »Ich bringe dich hinunter.«

»Danke.« Sie streifte seinen Hals mit den Lippen. »Danke vor allem dafür, dass du mir hilfst, ruhig zu bleiben. Und du auch«, sagte sie und küsste Spock.

»Gehört alles zu unserem Post-Trauma-Service hier im Hause Sawyer.«

Er half ihr nach unten, klappte den Deckel des Whirlpools zurück und stellte die Düsen ein, während sie aus ihrer Bluse schlüpfte. »Willst du den iPod?«

»Nein, danke. Vielleicht versuche ich es noch einmal mit Meditation.« Sie zuckte zusammen, als sie nach hinten griff, um ihren Büstenhalter zu öffnen. »Definitiv steif und verspannt.«

»Lass mich mal. Ich habe Erfahrung mit diesen Vorrichtungen.«

Lächelnd ließ sie ihre Arme sinken, als er hinter sie trat.

Wut stieg in ihm auf, blinde, heiße Wut. Ihre Schulterblätter waren voller blauer Flecken, ebenso wie ihr linker Oberarm, und über ihre Schulter verlief ein roter Striemen wie eine Verbrennung.

»Hast du Probleme mit dem Verschluss?«, fragte Cilla.

»Nein.« Erstaunlich, wie ruhig seine Stimme klang. Wie nüchtern. »Du hast hier ein paar blaue Flecken.«

»Ja, das spüre ich. Das kommt wahrscheinlich daher, dass er mich gegen den Truck gestoßen hat.« Sie zog scharf die

Luft ein, als sie mit den Fingern über ihre Schulter und ihre Brust fuhr. »Das ist eine Abschürfung vom Gurt. Mist. Na ja, besser als die Alternative.«

»Verdammte Scheiße.« Er sagte es leise, aber sie drehte sich um und blickte ihn fragend an.

»Ford.«

»Verdammte Scheiße«, wiederholte er lauter. »Du musst dir deine Ruhe und deine Zen-Gelassenheit woanders holen, weil ich dazu im Moment nicht in der Lage bin. Verdammt noch mal! Verdammt noch mal! Dieser Hurensohn ist auf dich losgegangen! Du bist blau und grün am Körper, und er hat dir das angetan. Hast du deinen Truck gesehen? Hast du gesehen, was er getan hat? Er hat dich verletzt!«

Sie blickte ihn stumm an. Im Gegensatz zu der Wut in seiner Stimme waren seine Hände erstaunlich sanft, als er den Haken an ihrer Hose öffnete und sich vor sie hockte, um sie herunterzuziehen.

»Dein Truck ist Schrott, und wenn du nicht auf ihn losgegangen wärst, ginge es dir jetzt genauso. Die ganze Straße war ja voller Schleuderspuren.« Er zog ihr die Schuhe und die Strümpfe aus und hob erst den einen, dann den anderen Fuß, um ihr das Höschen auszuziehen.

»Besser als die Alternative? Besser wird es erst, wenn ich dem wahnsinnigen, mordlustigen alten Bastard die Zähne einschlage. Dann wird es besser.« Er drehte sie um und öffnete ihren Büstenhalter.

Er hob sie hoch und setzte sie in das sprudelnde Wasser.

»Ich hole dir schnell ein Aspirin und deinen Morgenmantel.«

Als er gegangen war, stieß Cilla die Luft aus. Wow, dachte sie.

Die fünfzehn Minuten im heißen Wasser mit den pulsierenden Strahlen aus den Düsen brachten ihr mehr als jede Meditation. Und es half auch beträchtlich, an Fords wütendes Gesicht zu denken.

Als sie schließlich vorsichtig aus der Wanne stieg, ging es ihr besser. Sie wickelte sich gerade in ein Handtuch, als Ford wieder herunterkam.

»Ich mache das schon«, sagte er und klappte den Deckel über die Wanne. »Hier.«

Er reichte ihr die Tabletten und ein Glas Wasser und half ihr dann in den weißen Frotteebademantel, den sie bei ihm deponiert hatte.

»Tut mir leid wegen eben. Du brauchst nicht noch die Tiraden eines weiteren Verrückten.«

»Da irrst du dich. Du hast mir geholfen, hast mir genau das gegeben, was ich brauchte, indem du ruhig geblieben bist, als ich völlig aufgewühlt war. Dadurch hast du auch mich beruhigt. Du hast mir die magischen Erbsen gegeben, und ich durfte mich bei dir anlehnen. Das ist mir bisher nur bei ganz wenigen Menschen in meinem Leben so gegangen.«

Sie legte ihre Hände auf seine Brust, auf jede Seite seines Herzens. »Und als ich das Schlimmste überstanden hatte, hast du mir etwas anderes gegeben. Wut und blinden Rachedurst. Es hilft, wenn du weißt, dass jemand mit dir fühlt. Es ist wirklich kein Wunder, dass ich mich in dich verliebt habe.«

»Ich liebe dich so sehr, Cilla.«

»Oh.« Ihr Herz setzte einen Schlag lang aus. »Oh, Ford.«

»Vielleicht ist es ein schlechter Zeitpunkt, aber das ändert nichts daran. Ich habe es nicht drauf angelegt. Es geht nicht nur darum, in welchem Bett wir schlafen und wer morgens wen nach Hause bringt. Das hatte ich zuerst gedacht, aber ich habe mich geirrt.«

»Ford …«

»Ich bin noch nicht fertig. Als diese Frau – Lori – anrief, hat sie mir gleich gesagt, dass es dir gut geht. Aber sie brauchte nur *Unfall* zu sagen, und mein Herz blieb stehen. Bis zu diesem Moment habe ich nicht gewusst, was Angst ist.«

Seine Gefühle standen ihm ins Gesicht geschrieben. So starke Gefühle, dachte Cilla.

»Und dann kam ich dort an, und du hast am Straßenrand gesessen. Ganz bleich. Zuerst empfand ich nur Erleichterung. Wellen der Erleichterung. Da ist sie. Ich habe sie nicht verloren. Und gleichzeitig schlug der Blitz ein, Cilla. Da ist sie. Und ich wusste, ich liebe dich.«

Es war ein Tag voller Schocks und Schrecken gewesen, dachte Cilla. Und voller großer Momente. Laut sagte sie: »Du bist so stabil, Ford, und ich bin so durcheinander. Ich schwanke zwischen Freude und Entsetzen, weil jemand wie du mir sagt, dass er mich liebt. Und es ernst meint. Und das ist kompliziert, weil auch ich so starke Gefühle für dich habe. Ich glaube, ich liebe dich auch. Warte.«

Sie hob die Hand, als er auf sie zutreten wollte. »Warte bitte. Ich habe wahrscheinlich eine leichte Gehirnerschütterung. Ich bin im Nachteil. Du bist stabil«, wiederholte sie. »Und ich wette, du weißt genau, was es für dich bedeutet, mich zu lieben. Ich bin durcheinander und weiß es nicht. Ich bin mir lediglich ziemlich sicher, dass du erwartest, dass sich etwas ändert.«

»Ja, aber das muss nicht heute oder morgen sein. Im Moment freue ich mich einfach nur an dem, was ich habe.« Er umfasste Cillas Gesicht mit den Händen. »Da ist sie«, murmelte er und küsste sie leicht.

Cilla schloss die Augen. »O Gott. Ich habe Probleme.«

»Es wird schon alles gut gehen. Und jetzt komm nach oben. Du solltest dich hinlegen.«

Er hatte ihr ein Bett auf dem Wohnzimmersofa gemacht, und wie er erwartet hatte, schlief sie rasch ein. Er ging mit dem Handy auf die Veranda, ließ jedoch die Tür offen, damit er sie hörte, wenn sie sich regte. Dann setzte er sich so hin, dass er sie im Auge behielt, und rief zuerst ihren Vater an.

Als er Matt auf sein Haus zukommen sah, beendete Ford rasch seinen zweiten Anruf. Er hatte mit einer alten Freundin, die Krankenschwester war, telefoniert, um sich zu vergewissern, dass er Cillas Verletzungen richtig behandelt hatte. Er bedeutete Matt, sich zu setzen.

»Was ist passiert, Ford?«

»Hennessy«, begann Ford und erzählte ihm alles.

»Du lieber Himmel! Der wahnsinnige Bastard! Bist du sicher, dass es ihr gut geht?«

»Ich habe gerade mit Holly gesprochen. Erinnerst du dich noch an sie?«

»Die Krankenschwester?«

»Ja. Sie hielte es für besser, wenn ich Cilla dazu überreden könnte, sich im Krankenhaus untersuchen zu lassen, aber in der Zwischenzeit helfen auch Wärme, Kälte, Ruhe und Ibuprofen. Dafür habe ich gesorgt. Hast du dir den Truck angesehen?«

»Ja. Und auch seinen Kombi. Und sie hat ihm einen Tritt in die Eier verpasst?«

»Anscheinend.«

»Na, toll«, sagte Matt wütend und bewundernd zugleich. »Das täte ich selber gerne.«

»Stell dich hinten an.«

»Hör mal, wenn ihr etwas braucht, du weißt, wo du mich findest. Und es gibt eine ganze Menge Leute hier, die das genauso sehen.«

»Das weiß ich.«

»Und sag ihr, sie soll sich wegen der Arbeit keine Gedanken machen. Wir kümmern uns um alles. Du musst nur nachher hingehen und die Alarmanlage einschalten, wenn sie heute Nacht hierbleibt.«

»Ja, das mache ich schon.«

»Sollte ich Fragen oder so haben, schreibe ich alles in ihre berühmte Kladde, und ich sage auch Brian Bescheid. Wir sehen uns morgen.«

Nach zwei Stunden überlegte Ford, ob er sie nicht besser wecken sollte, falls sie tatsächlich eine Gehirnerschütterung hatte. Bevor er jedoch dazu kam, sah er das schon vertraute Zivilfahrzeug der Polizei in ihre Einfahrt einbiegen. Er wartete und beobachtete, wie Wilson und Urick ausstiegen, hineingingen. Dann kamen sie wieder heraus, stiegen wieder ins Auto und kamen zu ihm herübergefahren.

»Mr. Sawyer.«

»Das wird langsam zur Gewohnheit, was?«

»Ist Miss McGowan hier?«

»Ja. Sie schläft. Wo ist Hennessy?«

»In einer Gefängniszelle. Sollen wir Ihnen die Liste der Anklagen zeigen?«

»Nein, solange es ausreicht, um ihn in der Zelle zu halten.«

»Wir möchten gerne mit Miss McGowan sprechen.«

»Sie schläft«, wiederholte Ford und stand auf. »Und sie hatte für heute genug Aufregung. Mehr als genug für eine ganze Zeit. Wenn Hennessy im Gefängnis gewesen wäre, wo er hingehört, hätte er keine Gelegenheit gehabt, sie zu töten.«

»Wenn wir etwas gegen ihn in der Hand gehabt hätten, hätten wir ihn schon früher eingesperrt.«

»Ach so?«, gab Ford zurück. »Besser spät als nie, was?«

»Ford.« Cilla öffnete die Fliegentür. »Es ist schon gut.«

»Zum Teufel, nein, ist es nicht.«

»Nein, du hast ja recht. Aber ich rede mit den Detectives. Kommen Sie, wir bringen es hinter uns.« Sie öffnete die Tür weiter. »Würden Sie kurz im Wohnzimmer warten?«, bat sie Urick und Wilson.

Als die beiden hineingegangen waren, trat sie zu Ford auf die Veranda und legte ihm die Hände auf die Schultern. »Niemand hat mich je abgeschirmt.« Sie küsste ihn. »In meinem ganzen Leben hat nie jemand zwischen mir und etwas Unangenehmem gestanden. Es ist ein wundervolles Gefühl. Und es ist wundervoll zu wissen, dass ich dich noch nicht einmal fragen muss, ob du bei dem Gespräch bei mir bleibst. Du kannst deine silberne Rüstung im Schrank lassen. Du brauchst sie nicht.«

Sie nahm seine Hand und ging mit ihm ins Haus, um es hinter sich zu bringen.

DRITTER TEIL

Feinarbeit

Heimat ist ein Name, ein Wort, es ist ein starkes
Wort; stärker als jeder Zauberspruch oder jeder
Geist, der jemals beschworen wurde.

– Charles Dickens

21

»Wie geht es Ihnen?«, fragte Wilson, als sie mit Ford auf dem Sofa saß, den Hund zwischen sich.

»Ich habe wohl Glück gehabt.«

»Sind Sie von einem Arzt untersucht worden?«

»Nein, es sind ja nur Beulen und Schrammen.«

»Es wäre gut, wenn wir den Untersuchungsbericht eines Arztes und Fotos von Ihren Verletzungen hätten.«

»Ich habe hier am Ort noch keinen Hausarzt. Und ich bin nicht…«

»Ich habe einen«, unterbrach Ford sie. »Ich rufe ihn an.«

»Wir haben Hennessy vernommen«, sagte Urick. »Er streitet nicht ab, dass er Ihren Truck gerammt und Sie von der Straße gedrängt hat. Er behauptet, Sie hätten seine Frau belästigt.«

»Ach ja, das habe ich ganz vergessen«, sagte Cilla zu Ford. »Ich war heute früh bei ihr. Ich wollte eigentlich zu ihm, aber sie sagte, er sei nicht zu Hause. Wir haben draußen auf ihrer Veranda miteinander gesprochen. Dann bin ich gegangen. Ich habe sie nicht belästigt oder so. Und wenn er glaubt, die Tatsache, dass ich mit seiner Frau rede, gibt ihm das Recht, mich in den Graben zu drängen, dann ist er wirklich verrückt.«

»Um wie viel Uhr haben Sie mit Mrs. Hennessy gesprochen?«

»Ich weiß nicht. Gegen neun. Dann bin ich gegangen und habe einige Besorgungen gemacht. Vier- oder fünfmal habe ich zwischen Front Royal und Morrow Village angehalten. Als ich nach Hause fuhr, kam mir sein Kombi aus Richtung der Farm entgegen. Er sah mich, und eine Minute später war er hinter mir und rammte mich. Ich weiß nicht mehr, wie oft, aber bestimmt drei- oder viermal, und ich geriet ins Schleudern und dachte schon, ich würde mich überschlagen. Und dann fuhr ich in den Graben. Ich denke, dass Gurt und Airbag das Schlimmste verhindert haben.«

»Sie sind aus dem Wagen ausgestiegen«, warf Wilson ein.

»Ja, das stimmt. Stinkwütend. Ich habe ihn angeschrien, er hat mich angeschrien. Und er schubste mich. Dann tat er es noch einmal, und ich taumelte zurück an den Truck. Er sagte: ›Wir sehen uns da‹. Und er hob die Faust. Da habe ich ihn getreten.«

»Was hat er denn wohl gemeint mit ›Wir sehen uns da‹?«

»Er meinte die Hölle, wo auch die anderen aus meiner Familie sind. Meine Großmutter, mein Onkel. Er wollte mich verletzen, um sich an ihr zu rächen. Er hat meinen Freund angegriffen, meinen Besitz verwüstet, und jetzt hat er mich angegriffen.«

»Die anderen Vorfälle hat er nicht zugegeben«, sagte Wilson. »Er streitet sie ab.«

»Glauben Sie ihm?«

»Nein, aber es ist schwer zu verstehen, warum er schwere versuchte Körperverletzung zugibt, Hausfriedensbruch und Vandalismus aber leugnet. Tatsache ist doch, Miss McGowan, dass er heute das Gefühl hatte, im Recht zu sein. Er hat keine Angst vor den Konsequenzen. Wenn seine Frau ihm nicht sofort einen Anwalt besorgt hätte, hätten wir vielleicht mehr erreicht.«

»Was passiert jetzt?«

»Vernehmung, Untersuchungshaft. Bei seinem Alter, und weil er schon so lange hier wohnt, wird sein Anwalt wahrscheinlich auf Freilassung gegen Kaution plädieren. Der Staatsanwalt wird auf Grund der Anklage, und weil er in Ihrer Nähe wohnt, auf einer Gefängnisstrafe bestehen. Wie es ausgeht, kann ich nicht sagen.«

»Seine Frau schwört, er wäre gestern Abend nicht aus

dem Haus gegangen.« Urick nahm sein Notizbuch, das auf seinem Schoß lag. »Sie hätten den Park verlassen, gleich nachdem sie Sie gesehen hätten, und er sei die ganze Nacht zu Hause gewesen. Sie musste allerdings zugeben, dass sie sich oft im Zimmer ihres Sohnes einschließt und dort schläft. Er könnte also durchaus das Haus verlassen haben, ohne dass sie es bemerkt hat. Wir gehen der Sache auf den Grund, das können Sie uns glauben.«

Cilla war nach dem Besuch der Polizei kaum zur Ruhe gekommen, als ihr Vater mit Patty und Angie kam. Und schließlich rauschte auch noch Fords Mutter mit einem großen Tupperware-Behälter und einem Strauß Blumen herein.

»Bleiben Sie sitzen, bleiben Sie sitzen, Sie armes Ding. Ich habe Ihnen Hühnersuppe gebracht.«

»Oh, Penny, das ist so umsichtig von dir.« Patty sprang auf, um die Blumen entgegenzunehmen. »An Essen oder Blumen habe ich gar nicht gedacht. Ich wäre nie…«

»Nein, natürlich nicht, du hast ja viel zu viel um die Ohren. Cilla, ich mache die Suppe rasch warm. Meine Hühnersuppe ist für alles Mögliche gut. Für Erkältung, Grippe, blaue Flecken, Liebeskummer und Regentage. Ford, hol mal eine Vase für die Blumen. Nichts heitert einen so auf wie ein Strauß Sonnenblumen.«

Patty hielt die Blumen umklammert und brach in Tränen aus.

»Na, na.« Penny legte den Arm um Patty. »Komm, Süße, komm mit mir. Wir machen uns jetzt nützlich, und dann geht es dir gleich besser.«

»Hast du ihr armes Gesicht gesehen?«, schluchzte Patty, als Penny sie in die Küche führte.

»Sie hat sich so aufgeregt.« Angie setzte sich neben Cilla und nahm ihre Hand.

»Ich weiß. Es ist okay.«

»Nein, nichts ist okay.« Gavin, der aus dem Fenster geschaut hatte, drehte sich um. »Ich hätte die Sache mit Hennessy schon vor Jahren bereinigen sollen. Stattdessen bin ich ihm einfach aus dem Weg gegangen. Ich habe weggeschaut, weil es mir lästig war. Es war unangenehm. Und Patty und Angie hat er ja auch nie etwas getan. Aber ich habe mich auch noch zurückgehalten, als er dich angegriffen hat.«

»Wenn du ihn konfrontiert hättest, hätte das auch nichts genützt.«

»Dann käme ich mir wenigstens als Vater nicht wie ein Versager vor.«

»Du bist nicht…«

»Angie«, unterbrach Gavin Cilla, »würdest du bitte deiner Mutter und Mrs. Sawyer helfen?«

»Ja, klar.«

»Ford? Würdest du uns bitte allein lassen?«

Ford nickte und ging ebenfalls aus dem Zimmer.

Cilla krampfte sich der Magen zusammen. »Ich weiß, du bist aufgebracht. Das sind wir alle«, begann sie.

»Ich habe dich bei ihr gelassen. Ich habe dich bei Dilly gelassen und bin gegangen.«

Cilla blickte ihn an und stellte endlich die Frage, die sie sich nie zu stellen gewagt hatte. »Warum?«

»Ich habe mir eingeredet, es wäre besser für dich. Ich habe es sogar geglaubt. Ich sagte mir, dort wäre dein Zuhause, und bei deiner Mutter könntest du alles das tun, was dich glücklich macht. Es würde dir Vorteile bringen. Ich war nicht glücklich dort, und es brachte unsere schlimmsten Seiten zum Vorschein, wenn deine Mutter und ich miteinander stritten. Wenn wir um dich stritten. Ich fühlte mich… frei, als ich wieder hierherkam.«

»Ich war erst ein Jahr alt, als du auszogst, und noch nicht einmal drei, als du weggingst.«

»Wir konnten damals keine zwei Sätze miteinander wechseln, ohne dass es eskalierte. Als ein paar tausend Kilometer zwischen uns lagen, war es ein bisschen besser. Zuerst kam ich alle vier bis acht Wochen, um dich zu besuchen… dann seltener, weil du damals schon als Schauspielerin gearbeitet hast. Es war leicht, mir einzureden, dass du ein erfülltes Leben führtest, dass es unklug wäre, wenn du in den Sommerferien zu mir kommen würdest, weil du dann besser Werbeauftritte wahrnehmen könntest.«

»Und du hast dir hier ein Leben aufgebaut.«

»Ja, ich habe noch einmal neu angefangen, mich in Patty verliebt.« Er blickte auf seine Hände. »Du warst kaum real für mich, ein schönes kleines Mädchen, das ich ein paar Mal im Jahr besuchte. Ich konnte mir immer noch sagen, dass ich meine Pflicht tat – ich schickte regelmäßig den Unterhaltsscheck, rief an deinem Geburtstag oder an Weihnachten an, schickte Geschenke. Auch wenn ich wusste, dass es eine Lüge war, konnte ich es mir vormachen. Ich hatte ja Angie hier. Sie brauchte mich und du nicht.«

»Doch, ich brauchte dich.« Cilla traten Tränen in die Augen. »Ich brauchte dich.«

»Ich weiß. Und ich werde es nie wiedergutmachen können.« Seine Stimme klang gepresst. »Ich wollte ein ruhiges Leben führen, Cilla. Und ich habe dich dafür geopfert. Bis ich das begriffen hatte, warst du erwachsen.«

»Hast du mich denn jemals geliebt?«

Er drückte die Finger an die Augen, als ob sie brannten, dann ließ er die Hände sinken und trat zu ihr, um sich neben sie zu setzen. »Ich war im Kreißsaal, als du geboren wurdest. Sie legten dich mir in die Arme, und ich liebte dich. Es war fast schon eine Art Ehrfurcht. Ich weiß noch, einmal, als du schon ein paar Wochen zu Hause warst. Ich hatte früh einen Anruf bekommen und hörte dich schreien. Das Kindermädchen hatte dich gefüttert, aber du warst immer noch unruhig. Ich nahm dich auf den Arm und setzte mich mit dir in den Schaukelstuhl. Du hast mir mein Hemd vollgespuckt. Und dann hast du mich angesehen. Hast mir genau in die Augen geschaut. Und ich liebte dich. Ich hätte dich nicht verlassen dürfen.«

Cilla holte tief Luft. Sie hatte das Gefühl, als ob sich etwas in ihrer Brust gelöst hätte. »Du hast mir geholfen, Rosenbüsche und einen roten Ahorn auszusuchen. Du hast mein Wohnzimmer gestrichen. Und du bist jetzt hier.«

Er legte den Arm um sie und zog sie an sich. »Ich habe dich auf der Veranda stehen sehen«, flüsterte er, »die du mit deinen eigenen Händen gebaut hast. Und ich liebte dich.«

Zum ersten Mal, solange sie denken konnte, vielleicht zum ersten Mal in ihrem Leben, drückte sie ihren Kopf an seine Brust und weinte.

Später aß sie Hühnersuppe. Es überraschte sie, wie viel besser sie sich danach fühlte. Eine große, grüne Vase voller Sonnenblumen hob ihre Stimmung. Cilla kam zu dem Schluss, dass sie wohl schon wesentlich besser aussah, weil Ford nicht widersprach, als sie den Wunsch äußerte hinüberzugehen, um sich anzusehen, wie weit die Handwerker heute gekommen waren.

»Wenn du ein bisschen spazieren gehst, wirst du auch nicht steif«, sagte er.

»Es ist ein wenig kühler geworden. Es ist schön draußen, es riecht nach Regen.«

»Na, du bist ja schon ein richtiges Landmädchen geworden!«

Lächelnd hob sie den Kopf. »Stimmt, und wie jeder Handwerker, habe ich mir heute früh die Wettervorhersage angeschaut. Eine sechzigprozentige Chance, dass es am Abend Gewitter geben soll. Und da wir gerade vom Wetter sprechen, du bist mit dem emotionalen Sturm vorhin sehr gut klargekommen.«

»Ehrlich gesagt, nicht so besonders gut. Als dann auch noch Angie zu meiner Mutter und Patty in die Küche kam, hatte ich drei weinende Frauen da.« Gequält fuhr er sich mit der Hand durch die Haare. »Spock hat sich durch seine Hundeklappe verdrückt, und ich hätte es ihm fast nachgemacht.«

»Aber Ford ist aus härterem Holz geschnitzt.«

»Vielleicht, aber als du dir dann auch noch die Tränen getrocknet hast, wäre ich fast laufen gegangen.«

»Danke, dass du geblieben bist.«

»So sind verliebte Männer eben.« Er schloss auf und öffnete die Tür.

Cilla blieb auf der Schwelle stehen, während Spock sich so selbstverständlich, als wäre er zu Hause, an ihr vorbeidrängte. »Warst du es schon jemals?«

»Was?«

»Verliebt?«

»Mit acht war ich in Ivy Lattimer verliebt, aber sie behandelte mich nur von oben herab. Mit dreizehn liebte ich Stephanie Provost, die meine Zuneigung sechs glorreiche Tage lang erwiderte, bevor sie mich für Don Erbe und seinen Swimmingpool stehen ließ.«

Cilla drückte ihm einen Finger auf die Brust. »Ich meine es ernst.«

»Damals waren das für mich auch sehr ernste Liebesgeschichten. Natürlich gab es auch andere, aber wenn du mich fragst, ob ich jemals schon so für eine Frau empfunden habe wie für dich, muss ich sagen, nein. Du bist die erste.«

Er zog ihre Hand an seine Lippen und küsste ihre Knöchel. Cilla musste daran denken, wie sie die gleiche Geste bei ihrem Vater und bei Patty beobachtet hatte. »Hier sieht es ja noch genauso aus wie gestern. Was machen die Jungs den ganzen Tag?«

Sie betrat das Wohnzimmer. »Du guckst nur nicht richtig. Sie haben die Schalter installiert, die ich extra bestellt habe – aus gebürsteter antiker Bronze. Völlig unnötig zwar, aber schön. Matt hat die Zierleisten hier nicht fertig gemacht, weil er weiß, dass ich das unbedingt selbst machen will.«

Sie juchzte vor Freude, als sie an der Gästetoilette vorbeiging. »Sie ist gefliest.« Sie hockte sich hin und betrachtete das Muster. »Sehr, sehr schön, der warme Strohton im Mosaikband passt sehr gut zur Diele und dem Wohnraum. Ob sie wohl auch das Badezimmer im zweiten Stock oder die neue Wand geschafft haben?«

Sie lief die Treppe hinauf, und Ford folgte ihr.

Als sie schließlich alles zu ihrer Zufriedenheit überprüft hatte, grollte der erste Donner. Spock winselte erschreckt und drängte sich eng an Ford.

Sie schalteten die Alarmanlage ein und schlossen ab.

»Der Wind frischt auf. Ich liebe das. Vor allem liebe ich es, wenn es nachts regnet und tagsüber auf dem Bau alles weitergehen kann. Brian will morgen mit seinen Leuten kommen, und wir wollen uns an den Teich begeben. Außerdem sind wir … Oh, verdammt, das habe ich ja völlig vergessen. Ich habe heute früh ein Angebot auf das Haus gemacht. Ganz impulsiv. Ich sollte einmal nachhören, ob sie morgen ein Gegenangebot machen wollen. Und ich habe auch für morgen einen Termin für uns in dem anderen Haus gemacht. Ich dachte, wenn du nicht kannst, kann ich ihn ja immer noch verschieben. Aber dann habe ich alles vergessen.«

»Na ja, das ist ja auch kein Wunder. Um wie viel Uhr morgen?«

»Um fünf. Ich habe einen vollen Terminkalender, deshalb ging es nur um fünf.«

»Das ist schon in Ordnung. Wir fahren gleich nach deinem Arzttermin dorthin. Der ist um vier.«

»Aber …«

»Um vier«, wiederholte er in einem Tonfall, den sie an ihm gar nicht kannte. Wahrscheinlich war er deshalb so erfolgreich, dachte sie.

»Okay. In Ordnung.«

»So, und was hieltest du davon, wenn wir uns jetzt mit einem Glas Wein nach draußen setzen und zusehen, wie dieses Gewitter heranrollt?«

»Ich würde sagen, das klingt wie das schöne Ende eines richtig beschissenen Tages.«

Cilla fand, sie schlug sich ganz tapfer. Sie hatte tief und fest geschlafen – vielleicht ein wenig unterstützt von zwei Gläsern Wein, zwei Motrin und einem weiteren Teller von Pennys berühmter Hühnersuppe. Sie hatte sich um sieben aus dem Bett gestohlen, ohne Ford zu wecken. Nach einer Runde im Whirlpool und ein wenig Yoga, gefolgt von zwei weiteren Schmerztabletten und einer heißen Dusche fühlte sie sich beinahe schon wieder normal.

Bei einer Tasse Kaffee fragte sie sich, warum sie überhaupt zum Arzt musste. Sie brauchte doch keinen Arzt, damit er ihr sagte, dass sie ein bisschen durchgerüttelt worden war und sich vielleicht noch ein paar Tage lang ein wenig steif fühlen würde.

Aber Ford sah das wahrscheinlich anders.

Und eigentlich war es ja auch nett, dass er sich solche Sorgen um sie machte. Da konnte es nichts schaden, wenn sie sich auch einmal ein wenig flexibel zeigte und sich seinen Wünschen fügte.

Außerdem war das Schlimmste ja jetzt vorbei. Hennessy war im Gefängnis und konnte ihr oder ihrem Besitz nicht mehr zu nahe kommen. Endlich konnte sie in Frieden leben und ihr Haus zu Ende renovieren. Und dann zum nächsten übergehen.

Sie würde endlich dazu kommen, einmal darüber nachzudenken, was es bedeutete, dass ein Mann wie Ford sie liebte. Und sie würde sich auch Gedanken darüber machen können, was es für sie bedeutete, einen Mann wie Ford zu lieben.

Sie konnten sich doch sicher Zeit lassen, um es langsam wachsen zu lassen, oder? Die Beziehung zu gestalten, sich über Farbtöne und Zierleisten zu einigen? Sie konnten das Fundament betrachten und bewerten. Ihres war so uneben, hatte zahlreiche Risse, aber vielleicht konnte man es ja auch reparieren.

Da er so solide war, gab es bestimmt eine Chance, dass das Gebäude standhielt – auf Dauer.

Das wollte sie so schrecklich gerne.

Sie schrieb Ford eine Nachricht und lehnte den Zettel an die Kaffeemaschine.

Fühle mich gut. Bin zur Arbeit gegangen.

Cilla

Das entsprach nicht ganz der Wahrheit, aber war schon in Ordnung.

Sie füllte ihre Thermoskanne mit Kaffee und machte sich nur zwei Stunden später als sonst auf den Weg zur Arbeit.

An der Tür prallte sie zurück. Mrs. Hennessy stand da und hatte die Hand gehoben, als ob sie gerade klopfen wollte.

»Mrs. Hennessy.«

»Miss McGowan, ich habe gehofft, dass Sie hier sind. Ich muss mit Ihnen sprechen.«

»Ich halte das für keine gute Idee, unter den Umständen.«

»Bitte. Bitte.« Mrs. Hennessy öffnete die Fliegentür und trat ein, so dass Cilla gezwungen war zurückzuweichen. »Mir ist klar, dass Sie aufgebracht sind, und Sie haben auch allen Grund dazu, aber ...«

»Aufgebracht? Ja, ich würde sagen, ich habe wahrhaftig allen Grund dazu. Ihr Mann hat versucht, mich zu töten.«

»Nein. Nein. Er hat nur die Nerven verloren, und das ist zum Teil meine Schuld. Es war falsch, natürlich war es falsch, was er getan hat, aber Sie müssen verstehen, er konnte nicht klar denken.«

»Wann? Als er zuerst hierhergefahren ist oder als er meinen Truck gerammt hat, so oft, bis er mich von der Straße abgedrängt hat? Oder konnte er nicht klar denken, als er mich gestoßen hat? Oder als er die Fäuste gehoben hat?«

Mrs. Hennessy hatte Tränen in den Augen. »Es gibt keine Entschuldigung für das, was er getan hat. Das weiß ich. Ich bin hierhergekommen, um Sie um ein wenig Mitgefühl und

Verständnis zu bitten. Sie zu bitten, Ihr Herz zu öffnen und seinen Schmerz zu verstehen.«

»Sie haben vor über dreißig Jahren eine Tragödie erlitten. Und er gibt mir die Schuld. Wie soll ich das verstehen?«

»Vor dreißig Jahren, vor dreißig Minuten. Für ihn gibt es da keinen Unterschied. Unser Sohn, unser einziges Kind verlor in jener Nacht seine Zukunft. Wir konnten nur dieses eine Kind bekommen. Ich hatte Probleme, und Jim sagte zu mir, es spielt keine Rolle, Edie. Wir haben ja alles. Wir haben unseren Jimmy. Er liebte den Jungen mehr als alles andere auf der Welt. Vielleicht liebte er ihn zu sehr. Ist das eine Sünde? Ist das falsch? Sehen Sie nur, sehen Sie.«

Sie zog ein gerahmtes Foto aus ihrer Handtasche und hielt es Cilla hin. »Das ist Jimmy. Das ist unser Junge. Schauen Sie ihn sich an.«

»Mrs. Hennessy …«

»Seinem Vater wie aus dem Gesicht geschnitten«, sagte sie hastig, drängend. »Alle sagten das, von dem Moment an, wo er auf der Welt war. Er war so ein guter Junge. So intelligent, so lieb und fröhlich. Er ging aufs College und wollte Medizin studieren. Er wollte Arzt werden. Weder Jim noch ich waren auf dem College. Aber wir sparten, legten Geld beiseite, damit Jimmy studieren konnte. Wir waren so stolz.«

»Er war ein gut aussehender junger Mann«, sagte Cilla mühsam und gab ihr das Foto zurück. »Was passiert ist, tut mir leid. Es tut mir aufrichtig leid. Aber ich habe keine Schuld.«

»Natürlich nicht. Natürlich nicht.« Mrs. Hennessy drückte das Foto an ihre Brust. »Ich habe jeden Tag meines Lebens um meinen Sohn getrauert, Miss McGowan. Nach jener Nacht war Jimmy nie mehr derselbe. Es war nicht nur, dass er nicht mehr gehen oder seine Arme bewegen konnte. Er verlor sein Licht, seinen Lebenswillen. Er fand sich einfach nicht mehr wieder. In jener Nacht verlor ich ihn, und ich verlor meinen Mann. Er verbrachte Jahre damit, Jimmy zu pflegen.

Ich durfte es meistens gar nicht, weil er es für seine Aufgabe hielt. Ihn zu füttern, ihn umzuziehen, ihn hochzuheben. Es zerriss ihm das Herz. Es zerriss ihm buchstäblich das Herz.«

Sie trat einen Schritt zurück. »Ich schäme mich nicht, Ihnen zu sagen, dass ich erleichtert war, als Jimmy starb. Als ob mein Junge endlich wieder frei war, frei, er selber zu sein, zu laufen und zu lachen. Aber meinen Mann verlor ich auch. Jimmy war sein Lebensinhalt, auch wenn es ein bitteres Leben gewesen war. Und danach zerbrach er. Er konnte das Gewicht nicht mehr tragen. Ich flehe Sie an, schicken Sie ihn nicht ins Gefängnis. Er braucht Hilfe. Zeit, um gesund zu werden. Nehmen Sie ihn mir nicht auch noch. Ich weiß nicht, was ich dann tun würde.«

Sie schlug die Hände vors Gesicht, und ihre Schultern bebten vor verhaltenem Schluchzen. Aus den Augenwinkeln sah Cilla, dass Ford die Treppe herunterkam. Sie hob die Hand, damit er stehen blieb.

»Mrs. Hennessy, wissen Sie, was er gestern getan hat? Verstehen Sie, was er getan hat?«

»Ich weiß, dass er Sie gestern verletzt hat. Ich hätte ihm nicht sagen dürfen, dass Sie zu uns gekommen sind. Ich war wütend und habe ihn angeschrien, dass er Sie in Ruhe lassen soll. Dass ich es nicht ertragen könnte, wenn Sie so zu uns kämen. Und dann ist er davongestürmt. Wenn ich ihn nicht aufgewiegelt hätte ...«

»Was war mit den anderen Malen?«

Sie schüttelte den Kopf. »Davon weiß ich nichts. Können Sie nicht sehen, dass er Hilfe braucht? Können Sie nicht sehen, wie krank er im Herzen, in seinem Kopf, in seiner Seele ist? Ich liebe meinen Mann. Ich will ihn zurückhaben. Wenn er ins Gefängnis geht, stirbt er. Dort wird er sterben. Sie sind jung. Sie haben das ganze Leben noch vor sich. Wir haben schon das Wichtigste in unserem Leben verloren. Können Sie nicht so viel Mitgefühl aufbringen, dass Sie versuchen, uns Frieden finden zu lassen?«

»Was soll ich denn Ihrer Meinung nach tun?«

»Sie könnten der Polizei sagen, dass Sie nicht wollen, dass er ins Gefängnis kommt.« Sie griff nach Cillas Hand. »Der Anwalt sagt, er könnte ein psychologisches Gutachten veranlassen und erreichen, dass er eine Zeitlang ins Krankenhaus kommt. Sie könnten Jim an einen Ort schicken, wo man ihm helfen kann. Das wäre doch auch eine Strafe, wenn er dorthin müsste, aber sie würden ihm wenigstens helfen.«

»Ich ...«

»Und ich würde das Haus verkaufen.« Sie drückte Cillas Hand fester, und Cilla konnte ihre Verzweiflung förmlich spüren. »Ich schwöre es Ihnen, auf die Bibel. Ich würde das Haus verkaufen, und wir würden von hier wegziehen. Wenn er wieder auf den Beinen ist, würden wir nach Florida ziehen. Meine Schwester und ihr Mann ziehen nächsten Herbst nach Florida. Ich suche uns ein Haus da, und wir ziehen auch weg. Er wird Sie nie wieder belästigen. Sie könnten ihnen ja sagen, Sie wollen, dass er in eine psychiatrische Klinik geht, bis es ihm besser geht. Sie sind diejenige, die er angegriffen hat, also würden sie auf Sie hören.

Ich kannte Ihre Großmutter. Ich weiß, dass sie ihren Sohn auch geliebt hat. Ich weiß, dass sie um ihn getrauert hat. Das weiß ich in meinem Herzen. Nur Jim hat es nie geglaubt, und er hat ihr die Schuld gegeben, jedes Mal hat er ihr die Schuld gegeben, wenn er unseren Jungen im Rollstuhl angesehen hat. Er konnte nicht verzeihen, und es machte ihn krank. Können Sie auch nicht verzeihen? Können Sie es auch nicht?«

Was sollte sie einem solchen Bedürfnis entgegenhalten, dachte Cilla. »Ich rede mit der Polizei. Ich kann Ihnen nichts versprechen. Aber ich rede mit ihnen. Mehr kann ich nicht tun.«

»Gott segne Sie. Gott segne Sie dafür. Ich werde Sie nie wieder belästigen. Und Jim auch nicht. Ich schwöre es Ihnen.«

Cilla schloss die Tür. Mit einem müden Seufzer ließ sie sich auf Fords Treppe nieder. Sie lehnte ihren Kopf an seine Schulter, als er sich neben sie setzte.

»Es gibt viele Arten von Attacken«, sagte er leise. »Auf den Körper, auf den Verstand und auf die Seele.«

Sie nickte nur. Er verstand, dass sie sich nach dem Besuch von Mrs. Hennessy, ihrem Flehen und ihren Tränen, wie zerschlagen fühlte.

»Es geht irgendwie um Versöhnung, nicht wahr?«, sagte sie. »Ich komme hierher und erwecke ihr Haus wieder zum Leben. In gewisser Weise auch ihre Person. Suche in dem Haus nach Antworten, Gründen. Sie hat sich nie von Johnnies Tod erholt. War nie mehr dieselbe. Und die meisten Leute sagen, dass sie sich deswegen das Leben genommen hat. Man könnte doch sagen, dass Hennessy diese bequeme Möglichkeit nicht gehabt hat, oder? Sein Kind hat noch gelebt, war aber so beschädigt und brauchte seine Hilfe. Er musste jeden Tag damit leben, weil er sich nicht davon abwenden konnte. Und daran ist er zerbrochen.«

»Ich sage gar nicht, dass er keine Hilfe braucht«, sagte Ford langsam. »Aber diese vorübergehende Unterbringung in einer psychiatrischen Klinik ist nicht die Antwort. Und nicht er bittet um Mitleid oder Verzeihung. Nicht er will Versöhnung.«

»Nein, das stimmt. Aber ich tue es auch nicht für ihn. Ob es nun richtig oder falsch ist, ich tue es für diese verzweifelte, verängstigte Frau. Und ich tue es für Janet.«

Cillas Erfahrung nach wurde man bei der Arbeit auf dem Bau nicht verhätschelt, nur weil man eine Frau war. Was Fragen, Ärger und Sorgen anging, wurde sie genauso behandelt wie ein Mann.

Und sie bekam auch ihren Teil an Witzen und Kommentaren ab. Aber gerade das half ihr dabei, wieder in ihren gewohnten Arbeitsrhythmus hineinzufinden.

»Hey, Cill.« Einer der Handwerker steckte seinen Kopf in den Wohnraum, als sie gerade auf der Leiter stand und die

Stuckleiste an der Decke befestige. »Hier draußen steht eine Dame, die Sie sprechen will. Sie heißt Lori. Soll ich Sie hereinschicken?«

»Ja, sagen Sie ihr, sie soll hereinkommen.« Cilla schoss die letzten Nägel hinein und stieg von der Leiter.

»Wenn ich gestern an Ihrer Stelle gewesen wäre, läge ich jetzt im Bett und stünde nicht auf Leitern.«

»Das ist nur eine andere Art von Therapie.« Cilla legte die Nagelpistole beiseite und wandte sich zu ihrer guten Samariterin. »Ich wollte heute sowieso bei Ihnen vorbeikommen und mich noch einmal bedanken.«

»Sie haben sich doch gestern schon bedankt.«

»Ich habe ständig dieses Bild vor Augen, wie Sie mit dem Handy in der einen und dem Zaunpfahl in der anderen Hand zur Straße gerannt kamen.«

Lachend schüttelte Lori den Kopf. »Mein Mann und ich hatten diese Woche Urlaub. Er war gerade mit unseren zwei Jungs unterwegs, um Torf und so zu kaufen, während ich die Tomaten hochgebunden habe. Ich kann Ihnen sagen, wenn mein Mann zu Hause gewesen wäre, hätte er dem Kerl vermutlich eins übergebraten.«

Voller Mitgefühl musterte sie die Beule an Cillas Schläfe. »Das sieht ja wüst aus. Wie fühlen Sie sich?«

»Ach, es geht. Ich glaube, es sieht schlimmer aus, als es ist.«

»Na, hoffentlich.« Sie blickte sich im Zimmer um. »Ich muss gestehen, dass ich mir das Haus immer schon mal anschauen wollte.«

»Wir sind mitten im Umbau, aber ich führe Sie gerne herum, wenn Sie möchten.«

»Da komme ich später gerne drauf zurück. Dieses Zimmer hier ist sehr hübsch. Die Farbe gefällt mir. Also, ich sollte jetzt endlich mal zum Punkt kommen. Natürlich weiß ich, wer Sie sind und wer Ihre Großmutter war. Wir sind vor etwa zwölf Jahren hierhergezogen, aber Janet Hardy ist natürlich eine

Legende, und wir wussten, dass das Haus ihr gehört hat. Es ist schön, dass sich jetzt jemand darum kümmert, aber darauf will ich eigentlich nicht hinaus.«

»Stimmt etwas nicht?«

»Mich haben heute früh zwei Reporter angerufen, die von mir hören wollten, was gestern passiert ist.«

»Oh. Ja, natürlich.«

»Ich habe ihnen gesagt, ich hätte alles schon der Polizei erzählt. Sie haben mich beide ganz schön bedrängt, und dann reagiere ich immer gereizt.«

»Es tut mir leid, dass Sie belästigt werden.«

Lori machte eine abwehrende Handbewegung. »Nein, darum geht es gar nicht. Ich wollte Ihnen nur sagen, dass jemand mit den Reportern geredet hat. Ich dachte zuerst, dass Sie es selbst gewesen sind, aber jetzt sehe ich ja, dass das nicht stimmt.«

»Nein, aber ich werde es sicher tun müssen. Danke, dass Sie mir Bescheid gesagt haben.«

»Wir sind schließlich Nachbarn. Und jetzt lasse ich Sie weiterarbeiten.« Sie blickte sich um. »Ich glaube, ich muss langsam meinen Mann mal drängen, den Wohnraum neu zu streichen.«

Cilla brachte Lori zur Tür, dann ging sie wieder ins Wohnzimmer und setzte sich auf die Trittleiter. Sie überlegte, wie sie wohl auf die sauberste, direkteste Art eine Erklärung abgeben könne. Sie hatte immer noch Kontakte in der Branche, und der Name Hardy würde ein Übriges tun. Sie brauchte eine kurze, präzise schriftliche Erklärung. Man durfte eine Story nicht unterdrücken, sondern musste sie genau platzieren und damit umgehen können.

Sie zog ihr Handy aus dem Gürtel, als es klingelte, und schloss kurz die Augen, als sie die Nummer auf dem Display sah. »Hallo, Mom.«

»Cilla, um Himmels willen, was ist bei dir los?«

»Ich hatte ein paar Probleme, aber ich komme schon klar.

Hör mal, könntest du mit deiner Presseagentin sprechen? Arbeitest du immer noch mit Kim Cohen zusammen?«

»Ja, aber…«

»Bitte, kannst du sie anrufen und ihr meine Nummer geben? Sie soll mich so schnell wie möglich anrufen.«

»Ich wüsste nicht, warum ich dir einen Gefallen tun sollte, so wie du mich behandelt…«

»Mom. Bitte. Ich könnte Hilfe brauchen.«

Ihre Mutter schwieg. »In Ordnung«, sagte sie schließlich. »Ich rufe sie gleich an. Hast du einen Unfall gehabt? Bist du im Krankenhaus? Bist du verletzt? Ich habe gehört, irgendein Verrückter hat dich für Mamas Geist gehalten und versucht, dich mit seinem Auto umzubringen. Ich habe gehört…«

»Nein, so ist es nicht. Ich bin nicht verletzt. Ich brauche Kim, damit ich die Angelegenheit nach außen richtig darstellen kann.«

»Ich will auch nicht, dass dir etwas passiert. Ich bin zwar immer noch böse auf dich«, erklärte Dilly schniefend, »aber ich will nicht, dass dir etwas passiert.«

»Ich weiß. Mir passiert auch nichts. Danke, dass du Kim anrufst.«

»Ich weiß schließlich, wie man anderen einen Gefallen tut«, erwiderte Dilly und legte auf.

Das konnte Cilla nicht leugnen, denn die Presseagentin rief kurz darauf an, und es dauerte keine zwanzig Minuten, bis sie die Presseerklärung fertig hatten. Als Cilla schließlich auflegte, wusste sie, dass sie ihr Möglichstes getan hatte.

»Ich bin zwar kein Star«, sagte Cilla zu Ford, als sie von der Arztpraxis zu ihrem Termin mit dem Makler fuhren, »aber es erregt doch immer ein bisschen Aufsehen, wenn Gewalt oder ein Skandal im Spiel sind. Aber die Presseerklärung müsste eigentlich reichen. So groß wird das Interesse nicht sein.«

»Hier im Ort schon. Für ein paar Tage wird es bestimmt

eine wichtige Nachricht sein. Und wenn es zur Verhandlung kommt erst recht. Hast du mit der Polizei gesprochen?«

»Ja. Ich hoffe mal, es gibt keine Verhandlung. Wilson hat mich beinahe für verrückt erklärt, weil ich sie gefragt habe, ob sie Hennessys emotionalen und geistigen Zustand berücksichtigt haben.«

»Was haben sie gesagt?«

»Psychologische Gutachten sind bereits in Auftrag gegeben. Eins von der Verteidigung, eines von der Anklage.«

»Bestimmt Psychiater, die miteinander in Konkurrenz stehen.«

»Hört sich so an.«

»Aber es wird wahrscheinlich bei beiden herauskommen, dass Hennessy nicht bei sich war.«

»Ja. Es hängt vermutlich alles davon ab, ob die Anklage aufrechterhalten wird oder nicht. Dann können Sie vereinbaren, dass er in psychiatrische Behandlung kommt. Das Haus ist hier links. Das kleine Cape Cod da.«

»Hä?«

»Wo der rote Kleinwagen vor der Tür steht. Vicky Fowley ist schon da. Das Haus war die letzten Jahre vermietet – leer –, und der Besitzer will es loswerden. Und Vicky will es auch langsam von ihrer Liste haben.«

Ford blickte auf den mit Unkraut überwucherten Vorgarten und die kleine braune Schachtel von Haus. »Ich weiß gar nicht warum. Könnte es daran liegen, dass es so hässlich ist?«

»Perfekte Einstellung. Behalt das bei, ernsthaft.« Sie tätschelte seine Hand. »Und lass mich reden.«

22

Ford dachte eigentlich, dass er viel Fantasie besaß. Er hielt sich für einen Mann mit Visionen. Was jedoch Cillas »kleines Cape Cod« anging, so konnte er sich nicht vorstellen, wie jemand es auch nur im Entferntesten als Haus bezeichnen konnte. Seiner Meinung nach konnte man es nur noch abreißen.

Eklige Flecken zweifelhaften Ursprungs bedeckten den Teppich in dem winzig kleinen Wohnraum. Er konnte nur froh sein, dass er Spock zu Hause gelassen hatte, denn der Hund hätte sich bestimmt bemüßigt gefühlt, den Raum zu markieren.

Eine ganze Armee von Nagetieren musste an den Fußleisten genagt haben. Die Beulen an der Decke, die in einer Ecke ebenfalls hässliche Flecken aufwies, bezeichnete Cilla als Popcorn.

Die Küche war ein scheußliches Durcheinander von Geräten, die nicht zueinander passten, kaputtem Linoleum und einer verrosteten Spüle. Die Brandringe auf der schmutzigen Theke zeugten davon, dass auf dem blau gesprenkelten, weißen Kunststoff einfach heiße Töpfe abgestellt worden waren. In den Ecken wimmelte es von Unrat und wahrscheinlich auch von Ungeziefer.

Vor Fords geistigem Auge kam eine Flut von Küchenschaben aus diesem rostigen Spülbecken und führte mit schweren Panzern und automatischen Waffen Krieg gegen die Spinnen mit ihren Schnellfeuergewehren.

Es fiel ihm leicht, Cilla das Reden zu überlassen. Er war sprachlos.

Im ersten Stock gab es zwei Schlafzimmer, in denen noch der Müll der früheren Bewohner lag, und ein Badezimmer, das er noch nicht einmal im Schutzanzug betreten hätte.

»Wie Sie sehen können, gibt es hier viel zu tun!« Vicky

zeigte strahlend weiße Zähne, lächelte jedoch nur gequält. »Aber mit ein wenig Anstrengung könnte man das reinste Puppenhaus daraus machen! So ein süßes erstes Heim für ein junges Paar wie Sie.«

»Vicky, würde es Ihnen etwas ausmachen, wenn wir uns ein paar Minuten lang alleine umschauen und uns beraten?«

»Nein, natürlich nicht! Lassen Sie sich ruhig Zeit. Ich gehe nach draußen und erledige ein paar Anrufe. Meinetwegen brauchen Sie sich nicht zu beeilen!«

»Warum redet sie eigentlich nur in Ausrufezeichen?«, fragte Ford, als Vicky außer Hörweite war. »Aus Angst? Aufregung? Hat sie multiple, spontane Orgasmen?«

»Süß.«

»Cilla, ich glaube, dieser Haufen Kleider da in der Ecke hat sich gerade bewegt. Vielleicht steckt ja eine Leiche darin. Vielleicht aber auch eine Armee von Kakerlaken, die uns überfallen wollen. Wir sollten gehen. Und nie wiederkommen.«

»Wenn da eine Leiche läge, würde es viel mehr stinken.«

»Wie, viel mehr?«, murmelte er. »Hast du überhaupt schon mal eine Leiche gerochen?«

Cilla warf ihm einen zurechtweisenden Blick zu. »Kakerlaken gibt es hier aber bestimmt. Wenn der Verkäufer auch nur einen Funken Verstand hätte, hätte er diesen unglaublich stinkenden Teppich herausgerissen. Aber dass er das nicht getan hat, ist unser Vorteil.«

»Du machst Witze. Wir fangen uns hier Typhus ein. Oder die Beulenpest.« Er warf einen misstrauischen Blick auf den Lumpenhaufen. Vielleicht hatte er sich ja doch bewegt? »Cilla, dieses Haus ist absolut wertlos.«

»Weil du nicht weißt, wo du hingucken musst. Wir hatten zwar abgemacht, dass du es nur riskierst, wenn du willst, aber ich möchte dir erst einmal erläutern, wie ich es mir vorstelle. Unter diesem Teppich ist Dielenboden. Das habe ich vorhin schon überprüft.«

Sie hockte sich hin und zog eine lose Ecke hoch. »Eiche und in überraschend gutem Zustand.«

»Okay, es hat einen Fußboden.«

»Und ein gutes Fundament, ein hübsch geschnittenes Grundstück.«

»Das wie ein Minenfeld aussieht. Wahrscheinlich ist es mit Atomspinnen verseucht.«

»Neuer Rasen«, fuhr sie unbeirrt fort, »ein paar Pflanzen, hinten eine hübsche kleine Terrasse. Aus dem Badezimmer fliegt alles raus.«

»Wäre es nicht humaner, eine Bombe hineinzuwerfen?«

»Neue Wanne, neues Waschbecken, eine hübsche Keramikfliese. Für einen Raum dieser Größe ist eine neutrale Farbe wahrscheinlich am besten. Der gesamte Teppichboden muss weg. Die Schranktüren werden ersetzt, neue Regalbretter eingezogen. Decken und Wände werden angestrichen. Dann hast du hier oben zwei schöne Kinderzimmer.«

»Und wo schlafen die Eltern?« Er steckte die Hände in die Taschen, damit er nicht zufällig etwas anfasste. »Wahrscheinlich im Hotel, wenn sie klug sind.«

Sie streckte den Finger aus. »Diese Wand wird um fünf Meter verlängert.«

»Ach ja?«

»Ja, und da kommt der Elternbereich, mit Blick über den Garten hin. Begehbarer Kleiderschrank, angeschlossenes Badezimmer mit Badewanne und getrennter Dusche. Doppelwaschbecken, Granitplatte. Vielleicht Schiefer auf dem Boden. Das muss ich erst noch durchrechnen.«

»Und was ist darunter? Hoffnungen und Träume?«

»Die neue Küche mit Ess- und Wohnzimmer.«

»Ach so.« Aber seltsamerweise begann er es auch so zu sehen wie sie.

»Der schreckliche Teppich heraus, Eichendielen hinein«, sagte sie, als sie die Treppe hinunterging. »Das wackelige Geländer muss erneuert werden. Neue Decke, neue Leisten, vielleicht ein bisschen Stuck. Im ganzen Haus neue Fenster. Küche fliegt raus.«

»Gott sei Dank.«

»Hier halb Badezimmer und Waschküche. Küche, Essbereich und Familienzimmer, alles offen, Frühstücksbar, Terrassentüren auf die schöne, kleine Terrasse. Außenanstrich in einer fröhlichen Farbe, der Weg wird neu gepflastert, ein paar Pflanzen in den Garten, ein Hartriegel. Und das ist es.«

»Na ja, das ist ja nicht viel.«

Sie lachte. »Es ist eine Menge, aber es macht auch viel aus. Das arme, traurige Ding. Sechzehn Wochen werden wir brauchen. Man könnte es in zwölf Wochen schaffen, aber nicht mit einem zweiten Projekt, also sage ich lieber sechzehn. Und wenn ich alles durchrechne, das Angebot, Material und Arbeitslohn, Hypothekenzahlungen für etwa fünf Monate und den Marktwert nach der Renovierung in dieser Gegend, dann kommen wir auf ungefähr vierzig- bis fünfundvierzigtausend Profit.«

»Im Ernst?«

»Ja. Je nach Marktwert könnte es sogar bis zu sechzigtausend gehen. Es ist eine aufstrebende Gegend hier.« Sie begann an ihren Fingern abzuzählen: »Jüngere Paare, kleine Familien ziehen hierhin. Gute Schulen, etwa zehn Minuten von einem Einkaufscenter entfernt. Wichtig sind Elternschlafzimmer, Küche und Bäder – da bekommst du das meiste für deine Investitionen heraus.«

»Okay.«

»Nein, du musst dir schon sicher sein. Denk erst einmal in Ruhe darüber nach. Ich entwerfe schon einmal ein paar Pläne.«

»Nein, ich will es durchziehen. Komm, wir machen Vicky eine Freude. Und sehen zu, dass wir hier herauskommen, solange Kakerlaken und Spinnen sich noch ruhig verhalten.«

»Warte. Wir müssen sie noch ein bisschen zappeln lassen. Du wirst dieses Haus für einen Apfel und Ei kaufen, Ford.«

Er fand ihr gerissenes Lächeln ansteckend. »Keinen Cent mehr; schließlich hat der Verkäufer sich nicht die Spur Mühe gegeben. Wir werden ihr jetzt erzählen, dass wir noch einmal darüber nachdenken. Das glaubt sie uns sowieso nicht. Und dann gehen wir. In einer Woche oder in zehn Tagen rufe ich sie dann an.«

»Und wenn jemand es in der Zwischenzeit kauft?«

»Wo es seit über vier Monaten auf dem Markt ist, trotz zweimaliger Preissenkung? Das glaube ich nicht. Wir werden Vicky enttäuschen. Sie hat es sowieso nicht anders erwartet. Und dann will ich nach Hause und mich in deinem Whirlpool entspannen.«

Das Entspannen erwies sich als problematisch, da an ihrer Mauer ein halbes Dutzend Reporter wartete.

»Kein großes Interesse, hast du gesagt?«

»Das ist doch nichts.« Kaum mehr, als sie erwartet hatte. »Das kommt von der Presseerklärung. Die meisten werden von hier oder aus D.C. sein. Geh ins Haus, ich mache das schon.«

»Willst du ihnen Interviews geben?«

»Nein, ich werden ihnen nur ein paar Krümel hinwerfen, und dann können sie wieder abzwitschern. Aber es gibt ja keinen Grund, warum ich dich mit hineinziehen soll. Das gäbe ihnen nur einen neuen Ansatzpunkt.«

Aber als sie aus dem Auto stiegen, ging bereits das Blitzlichtgewitter los. Die Reporter kamen über die Straße gerannt, riefen Cillas Namen und stellten Fragen. Ford kam es vor wie ein Überfall, und er stellte sich sofort schützend neben sie.

»Georgia Vassar, WMWA-TV. Können Sie uns sagen, was Sie gestern bei der Auseinandersetzung mit James Robert Hennessy empfunden haben?«

»Wie ernst sind Ihre Verletzungen?«

»Stimmt es, dass Hennessy Sie für die Inkarnation von Janet Hardy hält?«

»Ich habe bereits eine Erklärung herausgegeben«, sagte Cilla kühl. »Mehr habe ich nicht zu sagen.«

»Entspricht es den Tatsachen, dass Hennessy Sie früher schon bedroht hat? Und Steve Chensky, Ihren Exmann, überfallen hat, als er hier bei Ihnen wohnte? War dieser Überfall der Grund dafür, dass Ihre Versöhnung gescheitert ist?«

»Meines Wissens wurde Mr. Hennessy nicht festgenommen wegen des Überfalls auf Steve, der mich in diesem Frühling kurz besucht hat. Wir sind seit jeher miteinander befreundet, und von einer Versöhnung kann keine Rede sein.«

»Hat das etwas mit Ihrer Beziehung zu Ford Sawyer zu tun? Mr. Sawyer, wie sehen Sie den Angriff auf Ms. McGowan?«

»Es gibt Spekulationen, dass Sie und Steve sich wegen Cilla gestritten haben, und Steve dabei verletzt wurde. Was haben Sie dazu zu sagen?«

»Kein Kommentar. Du liebe Güte, Sie scheinen sich auf meinem Grundstück zu befinden. Wir sind hier in der Gegend ziemlich freundlich, aber ich muss Sie doch bitten, das Grundstück zu verlassen.«

»Ich werde nicht so freundlich reagieren, wenn Sie mein Grundstück betreten«, warnte Cilla die Reporter.

»Stimmt es, dass Sie hierhergekommen sind, um mit dem Geist Ihrer Großmutter zu kommunizieren?«, rief jemand, als sie sich mit Ford zum Haus wandte.

»Blödsinn«, erklärte Cilla. »Es tut mir leid. Das meiste ist Blödsinn.«

»Kein Problem.« Ford schloss die Tür hinter ihnen und schob den Riegel vor. »Ich wollte immer schon mal Gelegenheit haben, mit stoischer Miene ›Kein Kommentar‹ zu sagen.«

»Sie werden wieder weggehen. Länger als ein oder zwei Tage wird der Spuk nicht dauern, und die Artikel werden untergehen neben den Berichten über außerirdische Babys, die heimlich in Utah aufgezogen werden.«

»Ich wusste es!« Ford hob den Finger. »Ich wusste doch, dass das der Grund für Utah war. Wie wäre es mit einem Glas Wein im Whirlpool, während ich mir überlege, wie ich meinen Hund zurückbekomme?«

»Keine gute Idee. Der Wein ja, und Spock natürlich auch, aber du hast eine Menge Glas im Studio.« Sie warf ihm einen entschuldigenden Blick zu. »Glas, Teleobjektive. Man muss es ihnen ja nicht auf dem Silbertablett servieren. Sie kennen deinen Namen. Du wirst dich auch neben den außerirdischen Babys wiederfinden.«

»Endlich bekomme ich einen Lebenstraum erfüllt.« Er holte Gläser und warf dabei einen Blick auf seinen Anrufbeantworter. »Ach, du lieber Himmel! Was bin ich beliebt! Achtundvierzig Nachrichten!« Er hatte den Satz noch nicht ganz zu Ende gesprochen, als das Telefon schon wieder klingelte.

»Du solltest nicht drangehen, Ford. Ich dachte wirklich, es reicht, wenn ich eine knappe Presseerklärung herausgebe. Kim, die Presseagentin, war derselben Meinung. Aber anscheinend sehen die Medien das anders.«

»Wir machen das so.« Er hob das Telefon an und drehte den Klingelton ab. »Bei den anderen mache ich das auch. Meine Familie und meine Freunde können mich auf dem Handy erreichen. Ich rufe Brian an, damit er Spock heute Abend mit nach Hause nimmt. Und wir trinken einen Wein, schieben eine Tiefkühlpizza in den Ofen und campieren oben im Schlafzimmer hinter geschlossenen Vorhängen. Dann kann ich dir wenigstens eine Marathon-Aufzeichnung von *Battlestar Galactica* vorführen.«

Cilla lehnte sich an die Küchentheke. Sie war gar nicht wütend, stellte sie fest. Noch nicht einmal besonders gereizt. Wie war es ihr nur gelungen, an einen so *stabilen* Mann zu geraten?

»Du verstehst es wirklich, die Dinge leicht zu nehmen.«

»Das sind sie ja für gewöhnlich auch, wenn nicht die Zyklonen gerade beschließen, die gesamte Menschheit auszurotten. Du kümmerst dich um die Pizza, ich hole den Wein.«

Cilla wachte um fünf Uhr morgens vom Läuten ihres inneren Weckers auf, den sie mitten in der Nacht gestellt hatte, nachdem die Alarmanlage der kleinen Farm losgegangen war. Es war zu erwarten gewesen, dachte sie, als sie unter die Dusche trat. Manche Reporter ignorierten grundsätzlich das Gesetz, wenn sie eine gute Geschichte witterten. Also hatte sie eine Stunde mit der Polizei und Ford auf der anderen Straßenseite verbracht.

Jemand hatte versucht, das Schloss an ihrer Hintertür mit dem Stemmeisen aufzubrechen.

Sie zog sich an und hinterließ eine Nachricht für Ford. In ihrer Einfahrt stand der Streifenwagen, der nach dem Einbruchsversuch die ganze Nacht hier postiert worden war. Vögel zwitscherten, und sie sah drei Rehe an ihrem Teich. Reporter waren nirgendwo zu sehen.

Vielleicht hatte sie ja Glück, und sie waren verschwunden, dachte sie. Sie fuhr mit Fords Wagen in den Ort. Um sechs Uhr dreißig war sie wieder zurück und brachte den Polizisten eine Schachtel Doughnuts und zwei große Becher Kaffee.

Der Polizist am Steuer kurbelte die Scheibe herunter.

»Ich weiß, es ist ein Klischee«, sagte sie. »Aber trotzdem …«

»Hey. Das ist aber nett von Ihnen, Miss McGowan. Es war alles ruhig.«

»Und eine lange Nacht für Sie beide. Es sieht so aus, als ob die Eindringlinge das Feld geräumt hätten. Ich fange jetzt an zu arbeiten. Gegen sieben kommen die ersten Handwerker.«

»Es ist schön hier.« Der andere Polizist nahm sich ein Doughnut. »Im ersten Stock ist ein tolles Badezimmer. Meine Frau möchte unseres auch unbedingt renovieren.«

»Rufen Sie mich an, wenn Sie es machen wollen. Ich berate Sie kostenlos.«

»Das mache ich gerne. Danke. Unsere Schicht ist bald vorbei. Sollen wir einen anderen Wagen anfordern?«

»Nein, ich glaube, wir kommen jetzt alleine klar. Danke, dass Sie auf mich aufgepasst haben.«

Drinnen machte sie sich an die Fußleisten. Gegen acht waren alle Handwerker da, und Cilla wandte ihre Aufmerksamkeit dem dritten Schlafzimmer zu, um dort den Einbauschrank auszumessen. Sie hängte gerade die Tür aus, als Matt hereinkam.

»Cilla, Sie sollten mal nach draußen gucken.«

»Warum? Gibt es ein Problem?«

»Das sollten Sie selber entscheiden.«

Sie lehnte die Tür an die Wand und eilte hinter ihm her. Als sie aus dem vorderen Fenster des großen Schlafzimmers blickte, riss sie die Augen auf.

Sechs Reporter waren lästig gewesen, wenn auch nicht unerwartet. Aber sechzig waren eine Katastrophe.

»Sie sind auf einmal von überall her aufgetaucht«, sagte Matt. »Als ob es irgendwo ein Signal gegeben hätte. Brian hat mir gesagt, dass sie seinen Leuten Fragen zurufen. Überall sind Fernsehkameras und so.«

»Okay, okay. Ich muss nachdenken.« Mindestens ein Dutzend Leute arbeiteten drinnen und draußen auf der Baustelle. Ein Dutzend Personen, die sie unmöglich kontrollieren konnte.

»Es ist doch eigentlich gar nicht so interessant, dass ich angegriffen worden bin, noch nicht einmal unter diesen Umständen. Ein paar Fotos und ein paar Artikel in der Lokalpresse. Ich muss telefonieren. Matt, wenn Sie versuchen könnten, die Leute daran zu hindern, mit den Reportern zu reden, wenigstens für den Moment. Ich brauche ein paar Minuten, um …« Sie brach ab, als sie die glänzend schwarze Limousine sah, die in ihre Einfahrt einbog.

»Mann, sehen Sie sich das an.«

»Ja, Mann«, wiederholte Cilla. Sie brauchte gar nicht erst

abzuwarten, bis Mario hinten ausstieg. Sie wusste, wer hier war. Und warum.

Als Cilla auf die Veranda trat, ließ Bedelia Hardy sich gerade von ihrem Ehemann aus dem Wagen helfen. Sie neigte ihren Kopf in einem perfekten Winkel, dachte Cilla neidisch, so dass die Kameras ihren Gesichtsausdruck gut einfangen konnten. Ihre offenen Haare schimmerten in der Sonne über dem Leinenjackett, das die gleiche Farbe wie ihre Augen hatte.

Als sie Cilla erblickte, breitete sie ihre Arme aus und rückte auch ihren Körper ins rechte Licht. »Baby!«

Auf ihren spektakulären Jimmy-Choo-Sandalen mit den siebeneinhalb Zentimeter hohen Absätzen kam sie auf sie zu, und weil Cilla nichts anderes übrig blieb, ging sie ihr in ihren Arbeitsstiefeln entgegen und versank in einer Wolke von *Soir de Paris*, weil Janets Lieblingsparfüm natürlich auch das ihrer Tochter geworden war.

»Mein Baby, mein Baby!«

»Du hast das hier zu verantworten«, flüsterte Cilla in Dillys Ohr. »Du hast die Presse informiert, dass du herkommen wolltest.«

»Natürlich. Jede Presse ist gute Presse.« Sie lehnte sich zurück, und durch die getönten Gläser von Dillys Sonnenbrille sah Cilla, wie sich ihre Augen aufrichtig besorgt weiteten. »Oh, Cilla, dein Gesicht. Du hast doch gesagt, du wärst nicht verletzt. Oh, *Cilla*.«

Wahrscheinlich war es dieser eine Moment aufrichtiger Besorgnis, der Cilla nachsichtiger stimmte, dachte sie. »Es sind nur ein paar Prellungen, mehr nicht.«

»Was hat der Arzt gesagt? Oh, dieser schreckliche Mann, dieser Hennessy. Ich kann mich noch gut an ihn erinnern. Verkniffener Bastard. Cilla, du bist *verletzt*.«

»Mir geht es gut.«

»Nun, warum legst du denn dann nicht wenigstens Makeup auf? Jetzt ist dazu keine Zeit mehr, aber wahrscheinlich ist es auch besser so. Komm. Ich habe alles vorbereitet. Du folgst einfach meinem Beispiel.«

»Du hast sie mir auf den Hals gehetzt, Mom. Das wollte ich eigentlich nicht.«

»Es geht nicht immer nur um dich und darum, was du willst.« Dilly blickte an Cilla vorbei zum Haus und wandte sich ab. Und wieder sah Cilla aufrichtige Gefühle. Schmerz. »Ich brauche die Artikel, die Sendezeit. Ich muss in der Öffentlichkeit stehen, und das nehme ich mir. Was geschehen ist, ist geschehen. Und jetzt kannst du dich entweder von ihnen in die Mangel nehmen lassen oder aber mich darin unterstützen, es zu mir umzuleiten.

»Jesus, was ist das denn?«

Cilla blickte hinunter und sah, dass Spock geduldig dasaß, eine Pfote erhoben, und Dilly aus großen, hervorquellenden Augen ansah.

»Das ist der Hund meines Nachbarn. Er möchte, dass du ihm die Pfote schüttelst.«

»Er will… Beißt er?«

»Nein. Schüttle ihm einfach die Pfote, Mom. Er hält dich für freundlich, weil du mich umarmt hast.«

»Na gut.« Sie beugte sich vorsichtig vor und schüttelte Spock fest die Pfote. Das sprach für sie, dachte Cilla. Dann lächelte sie. »Er ist so hässlich, aber irgendwie süß. Aus jetzt.«

Dilly drehte sich um, den Arm fest um Cillas Taille gelegt und winkte ihrem Mann. »Mario!«

Mario eilte herbei, ergriff ihre Hand und küsste sie.

»Wir sind bereit«, sagte sie zu ihm.

»Du siehst wundervoll aus. Aber nur ein paar Minuten dieses Mal, Liebling. Du darfst nicht zu lange in der Sonne stehen.«

»Bleib in der Nähe.«

»Immer.«

Cilla fest im Arm bewegte Dilly sich auf den Eingang und die Kameras zu.

»Tolle Schuhe«, bemerkte Cilla. »Aber schlecht ausgesucht für nasses Gras und Kies.«

»Ich weiß, was – wer ist das? Reporter, die sich nicht an die Spielregeln halten, können wir nicht brauchen.«

»Er ist kein Reporter.« Cilla sah, wie Ford sich durch die Reihen drängte. »Geh weiter«, sagte sie zu ihm, als er bei ihnen ankam. »Hiermit willst du bestimmt nichts zu tun haben.«

»Ist das deine Mutter? Ich hatte nicht erwartet, Ihnen hier zu begegnen, Miss Hardy.«

»Wo sollte ich sonst sein, wenn meine Tochter verletzt ist. Dein neuer Liebhaber?« Sie musterte ihn von Kopf bis Fuß. »Ich habe schon ein bisschen von Ihnen gehört. Nicht von dir allerdings«, fügte sie mit einem Blick auf Cilla hinzu. »Wir sollten uns unterhalten. Aber jetzt warten Sie am besten bei Mario.«

»Nein. Er ist kein Mario, und er wird sich auch nicht im Hintergrund halten wie ein trainiertes Schoßhündchen. Das machst du nicht, Ford.«

»Ich gehe nach drinnen und hole mir einen Kaffee«, erklärte er. »Soll ich die Polizei rufen, wo ich schon mal dabei bin?«

»Nein. Aber danke.«

»Na, der ist ja braungebrannt und lecker«, kommentierte Dilly, als Ford zum Haus ging. »Dein Geschmack hat sich verbessert.«

»Ich bin wütend auf dich.« Cilla spürte förmlich, wie der Zorn in ihr brodelte. »Ich kann dir nur raten, vorsichtig zu sein. Pass auf, was du machst.«

»Glaubst du etwa, es fällt mir leicht hierherzukommen? Ich tue nur, was ich tun muss.« Dilly hob das Kinn, die tapfere Mutter, die ihr verletztes Kind beschützt. Von allen Seiten prasselten Fragen auf sie ein, aber Dilly ging stoisch wie ein Soldat die Reihe entlang.

»Bitte. Bitte.« Sie hob eine Hand und redete lauter. »Ich verstehe Ihr Interesse und weiß es in einem gewissen Grad auch zu schätzen. Ich weiß, dass Ihre Zuschauer und Ihre Leser an unserem Leben teilnehmen, und das berührt mich. Aber Sie müssen verstehen, dass unsere Familie, wieder einmal, eine schwere Zeit durchmacht. Und das ist... schmerzlich. Meine Tochter hat Schreckliches erlebt, und ich bin hier, bei ihr, wie jede andere Mutter.«

»Dilly! Dilly! Wann haben Sie von Cillas Unfall erfahren?«

»Sie rief mich an, sobald sie dazu in der Lage war. Ganz gleich, wie erwachsen jemand ist, wenn ein Kind krank ist, verlangt es immer nach der Mutter. Sie hat mir zwar gesagt, ich solle nicht kommen, nicht die Proben für meinen Cabaret-Auftritt absagen, mich nicht der Trauer und den Erinnerungen aussetzen, die dieser Ort für mich beinhaltet, aber ich bin natürlich doch sofort zu ihr gekommen.«

»Sie waren das letzte Mal kurz nach Janet Hardys Selbstmord hier. Wie fühlt es sich an, wieder hier zu sein?«

»Ich kann noch gar nicht darüber nachdenken. Noch nicht. Meine Sorge gilt nur meiner Tochter. Später, wenn wir Zeit zusammen verbracht haben, kann ich diese Gefühle erforschen. Meine Mutter...« Ihre Stimme brach. »Meine Mutter würde wollen, dass ich jetzt meiner Tochter, ihrer Enkeltochter, all meine Energie schenke.«

»Cilla, wie sehen Ihre Pläne aus? Werden Sie das Haus für die Öffentlichkeit öffnen? Es heißt, Sie wollen hier Erinnerungsstücke ausstellen.«

»Nein. Ich habe vor hier zu leben. Ich lebe hier«, korrigierte sie sich. Sie sprach mit kalter, klarer Stimme, obwohl die Wut in ihr brodelte. »Das Anwesen ist seit Generationen im Besitz meiner Familie, von Seiten der Hardys wie der McGowans. Ich renoviere und baue es um, und es wird das sein, was es immer gewesen ist, ein Privathaus.«

»Stimmt es, dass Sie während Ihrer Restaurierungsarbeiten hier von Einbrüchen und Vandalismus heimgesucht wurden?«

»Es hat Zwischenfälle gegeben, aber ich würde sie nicht als Heimsuchung bezeichnen.«

»Was sagen Sie zu der Behauptung, dass Janet Hardys Geist in dem Haus spukt?«

»Der Geist meiner Mutter ist hier«, sagte Dilly, bevor Cilla antworten konnte. »Sie liebte ihre kleine Farm, und ich glaube daran, dass ihr Geist, ihre Stimme, ihre Schönheit und ihre Anmut immer hier sein werden. Wir sind der Beweis dafür.« Dilly zog Cilla an sich. »Ihr Geist ist in uns, in mir, in meiner Tochter. Und in gewisser Weise sehen Sie jetzt drei Generationen von Hardy-Frauen vor sich. Und jetzt muss ich mit meiner Tochter hineingehen, damit sie sich ausruhen kann. Als Mutter bitte ich Sie, unsere Privatsphäre zu respektieren. Wenn Sie noch weitere Fragen haben, wird mein Mann versuchen, sie zu beantworten.«

Dilly neigte ihren Kopf dicht zu Cillas und ging mit ihr zurück zum Haus.

»Du hast die Mutter ein bisschen sehr raushängen lassen«, sagte Cilla.

»Ich finde nicht. Was ist mit dem Baum passiert?«

»Was für ein Baum?«

»Der da, mit den roten Blättern. Er war größer. Viel größer.«

»Er war kaputt, tot und abgestorben.«

»Es sieht überhaupt anders aus. Da waren viel mehr Blumen.« Dillys Stimme bebte, aber Cilla wusste, dass es jetzt nicht kalkuliert war. »Mama liebte Blumen.«

»Wenn alles fertig ist, gibt es hier wieder mehr Blumen.« Bei jedem Schritt spürte Cilla, wie sich die Dynamik verschob, bis schließlich sie Dilly stützte. »Du hast dich selber in die Zwickmühle gebracht. Jetzt musst du auch hineingehen.«

»Ich weiß. Die Veranda war weiß. Warum ist sie nicht mehr weiß?«

»Ich musste das meiste ersetzen. Sie ist noch nicht angestrichen.«

»Die Tür ist nicht richtig.« Ihr Atem ging schneller, als wenn sie gelaufen wäre. »Das ist nicht ihre Tür. Warum ist alles verändert?«

»Es gab Beschädigungen, Schimmel und Schwamm. Mein Gott, Mom, in den letzten zehn Jahren ist kaum etwas am Haus getan worden, und in den zwanzig Jahren vorher auch nicht besonders viel. Man kann ein Haus nicht so vernachlässigen, ohne dass Schaden entsteht.«

»Ich habe es nicht vernachlässigt. Ich wollte es vergessen. Das kann ich ja jetzt wohl nicht mehr, oder?«

Cilla spürte, wie ihre Mutter zitterte, und wollte sie beruhigen, aber als sie hineingingen, schob Dilly sie weg.

»Das ist falsch. Es ist alles falsch. Wo sind die Wände? Der kleine Salon? Es ist auch die falsche Farbe.«

»Ich habe Veränderungen vorgenommen.«

Sie wirbelte auf ihren hohen, eleganten Schuhen zu Cilla herum. »Du hast gesagt, du renovierst es.«

»Ich habe gesagt, ich renoviere es und baue es um, und genau das tue ich. Ich mache es zu meinem Haus, ohne darüber zu vergessen, was es einmal war.«

»Wenn ich gewusst hätte, dass du es auseinanderreißt, hätte ich es dir nie verkauft.«

»Doch, das hättest du«, erwiderte Cilla kühl. »Du wolltest das Geld, und ich will hier leben. Wenn du es in Bernstein hättest einschließen wollen, Mom, dann hättest du das schon vor Jahrzehnten tun können. Du liebst dieses Haus nicht, es birgt schlimme Erinnerungen für dich. Aber ich liebe es.«

»Du weißt gar nicht, was ich fühle! Ich hatte mehr von ihr als irgendjemand sonst. Abgesehen von Johnnie natürlich, immer abgesehen von ihrem geliebten Sohn.« Tränen erstickten ihre Stimme. »Aber ich hatte mehr von ihr, wenn wir hier waren, als woanders. Und jetzt ist alles verändert.«

»Nein, nicht alles. Ich habe den Gipsputz wiederherstellen lassen, und auch die Dielen werden neu abgeschliffen werden. Die Böden, auf denen sie gegangen ist. Und den Herd und den

Kühlschrank, die sie benutzt hat, lasse ich aufarbeiten und werde sie auch wieder benutzen.«

»Der große, alte Herd?«

»Ja.«

Dilly presste die Finger an die Lippen. »Manchmal hat sie versucht, Plätzchen zu backen. Das konnte sie überhaupt nicht. Sie verbrannten ihr immer, und dann hat sie gelacht. Wir haben sie trotzdem gegessen. Verdammt, Cilla. Verdammt. Ich habe sie so sehr geliebt.«

»Ich weiß.«

»Sie wollte mit mir nach Paris fahren. Nur wir beide. Es war alles schon geplant. Und dann starb Johnnie. Er hat mir immer alles verdorben.«

»Gott, Mom.«

»Damals empfand ich das so. Nach dem Schock und der ersten schrecklichen Trauer, weil ich ihn ja auch geliebt habe. Ich liebte ihn sogar, wenn ich ihn eigentlich hassen wollte. Aber als sie danach nicht mehr nach Paris fahren wollte, habe ich gedacht, er hat es mir verdorben.« Dilly holte schluchzend Luft. »Sie liebte ihn tot mehr, als sie mich lebend liebte. Ganz gleich, wie schnell ich rannte, ich konnte ihn nie einholen.«

Ich weiß, wie du dich fühlst, dachte Cilla. Ganz genau. Auf ihre Art liebte Dilly ihre Mutter tot mehr, als sie ihre Tochter lebend lieben konnte.

Vielleicht war das auch eine Art Versöhnung, deshalb kam Cilla ihr noch einen Schritt entgegen. »Ich glaube, sie hat dich sehr, sehr geliebt. Ich glaube, in dem Sommer, als sie starb, war einfach alles schrecklich verdreht und kaputt. Und sie hat sich nie vollständig davon erholt. Wenn sie mehr Zeit gehabt hätte …«

»Warum hat sie sich denn nicht mehr Zeit gelassen? Stattdessen hat sie Tabletten geschluckt. Sie hat mich verlassen. Sie hat mich verlassen. Unfall oder nicht – und ich werde immer glauben, dass es eigentlich ein Unfall war –, sie nahm Tabletten, obwohl sie sich eigentlich um mich hätte kümmern müssen.«

»Mom.« Cilla trat zu ihr und streichelte Dillys Wange. »Warum hast du mir denn nie erzählt, wie du dich gefühlt hast?«

»Es liegt an diesem Haus. Es macht mich durcheinander. Es rührt alles auf. Ich will es nicht. Ich will es einfach nicht.« Sie öffnete ihre Handtasche und holte ein silbernes Pillendöschen heraus. »Gib mir etwas Wasser, Cilla. Aus der Flasche.«

Die Ironie, dachte Cilla, würde Dilly nie begreifen. Die Tochter, die trauerte, weil ihre Mutter ihre Tabletten ihr vorgezogen hatte, setzte dieses Verhalten bei der eigenen Tochter fort.

»Ja, gut.«

In der Küche holte Cilla eine Flasche Mineralwasser aus ihrem Mini-Kühlschrank. Sie nahm ein Glas und gab Eis hinein. Auf ihre übliche Scheibe Zitrone würde Dilly verzichten müssen. Während sie das Wasser einschenkte, blickte sie aus dem Fenster.

Ford stand mit Brian und dem Teich-Experten an dem Wasserloch. Er hielt einen Kaffeebecher in der Hand und hatte den Daumen der anderen Hand in eine Gürtelschlaufe seiner Jeans gehakt.

Lang und schmal, dachte sie, mit nur einem ganz leichten bäuerlichen Einschlag. Zerzauste braune Haare mit sonnengebleichten Spitzen. So wundervoll normal. Allein schon, ihn anzusehen, zu wissen, dass er blieb, machte sie ruhiger – dieser Mann, der Bösewichte und Superhelden kreierte, der jede einzelne Folge von *Battlestar Galactica* auf DVD hatte. Ein Mann, der, da war sie sich ziemlich sicher, mit keinem ihrer Werkzeuge etwas anfangen konnte, aber darauf vertraute, dass sie schon alleine klarkam. So lange jedenfalls, bis er es für nötig hielt, einzugreifen.

»Gott sei Dank bist du hier«, murmelte sie. »Warte auf mich.«

Sie brachte ihrer Mutter das Wasser, damit Dilly ihren Tranquilizer du Jour herunterspülen konnte.

23

Sie sind also weg.« Ford wies mit der Coke, die er sich aus Cillas Küche geholt hatte, auf das Haus.

»Ja. Nach einem Finale mit mütterlichen Umarmungen vor laufenden Kameras.«

»Zurück nach Kalifornien?«

»Nein, sie bleiben über Nacht in D.C., im Willard. So kann sie noch weitere Pressetermine wahrnehmen und Werbung für ihre Show im Nationaltheater im November machen.« Cilla hob kopfschüttelnd die Hände. »Ganz so berechnend ist sie natürlich nicht. Nur etwa achtzig Prozent waren Berechnung. Die restlichen zwanzig waren tatsächliche Sorge um mich, die sie mir auch nur am Telefon ausgedrückt hätte, wenn die Reise für sie nicht vorteilhafter gewesen wäre. Sie musste es schon sehr nötig haben, dass sie hierher, in dieses Haus gekommen ist. Bis heute habe ich nicht gewusst, wie sehr es sie tatsächlich aufwühlt. Das macht es mir ein bisschen leichter, ihr die Vernachlässigung zu verzeihen und zu akzeptieren, warum sie so verbittert war, als ich ihr ein Angebot machte, das sie nicht ablehnen konnte.«

»Wäre es nicht eher logisch zu denken, dass sie es dir hätte schenken können, wenn sie es doch nicht gewollt hat?«

»Nicht in Dillys Welt. Bei ihr heißt es immer nur, wie du mir, so ich dir. Ich wusste nicht, wie ungeliebt sie sich am Ende fühlte. Sie hatte immer das Gefühl, hinter ihrem Bruder im Herzen ihrer Mutter zurückstehen zu müssen. Und ich bin mir nicht sicher, ob sie nicht sogar recht hat. Und ja, klar, heute hat sie etwas getan, von dem sie wusste, dass ich es nicht wollte, und sie rechtfertigt das nicht nur damit, dass es zu ihrem Vor-

376

teil ist, sondern sie ist auch noch davon überzeugt, dass es für mich das Beste ist. Das ist ein großes Talent von ihr.«

»Sie wird eine interessante Schwiegermutter sein.«

»Bestimmt.« Panik stieg in Cilla auf. »Sag so was nicht.«

»War nur so ein Gedanke«, sagte er und setzte die Coke-Flasche an die Lippen. »Es hat ja keine Eile.«

»Ford, du musst verstehen …«

»Cilla, Entschuldigung«, sagte Matt und trat auf sie zu. »Der Fußboden für den zweiten Stock ist geliefert worden. Ich dachte, Sie wollten ihn sich vielleicht vorher einmal anschauen, bevor wir ihn hochbringen.«

»Ja, ja, gerne. Ich komme sofort.«

»Der Fußboden wird schon gemacht?«, fragte Ford.

»Er muss vor dem Einbau ein paar Tage lang an Ort und Stelle gelagert werden. Da wir dort oben Schränke einbauen, muss der Fußboden … Ach, ist egal.«

»Okay. Wenn meine Dienste nicht mehr gebraucht werden, gehe ich mal rüber, um vielleicht noch ein wenig von meinem Arbeitstag zu retten.«

»Gut. Gut«, wiederholte sie nervös.

»Oh, ich habe übrigens die Fotos für dich gescannt. Erinnere mich daran, dass ich sie dir gebe.«

»O Gott, die hatte ich ganz vergessen. Ich muss mich noch bei deinem Großvater bedanken.«

»Ich glaube, er hat es als ausreichenden Dank empfunden, dich nur mit einem Handtuch bekleidet zu sehen.«

»Na, danke, dass du mich daran erinnerst.« Sie traten vors Haus, wo gerade der Lieferwagen langsam rückwärts die Einfahrt herunterfuhr. »Blödmann!«

»Ich überlasse dich jetzt dem Zauber deiner Holzdielen.« Er umfasste ihr Gesicht mit beiden Händen und küsste sie. »Wir warten auf dich.«

Und das würden sie tun, dachte sie. Er und sein seltsamer kleiner Hund würden genau das tun. Es war wundervoll und erschreckend zugleich.

Ford schloss sich vier Stunden lang in seinem Atelier ein. Es lief großartig. Trotz aller Ablenkungen – sexy Nachbarin, Einbrüche, ein neuer Freund im Krankenhaus, Sorgen um die sexy Nachbarin und sich in sie verlieben – ging ihm die Arbeit hervorragend von der Hand.

Ihm ging durch den Kopf, dass Brid wahrscheinlich zur gleichen Zeit fertig sein würde wie Cillas Haus. Das Schicksal meinte es gut mit ihnen. Aber jetzt hatte er genug gearbeitet und sich ein Bier auf der Veranda verdient. Er stand auf und trat einen Schritt zurück, um einen langen, kritischen Blick auf sein Tageswerk zu werfen.

»Du bist verdammt gut, Sawyer. Lass dir von niemandem etwas anderes einreden.«

Als er nach unten lief, blieb er kurz stehen, um aus dem Fenster zu sehen. Keine Reporter in Sicht, stellte er fest. Gut für Cilla. Es stand auch kein Truck mehr da, was wohl bedeutete, dass ihr Arbeitstag auch vorbei war. Er ging in die Küche, um sich ein kaltes Bier zu holen und Spock, der im Garten herumrannte, auf die Veranda zu locken, damit sie dort auf Cilla warten konnten.

Im Kühlschrank klebte ein Zettel an einer Flasche Bier.

Fertig? Wenn ja, komm zu Chez McGowan. Komm hinten herum.

Ford grinste. »Mache ich gerne.«

Sie saß auf der Schieferterrasse, an einem Teaktisch unter einem hellblauen Sonnenschirm. Drei Kupferkessel mit Pflanzen standen auf den drei Stufen zur Veranda. Mit ihrer Kappe, den ausgestreckten langen Beinen und den Arbeitsstiefeln und den wild wuchernden Rosen hinter sich sah sie entspannt und ungewöhnlich aus.

Sie lächelte, als er sich ihr gegenübersetzte. »Ich sonne mich«, erklärte sie und streichelte Spock.

»Das sehe ich. Wann hast du den bekommen?« Er schnipste mit dem Finger zum Sonnenschirm.

»Er ist heute gekommen, und ich musste ihn unbedingt

aufstellen. Danach hat Shanna die Blumenkübel hierhinge-
schleppt. Ich hatte sie mir gekauft, weil ich glaubte, ich käme
irgendwann mal dazu, sie zu bepflanzen. Aber als Shanna den
Tisch gesehen hat, ist sie in die Gärtnerei gefahren, hat die
Pflanzen geholt und es selber gemacht, einfach so. Ich muss sie
zwar noch mal wegräumen, wenn wir den Außenanstrich machen, aber für den Moment genieße ich den Anblick.«

Sie griff neben sich und holte zwei Flaschen Bier aus einem
Eimer mit Eis. »Und jetzt kannst du dich mit mir sonnen, das
ist sogar noch besser.«

Er öffnete die Flaschen und stieß mit ihr an. »Auf das erste
von vielen Sonnenbädern unter blauen Sonnenschirmen. Du
hattest also einen guten Tag.«

»Auf und ab. Schlimmer, als es angefangen hat, konnte es
zwar nicht mehr werden, aber es gab trotzdem noch Einbrüche. Meine Freude über die Bodendielen war nur von kurzer Dauer, als ich entdeckte, dass sie das falsche Holz geliefert hatten. Und dann haben sie auch noch behauptet, ich
hätte angerufen und den Auftrag von Walnuss auf Eiche geändert, was Quatsch ist. Auf jeden Fall verschiebt sich jetzt
die Arbeit am Fußboden im zweiten Stock um eine volle Woche. Ich habe den Schrank im dritten Schlafzimmer fertig und
mit dem im vierten angefangen. Bei der Dampfdusche gibt
es auch eine Verzögerung, weil der Händler uns die falschen
Maße geschickt hat, aber der Preis für die Badewanne, die
ich für das dritte Bad im ersten Stock haben möchte, ist gerade heruntergesetzt worden. Die Versicherung will mir keinen Mietwagen mehr geben und wird mit Sicherheit meine
Beiträge heraufsetzen, nachdem sie innerhalb von zwei Tagen
zwei Schäden bezahlen musste. Aber ich habe beschlossen,
mich zu freuen, statt sauer zu sein.«

»Gute Entscheidung.«

»Na ja, Verzögerungen und Pannen passieren eben. Die Rosen blühen, und ich habe einen blauen Sonnenschirm. Aber
genug von mir. Wie war dein Tag?«

»Viel besser als durchschnittlich. Ich habe ein großes Problem gelöst, und von da ab lief es. Und dann habe ich auch noch eine sehr nette Einladung in meinem Kühlschrank gefunden.«

»Ich habe mir gedacht, da guckst du als Erstes rein, wenn du aufhörst zu arbeiten. Ich war zuerst oben, aber du warst so in deine Arbeit vertieft.« Sie blickte ihn neugierig an. »Welches Problem hast du gelöst?«

»Den Bösewicht. Die frühe Version war Mr. Eckley, mein Mathelehrer in der zehnten Klasse. Ich sage dir, der Mann war böse. Aber als sich der Charakter entwickelte, merkte ich, dass er nicht die Figur hatte, die ich mir vorstellte. Ich wollte ihn schlanker, ein bisschen gemeiner, aber attraktiv, vielleicht leicht aristokratisch und von oben herab. Aber alles, was ich ausprobierte, sah letztendlich so aus wie John Carradine oder Basil Rathbone.«

»Die sehen doch beide gut aus. Hohle Wangen, stechender Blick.«

»Viel zu offensichtlich für die Figur. Und heute ist sie mir endlich gelungen. Ich brauche gar keine scharfen Wangenknochen und intensive Augen. Ich brauche eine dünne Schicht Manieren und Blasiertheit über jeder Menge Öl. Nicht den knochigen Carradine, sondern etwas Leichteres, fast Weibisches. Der Kontrast zwischen Aussehen und Absicht«, erklärte er. »Es ist viel böser, wenn ein Mann kalt zerstört, der einen Armani-Anzug trägt.«

»Also hast du die Figur nach einem Hollywood-Agenten geschaffen?«

»So in etwa. Es ist Nummer fünf.«

Cilla verschluckte sich fast an ihrem Bier. »Mario? Meinst du das ernst?«

»Völlig. Ich habe heute nur einen einzigen Blick auf ihn geworfen, und es fiel mir wie Schuppen von den Augen. Er hat alles – die Figur, die Haltung, den Fünfhundert-Dollar-Haarschnitt und diese glänzende Ölschicht. Ich weiß nicht, warum mir das nicht schon beim ersten Mal aufgefallen ist. Vermutlich habe ich mich da zu sehr auf Mr. Eckley konzentriert.«

»Mario.« Cilla sprang auf und gab ihm einen Kuss. »Da hat sich ja die Veranstaltung heute früh richtig gelohnt. *Danke!*«

»Ich habe es eigentlich nicht für dich gemacht. Aber es ist trotzdem schön, wenn du dich darüber freust.«

»Ja.« Sie sank wieder auf ihren Stuhl. »Das hat diesen Tag tatsächlich besser als den Durchschnitt gemacht.«

Cilla beizte die nächsten Fußleisten im schattigen Halbdunkel der Scheune ab. Sie liebte es, wenn sie bei der Arbeit ihre Ruhe hatte. Es gab noch Kilometer von Leisten im gesamten Haus, die sie alle abbeizen, schleifen, lasieren und versiegeln musste, aber sie wollte es unbedingt alleine machen. Eines Tages, dachte sie, während sie ganze Schichten von Weiß und Himmelblau von dem Walnussholz abschälte, würde sie durch ihr Haus gehen und jeden einzelnen Zentimeter restaurierter Zierleisten bewundern. Und das Beste würde sein, dass sie sagen konnte: Das habe ich selbst gemacht.

Sie trug nur ein Tanktop und armeegrüne Cargo-Shorts, weil sogar im Schatten die Hitze kaum auszuhalten war. Als sie einen Moment Pause machte, um Wasser zu trinken, sah sie den Arbeitern am Teich zu, wie sie Wasserrosen teilten und die üppig wuchernden Rohrkolben ausgruben.

Wenn erst einmal das ökologische Gleichgewicht wiederhergestellt war, dachte sie, konnte sie den Teich sicher selbst pflegen. Allerdings würde sie Hilfe im Garten brauchen, auch wenn sie sich einen Aufsitzrasenmäher gekauft hatte. Es würde ihr bestimmt gefallen, Unkraut zu jäten, Rasen zu mähen, die Blätter im Herbst mit dem Rechen zusammenzukehren, im Winter Schnee zu schaufeln und im Frühjahr neue Blumen zu pflanzen.

Aber es war unrealistisch zu glauben, dass sie alles – Haus, Teich, Felder und Garten – alleine bewältigen und gleichzeitig noch ein Geschäft führen könnte.

Außerdem brauchte sie Unterstützung bei der Anlage des Küchengartens, den sie geplant hatte, zumal sie in diesem Jahr noch nicht damit beginnen konnte. Und sie musste wissen, ob die Felder gepflügt und bepflanzt werden mussten – und womit. Und wer sollte das tun? Noch mehr Hilfe und Rat brauchte sie, wenn sie sich ihren Wunsch nach einem Pferd erfüllte. Es müsste geritten, untergebracht, gefüttert und geputzt werden und war wahrscheinlich eine Schnapsidee.

Aber … es wäre doch toll, wenn ein paar Pferde auf einer der Wiesen grasen würden? Wäre das nicht Kosten, Zeit und Mühe wert?

Nächstes Jahr, sagte sie sich. Vielleicht.

Sie durfte nicht übermütig werden, nur weil es ein paar Tage lang glatt gelaufen war und weil sie so verdammt glücklich war. Zur Realität gehörten tropfende Wasserhähne, Blattläuse und Quecken, verstopfte Abflüsse und widerspenstige Geräte. Damit und mit noch viel mehr würde sie sich den Rest ihres Lebens abfinden müssen.

Und war das nicht einfach fantastisch?

Singend bearbeitete sie die alte Walnusszierleiste mit dem Sandstrahler.

»Ich hatte vergessen, dass deine Stimme so ähnlich klingt wie ihre.«

Blinzelnd blickte sie auf und lächelte, als Gavin aus der Sonne in den Schatten trat. »Aber ich habe nicht ihre Tiefe oder ihr natürliches Vibrato.«

»Ich fand, es klang wundervoll, und interessant, dass du in deinem Alter ›Blue Skies‹ singst.«

»An diesem Ort kann man nur die Klassiker singen. Oder vielleicht liegt das an ihr. Außerdem« – sie zeigte nach oben – »haben wir ja heute blauen Himmel.«

»Ich bin durch die Vordertür gekommen und habe das fertige Produkt gesehen.« Er tippte auf die Fußleiste. »Das war auch etwas, was ich vergessen hatte. Vielleicht habe ich sie auch früher nur nie bemerkt, wenn ich hierhingekommen bin. Sie sind wunderschön. Wirklich schön.«

»Es macht mich glücklich. Deshalb habe ich auch gesungen. Ich habe mich schon gefragt, wann du wieder vorbeikommst, damit ich dich dazu überreden kann, wieder zum Pinsel zu greifen.«

»Zeig mir die Wände und die Farben.«

»Ich habe ein Schlafzimmer, das nur noch auf einen doppelten Anstrich mit *Spiced Cognac* wartet.« Sie wies auf die Zeitung, die ihr Vater dabeihatte. »Wir stellen Abdeckmaterial zur Verfügung. Du brauchst nicht deine eigenen Sachen mitzubringen.« Als er nicht lächelte, krampfte sich ihr der Magen leicht zusammen. »Ist was?«

»Ich habe von der Medien-Invasion und dem Besuch deiner Mutter vor ein paar Tagen gehört. Es wird darüber berichtet – im Fernsehen, in den Zeitungen.«

»Ja, ein bisschen habe ich auch schon gesehen. Ich weiß, sie haben auch deinen Namen ins Spiel gebracht, und...«

Er unterbrach sie mit einer Handbewegung. »Das ist nicht wichtig. Cilla, ich war mir nicht sicher, ob ich dir das hier zeigen sollte, habe mir aber gedacht, dass du es über kurz oder lang wahrscheinlich sowieso zu sehen bekommst, also ist es vielleicht besser, du erfährst es von mir. Patty war heute früh im Supermarkt, und das hier lag an der Kasse.«

»Die Boulevardpresse.« Sie nickte und zog ihre Arbeitshandschuhe aus. »Ich wusste, dass sie jeden Tag zuschlagen würden. Keine Sorge, daran bin ich gewöhnt.« Sie griff nach den Zeitungen.

Die Schlagzeilen sprangen sie an. Das war in der Boulevardpresse immer so, aber wenn der eigene Name da stand, schien es noch intensiver.

JANET HARDYS GEIST VERFOLGT IHRE ENKELIN! EHEMALIGE HOLLYWOOD-PRINZESSIN BEINAHE TÖDLICH VERUNGLÜCKT! BEDELIA HARDY EILT NACH DEM ANGRIFF EINES WAHNSINNIGEN AN DIE SEITE IHRER TOCH-

TER! IST LITTLE KATIE DIE REINKARNATION VON JANET HARDY?

Die Bilder waren noch schlimmer, körnig und unscharf. Auf der ersten Seite war ein Bild von Cilla, auf dem deutlich ihre Gesichtsprellungen zu sehen waren, und Dilly, die ihre Tochter an sich drückte, wobei ihr eine einzelne Träne über die Wange lief. Hinter ihnen schwebte das geisterhafte Bild von Janet, und die Überschrift lautete: »›Der Geist meiner Mutter ist hier gefangen‹, erklärt Bedelia Hardy. Das Foto beweist ihre traurige Aussage.«

Im Innenteil zeigte ein Foto Cilla, wie sie genau die Zierleiste, an der sie gerade arbeitete, aus dem Haus trug. *Cilla kämpft darum, Janets Geist aus ihrer Farm in Virginia zu vertreiben.*

Auch Ford war ihnen nicht entkommen, musste sie feststellen. Die Fotos von ihm mit seinem Namen und den lächerlichen Überschriften befanden sich ebenfalls im Innenteil.

»Okay. Es ist schlimmer, viel schlimmer, als ich erwartet hatte.« Sie reichte die Zeitungen ihrem Vater. »Aufmacher, mehrere Artikel im Innenteil. Mom wird begeistert sein. Es ist mir egal, wie das jetzt klingt«, fuhr sie fort, bevor ihr Vater etwas sagen konnte. »Sie hat das Ganze angeleiert. Jeder, mit dem ich arbeite, mit dem ich Geschäfte mache, wird diese Scheiße lesen. Und Ford haben sie auch mit hineingezogen, weil er den Fehler gemacht hat, sich in mich zu verlieben. Jetzt wird er ...«

»Er ist in dich verliebt?«, unterbrach Gavin sie. Er legte ihr die Hand auf die Schulter. »Er liebt dich? Und du liebst ihn auch?«

»Ja, uns ist beiden schon das Wort mit L über die Lippen gekommen. Oder, laut diesem Müll da, hat vielleicht auch Janet es durch mich gesprochen, da sie ja darüber spekulieren, ob Cillas Liebhaber vom Geist meiner Großmutter betört worden ist. Sag jetzt nicht, ich soll mich nicht aufregen. Sag nicht, dass alle hier wissen, was für ein Mist in diesen Revolverblättchen steht. Diese Zeitungen verkaufen sich doch nur, weil die Leute es lieben, Müll zu lesen.«

»Nein, ich wollte gerade sagen, dass ich Ford immer gern gemocht habe. Und wenn er dich glücklich macht, dann mag ich ihn noch lieber.«

»Wenn er das hier sieht und seiner Familie, seinen Freunden und seinem Verleger erklären muss, warum sein Gesicht und sein Name durch die gesamte Presse gezogen werden, wird er nicht mehr besonders glücklich mit mir sein.« Hilflos drückte sie sich die Hand auf ihren nervösen Magen. »Ich wusste, dass sie ihn mit hineinziehen würden, und ich habe ihn noch gewarnt, aber ich wusste doch nicht, dass es so schlimm sein würde.«

»Du traust entweder dir oder Ford nicht genug zu. Natürlich hast du das Recht, dich darüber aufzuregen und stinksauer zu sein. Ich habe zwar nicht so viel Erfahrung mit Prominenz wie du, aber ich weiß, dass du zwei Möglichkeiten hast.«

Seine Stimme klang ganz ruhig, und er blickte sie ernst an. »Entweder machst du einen Aufstand, verlangst Richtigstellungen und Korrekturen, drohst ihnen mit rechtlichen Schritten oder aber du ignorierst es einfach. Wenn du Ersteres tust, hast du eine winzige Chance auf Satisfaktion, wohingegen die Zeitungen die Geschichte aufblasen und wahrscheinlich sogar ihre Auflage noch steigern können. Wenn du sie ignorierst, kochst du wahrscheinlich noch eine Zeitlang innerlich vor Wut.«

»Ich weiß, dass ich sie ignorieren muss, aber es hört nicht auf. Immer wieder, wenn sie irgendetwas über Janet Hardy berichten wollen, oder wenn Mom sich von Nummer fünf scheiden lässt, werden sie diese Bilder herausholen. Es wird ewig dauern, bis ich mich damit abfinden kann.«

»Ich könnte dir einen kleinen Hund kaufen.«

»Was?« Verblüfft fuhr sie sich mit der Hand durch die Haare. »Warum?«

»Dann könntest du diese albernen Zeitungen auf dem Boden für ihn ausbreiten, damit er darauf kacken und pinkeln kann.«

Cilla lächelte. »Ich wollte immer einen kleinen Hund, aber bevor ich mir Haustiere zulege, sollte ich wahrscheinlich erst einmal das Haus fertig machen.«

»Wie wäre es denn dann, wenn ich stattdessen für dich das Schlafzimmer streiche? *Spiced Cognac*, richtig?«

»Genau. Ich zeige es dir.«

Ford machte eine kleine Pause, um sich eine Flasche Wasser zu holen und die letzten Bleistiftzeichnungen zu betrachten, die er fertiggestellt hatte. Ihm gefielen die leisen Veränderungen bei Cass, wenn sie nach der Verwandlung in Brid aufwachte. Der Ausdruck in ihren Augen, der Unterschied in der Haltung, wenn sie allein war. Sie hatte sich verändert, und nicht nur, wenn sie ihre Macht ausübte und das Symbol ihrer Stellung sich in ihren Arm brannte. Mit der Zeit würde die stille, unauffällige Akademikerin mehr zur Maske werden als ihr wahres Ich.

Und diesen Verlust würde er zum Thema zukünftiger Folgen machen.

Der Weg zum Schicksal, wie der Unsterbliche ihr auf Panel drei, Seite einundsechzig, sagte, erforderte Opfer. Und wenn sie ihre Wahl getroffen hatte, würde sie nie wieder so sein wie früher.

Wie würde sie damit zurechtkommen?, fragte sich Ford. Wie würde sie mit dieser Person umgehen, und wen würde sie auf diesem Weg hinter sich lassen?

Er fand es interessant, das herauszufinden. Hoffentlich waren die Leser der gleichen Meinung.

Es konnte nicht schaden, dachte er, in den Sprechblasen ein paar kryptische Hinweise darauf zu geben, was noch kommen würde. Er musste sowieso seine E-Mails checken. Und wenn er jetzt eine Stunde Pause machte, konnte sich seine Kreativität entfalten.

Er saß gerade vor seinem Monitor, als es an der Vordertür klopfte. Seit der Invasion der Reporter war er vorsichtig geworden und sah erst aus dem Fenster, bevor er hinunterlief, um die Tür aufzumachen.

»Hey, Mr. McGowan.«

»Ford. Hoffentlich störe ich Sie nicht.«

»Nein, ich habe gerade eine Pause gemacht. Kommen Sie herein.«

»Ich möchte gerne etwas mit Ihnen besprechen.«

»Ja, klar.« Es war dumm von ihm, dass er so nervös reagierte, sagte sich Ford. Schließlich lag die Schule schon lange hinter ihm. »Äh, möchten Sie etwas Kaltes trinken?«

»Ja, das wäre nett. Ich habe gerade bei Cilla angestrichen.«

»Gibt es drüben ein Problem?«, fragte Ford und ging voraus in die Küche.

»Irgendetwas mit dem heißen Wasser, eine komplizierte Debatte über Schubladen kontra Türen in irgendeinem Schrank und Buddy, der sich über irgendwelche Dichtungsringe aufgeregt hat. Ansonsten sieht es für mich so aus, als ob da drüben alles sehr gut läuft.«

»Cilla scheint in der Lage zu sein, alles im Griff zu behalten. Setzen Sie sich. Ist Eistee okay?«

»Ja, perfekt.« Gavin wartete, während Ford Eiswürfel in zwei Gläser füllte und kalten Tee darübergoss. Dann legte er die Boulevardzeitungen auf den Tresen.

Ford warf einen Blick darauf und drehte die oberste Zeitung ein wenig zu sich, damit er sie besser erkennen konnte. »Autsch! Hat Cilla sie gesehen?«

»Ja. Sie vermutlich nicht, oder?«

»Nein, ich war fast den ganzen Tag in Centuria. Ich habe gearbeitet, meine ich«, erklärte er. »Wie hat sie es aufgenommen?«

»Nicht gut.«

»Ach, du meine Güte, konnten sie das nicht besser machen?«

Ford tippte auf das Bild mit Janets Geist. »Jeder Zwölfjährige kann besser mit Photoshop umgehen. Aber das Foto von Cilla als Kind ist süß.«

Gavin sagte nichts und blätterte die Seite um. Er beobachtete Ford, als dieser sein eigenes Foto entdeckte. »Mann, ich muss unbedingt zum Friseur. Ich hatte es mir schon die ganze Zeit vorgenommen. Hmm, ›Außer sich vor Wut kommt Cillas Liebhaber ihr zu Hilfe‹. Besonders wütend sehe ich allerdings auf diesem Foto nicht aus. Besorgt würde besser passen. Sie sollten …«

Er räusperte sich, weil ihm auf einmal wieder einfiel, dass Cillas Vater an seiner Küchentheke saß und Eistee trank. »Hören Sie, Mr. McGowan, Cilla und ich – das ist nicht … na ja, es ist schon, aber …«

»Ford, ich bin nicht schockiert darüber, dass Sie und Cilla miteinander schlafen. Und ein Gewehr besitze ich auch nicht.«

»Okay. Na ja.« Er trank einen Schluck Tee. »Ja, ist gut.«

»Wirklich?« Gavin schlug eine andere Zeitung auf. »Hier lesen Sie das. Da steht, dass Sie vom einsamen, gefangenen Geist von Janet Hardy verführt worden sind – beziehungsweise, Sie haben die Enkelin verführt, um Janets Geliebter zu werden.«

Ford schnaubte nur. »Entschuldigung, aber das ist ja wohl nur komisch. Wenn sie wirklich Fantasie hätten, würden sie mich zur Reinkarnation von Bogart oder Gregory Peck machen, die ihre Lust auf Janet jedes Mal ausleben, indem sie mit der Enkelin vögeln. Oh, Entschuldigung wegen dem Vögeln.«

Gavin lehnte sich zurück und trank einen Schluck Tee. »Sie waren einer meiner besten Schüler. Intelligent, kreativ. Ein bisschen ungeschickt und exzentrisch, aber niemals langweilig. Ich hatte immer Freude an dem, was man als Ihren einzigartigen Gedankenprozess bezeichnen konnte. Ich habe zu Cilla heute früh gesagt, dass ich Sie immer gerne gehabt habe.«

»Das freut mich.«

»Und wie sind Ihre Absichten in Bezug auf meine Tochter?«

»Oh, Mann. Ich habe hier so ein *Ding* in der Brust.« Ford schlug sich auf die Brust. »Glauben Sie, große Angst kann bei jemandem in meinem Alter einen Herzinfarkt hervorrufen?«

»Das bezweifle ich, aber ich verspreche, den Notarzt zu rufen, falls es nötig sein sollte.« Gavin blickte Ford direkt an. »Beantworten Sie meine Frage.«

»Ich möchte, dass sie mich heiratet, aber sie ist noch nicht so weit. Sie hat noch Zweifel. Wir kennen uns erst seit ein paar Monaten, aber ich weiß, wie ich empfinde. Muss ich Ihnen genau erläutern, wie meine Aussichten sind und so? Das ist für mich das erste Mal.«

»Für mich auch. Ich würde sagen, die Aussichten für Sie und Cilla sind mehr als gut. Meiner Meinung nach passen Sie gut zusammen.«

»Jetzt ist es wieder weg.« Ford atmete tief durch. »Sie braucht mich. Sie braucht jemanden, der sie versteht und schätzt, so wie sie ist. Und ich brauche sie, weil sie eben so ist und weil ich – große Überraschung – mein ganzes Leben lang auf eine Frau wie sie gewartet habe.«

»Das ist eine sehr gute Antwort.« Gavin erhob sich. »Ich lasse die hier«, sagte er und wies auf die Zeitungen. »Tun Sie damit, was Sie für richtig halten. Ich gehe jetzt wieder anstreichen. Sie brauchen mich nicht zur Tür zu bringen.« Nach einer paar Schritten blieb er noch mal stehen und drehte sich um. »Ford, ich freue mich sehr.«

Ebenso erfreut setzte sich Ford an die Küchentheke und las alle Artikel in allen Zeitungen. Danach wusste er, was er damit machen wollte.

Es dauerte einige Zeit, aber das Ergebnis war mehr als zufriedenstellend. Er ging mit Spock über die Straße, und als er die Haustür verschlossen fand, benutzte er den Hausschlüssel, den Cilla ihm gegeben hatte. Er rief nach ihr, und als sie nicht antwortete, lief er nach oben. Er hörte Wasser rauschen, also stand sie offensichtlich unter der Dusche, und kurz überlegte er, ob er sich zu ihr gesellen sollte, aber das würde den Ablauf der Ereignisse durcheinanderbringen.

Außerdem, eine Frau in einem abgeschlossenen Haus unter der Dusche zu überraschen, löste immer Schreie aus – und dass diese Frau schreien konnte, hatte sie ja schon bewiesen. Also begnügte er sich damit, sich auf die Kante des Betts im Gästezimmer – dem bislang einzigen Bett im Haus – zu setzen und zu warten.

Sie schrie zum Glück nicht, als sie ihn sah, zog allerdings überrascht die Luft ein und taumelte einen Schritt zurück.

»Gott, Ford! Du hast mich zu Tode erschreckt!«

»Entschuldigung. Ich habe mir gedacht, dass ich dich bestimmt mehr erschrecke, wenn ich ins Badezimmer komme, während du duschst.« Er imitierte die Szene aus *Psycho* und tat so, als würde er mit einem imaginären Messer zustechen.

»Das wäre unter Umständen schlimmer gewesen. Wo ist Spock?«

»Er wollte nachschauen, ob es im Garten imaginäre Katzen gibt.«

»Ich muss mich anziehen. Setz dich doch solange auf die Terrasse. Ich komme gleich.«

Unglücklich, dachte er. Irritiert. Und ein bisschen entmutigt. Seine Idee würde ihr entweder helfen oder alles noch schlimmer machen. Das würde er gleich einmal ausprobieren.

»Ich habe dir etwas mitgebracht.«

»Was? Nimm es doch mit nach unten, und dann...« Sie brach ab, als er das flache Päckchen hinter seinem Rücken hervorzog.

Sie packte ihr Handtuch ein wenig fester. »Du hast sie also gesehen?«

»Ja. Und zwei unserer Handwerker, meine angeblich besten Freunde Matt und Brian, haben ihren Job hingeschmissen und sich bei mir bitterlich darüber beklagt. Du kannst sie bestrafen, wie du willst. Aber vorher musst du dein Geschenk aufmachen.« Er klopfte einladend auf das Bett neben sich.

Sie blickte auf das Päckchen, das er ihr in den Schoß legte.

»Die Seiten mit den Artikeln habe ich nicht verwendet. Vielleicht kleben wir sie ja in ein Album.«

»Das ist nicht komisch, Ford.«

»Dann gefällt dir dein Geschenk bestimmt auch nicht. Ich nehme es zurück und vergrabe es im Garten.«

»Es ist echt nicht lustig. Du hast ja keine Ahnung…« Sie riss an dem Papier, mit dem es eingewickelt war. Und dann fielen ihr fast die Augen aus dem Kopf.

Es war ein schmales Bändchen. Auf dem Cover war eine farbige Zeichnung von ihr und Ford in einer leidenschaftlichen Umarmung. Über ihren Köpfen stand:

DIE AMOURÖSEN ABENTEUER UND
ZAHLREICHEN LEBEN VON CILLA UND FORD

»Du hast ein Comicbuch geschrieben?«

»Es ist eigentlich mehr eine kurze, illustrierte Geschichte, inspiriert von den jüngsten Ereignissen. Komm, lies es.«

Anfangs konnte sie gar nichts sagen. Die fünf Seiten mit Schwarz-weiß-Zeichnungen, Sprechblasen und Überschriften waren grotesk, pornographisch und brutal komisch.

Mit ausdrucksloser Miene las sie alles durch.

»Das hier.« Sie tippte mit dem Finger auf ein Panel, auf dem Ford, voll bekleidet, eine nackte Cilla in die Arme riss, während Spock die Pfoten vors Gesicht schlug. »Das halte ich nicht für angemessen. Es ist ein bisschen übertrieben.«

»Ich bin Künstler, ich darf das.«

»Ach, glaubst du wirklich, ich würde jemals sagen: ›Oh, Ford, Ford, besorg es mir‹?«

»Man kann an allem etwas aussetzen.«

»Aber gut gefällt mir dieser Teil am Anfang, wo die geilen Geister von Janet und Steve McQueen über unsere schlafenden Körper gleiten.«

»Das kam mir passend vor, weil sie es doch der Legende nach im Teich getrieben haben. Und außerdem, wenn ich schon von einem Geist besessen sein soll, dann muss es schon ein echt cooler Typ sein.«

»Ja, da hast du recht«, stimmte sie ihm zu. »Und mir gefällt auch, wie der Paparazzo aus dem Baum fällt, als er durch das Schlafzimmerfenster fotografieren will, und die kleinen X in seinen Augen, bevor Spock ihn wegschleppt, um ihn zu verbuddeln. Aber ich glaube, mein absoluter Liebling ist das letzte Panel, wo wir alle vier im Bett sitzen und befriedigt die Zigarette danach rauchen.«

»Ich habe es gerne, wenn Geschichten gut ausgehen.«

Sie blickte in seine grünen Augen. »Und du willst mir damit sagen, ich soll nicht alles so schwer nehmen.«

»Es ist meine Art, dir zu zeigen, dass man auch anders damit umgehen kann.«

Sie legte sich zurück aufs Bett. »Lass uns mal eine Textprobe machen. Ich bin Cilla und Janet, du bist Ford und Steve.«

»Okay.« Er legte sich neben sie.

»Und danach spielen wir es mal.«

Er grinste sie an. »Noch besser.«

24

Jeden Tag kamen Besucher. Manche waren willkommen, und manche ignorierte sie, wie zum Beispiel die, die am Straßenrand anhielten und vom Auto aus Haus und Grundstück fotografierten. Sie kümmerte sich auch nicht um die Handwerker, die sich einen Spaß daraus machten, vor den Kameras zu posieren. Sie konnte ihnen nicht verdenken, dass sie es als nette Abwechslung empfanden, eine gewisse, wenn auch nur kurze Berühmtheit zu erlangen.

Früher oder später, sagte sie sich, würde das Interesse nachlassen. Die Paparazzi, die ihr beim Einkaufen auflauerten, beachtete sie gar nicht, und wenn sie Fotos von sich in der Boulevardpresse oder in Klatschmagazinen sah, richtete sie ihre Gedanken bewusst auf etwas anderes. Und wenn die Agentin ihrer Mutter anrief, um Termine für Interviews oder Fotos zu vereinbaren, legte Cilla einfach auf.

Sie arbeitete weiter wie gewohnt und betete, dass irgendein böses Mädchen in Hollywood irgendetwas anstellte, das für die Reporter interessanter war als sie. Der Juli neigte sich dem Ende zu, und sie konzentrierte sich aufs Haus. Sie hatte viel zu tun.

»Warum wollen Sie hier noch ein Spülbecken?«, fragte Buddy. »Sie haben doch da drüben schon eins.«

»Das hier ist zum Vorbereiten, Buddy, und ich will gar nicht wissen, warum ich es so haben will. Es ist einfach so. Becken hier.« Sie zeigte auf ihre endgültige Zeichnung der Küche. »Geschirrspüler hier. Kühlschrank. Und hier, in der Kochinsel, das Vorbereitungsbecken.«

»Wie Sie meinen.« Er sagte es so, als wolle er damit kundtun, sie habe ja doch keine Ahnung. »Ich meine ja nur, wenn Sie das in die Kochinsel einschneiden, vergeben Sie Arbeitsfläche.«

»Ich lasse ein Schneidbrett einpassen, dann kann ich etwas darauf schneiden und es anschließend gleich waschen.«

»Und was?«

»Himmel, Buddy, Gemüse und so.«

Er legte die Stirn in Falten. »Und was waschen Sie dann in dem anderen Becken?«

»Das Blut von meinen Händen, nachdem ich Sie mit dem Schraubenzieher erstochen habe.«

Seine Mundwinkel zuckten. »Sie haben manchmal komische Ideen.«

»Ja? Was halten Sie von der hier? Ich will einen Wasserhahn zum Töpfe füllen.«

»Sie haben zwei Becken, *und* dann wollen Sie noch so eine Vorrichtung, die man aus der Wand über den Herd ziehen kann, um Töpfe mit Wasser zu füllen?«

»Ja, genau das will ich. Ich will große Töpfe mit Wasser füllen, um Pasta darin zu kochen oder mir die Füße zu waschen. Oder die Köpfe von nörgeligen Installateuren zu kochen, die mir ständig widersprechen. Vielleicht bin ich ja ein Wasserhahn-Fetischist. Aber ich will es so!«

Sie trat an die Wand und klopfte mit der Faust an die Stelle, die sie mit ihrem Zimmermann-Bleistift markiert hatte. »Und ich will ihn genau hier.«

Er verdrehte die Augen zur Decke, als ob er Gott fragen wollte, was in sie gefahren war. »Ich muss erst die Rohre dahin verlegen, dafür muss ich die Wand aufstemmen.«

»Ich weiß.«

»Es ist Ihr Haus.«

»Ja, genau.«

»Ich habe gehört, Sie haben noch eins gekauft, diese alte Hütte draußen an der Bing.«

»Sieht so aus.« In ihrem Magen flatterte es leicht. »Aber vor Oktober wird dort niemand einziehen.«

»Sie wollen wahrscheinlich Ihren schicken Kram auch da einbauen.«

»Es wird Sie freuen zu hören, dass ich es dort einfacher halten will.« Sie musste die Lippen zusammenpressen, als sie seinen enttäuschten Gesichtsausdruck sah.

»Das behaupten Sie jetzt. Na ja, ich kann am Donnerstag mit den Vorarbeiten anfangen.«

»Das wäre toll.«

Sie überließ ihn seinen Gedanken und Kalkulationen.

In zwei Wochen müssten die Küchenschränke fertig sein, schätzte sie, und bis die Installationsarbeiten und die Elektrik fertig waren, musste sie sie zwischenlagern. Dann mussten sie die Wand wieder zumachen, anstreichen und die Böden verlegen. Wenn die Arbeitsplatte rechtzeitig geliefert wurde, konnte die Küche, von den restaurierten Geräten einmal abgesehen, am Labor Day einsatzfähig sein.

Vielleicht würde sie dann eine Party feiern. Hoffentlich brachte es kein Unglück, zum jetzigen Zeitpunkt schon an eine Party zu denken.

»Klopf, klopf!« Cathy Morrow steckte ihren Kopf durch die Haustür. »Brian meinte, ich könnte einfach hereinkommen.«

»Ja, klar. Wie geht es Ihnen?«

»Gut, aber ich sterbe vor Neugier. Brian erzählt uns ständig, wie wundervoll alles aussieht, deshalb mussten Tom und ich einfach mal vorbeikommen, um es uns selbst anzuschauen. Tom ist draußen, wo Sie die Trockenmauer anlegen lassen. Für Sträucher, hat Brian gesagt.«

»Dadurch gewinnt der Garten noch zusätzlich an Höhe und Tiefe, und ich brauche nicht so viel zu mähen.«

»Ich glaube nicht, dass Brian schon jemals für einen Privatkunden – also nicht für ein Unternehmen – so viel gearbeitet hat. Er ist einfach … Oh, Cilla! Das ist wunderschön!«

Cilla errötete vor Stolz, als Cathy durch den Wohnraum ging. »Er ist fertig, nur der Boden muss noch einmal lasiert werden, aber das machen wir im ganzen Haus auf einmal. Und natürlich muss es noch eingerichtet und dekoriert werden. Ich muss Bilder aufhängen und Vorhänge aussuchen und solche Details.«

»Der Raum wirkt so offen und warm. Das Licht ist großartig. Sind das da an der Decke Shamrocks oder wie nennt man das?«

»Ja, auf dem Medaillon. Dobby hat es großartig gemacht. Und der Stuck passt zur Architektur des Hauses. Ich weiß allerdings nicht, was vorher da war. Ich habe keine Fotos gefunden, und mein Vater konnte sich auch nicht erinnern. Aber ich glaube, diese schlichten Formen wirken am besten.«

»Ja, es ist wirklich schön. Und, oh, mein Gott, der Kamin.«

»Der Mittelpunkt des Raums.« Cilla strich mit der Hand

über den tiefblauen Granit. Er sollte sich so von den Wänden abheben wie der Himmel gegen die Berge. Und eine so starke Farbe braucht eine stabile Umrandung.«

»War er nicht… Ja, vorher war er aus Ziegeln.«

»Verrußt und verschmutzt, und er entsprach auch nicht mehr den Sicherheitsvorschriften. Das können Sie an den Brandflecken hier im Fußboden sehen, wo die Funken geflogen sind.«

»Es ist komisch, alles, woran ich mich hier in diesem Zimmer oder im Haus erinnere, war so hypermodern. Das große Sofa in Pink mit den weißen Satinkissen. Ich war so beeindruckt. Auch davon, wie Janet aussah. Als sie in einem blauen Kleid auf dem Sofa saß. Sie war so schön. Alles war so schön«, fügte Cathy lachend hinzu. »All die Prominenten, die Reichen und Berühmten und Wichtigen. Ich konnte es gar nicht glauben, dass ich hier war. Wir wurden auch nur eingeladen, weil Toms Vater eine bedeutende Persönlichkeit hier war. Wir waren dreimal eingeladen, und jedes Mal war es so aufregend, dass ich Bauchweh bekam.

Als ich das letzte Mal hier war, war ich jünger als Sie jetzt. Es ist so viel Zeit vergangen«, fügte sie seufzend hinzu. »Es war bei einer Weihnachtsparty. Die ganzen Dekorationen, die Lichter. Unzählige Gläser Champagner, Musik. Diese wundervolle Couch. Die Leute baten sie zu singen, bis sie schließlich nachgab. Da drüben am Fenster stand ein weißer Flügel, und… Oh! Wer war es noch, von dem jeder glaubte, sie hätte eine Liebesaffäre mit ihm… war er Komponist? Und dann stellte sich heraus, dass er schwul war. Er starb an AIDS.«

»Lenny Eisner.«

»Ja, genau. Gott, was für ein attraktiver Mann! Auf jeden Fall spielte er Klavier, und sie sang. Es war die reinste Magie. Es könnte das Weihnachten gewesen sein, bevor Ihr Onkel ums Leben kam.

Es tut mir leid«, sagte Cathy plötzlich. »Ich habe laut geträumt.«

»Nein, ich höre gerne davon, wie es war. Wie sie war.«

Cathy schob sich eine Haarsträhne hinters Ohr. »Ich kann Ihnen sagen, niemand strahlte heller als Janet. Ich glaube, ja, Marianna war gerade ein paar Wochen alt, und wir hatten zum ersten Mal einen Babysitter. Es machte mich nervös, sie allein zurückzulassen, und ich war auch so verlegen, weil ich die Pfunde von der Schwangerschaft noch nicht ganz verloren hatte. Aber Janet fragte mich gleich nach dem Baby und sagte mir, wie hübsch ich aussähe. Das war nett von ihr, da ich bei Marianna dick wie ein Wal geworden war und meinen Umfang höchstens auf Flusspferd reduziert hatte. Daran kann ich mich besonders gut erinnern, denn meine Schwiegermutter nörgelte ständig an mir herum, weil ich so viele Canapées aß. Wie sollte ich denn jemals abnehmen, wenn ich so viel aß? Sie hat mich auf die Palme gebracht. Oh, aber Toms Vater, ich weiß noch, dass er an jenem Abend unglaublich gut aussah. Janet flirtete mit ihm, was meine Schwiegermutter irritierte und mich freute.«

Sie lachte bei der Erinnerung daran. »Ich bin mit Toms Mutter nie besonders gut ausgekommen. Ja, er sah an jenem Abend echt gut aus. Man hätte nie gedacht, dass er nur zwölf Jahre später so schrecklich an Krebs sterben würde. Sie standen genau hier, Janet und Drew – Andrew, Toms Daddy. Und dann waren sie beide tot.

Nein, das tut mir aber jetzt leid. Wie bin ich nur auf so morbide Gedanken gekommen?«

»Alte Häuser. Sie sind voller Leben und Tod.«

»Ja, Sie haben vermutlich recht. Aber was Sie hier machen, hat etwas mit dem Leben zu tun. Oh, das habe ich ja völlig vergessen. Ich habe uns zwei Mimosas mitgebracht.«

»Sie haben mir etwas zu trinken mitgebracht?«

Cathy musste lachen. »Nein. Ich habe mich falsch ausgedrückt. Mimosenbäume, meinte ich. Na ja, Bäume werden es erst in ein paar Jahren sein. Ich habe sie selber aus Samen gezogen, weil ich zwei schöne, alte Mimosen im Garten habe. Vielleicht wollen Sie sie aber auch gar nicht, dann wäre ich auch nicht beleidigt. Sie sind gerade erst fünfundzwanzig Zentimeter hoch, und sie werden erst in einigen Jahren blühen.«

»Ich freue mich sehr darüber.«

»Sie stehen draußen auf der Veranda in alten Plastiktöpfen. Am besten bringen wir sie zu Brian, damit er sie an der richtigen Stelle einpflanzen kann.«

»Das ist mein erstes Einweihungsgeschenk.« Cilla ging mit Cathy hinaus und hob einen der Plastiktöpfe an, in denen der zarte Schössling stand. »Ich finde es besonders schön, wenn ich sie so jung einpflanzen und dann beobachten kann, wie sie wachsen. Es ist ulkig, dass Sie gerade heute vorbeigekommen sind und über Partys gesprochen haben, weil ich überlegt habe, am Labor Day ein Fest zu feiern.«

»Oh ja, unbedingt. Das wird bestimmt lustig.«

»Das Problem ist nur, das Haus ist bis dahin noch nicht komplett fertig, und es ist auch noch nicht eingerichtet oder ...«

»Wen kümmert das denn?« Cathy versetzte Cilla einen begeisterten Stoß mit dem Ellbogen. »Wenn alles fertig ist, können Sie ja noch mal feiern. Es wäre dann wie so eine Art ... Vorspiel. Ich helfe Ihnen gerne und Patty bestimmt auch. Fords Mutter ebenfalls. Also, wenn Sie nichts dagegen haben, können wir das Ganze auch organisieren.«

»Mal sehen. Ich denke darüber nach.«

Die Handwerker waren gegangen, und im Haus kehrte wieder Ruhe ein. Cilla hatte die zwei zarten Schösslinge, die erst in ein paar Jahren die ersten rosa Wattebausch-Blüten zeigen würden, an einer sonnigen Stelle im Garten eingepflanzt. Nun setzte sie sich auf einen umgestülpten Eimer im Wohnzimmer des Hauses, das einst ihrer Großmutter gehört hatte. Und jetzt gehörte es ihr.

Sie stellte es sich voller festlich gekleideter Menschen vor.

Bunte Weihnachtslichter, eleganter Kerzenschein und ein Feuer im Kamin.

Eine pinkfarbene Couch mit weißen Satinkissen.

Und Janet, die alle überstrahlte, wie sie in einem blauen Kleid von Gast zu Gast ging, in der Hand ein Kristallglas mit Champagner.

Die Enkelin saß auf dem umgedrehten Eimer, hörte die Traumstimmen und sog den imaginären Duft des Weihnachtsbaums ein.

So fand Ford sie, alleine mitten im Zimmer, in der späten Dämmerung des Sommerabends.

Zu allein, dachte er. Nicht nur zurückgezogen, kontemplativ oder genießerisch, sondern absolut allein und sehr, sehr weit weg.

Er trat zu ihr und hockte sich vor sie hin. Kurz blickten ihre schönen Augen noch durch ihn hindurch, aber dann kam sie wieder in der Realität an.

»Hier hat eine Weihnachtsparty stattgefunden«, sagte sie. »Wahrscheinlich die letzte, die sie gegeben hat, weil es das Weihnachten vor Johnnies Tod war. Alles war voller Licht und Musik, voller Menschen. Schöne Menschen. Canapées und Champagner. Sie sang für sie, mit Lenny Eisner am Klavier. Sie hatte eine pinkfarbene Couch. Eine lange, pinkfarbene Couch mit weißen Satinkissen. Cathy hat mir davon erzählt. Es hört sich so nach Doris Day an, oder? Lippenstift-Pink. Hier würde es nie hineinpassen, mit diesen dunstig grünen Wänden.«

»Es ist nur Farbe, Cilla. Nur Stoff.«

»Es ist ein Statement. Moden ändern sich, aber es gibt Statements. Eine pinkfarbene Couch mit weißen Satinkissen passt nicht zu mir. Nie. Ich habe das geändert, und ich bereue es nicht. Es wird zwar nie wieder so elegant und strahlend sein, wie bei ihr, aber das finde ich auch okay. Manchmal allerdings habe ich das Bedürfnis, vor allem, wenn ich hier alleine bin, sie zu fragen, ob sie es auch in Ordnung findet, auch wenn das jetzt komplett verrückt klingt.«

»Und, ist sie einverstanden?«

Lächelnd lehnte Cilla ihre Stirn an seine. »Sie denkt darüber nach.« Seufzend fügte sie hinzu: »Na ja, da ich schon so verrückte Sachen sage, könnte ich dich eigentlich auch etwas Verrücktes fragen.«

»Komm wir setzen uns auf die Veranda, in die Ecke für verrückte Fragen. Ich kann nicht gut so lange hier hocken.« Er zog sie hoch.

Sie setzten sich auf die Veranda und streckten die Beine aus. Spock lief in den Vorgarten. »Bist du eigentlich sicher, dass hier die Ecke für verrückte Fragen ist?«, fragte Cilla.

»Definitiv. Ich habe eine Jahreskarte.«

»Okay. Hast du eigentlich Brians Großvater gekannt?«, fragte Cilla Ford. »Den Vater seines Vaters?«

»Kaum. Wir waren noch Kinder, als er starb. Ich habe nur eine vage Vorstellung von ihm. Ein großer, kräftiger Mann. Mächtig.«

»Wie alt mag er an jenem Weihnachten gewesen sein? An dieser Weihnachtsparty. Sechzig?«

»Ich weiß nicht. Ja, vielleicht sechzig. Warum?«

»Dann war er nicht zu alt«, überlegte Cilla. »Janet stand auf ältere Männer, allerdings auch auf jüngere und eigentlich auf jedes Alter.«

»Meinst du, Bris Großvater und Janet Hardy?« Ford lachte überrascht. »Das ist ... einfach komisch.«

»Warum?«

»Na ja, allein schon die Vorstellung, dass Großeltern überhaupt Affären, geschweige denn Sex haben, ist komisch.«

»Nicht so sehr, wenn deine Großmutter auf ewig neununddreißig bleibt.«

»Das stimmt.«

»Außerdem haben auch Großeltern Sex. Sie haben sogar das Recht, Sex zu haben.«

»Ja, ich möchte darüber lieber nicht nachdenken, sonst stelle ich mir am Ende noch *meine* Großeltern beim Sex vor.

Siehst du?« Er stieß sie mit dem Ellbogen an. »Schon passiert. Und jetzt bin ich fürs ganze Leben traumatisiert. Vielen Dank.«

»Definitiv die verrückte Ecke. Ford, er könnte doch die Briefe geschrieben haben.«

»Mein Großvater?«

»Nein. Obwohl na ja, jetzt wo du es erwähnst. Er hat ja selbst zugegeben, dass er verliebt in sie war. Er hat all diese Fotos von ihr gemacht.«

Ford ließ den Kopf in die Hände sinken. »Das sind schreckliche, schreckliche Bilder, die du mir in den Kopf setzt.«

»Würde er es dir erzählen, wenn du ihn fragen würdest?«

»Ich weiß nicht, aber ich werde ihn ganz bestimmt nicht fragen. Im Leben nicht. Und ich verlasse jetzt die verrückte Ecke.«

»Warte kurz. Wir tauschen mal die Großväter. Brians Großvater. Ich kann mir nur schwer vorstellen, dass dein Großvater all diese Fotos so sorgfältig in Ehren gehalten hat, obwohl die Affäre ein schlechtes Ende nahm. Aber Brians Großvater war doch der richtige Typ. Mächtig, wichtig. Verheiratet. Familie und eine erfolgreiche – öffentliche – Karriere. Er hätte diese Briefe schreiben können.«

»Da er seit über fünfundzwanzig Jahren tot ist, wird es schwer sein, irgendetwas zu beweisen.«

Das war ein Hindernis, dachte sie, allerdings kein unüberwindliches. »Es muss doch irgendwo noch etwas Handschriftliches von ihm geben.«

»Ja.« Ford stieß einen Seufzer aus. »Ja.«

»Wenn ich eine Probe bekommen und sie mit den Briefen vergleichen könnte, dann würde ich es wissen. Sie sind beide tot, und damit wäre es auch vorbei. Es hätte ja keinen Zweck, irgendwas öffentlich zu machen. Aber…«

»Du wüsstest es.«

»Ja, und ich könnte diesen Teil ihres Lebens, von dem ich sonst nie etwas erfahren hätte, ad acta legen.«

»Und wenn die Handschriften nicht übereinstimmen?«

»Dann werde ich weiter hoffen, dass ich eines Tages auf die richtige Person stoße.«

»Ich sehe zu, was ich tun kann.«

Ford brauchte zwei Tage, bis er sich einen Plan zurechtgelegt hatte. Er konnte nicht lügen. Nicht, dass er unfähig gewesen wäre, er war nur furchtbar schlecht darin. Deshalb hatte er sich damit abgefunden, entweder die Wahrheit zu sagen oder unterzugehen.

Er sah Brian und Shanna zu, die Torf unter die Erde hinter der fertigen Mauer einarbeiteten.

»Nimm dir eine Schaufel«, meinte Brian.

»Das könnte ich, aber es hat auch seinen Reiz, zuzuschauen und zu bewundern. Vor allem Shannas Hintern.«

Sie wackelte einladend damit.

»Wir wissen doch alle, dass du in Wahrheit meinen Hintern anschaust«, gab Brian zurück.

»Ja, du hast recht. Shanna ist nur ein Vorwand. Aber damit es überzeugender wird, könnte sie sich vielleicht einen Tick mehr vorbeugen und … ja, so ist es gut«, sagte er, als sie lachend gehorchte.

Es war so ungezwungen, dachte Ford, weil sie schon ihr ganzes Leben lang befreundet waren. Noch ein Grund, warum eine Lüge nicht in Frage kam. Aber er konnte es ja mit einem Vorwand versuchen.

»Was macht ihr da eigentlich gerade?«

Brian richtete sich auf, wischte sich mit dem Unterarm über die schweißbedeckte Stirn und wies auf einige Pflanzen in Plastiktöpfen. »Mach dich nützlich, wenn du schon nicht Besseres zu tun hast. Bring sie hierher, damit wir sie einsetzen und uns anschauen können, wie sie aussehen.«

»Er ist ein bisschen gereizt, weil ich mir zehn Tage freigenommen habe. Ich fahre nach L.A., um Steve zu besuchen.«

»Ach ja?« Ford nahm eine Azalee. »Und …?«

»›Die Zukunft ist noch nicht geschrieben‹.«

Man musste eine Frau, die aus *Terminator* zitierte, einfach lieben. »Bestell ihm schöne Grüße und so.«

Er sah zu, wie sie die Pflanzen arrangierten, die er ihnen reichte, überlegte laut, wo sie am besten hinpassten und ließ sich schließlich sogar zu einer kritischen Anmerkung hinreißen.

»Okay, du hast recht«, sagte Shanna zu Brian. »Wir tauschen diesen Rhodo mit dieser Andromeda.«

»Ich habe immer recht«, erklärte Brian selbstgefällig. »Deshalb bin ich ja auch der Boss.«

»Äh, Boss, hast du mal einen Moment Zeit?«, fragte Ford. »Ich möchte dich was fragen.«

»Klar.« Die beiden Männer gingen ein paar Schritte.

»Also, das muss unter uns bleiben«, begann Ford. »Cilla hat ein paar Briefe gefunden, die ihre Großmutter von einem Mann bekommen hat, mit dem sie eine Affäre hatte.«

»Und?«

»Eine große, geheime Affäre, der Typ war verheiratet, und kurz vor ihrem Tod haben sie sich getrennt.«

»Ja, und?«

»Na ja, die Briefe waren nicht unterschrieben, und Janet hatte sie versteckt, so dass sie zu geheimnisvollen Briefen geworden sind. Eigentlich haben wir, bis sie Hennessy geschnappt haben, gedacht, dass jemand einbrechen wollte, um an die Briefe zu kommen.«

»Müsste der Typ jetzt nicht schon um die hundert Jahre alt sein?«

»Vielleicht, aber nicht unbedingt. Viele Typen, die heute um die siebzig sind, haben zu ihrer Zeit neben der Ehe Affären gehabt.«

»Das ist ja schockierend«, erwiderte Brian trocken. »Hey, vielleicht war es ja Hennessy, der eine wilde Affäre mit dem sexy Filmstar hatte. Allerdings glaube ich eher, er ist schon als vertrocknetes Arschloch auf die Welt gekommen.«

»Ganz von der Hand zu weisen ist das nicht. Aber bleiben wir doch mal bei den logischen Möglichkeiten… Also, sie kannte deinen Großvater, und er war ein wichtiger Mann hier in der Gegend und wurde zu ihren Partys eingeladen.«

Verlegen kratzte er sich am Kopf, während Brian vor Lachen fast zusammenbrach. »Ach, du liebe Güte!«, stieß er hervor. »Der verstorbene Andrew Morrow soll was mit Janet Hardy gehabt haben?«

»Es läge im Bereich des Möglichen«, beharrte Ford.

»Nicht in meiner Welt, Saw. Ich kann mich zwar kaum noch an ihn erinnern, aber ich weiß ganz genau, dass er ziemlich selbstgerecht und sittenstreng war.«

»In meiner Welt sind es gerade die Selbstgerechten, die im Rotlichtmilieu herumschleichen, bevor sie zu Frau und Kindern nach Hause gehen.«

Brian hörte auf zu lachen und überlegte. »Ja, da hast du nicht unrecht. Und mit meiner Großmutter war es wohl weiß Gott auch nicht einfach. Ihr konnte man nie etwas recht machen. Ständig hat sie an meiner Mom herumgenörgelt. Bis zu ihrem Tod. Irgendwie wäre es ganz cool, wenn Big Drew was mit Janet Hardy gehabt hätte«, schloss er.

Die Schwangerschaft und den hässlichen Tenor der letzten Briefe nicht zu erwähnen, hieß nicht lügen. Er … erwähnte es nur einfach nicht. »Hast du irgendwas von ihm, was er geschrieben hat? Eine Geburtstagskarte, einen Brief oder so?«

»Nein. Aber meine Mutter bestimmt. Sie verwahrt die gesamte Familienkorrespondenz und solches Zeug.«

»Kannst du mir etwas Handschriftliches von ihm besorgen, ohne dass du ihr sagst, wozu du es brauchst?«

»Ich denke schon. Eine ganze Kiste mit meinen Sachen steht draußen in der Garage. Schulunterlagen, Ansichtskarten, so was. Da ist bestimmt was dabei. Sie will schon seit Jahren, dass ich es da wegräume. Ich könnte es mit zu mir nehmen und einen Blick darauf werfen.«

»Cool. Danke.«

»Hey!«, rief Shanna ihnen zu. »Wollt ihr jetzt mal langsam wieder herkommen, oder soll ich die Terrasse alleine bepflanzen?«

»Mecker, mecker«, gab Brian zurück.

Ford betrachtete sie. Gute Figur, sinnlich, schön. »Warum hast du dich eigentlich nie an sie rangemacht?«

»Ich habe die Gelegenheit verpasst, und jetzt ist sie meine Schwester.« Er zuckte mit den Schultern. »Aber wir haben ein Abkommen. Wenn wir mit vierzig beide noch Single sind, fahren wir zusammen eine Woche nach Jamaica und haben die ganze Zeit heißen Dschungel-Sex.«

»Na, da kann ich dir ja nur viel Glück wünschen.«

»Es sind ja nur noch neun Jahre«, sagte Brian und ging zu Shanna.

Einen Moment lang blieb Ford verblüfft stehen. Neun Jahre? Mehr nicht? Er hatte noch nicht darüber nachgedacht, vierzig zu werden. Vierzig, das war ein anderes Jahrzehnt. Mit vierzig war man erwachsen.

Und er war nur noch neun Jahre davon entfernt?

Er steckte die Hände in die Taschen und machte sich auf die Suche nach Cilla.

In der Küche, wo mittlerweile auch die letzten Stücke der Theke herausgerissen waren und seltsame Rohre aus dem zerklüfteten Fußboden ragten, arbeitete Buddy an einem breiten Loch in der Gipswand.

Er hielt eine Art großes Werkzeug in der Hand, das Ford an einen metallenen Papageienkopf, gepaart mit einem Giraffenhals, denken ließ.

»Wer zum Teufel will schon einen verdammten Wasserhahn über einem verdammten Herd haben?«, fragte Buddy.

»Ich weiß nicht. Vielleicht falls Feuer ausbricht?«

»Das ist doch Blödsinn.«

»Etwas Besseres fällt mir aber nicht ein. Ist Cilla in der Nähe?«

»Die Frau ist immer in der Nähe. Gucken Sie mal auf dem

Speicher. Toiletten auf dem Speicher«, murrte Buddy und wandte sich wieder seiner Arbeit zu. »Wasserhähne über dem Herd. Als Nächstes will sie bestimmt eine Badewanne im Schlafzimmer.«

»Eigentlich habe ich gesehen… schon gut«, sagte Ford rasch, als Buddy sich erbost zu ihm umdrehte. »Ich sehe nichts.«

Er ging durchs Haus und stellte fest, dass die Fußleisten in der Diele beinahe fertig waren. Im ersten Stock ging er durch alle Zimmer. In einem Zimmer, dessen Wände in einem hellen, rauchigen Braun gestrichen waren, roch es nach frischer Farbe. Im großen Schlafzimmer musterte er die drei Farben an der Wand. Anscheinend hatte sich Cilla noch nicht entscheiden können zwischen einem silbrigen Grau, einem Graublau und einem blassen Gold.

Er wanderte den Flur entlang und ging die verbreiterte, fertige Treppe hinauf. Sie stand mit Matt am Fenster und betrachtete Holzproben, auf die das Licht fiel.

»Ja, der Kontrast von Eiche gegen Walnuss gefällt mir.« Matt nickte. »Wissen Sie, was wir tun könnten? Wir könnten die Fußleisten in Walnuss machen. Dann haben Sie… Hey, Ford.«

»Hey.«

»Gipfeltreffen«, erklärte Cilla. »Einbauschränke.«

»Macht ruhig weiter.«

»Okay, so.« Matt zeichnete seine Vorstellung mit dem Bleistift auf die Wand, und Ford wandte seine Aufmerksamkeit den Farbmustern auf der gegenüberliegenden Wand zu. Auch hier wieder das Silbergrau, ein warmes, fröhliches Gelb und einen Ton, den er als Apricot bezeichnen würde.

Er warf einen Blick ins Badezimmer, um sich dort die Fliesen und die Farben anzuschauen.

Als er Matt und Cilla wieder seine Aufmerksamkeit zuwandte, hatten sie sich über Material und Entwurf geeinigt.

»Ich fange gleich in der Werkstatt damit an«, erklärte Matt.

»Wie geht es Josie?«

»Ihr ist warm, und sie ist ungeduldig. Sie hat sich schon gefragt, warum sie eigentlich im Winter nicht daran gedacht hat, dass sie ja über den Sommer schwanger ist.«

»Schenk ihr Blumen«, schlug Ford vor. »Kauf ihr auf dem Heimweg Blumen. Dann ist ihr zwar immer noch warm, aber sie ist wenigstens glücklich.«

»Ja, gute Idee. Ich kümmere mich noch mal darum, dass die Bodendielen auch bestimmt am Dienstag kommen, damit wir hier oben loslegen können. Rosen gehen immer, oder?«, fragte er Ford.

»Ein Klassiker.«

»Okay. Ich sage Ihnen wegen des Fußbodens Bescheid, Cilla.«

Als Matt nach unten ging, trat Ford zu Cilla, hob ihr Kinn an und küsste sie. »Das Silbergrau hier, das matte Gold im Schlafzimmer.«

Sie legte den Kopf schräg. »Vielleicht. Warum?«

»Passt jeweils besser zu den Badezimmern als die anderen Alternativen. Und es sind zwar beides warme Farbtöne, aber das Grau wirkt doch ein bisschen kühler. Es bleibt schließlich ein Speicher, auch wenn du ihn noch so aufmotzt. Und jetzt erzähl mir, warum Buddy einen Wasserhahn über deinem Herd einbaut.«

»Um Töpfe zu füllen.«

»Verstehe. Ich habe mit Brian gesprochen.«

»Das tust du häufiger.«

»Über die Briefe. Seinen Großvater.«

»Du... du hast es ihm gesagt?« Ihr fiel der Unterkiefer herunter. »Du hast ihm einfach so erzählt, ich glaubte, sein Großvater hätte was mit meiner Großmutter gehabt?«

»Du wolltest eine Schriftprobe, und Brian kann sie wahrscheinlich besorgen.«

»Ja, aber... Hättest du das nicht ein bisschen weniger offen machen können? Hättest du nicht lügen können?«

»Darin bin ich nicht besonders gut, und einen Freund könnte ich schon gar nicht anlügen. Ich habe ihm gesagt, dass es eine vertrauliche Information ist, und er würde es nie weitererzählen.«

Cilla stieß die Luft aus. »Ihr seid hier offensichtlich auf einem anderen Planeten aufgewachsen. Bist du sicher, dass er seinem Vater nichts davon erzählt? Es wäre mir schrecklich peinlich.«

»Ja, da bin ich mir sicher. Er hat übrigens was Interessantes gesagt. Was wenn Hennessy die Briefe geschrieben hätte?«

Cilla starrte ihn an. »Hennessy?«

»Na, denk mal drüber nach. Du würdest auch verrückt werden, wenn du eine Affäre mit einer Frau hättest, und dann ist der Sohn dieser Frau – in deinen Augen – dafür verantwortlich, dass dein Sohn im Rollstuhl sitzt. Klar, es ist weit hergeholt, aber ich schaue mir die Briefe trotzdem noch einmal auf diese Hypothese hin an. Ich will einfach nur mal gucken, ob das sein könnte.«

»Weißt du was? Wenn es sich in diese Richtung entwickelt, dann weiß ich gar nicht, ob ich es wissen will. Ich darf gar nicht daran denken, dass meine Großmutter möglicherweise etwas mit Hennessy gehabt hat.«

Seufzend ging sie mit ihm die Treppe hinunter. »Ich habe heute mit der Polizei gesprochen«, sagte sie zu Ford. »Es wird keine Verhandlung geben. Sie haben sich geeinigt und Hennessy hat die Strafe angenommen, was auch immer. Er wird für mindestens zwei Jahre in die Psychiatrie gehen.«

Ford nahm ihre Hand. »Wie geht es dir dabei?«

»Ich weiß es ehrlich gesagt nicht. Wahrscheinlich verdränge ich es am besten erst einmal und denke nur an jetzt.«

Sie ging in das große Schlafzimmer und studierte die Farbmuster. »Ja, du hast recht mit der Farbe.«

25

Cilla nutzte den Sonntagmorgen, um sich Wohn- und Designzeitschriften anzuschauen, im Internet nach Ideen und Firmen zu suchen und zu markieren, was ihr gefiel. Sie konnte es kaum glauben, dass sie schon die Phase erreicht hatte, in der sie sich Möbel aussuchen konnte.

Natürlich würden bis zur Einrichtung noch Wochen vergehen, und sie musste auch noch Antiquitätenläden und Flohmärkte in ihre Planung einbeziehen, aber langsam konnte sie schon einmal damit anfangen, Sofas und Sessel, Tische und Lampen zu bestellen.

Und dann die Bettwäsche, dachte sie, die Küchenausstattung, das Büro, Vorhänge, Teppiche. All die schönen, kleinen Details, mit denen man ein Haus füllte. Die aus einem Haus ein Zuhause machten. Ihr Zuhause.

Ihr erstes wirkliches Zuhause.

Je näher der Zeitpunkt rückte, desto deutlicher spürte sie, wie sehr sie sich danach gesehnt hatte. Und jetzt brauchte sie nur nach draußen zu treten und über die Straße zu blicken, um es zu sehen.

Während sie an Fords Küchentheke saß, mit ihrem Laptop, den Zeitschriften und ihren Notizbüchern, dachte sie darüber nach, wie weit sie seit März gekommen war. Nein, es hatte ja schon lange vor März angefangen, korrigierte sie sich. Die Reise hatte begonnen, als sie durch die Blue Ridge gewandert war, ganz bewusst, um die kleine Farm ihrer Großmutter zu sehen, um zu sehen, wo ihr Vater herkam, und vielleicht ein wenig zu verstehen, warum er sie verlassen hatte und wieder dorthin zurückgegangen war.

Damals hatte sie sich in die hügelige Landschaft vor den Bergen verliebt, dachte Cilla, in die Bäume, die kleinen und großen Städte, die Häuser und Gärten, die Straßen und Bäche, die sich durch die Landschaft wanden. Und vor allem hatte sie sich in das alte Farmhaus verliebt, das hinter einer Steinmauer, eingeschlossen von einem überwucherten Garten, langsam in sich zusammenfiel.

Vielleicht hatte sie das Dornröschenschloss gesehen, dachte sie, aber eigentlich war es ihr schon damals wie ein Zuhause vorgekommen.

Und jetzt wurden ihre Träume bald Wirklichkeit.

Sie saß an der Theke, trank Kaffee und stellte sich vor, wie sie in einem Zimmer aufwachte, dessen Wände in der Farbe der Morgendämmerung schimmerten. Wie mochte es wohl sein, ein Leben zu führen, das sie sich selbst ausgesucht hatte?

Ford gab ein verschlafenes Grunzen von sich, als er in die Küche kam.

Sieh ihn dir an, dachte sie. Noch nicht ganz wach, dieser lange, schlaksige Körper in blauen Boxershorts und einem zerschlissenen *Yoda*-T-Shirt. Seine zerzausten braunen Haare mit den sonnengebleichten Spitzen und seine grünen Augen, die noch verhangen und schläfrig waren.

War er nicht hinreißend?

Er schüttete Kaffee in einen Becher, gab Zucker und Milch dazu und trank den ersten Schluck, als ob sein Leben davon abhinge.

Dann drehte er sich zu ihr um und stützte sich mit den Ellbogen auf die Theke. »Warum siehst du so wach aus?«

»Wahrscheinlich, weil ich seit drei Stunden auf bin. Es ist schon nach zehn, Ford.«

»Du hast keinen Respekt vor dem Sonntag.«

»Das ist wahr. Ich schäme mich auch.«

»Nein, das tust du nicht. Aber Makler haben auch keinen Respekt vor dem Sonntag. Vicky hat gerade auf meinem Handy angerufen und mich aus einem sehr heißen Traum geweckt, mit dir und mir und Fingerfarben. Es war gerade richtig interessant, als ich so grob und ungezogen unterbrochen wurde. Jedenfalls sind die Verkäufer weitere fünftausend heruntergegangen.«

»Fingerfarben?«

»Und als Künstler kann ich sagen, dass es der Beginn eines Meisterwerks war. Wir sind jetzt nur noch zehntausend auseinander, wie Vicky, die Traumkillerin, erwähnte. Deshalb…«

»Nein.«

»Verdammt.« Er zog ein Gesicht wie ein Kind, dem man gerade die Plätzchendose weggenommen hatte. »Ich wusste doch, dass du nein sagen würdest, während du nichts dagegen hattest, dass ich Kobaltblau um deinen Bauchnabel verteilt habe. Können wir nicht…«

»Nein. Du wirst mir später noch dankbar sein, wenn du zehntausend mehr hast, um sie in die Renovierung zu stecken.«

»Aber ich will den hässlichen Schuppen jetzt endlich haben. Ich will ihn für mich. Ich liebe ihn, Cilla, wie ein dickes Kind Kuchen liebt.« Er verzog das Gesicht zu einem hoffnungsvollen Lächeln. »Wir könnten uns die Differenz teilen.«

»Nein. Wir bleiben hart. Niemand sonst hat ein Angebot gemacht. Der Verkäufer ist nicht daran interessiert, irgendetwas zu renovieren oder zu reparieren. Er wird schon noch runtergehen.«

»Vielleicht aber auch nicht.« Ford kniff die Augen zusammen. »Vielleicht ist er genauso starrköpfig wie du.«

»Okay, was hältst du davon?« Sie lehnte sich zurück, eine Expertin am Verhandlungstisch. »Wenn er nicht nachgibt, wenn er dein Angebot nicht innerhalb von zwei Wochen akzeptiert, dann kannst du ihm die Hälfte anbieten. Aber erst einmal hältst du noch vierzehn Tage durch.«

»Okay. Zwei Wochen.« Wieder versuchte er hoffnungsvoll zu lächeln. »Denkst du manchmal an Rührei?«

»Selten. Aber ich denke an etwas anderes. Ich schaue dieses große, weiche Sofa da drüben an – ich bin nämlich gerade in Sofa-Laune. Und ich frage mich, was wohl passieren würde, wenn ich mich auf diesem großen, weichen Sofa ausstrecken würde.«

Sie glitt vom Hocker und lächelte ihn über die Schulter an, während sie zum Sofa ging. »Und ich frage mich, ob ich mich wohl ganz alleine dort hinlegen muss, mit all meinen unerfüllten Wünschen und lasziven Gedanken.«

»Ja, lasziv ist gut.«

Er ging um die Theke herum und warf sich auf sie. »Hi.«

Lachend schlang sie die Beine um ihn, und sie rollten herum, bis sie auf ihm saß. »Ich glaube, dieses Mal bin ich oben.« Sie beugte sich über ihn, zog seine Unterlippe zwischen die Zähne und kaute leicht darauf herum.

»So respektiere ich den Sonntag.«

»Ich habe mich so in dir getäuscht.« Er ließ seine Hände über ihr loses weißes Tanktop gleiten. »Cilla.«

»Du bist so zerknittert und sexy ...« Sie zog ihm das *Yoda*-T-Shirt aus und warf es beiseite. »Und fast nackt.«

»Fehlen nur noch die Fingerfarben.« Er richtete sich auf und schlang die Arme um sie. »Du fehlst mir, wenn ich aufwache und du nicht neben mir liegst.«

»Ich bin ja nie weit weg.« Sie schmiegte sich an ihn, löste sich nur kurz, damit er ihr das weiße Tanktop über den Kopf ziehen konnte. Oh, seine Hände, seine langsamen, ruhigen Hände. »Hier, hier.« Sie umfasste seinen Kopf und führte ihn zu ihrer Brust.

Als er sie mit dem Mund umfasste, zog sich in ihr alles zusammen und öffnete sich wieder.

Sie wollte ihn, seine Hände, seinen Mund. Sie wollte ihn in sich spüren, heiß und hart. Sie schlüpfte aus ihren Shorts, keuchte, als er sie berührte und neckte, und stöhnte, als er in sie eindrang.

»So muss es am Sonntagmorgen sein.«

Sie nahm ihn auf, ritt auf ihm, wobei sie sich mit einer Hand auf der Couch abstützte.

Kein Traum, keine Fantasie wurde ihr gerecht. Nichts war mit ihr zu vergleichen.

»Ich liebe dich, Cilla. Ich liebe dich.«

Ihr stockte der Atem; ihr Herz setzte einen Schlag lang aus. Dann bog sie sich ihm entgegen und kam.

Anschließend schmiegte sie sich an ihn, kuschelte sich an seinen Körper, der so perfekt zu ihrem passte.

»Und … wo kaufst du denn eigentlich Fingerfarbe?«

Er grinste und ließ seine Finger träge über ihre Wirbelsäule gleiten. »Ich muss mal sehen. Und dann lege ich uns einen Vorrat an.«

»Ich steuere Lappen dazu bei. Wo hast du eigentlich diese Couch gekauft?«

»Ich weiß nicht. Irgendwo, wo sie Möbel verkaufen.«

»Sie hat eine schöne Form und einen hübschen Bezugsstoff. Bequem. Ich fange so langsam schon mal an, über Möbel nachzudenken, und ich habe ja diesen großen Wohnraum. Sitzgruppen, Licht und Kunst. So etwas habe ich noch nie gemacht, und die Aufgabe macht mir ein bisschen Angst.«

Spock kam herein, warf einen Blick auf das nackte, verschlungene Paar auf der Couch und verschwand wieder. Er ist eifersüchtig, dachte Ford. »Hast du denn noch nie Möbel gekauft?«

»Doch, klar, auf irgendetwas muss man ja sitzen. Aber ich habe nie Sachen ausgesucht, die ich wirklich lange behalten wollte. Es war immer nur für eine gewisse Zeit.« Sie fuhr mit den Lippen über sein Schlüsselbein. »Und bei Renovierungen habe ich mit Innenausstattern gearbeitet. Du kannst ein Haus besser verkaufen, wenn es professionell eingerichtet ist. Ich weiß also eigentlich, was in einem Zimmer funktioniert, aber hier ist es etwas anderes, hier geht es ja nicht um eine Kulisse.«

»Hattest du denn in L. A. kein Haus, keine Wohnung?«

»Steve hatte eine Wohnung. Nach unserer Fünf-Minuten-Ehe habe ich eine Zeitlang im BHH gewohnt.«

»Im BHH?«

»Im Beverly Hills Hotel. Danach bin ich entweder gereist, oder ich habe bei Steve gewohnt, wenn ich Arbeit hatte. Dann kam mein kurzer Ausflug zum College, und ich hatte eine Wohnung außerhalb vom Campus. Als Steve das Haus in Brentwood zum Renovieren kaufte, habe ich dort campiert. Ich habe mir angewöhnt, in den Häusern zu wohnen, die ich umgebaut habe. Dadurch hatte ich ein besseres Gefühl dafür.«

Ein Zuhause hatte sie nie gehabt, dachte er. Sie hatte nie gekannt, was er und alle, die er kannte, für selbstverständlich hielten. Er sah sie vor sich, wie sie in dem großen, leeren Wohnzimmer mit den schönen Wänden und der prachtvollen Fußleiste gesessen und an eine lang vergangene Weihnachtsparty gedacht hatte.

Sie brauchte die Vergangenheit, um ihre Zukunft zu finden.

»Wir können die Couch zu dir hinüberstellen«, sagte er, weil er ihr plötzlich unbedingt etwas schenken wollte. »Dann könntest du sehen, wie sie dort wirkt, und hättest etwas, worauf du sitzen könntest statt auf umgedrehten Eimern.«

»Das ist ein sehr nettes Angebot.« Sie gab ihm einen Kuss und setzte sich dann auf, um ihre Kleider aufzuheben. »Aber ich sollte mit den Möbeln warten, bis der Fußboden fertig ist. Allerdings muss ich jetzt unbedingt Gartenmöbel kaufen, nachdem ich mich dazu habe überreden lassen, eine Party zu geben.«

»Eine Party?«

»Habe ich dir das nicht erzählt?« Sie zog sich ihr Tanktop über den Kopf. »Ich habe den Fehler begangen, Cathy Morrow zu erzählen, dass ich am Labor Day – vielleicht – eine Party geben möchte, aber bis dahin wäre das Haus noch nicht fertig und auch noch nicht eingerichtet. Sie fand die Idee toll und hat meine Einwände völlig ignoriert. Und jetzt ruft Patty ständig an und macht mir Menü-Vorschläge, und deine Mutter hat vorgeschlagen, ihr Schweine-Barbecue zu machen.«

»Das schmeckt großartig.«

»Daran zweifle ich nicht. Das Problem ist nur, wo soll ich

die Zeit hernehmen, eine Party zu organisieren, während ich Küchenschränke einbaue, Fußleisten abschleife, Türen einhänge, Böden wachse und alles erledige, ganz zu schweigen vom Erforschen der Welt der Sitzmöbel?«

»Du kaufst einen Grill, einen Haufen Fleisch und jede Menge alkoholische Getränke.«

Sie schüttelte den Kopf. »Typisch. Du bist ein Mann.«

»Jawohl. Eine Tatsache, die ich gerade eben noch hinlänglich bewiesen habe.« Und da es Sonntag war, könnte er es eigentlich noch einmal beweisen. »Eine Party ist etwas Schönes, Cilla. Es kommen Leute, die du kennst und magst und die gerne mit dir zusammen sind. Du zeigst, was du erreicht hast. Du teilst es mit ihnen. Deshalb hast du doch auch das Tor entfernen lassen.«

»Ich…« Er hatte recht. »Was für ein Grill?«

Er lächelte sie an. »Lass uns einkaufen fahren.«

Mit übertriebener Geste kreuzte sie die Hände über dem Herzen. »Worte, von denen andere Frauen nur träumen können. Ich muss mich nur schnell anziehen. Wenn wir schon einmal dabei sind, könnte ich auch gleich Farbe kaufen und mir noch einmal die Küchenbeleuchtung anschauen.«

»Was habe ich da ausgelöst?«

Sie lächelte ihn an, als sie aus dem Zimmer lief. »Wir nehmen meinen Truck.«

Er schlüpfte in seine Boxershorts, blieb aber sitzen und dachte über sie nach. Sie wusste gar nicht, wie viel sie ihm erzählt hatte. Bisher hatte sie das Haus oder die Häuser, in denen sie aufgewachsen war, noch nie erwähnt.

Er hingegen konnte das Haus seiner Kindheit bis ins kleinste Detail beschreiben, konnte sich erinnern, in welchem Winkel die Sonnenstrahlen zu jeder Tageszeit durch sein Fenster gefallen waren, sah das grüne Waschbecken im Badezimmer vor sich, die zerbrochene Fliese in der Küche, wo er die Flasche Apfelsaft fallen gelassen hatte.

Er erinnerte sich noch an den schmerzlichen Stich, als seine

Eltern es verkauft hatten, obwohl er damals schon ausgezogen war und in New York gelebt hatte. Und sie waren ja auch nur ein paar Kilometer weitergezogen. Noch Jahre später spürte er diesen Stich, wenn er an dem alten Haus vorbeifuhr.

Liebevoll restaurierte Fußleisten, Briefe, die in einem Buch versteckt waren, eine alte Scheune, die wieder rot angestrichen worden war. Jeder Schritt, jedes Detail war das Glied einer Kette, die sie mit der Vergangenheit verband.

Und er würde alles dazu beitragen, um ihr dabei zu helfen. Und wenn er mit ihr einen Grill kaufen musste.

»Hey, Ford.«

»Hier hinten«, rief Ford, als er Brians Stimme hörte, und stand auf, als Brian hereinkam. »Weber oder Viking?«

»Schwere Frage«, erwiderte Brian, der anscheinend keine Erklärung brauchte. »Ich habe mich ja für den Weber entschieden, wie du weißt, aber mit dem Viking kann Mann nichts falsch machen.«

»Und für Frauen?«

»Frauen haben hinter einem Grill nichts zu suchen. Das ist jedenfalls meine Einstellung.« Er bückte sich und hob Fords T-Shirt auf. »Das ist ein Hinweis. Er sagt mir, ich bin zu spät gekommen, um den Morgensex zu unterbrechen. Warum habe ich auch nur eine zweite Tasse Kaffee getrunken!« Er warf Ford das T-Shirt zu und beugte sich zu Spock runter, um ihn zu begrüßen.

»Du bist ja nur neidisch, weil du keinen Morgensex gehabt hast.«

»Woher willst du das denn wissen?«

»Weil du hier bist. Warum bist du eigentlich hier?«

Brian wies zur Theke, auf der sich Cillas Wohnzeitschriften stapelten. Dann trat er an den Kühlschrank und öffnete ihn. »Wo ist Cilla?«

»Oben. Sie zieht sich an, damit wir losfahren und über Weber oder Viking debattieren können.«

»Du hast ja Diet Coke hier drin«, stellte Brian fest, während er sich eine normale Coke herausnahm. »Ein sicheres Zeichen dafür, dass ein Typ an der Angel hängt. Ich war gestern bei meiner Mom.« Er öffnete die Dose und trank einen Schluck. »Sie war ganz schön überrascht, als ich sogar zwei Kisten mit dem Kram, den sie für mich aufgehoben hat, mitgenommen habe. Was soll ich wohl mit einer Buntstiftzeichnung eines Hauses mit einer großen gelben Sonne und Strichmännchen anfangen?«

»Ich weiß nicht, aber du kannst es nicht einfach wegwerfen. Meine Mutter sagt immer, man fordert die Götter heraus, wenn man Kindheitserinnerungen wegwirft.« Ford nahm sich auch eine Coke. »Ich habe drei Kisten voll.«

»Es ist deine Schuld, dass ich jetzt das ganze Zeug zu Hause habe. Das werde ich dir nie vergessen.« Er zog einen Umschlag aus der Tasche und warf ihn auf die Theke. »Aber da ich gestern Abend nicht in weiblicher Gesellschaft war, habe ich es mir mal angeschaut und bin auf das hier gestoßen. Es ist eine Karte, die mein Großvater meiner Mutter zu meiner Geburt geschrieben hat.«

»Danke, dafür hast du was gut bei mir.«

»Sehr richtig. Ich besitze jetzt sämtliche Berichtskarten über mich vom ersten Schuljahr bis zum Ende der Highschool. Sag mir Bescheid, ob die Schrift dieselbe ist, irgendwie habe ich jetzt auch was damit zu tun.«

»Sozusagen.« Ford nahm die Karte und betrachtete die kühn geschwungenen Buchstaben von Cathys Namen.

»Ich muss los und Shanna abholen. Ich bringe sie zum Flughafen.« Er hockte sich hin und streichelte Spock. »Sag Cilla, ich schicke morgen zwei Männer, die den Mulch verteilen, und ich schaffe es bestimmt, an dem neuen Haus vorbeizufahren, das sie kaufen will, um mir den Garten anzuschauen.«

»Okay. Ich gebe dir die Karte wieder zurück.«

Brian verzog das Gesicht. »Ja, darauf lege ich besonders großen Wert.«

Ford ging nach oben ins Schlafzimmer, wo sich Cilla gerade die Haare zu einem Pferdeschwanz zusammenband. »Ich bin fertig«, sagte sie zu ihm. »Während du dich anziehst, gehe ich schon mal hinüber und kümmere mich noch um ein paar Kleinigkeiten, bevor wir losfahren.«

»Brian war gerade da.«

»Oh, hat er sich das neue Haus schon angeschaut?«

»Nein, das macht er nächste Woche, hat er gesagt. Er hat das hier vorbeigebracht.« Ford hielt die Karte hoch.

»Ist das … Ja, natürlich. Ich hatte gar nicht damit gerechnet, dass er so schnell etwas findet.« Sie legte sich die Hand auf den Bauch. »Das große Geheimnis könnte gelüftet werden. Es macht mich ein bisschen nervös.«

»Soll ich nachschauen und es dir dann sagen?«

Sie ließ die Hand sinken. »Was bin ich? Ein Waschlappen?«

»Nein.«

»Dann schauen wir es uns mal an.«

»Die Briefe sind in meinem Atelier.«

Sie ging mit ihm, wartete, bis er das Buch aus dem Regal gezogen und auf seine Arbeitsplatte gelegt hatte.

»Ich denke viel darüber nach, wie gut *Gatsby* passt. Sie war so unglücklich. Ich habe vor kurzem von ihr geträumt, das habe ich dir gar nicht erzählt. Einer von meinen Janet-und-Cilla-Träumen. Forest Hills. Sie sind beide dort beerdigt. Sie und Johnnie. Ich war nur einmal da. Ihr Grab war buchstäblich mit Blumen bedeckt. Es hat mich so traurig gemacht, es zu sehen. All diese Blumen, die Fremde ihr gebracht hatten und die jetzt in der Sonne verwelkten.«

»Du hast stattdessen hier für sie Blumen gepflanzt. Und wenn sie verblühen, kommen sie nächstes Jahr wieder. Jahr für Jahr.«

»Es ist mein persönlicher Tribut an sie, und ich stelle mir gerne vor, dass es ihr etwas bedeutet.« Sie schlug das Buch auf und nahm die Briefe heraus. »Ich nehme den Brief«, sagte sie und wählte einen aus. »Und du die Karte von Brians Groß-vater.«

Ford zog die Karte heraus. Er hatte ein fröhliches Babybild oder so etwas erwartet, stattdessen sah er Andrew Morrows Initialen auf schwerem, cremefarbenem Briefpapier. »Sehr formell«, bemerkte er und klappte die Karte auf.

Meiner reizenden Schwiegertochter herzlichen Glückwunsch zur Geburt ihres Sohnes. Ich hoffe, diese Rosen machen dir Freude. Sie sind nur ein kleines Zeichen meines Stolzes. Mit Brian Andrew ist eine weitere Generation von Mor-rows geboren.

Herzlich, Drew

Cilla legte die Karte neben den Brief.

Mein Liebes. Mein Liebling,

es gibt keine Worte, meinen Kummer, mein Mitgefühl, meine Trauer für dich auszudrücken. Ich wünschte, ich könnte dich halten und dich mit mehr als nur geschriebenen Worten trösten. Du sollst wissen, dass ich in meinem Herzen bei dir bin, dass meine Gedanken voll von dir sind. Keine Mutter sollte den Tod ihres Kindes beweinen müssen, und dann auch noch gezwungen sein, so öffentlich zu trauern.

Ich weiß, dass du deinen Johnnie über alles geliebt hast. Ich hoffe, das Wissen, dass er diese Liebe jeden Tag in sei-nem kurzen Leben gespürt hat, tröstet dich.

Immer der Deine.

»Wie passend, wie schicksalhaft«, sagte Cilla leise. »Der eine Brief zum Verlust des Sohnes und der andere zur Geburt? Es ist ein liebevoller Brief«, fuhr sie fort. »Sie sind beide liebevoll und beide seltsam distanziert, so vorsichtig formuliert, finde ich. Und dabei hätten doch beide Gelegenheiten nach Emo-tionen und Intimitäten verlangt. Tonfall und Struktur könnten von der gleichen Person stammen.«

»Die Schrift ist ähnlich. Allerdings nicht ... nein, nicht ganz genau dieselbe. Siehst du das S auf der Karte? Am Anfang eines Wortes – Sohn, Stolz – ist es gerade. Im Brief – sollst, so – eher schräg.«

»Aber ansonsten ist die Schrift sehr ähnlich. Und du darfst ja nicht vergessen, dass Jahre dazwischen liegen.«

»Das *mein* könnte wirklich von ein und derselben Person stammen, aber andere Wörter wieder gar nicht.« Ford war klar, dass er die Schrift mit dem Auge des Künstlers betrachtete, und er war sich nicht sicher, ob das ein Plus oder ein Minus war. »Ich weiß es nicht, Cilla.«

»Ich bin mir auch nicht ganz sicher. Du kennst nicht zufällig einen Graphologen?«

»Wir könnten versuchen, einen aufzutreiben.« Er blickte auf. »Willst du diesen Weg gehen?«

»Nein. Vielleicht. Ich weiß nicht. Ach, verdammt. Es gibt keine leichten Antworten.«

»Vielleicht könnten wir uns ja eine Schriftprobe aus einer Zeit besorgen, die näher an den Briefen dran ist. Ich kann Brian bitten, danach zu suchen.«

»Nein, lassen wir es jetzt erst einmal gut sein.« Sie faltete den Brief und steckte ihn zurück in den Umschlag. »Eins wissen wir jetzt auf jeden Fall mit Gewissheit. Es war nicht Hennessy. Ich hatte den Brief nach Johnnies Tod ganz vergessen. Und wenn er sie noch so wahnsinnig geliebt hätte, einen solchen Brief hätte Hennessy nach dem Unfall nie geschrieben. Nicht, während sein Sohn im Krankenhaus lag.«

»Ja, da hast du recht.«

»Wenn ich eine Liste gemacht hätte, könnte ich jetzt einen Namen ausstreichen. Für den Moment muss das reichen.«

Ford klappte das Buch zu und stellte es wieder ins Regal. Dann wandte er sich zu Cilla und nahm ihre Hand. »Was hältst du davon, wenn wir jetzt einen Grill kaufen?«

»Genau das, wozu ich jetzt Lust habe.«

Aber als er sich anziehen ging, ließ er die Karte auf seinem

Schreibtisch liegen. Er konnte einen Graphologen suchen. Jemand außerhalb von Virginia, dem der Name Andrew Morrow nichts sagte. Und dann konnte er immer noch sehen, wohin das führte.

Cillas Freude als ihre Walnuss-Dielen am Dienstagmorgen endlich eintrafen, erlitt eine schwere Einbuße, als gegen Mittag ihr Fliesenleger zu ihr gestürmt kam.

»Hi, Stan. Sie wollten doch erst am Donnerstag kommen. Sind ...«

Ihr blieb das Wort im Hals stecken, als er mit finsterem Gesichtsausdruck auf sie zutrat. »Hey, hey, wo liegt das Problem?«

»Glauben Sie, Sie können Leute so behandeln? Glauben Sie, Sie könnten einfach so mit den Leuten reden?«

»Was? Was?« Er drängte sie an die Scheunenwand, und Cilla hob schützend die Hände. Der normalerweise ruhige Stan war außer sich vor Wut. An seiner Stirn pochte eine Ader.

»Glauben Sie, bloß weil Sie Geld haben und ein Fernsehstar waren, sind Sie besser als wir?«

»Ich weiß nicht, wovon Sie sprechen. Wo ...«

»Sie haben vielleicht Nerven, meine Frau anzurufen und so mit ihr zu sprechen.«

»Ich habe nie ...«

»Wenn Sie ein Problem mit meiner Arbeit haben, reden Sie gefälligst mit mir. Kapiert? Sie können doch nicht bei mir zu Hause anrufen und meine Frau anschreien!«

»Stan, ich habe noch nie mit Ihrer Frau gesprochen.«

»Ach, wollen Sie jetzt auch noch behaupten, sie lügt?« Er stand ganz dicht vor ihr, und sie konnte seine Wut spüren.

»Ich behaupte gar nichts.« Alarmiert suchte Cilla nach den richtigen Worten. »Ich kenne Ihre Frau gar nicht, und ich weiß nicht, wovon Sie sprechen.«

»Ich komme nach Hause, und sie war so aufgeregt, dass sie

kaum sprechen konnte. Sie hat angefangen zu weinen. Wenn sie mich nicht gebeten hätte, es nicht zu tun, wäre ich gleich gestern Abend hierhergekommen, aber ich wollte sie auch in dem Zustand nicht allein lassen. Sie hat zu hohen Blutdruck, und Sie haben sie zur Schnecke gemacht, weil Sie auf einmal meine Arbeit nicht mehr gut finden.«

»Ich sage Ihnen doch, ich habe nicht bei Ihnen zu Hause angerufen. Ich habe nie mit Ihrer Frau gesprochen, und ich bin nicht unzufrieden mit Ihrer Arbeit. Im Gegenteil. Warum, in Gottes Namen, hätte ich Ihnen sonst den Auftrag gegeben, auch meine Küche zu fliesen?«

»Das müssen Sie mir schon erklären.«

»Das kann ich aber nicht.« Cilla erhob ebenfalls die Stimme. »Um wie viel Uhr soll ich denn diesen Anruf gemacht haben?«

»Gegen zehn Uhr gestern Abend, das wissen Sie verdammt gut. Ich bin um halb elf nach Hause gekommen, und sie liegt da, aufgeregt und zitternd, weil Sie sie wie eine Irre angeschrien haben.«

»Haben Sie mich jemals wie eine Irre schreien hören? Gestern Abend um zehn war ich bei Ford und bin vor dem Fernseher eingeschlafen. Fragen Sie ihn doch. Himmel, Stan, Sie arbeiten jetzt seit Monaten schon hier. Sie sollten doch wissen, dass ich so etwas nicht tue.«

»Sie hat aber gesagt, Sie wären es gewesen. Cilla McGowan.« Verwirrt blickte er sie an. »Sie haben zu Kay gesagt, sie sei ein blöder Bauerntrampel, wie die meisten Leute hier. Ich könnte überhaupt nicht Fliesen legen, und Sie würden dafür sorgen, dass alle das erfahren. Wenn ich meinen Job verlöre, dann hätte ich das nur meiner Faulheit zuzuschreiben. Und Sie würden mich wegen der schlechten Arbeit, die ich bei Ihnen gemacht hätte, gerichtlich belangen.«

»Wenn Ihre Frau ein Bauerntrampel ist, dann bin ich es auch, schließlich *lebe* ich hier. Und ich schließe keine Verträge mit Handwerkern, die schlechte Arbeit leisten. Ich habe Sie sogar erst letzte Woche meiner Stiefmutter empfohlen, falls sie meinen Vater überreden kann, das große Badezimmer renovieren zu lassen.« Cilla war völlig außer Atem. »Warum zum Teufel sollte ich das tun, Stan, wenn ich der Meinung wäre, Sie würden schlechte Arbeit leisten?«

»Sie hat es doch nicht einfach erfunden.«

»Okay.« Cilla holte tief Luft. »Okay. Ist sie denn sicher, dass die Anruferin meinen Namen gesagt hat?«

»Cilla McGowan, und dann sagte Kay, Sie ... jemand anderer«, korrigierte er sich, anscheinend bereit, Cilla Glauben zu schenken, »sagte: ›Wissen Sie, wer ich bin?‹, auf diese zickige Art, die Leute so an sich haben, wenn sie sich für wichtig halten. Und dann hat sie einfach losgelegt. Ich habe fast eine Stunde gebraucht, um meine Frau zu beruhigen, als ich vom Baseball nach Hause kam. Sie musste sogar eine Schlaftablette nehmen, so sehr hat sie sich aufgeregt.«

»Es tut mir leid. Es tut mir leid, dass jemand meinen Namen benutzt hat, um Ihre Frau aufzuregen. Ich weiß nicht warum ...« Sie hatte einen Kloß im Hals. »Der Holzhändler hat gesagt, ich hätte angerufen und meine Bestellung geändert. Von Walnuss zu Eiche. Aber das stimmte gar nicht. Ich dachte, es wäre nur eine Verwechslung gewesen, aber vielleicht war es das gar nicht. Vielleicht erlaubt sich jemand einen üblen Scherz mit mir.«

Stan steckte die Hände in die Taschen und überlegte. Dann zog er sie wieder heraus. »Sie haben gar nicht angerufen.«

»Nein, Stan. Ich versuche, mir hier ein Geschäft aufzubauen. Ich möchte gute Beziehungen zu Handwerkern und Dienstleistern haben. Als bei dem Einbruch meine Badezimmer zerstört wurden, haben Sie mich dazwischengeschoben, um alles zu reparieren, und ich weiß, dass Sie es zu einem Sonderpreis gemacht haben.«

»Sie hatten ein Problem. Und ich war schließlich stolz auf meine Arbeit und wollte es wieder in Ordnung bringen.«

»Ich weiß nicht, wie ich das mit Ihrer Frau wiedergutmachen soll. Ich könnte mit ihr sprechen, versuchen, es zu erklären.«

»Überlassen Sie das besser mir.« Er stieß die Luft aus. »Tut mir leid, dass ich auf Sie losgegangen bin.«

»Ich hätte es an Ihrer Stelle nicht anders gemacht.«

»Wer macht denn so etwas? Macht Sie schlecht und regt Kay auf?«

»Ich weiß nicht.« Cilla dachte an Mrs. Hennessy. Ihr Mann war jetzt für zwei Jahre in einer psychiatrischen Klinik. »Aber ich hoffe, ich kriege es heraus, bevor es noch einmal passiert.«

»Ich fahre mal rasch nach Hause und kläre das mit Kay.«

»Okay. Sie kommen aber am Donnerstag, oder?«

Er lächelte verlegen. »Ja. Äh, falls Sie mich zu Hause anrufen müssen, sollten wir vielleicht ein Codewort oder so vereinbaren.«

»Ja, das ist eine gute Idee.«

Cilla stand im Schatten ihrer Scheune. Die bearbeiteten Fußleisten lehnten an der Wand, lagen zum Trocknen über den Sägeböcken. Sie fragte sich, wie oft sie wohl noch für die Verbrechen, Sünden und Fehler der anderen bezahlen musste.

26

Cilla betrachtete die frisch gestrichenen Wände im Schlafzimmer, während ihr Vater den Deckel wieder auf den Farbeimer setzte.

»Die Fußleisten sind noch nicht dran, die Böden sind noch nicht fertig, aber trotzdem spüre ich ein ekstatisches Prickeln, wenn ich nur hier stehe.«

Ihr Vater richtete sich auf und schaute sich um. »Ja, ich habe gute Arbeit geleistet.«

»Du könntest deinen Lebensunterhalt damit verdienen.«

»Es ist immer gut, noch eine Ausweichmöglichkeit zu haben.«

»Du hast fast das gesamte Haus angestrichen.« Sie wandte sich zu ihm. »Du hast mir damit unendlich viel Arbeit erspart. Ich weiß gar nicht, wie ich dir danken soll.«

»Das reicht schon. Ich habe es gern getan. Es ist schön, dazuzugehören. Teilzuhaben an der Verwandlung. Wir zwei haben viel zu viele Sommer verpasst, und es hat mich glücklich gemacht, dass ich wenigstens diesen mit dir verbringen konnte.«

Einen Moment lang stand Cilla nur da und sah ihn an, ihren gut aussehenden Vater. Dann tat sie etwas, was sie noch nie getan hatte. Sie ging zu ihm, schlang ihre Arme um ihn und drückte ihre Wange an seine. »Mich macht es auch glücklich.«

Er zog sie fest an sich und seufzte leise. »Kannst du dich noch an deinen ersten Tag hier erinnern? Ich kam an die Hintertür, wir haben uns auf die durchgetretenen Stufen der Veranda gesetzt und du hast dein Mittagessen mit mir geteilt.«

»Ja, ich erinnere mich.«

»Damals hätte ich nie gedacht, dass wir so weit kommen. Es war zu viel Zeit vergangen, ich hatte dich zu sehr vernachlässigt.« Er trat ein wenig zurück, und sie sah überrascht, dass seine Augen feucht waren. »Du hast dem Haus eine Chance gegeben und mir auch. Jetzt stehe ich hier mit meiner Tochter. Ich bin so stolz auf dich, Cilla.«

Tränen traten ihr in die Augen, und sie drückte ihr Gesicht an seine Schulter. »Dass du stolz auf mich bist, hast du mir auch nach dem Konzert in D. C. gesagt, und einmal, früher, als du zum Set von *Family* kamst und mir bei den Dreharbeiten zugeschaut hast. Aber heute glaube ich es dir zum ersten Mal.«

Sie drückte ihn noch einmal und löste sich dann von ihm.

»Wahrscheinlich lernen wir uns über den Innenanstrich besser kennen.«

»Warum sollte es damit aufhören? Was hältst du davon, wenn wir mal einen Blick auf die Außenfassade werfen?«

»Du kannst nicht das gesamte Haus streichen. Die Zimmer, das ist eine Sache.«

Gavin blickte sich prüfend im Zimmer um. »Ich glaube, die Aufnahmeprüfung habe ich doch bestanden.«

»Für innen. Es ist ein zweistöckiges Haus. Ein echt großes, zweistöckiges Haus. Um es anzustreichen, muss man auf einem Gerüst stehen und auf wirklich hohen Leitern.«

»Ich habe nie ein Double für meine Stunts gebraucht.« Er lachte, als sie die Augen verdrehte. »Na ja, vielleicht stimmt das nicht ganz, und vielleicht ist es auch schon lange her, aber ich habe einen hervorragenden Gleichgewichtssinn.«

Sie versuchte es mit Einschüchterung. »Du müsstest in der Affenhitze im August auf einem hohen Gerüst und auf Leitern stehen.«

»Mir machst du keine Angst.«

»Aber ein Mann alleine kann das nicht.«

»Da hast du recht. Ich brauche definitiv Hilfe. Welche Farbe hat dir vorgeschwebt?«

Cilla fühlte sich überfahren. »Hör mal, die alte Farbe muss erst einmal abgekratzt werden, und …«

»Details, Details. Wir schauen es uns mal an. Möchtest du es bis zum Labor Day gestrichen haben oder nicht?«

»Labor Day? Vor Mitte September ist es nicht geplant. Bis dahin ist es hoffentlich ein bisschen kühler. Die Maler, die die Scheune angestrichen haben …«

»Mit denen könnte ich ja arbeiten.«

Verblüfft stemmte Cilla die Hände in die Hüften. »Also, ich will dich ja nicht beleidigen, aber ich habe geglaubt, du wärst eher ein Amateur.«

Nachsichtig tätschelte er ihr die Wange. »Du beleidigst mich nicht. Was ist mit den Veranden?«

Sie blies die Backen auf und stieß die Luft aus. Er hörte einfach nicht auf. Ihre Argumente ignorierte er völlig. »Okay, wir sehen uns die Farbmuster an. Und wenn ich mich entschieden habe, kannst du die Fensterläden und die Veranden streichen. Aber du wirst nicht auf dem Gerüst herumturnen oder irgendwelche Ausziehleitern hinaufklettern.«

Er lächelte sie nur an, legte ihr den Arm um die Schultern, wie er es immer bei Angie machte, und ging mit ihr nach unten.

Obwohl es nicht auf ihrer Liste stand und sie *eigentlich* nach oben in ihr Büro gehen und sich anschauen wollte, wie weit der Fußboden war und ob Stan die Fliesen fertig verlegt hatte, öffnete sie die Töpfe mit der Außenfarbe. »Mit diesem Blau könnte es hinhauen. Das Grau darin macht es leichter, und wenn man es weiß absetzt, wirkt es besser.« Sie trug etwas Farbe auf Holz auf.

»Es fällt auf jeden Fall auf.«

»Ganz traditionell wäre es mit dieser Farbe, wieder mit weißem Rand oder vielleicht auch einem Cremeton. Cremefarben ist vielleicht besser. Weicher.«

»Hübsch und unauffällig.«

»Oder ich nehme dieses hellere Blau, wobei der graue Unterton es warm macht. Ein gebrochenes Weiß hebt sich bestimmt schön davon ab.«

»Ehrwürdig, aber warm und einladend.«

Sie trat einen Schritt zurück und legte nachdenklich den Kopf schräg. »Ich hatte auch an Gelb gedacht. Etwas Fröhliches, aber trotzdem sanft, dass es nicht so hervorknallt. Ach, vielleicht sollte ich noch etwas warten.« Sie kaute auf ihrer Unterlippe. »Bis…«

»Du hast bei allem, was mit diesem Haus und diesem Garten zu tun hat, Entscheidungen getroffen. Warum tust du dich mit dem äußeren Erscheinungsbild so schwer?«

»Das sieht ja jeder. Jedes Mal, wenn jemand auf der Straße vorbeifährt. Viele fahren langsamer oder halten an, um da-

rauf zu zeigen und zu sagen: ›Das ist Janet Hardys Haus.‹«
Cilla legte den Pinsel beiseite und wischte sich die Hände an
ihrer Arbeitshose ab. »Es ist zwar nur Farbe, aber es spielt
doch eine Rolle, was die Leute sehen, wenn sie auf der Straße
vorbeifahren und an sie denken.«

Er legte ihr die Hand auf die Schulter. »Was sollten sie denn
deiner Meinung nach sehen, wenn sie hier vorbeifahren?«

»Dass sie ein echter Mensch war und nicht nur ein Bild aus
einem alten Film oder eine Stimme auf einer CD oder einer
alten Schallplatte. Sie war eine reale Person, die fühlte und
aß, lachte und arbeitete. Die ihr Leben liebte. Und sie war
glücklich hier, zumindest eine Zeitlang. So glücklich, dass sie
an der Farm festhielt. Sie hielt daran fest, so dass ich hierherkommen konnte, um hier zu leben.«

Sie lachte verlegen. »Ich erwarte eine ganze Menge von einem bisschen Farbe. Du lieber Himmel, ich sollte wahrscheinlich am besten wieder in Therapie gehen.«

»Hör auf.« Er schüttelte sie ein wenig. »Natürlich spielt es
eine Rolle. Leute machen sich über Farbgebung aus viel bana-
leren Gründen Gedanken. Dieses Haus, dieses Land hat ihr
gehört. Sie hat es sich selber ausgesucht, und es hat ihr etwas
bedeutet. Jetzt gehört es dir. Es spielt natürlich eine Rolle.«

»Es war in gewisser Weise auch deins. Das vergesse ich
nicht, und ich finde, es ist jetzt wichtiger als am Anfang. Such
du die Farbe aus.«

Er ließ seine Hand sinken und wich ein wenig zurück.
»Cilla.«

»Bitte. Ich möchte wirklich, dass du die Farbe aussuchst.
Es soll eine McGowan-Wahl sein. Die meisten Leute, die hier
vorbeifahren, werden an sie denken, aber wenn ich über das
Grundstück gehe oder nach einem langen Tag nach Hause
komme, werde ich an sie und an dich denken. Such du die
Farbe aus, Dad.«

»Das warme Blau.«

Sie hakte sich bei ihm ein und betrachtete die frische Farbe über der alten, die abblätterte. »Ich glaube, es wird perfekt aussehen.«

Als Ford am Spätnachmittag herüberkam, kratzte Gavin gerade die alte Farbe an der Front des Hauses ab.

»Wie läuft es, Mr. McGowan?«

»Langsam, aber stetig. Cilla ist irgendwo drinnen.«

»Ich habe gerade ein Haus gekauft.«

»Ach, tatsächlich?« Gavin hielt inne und runzelte die Stirn. »Ziehen Sie um?«

»Nein, nein. Ich habe diesen verseuchten Schuppen gekauft, den Cilla behauptet renovieren zu können. Der Verkäufer hat mein Angebot gerade akzeptiert. Mir ist ein bisschen übel, ich weiß nur nicht, ob es daran liegt, dass ich aufgeregt bin oder weil sich auf einmal ein riesiges Loch unter meinen Füßen auftut, in das all mein Geld geht. Ich muss jetzt doppelte Hypothekenzinsen bezahlen. Ich glaube, ich muss mich setzen.«

»Nehmen Sie hier den Spachtel und helfen Sie mir ein bisschen. Es wird Sie beruhigen.«

Ford beäugte den Spachtel misstrauisch. »Werkzeuge und ich haben schon seit Langem ein Abkommen getroffen. Wir halten uns zum Wohle der Menschheit voneinander fern.«

»Es ist ein Spachtel, Ford, keine Kettensäge. Sie kratzen doch im Winter auch das Eis von Ihrer Windschutzscheibe, oder?«

»Wenn es sein muss. Eigentlich bleibe ich lieber zu Hause, bis es taut.« Aber er griff gehorsam nach dem Spachtel und versuchte, Farbe von der Hauswand zu kratzen. »Ich muss doppelte Hypothekenzinsen bezahlen, und ich werde schon vierzig.«

»Befinden wir uns auf einer Zeitreise? Viel älter als dreißig können Sie doch eigentlich noch nicht sein.«

»Einunddreißig. Es dauert keine zehn Jahre mehr, bis ich vierzig bin, und vor fünf Minuten war ich noch in der Schule.«

Gavins Lippen zuckten. »Es wird noch schlimmer. Jedes Jahr vergeht schneller.«

»Danke«, erwiderte Ford bitter. »Genau das wollte ich hören. Ich wollte mir eigentlich Zeit lassen, aber wie kann ich das, wenn ich gar nicht mehr so viel habe?« Er drehte sich zu Gavin um und schwenkte den Spachtel. »Aber wenn man bereit ist, und sie ist es nicht, was soll man dann tun?«

»Kratzen Sie weiter die Farbe ab.«

Ford schabte – an der Farbe und an seinen Knöcheln. »Mist! So schmerzt das Leben.«

Cilla kam gerade rechtzeitig heraus, um zu sehen, wie Ford an seinen wunden Knöcheln saugte. »Was macht ihr da?«

»Ich kratze Farbe ab und auch ein paar Schichten Haut, und dein Vater philosophiert.«

»Lass mich mal sehen.« Sie nahm Fords Hand und betrachtete die Knöchel. »Du wirst es überleben.«

»Das muss ich auch. Ich muss jetzt doppelte Hypotheken bezahlen. Aua!«, sagte er, als Cilla seine Finger ein wenig drückte.

»Entschuldigung. Haben Sie dein Angebot akzeptiert?«

»Ja. Ich gehe morgen auf die Bank und werde einen Haufen Papiere unterschreiben. Ich glaube, ich hyperventiliere. Ich brauche eine Papiertüte, in die ich atmen kann.«

Sie stieß ihn in die Seite. »Angst?«

Er verzog das Gesicht. »Ich mache Schulden, und zwar mit vielen Nullen. Wusstest du, dass der Geruchssinn von allen fünf Sinnen der ausgeprägteste ist? Ich erinnere mich ständig daran, wie es dort gerochen hat.«

»Leg das mal weg, bevor du dich ernsthaft verletzt.« Cilla nahm ihm den Spachtel aus der Hand und legte ihn auf die Fensterbank. »Und komm mal mit.« Sie zwinkerte ihrem Vater zu und zog Ford ins Haus.

»Kannst du dich noch daran erinnern, wie es hier in der Küche ausgesehen hat, als du das erste Mal hier drin warst?«

»Ja.«

»Hässlich, schmutzig, kaputter Fußboden, Risse in den Wänden, nackte Glühbirnen. Hast du das Bild im Kopf?«

»Ja.«

»Schließ die Augen.«

»Cilla.«

»Im Ernst, mach sie zu und behalte das Bild da drin.«

Kopfschüttelnd gehorchte er. »Und jetzt mach die Augen wieder auf und sag mir, was du siehst. Überleg nicht lange, bewerte es nicht. Sag mir einfach, was du siehst.«

»Einen großen, leeren Raum. Viel Licht. Wände in der Farbe von ganz leicht getoastetem Brot. Große, quadratische Fliesen, honig- oder cremefarben, aus denen Rohre ragen. Große Glastüren, die sich auf eine Terrasse mit einem blauen Sonnenschirm und einem Garten mit Rosen, die wie wild blühen, und viel Grün öffnen. Und dahinter die Berge am Horizont. Ich sehe Cillas Vision.«

Er wollte einen Schritt vorwärtsgehen, aber sie hielt ihn zurück. »Nein, du darfst noch nicht auf die Fliesen treten. Stan ist erst vor einer Stunde fertig geworden.«

»Wir schaffen das.«

»Absolut. Man muss planen, bereit sein, mit unerwarteten Problemen umzugehen, und das Ziel immer vor Augen haben. Wir werden dieses Haus renovieren, Ford, und wenn es fertig ist, haben wir beide etwas, auf das wir stolz sein können.«

Er drehte sich zu ihr und küsste sie auf die Stirn. »Okay. Okay. Ich muss noch ein bisschen kratzen gehen.«

Sie ging mit ihm nach draußen und beobachtete verblüfft, wie er ihrem Vater zuwinkte und an ihm vorbeiging.

»Wohin geht er? Er hat doch gesagt, er müsse noch ein bisschen kratzen?«

Gavin lächelte vor sich hin, als Cilla kopfschüttelnd wieder ins Haus ging. Es war gut zu wissen, dass seine Tochter ihren Platz, ihr Ziel und einen Mann gefunden hatte, der sie liebte.

Es war gut zu wissen, dass der Mann, der ihr Böses wollte, nicht mehr an sie herankam.

Als Cilla am nächsten Morgen zu Ford ging, hatte jemand ihre Reifen zerstochen. Auf dem Boden vor dem linken Vorderreifen lag eine Puppe mit dem Gesicht auf dem Boden, ein Küchenmesser im Rücken.

»Du hättest mich holen sollen. Verdammt, Cilla.« Ford ging erregt in der Einfahrt auf und ab und trat dann zu Cilla, die auf den Stufen zur Veranda saß. »Was, wenn er – sie – noch da gewesen wäre?«

»Es war aber niemand da. Die Polizei kam innerhalb von fünfzehn Minuten. Sie kennen mittlerweile die Strecke in- und auswendig. Ich hielt es nicht für nötig…«

»Findest du mich nutzlos, nur weil ich keine Stichsäge und keinen Bohrer bedienen kann?«

»Das habe ich nicht gemeint, und das weißt du auch ganz genau.«

»Reg dich ab, Ford.« Matt trat zwischen sie.

»Ich denke ja nicht dran. Es ist schon das zweite Mal, dass jemand diese Puppen umbringt, um ihr Angst zu machen, und sie sitzt hier allein und wartet auf die Polizei und lässt mich drüben schlafen. Es ist einfach dumm.«

»Du hast recht. Aber beruhige dich trotzdem. Er hat recht«, sagte Matt zu Cilla. »Es war ziemlich dumm. Du bist ein toller Boss, Cilla, und eine der besten Schreinerinnen, mit der ich jemals gearbeitet habe, aber Tatsache ist, dass dich jemand bedroht, und es ist einfach unvernünftig, hier alleine herumzusitzen, nachdem du das entdeckt hast.«

»Es war eine feige Aktion, und niemand hat dich gebeten, gleich über die Straße zu rennen und Ford aus dem Bett zu zerren, damit ihr mich zu zweit beaufsichtigen könnt. Ich bin nicht dumm. Wenn ich Angst gehabt hätte, wäre ich zu Ford gelaufen und hätte ihn aus dem Bett geholt. Ich war wütend, verdammt noch mal.«

Sie sprang auf, da sie sich im Sitzen gegenüber den beiden Männern zu klein und schwach vorkam. »Ich bin immer noch wütend. Ich bin sauer, und ich bin es leid, bedrängt und bedroht zu werden. Ihr könnt mir glauben, wenn ich denjenigen erwischt hätte, steckte wahrscheinlich das Messer aus der Puppe jetzt in seiner Kehle.«

»Wenn du wirklich so clever bist«, sagte Ford kühl, »dann weißt du ja, dass das ziemlich blöd gewesen wäre.«

Sie öffnete den Mund, schloss ihn wieder und schwieg. Dann setzte sie sich wieder hin. »Voreilig gebe ich gerne zu. Aber blöd nicht.«

»Stur und voreilig«, konterte Ford. »Mehr sage ich dazu nicht.«

»Meinetwegen, Und jetzt geh wieder ins Bett. Und wenn du wieder an die Arbeit gehen würdest«, wandte sie sich an Matt, »könnte ich noch ein bisschen hier sitzen und mich meiner schlechten Laune hingeben.«

Schweigend tätschelte Matt Cilla den Kopf und ging hinein. Ford trat zu ihr und setzte sich neben sie.

»Als ob es mir etwas ausmachen würde, dass du nicht mit einer Stichsäge umgehen kannst.«

»Gott sei Dank.«

»Ich war einfach zu wütend, um dich zu holen. Ich kapiere es nicht. Ich kapiere es einfach nicht.« Einen Moment lang drückte sie ihr Gesicht an seine Schulter. »Hennessy ist in der Psychiatrie. Wenn seine Frau das war, warum tut sie das? Ich weiß, dass er zwei Jahre bekommen hat, aber das ist doch nicht meine Schuld. Vielleicht ist sie ja genauso verrückt wie er.«

»Und vielleicht war Hennessy es gar nicht. Ja, klar, er hat dich von der Straße abgedrängt, und er ist verrückt, gar keine Frage. Aber vielleicht hat er das andere nicht gemacht. Das hat er ja auch nicht zugegeben.«

»Das wäre echt toll. Das würde ja bedeuten, dass mindestens zwei Leute hier mir gerne das Leben zur Hölle machen würden.« Sie stützte die Ellbogen auf die Knie. »Es könnte wegen der Briefe sein. Jemand weiß davon, weiß, dass ich sie gefunden habe. Wenn Andrew sie geschrieben hat, dann wusste vielleicht jemand von der Affäre, von der Schwangerschaft... Sein Name ist hier in der Gegend immer noch bekannt. Um seinen Ruf zu schützen...«

»Wer, Brians Vater? Brian? Außerdem sieht es nicht so aus, als ob Andrew Morrow sie geschrieben hat. Ich habe Kopien an einen Graphologen geschickt.«

»Was?« Erschreckt setzte sie sich kerzengerade hin. »Wann?«

»Zwei Tage, nachdem Brian die Karte vorbeigebracht hat. Ja, es war wohl... voreilig, das einfach so zu machen, ohne es vorher mit dir abzusprechen. Also sind wir quitt.«

»Gott, Ford, wenn die Presse davon Wind bekommt...«

»Warum sollten sie? Der Graphologe ist aus New York, dem sagt der Name Andrew Morrow gar nichts. Und die Kopie des Briefes, die ich ihm geschickt habe, enthält nichts über Janet oder den Ort. Noch nicht einmal die Zeit wird erwähnt. Ich war vorsichtig.«

»Okay, okay.« Ja, das war er bestimmt, dachte sie.

»Auf jeden Fall ist er zu dem Ergebnis gekommen, dass es nicht dieselbe Schrift ist. Er meinte, er könnte zwar seine Hand nicht dafür ins Feuer legen, weil es Kopien sind, und ein zeitlicher Abstand dazwischen liegt. Ich habe ihm gesagt, die Karte sei vier Jahre später geschrieben worden. Aber er hielt es nicht für dieselbe Handschrift. Möglicherweise jedoch könnten die beiden Personen den gleichen Lehrer gehabt haben, weil sich die Schriften im Stil sehr ähnlich sind.«

Ein ganz neuer Ansatz, dachte Cilla. »Dann könnte es also jemand gewesen sein, der mit Andrew in die Schule gegangen ist. Ein Freund. Ein enger Freund. Oder jemand, der später in die gleiche Schule gegangen ist, denselben Lehrer gehabt hat. Und das engt das Feld ja nun wirklich ein.«

»Ich könnte mal versuchen, über meinen Großvater etwas

herauszubekommen. Er und Andrew müssten etwa im gleichen Alter sein. Vielleicht erinnert er sich ja an etwas.«

Cilla betrachtete ihre platten Reifen. »Ich glaube, das ist eine gute Idee. Wenn du Antworten willst, musst du Fragen stellen. Ich mache mich jetzt an die Arbeit. Und du musst zur Bank.« Sie stieß ihn mit der Schulter an. »Haben wir uns wieder versöhnt?«

»Nein, dazu müssen wir erst Sex haben.«

»Ich setze es auf meine Liste.«

Ford hielt vor dem kleinen Vororthaus. Er hörte das Brummen des Rasenmähers, als er aus dem Auto stieg, deshalb ging er mit Spock ums Haus herum und durch das kleine Tor im Gartenzaun.

Sein Großvater, in Polohemd, Bermuda-Shorts und Hush Puppies schob den elektrischen Rasenmäher über das kleine Stück Rasen zwischen den Hortensien, den Rosenbüschen und dem Ahorn.

Vom Tor aus sah Ford, dass ihm der Schweiß unter der Washington-Redskins-Kappe herunterlief. Ford rief ihn und winkte, und als Charlie ihn entdeckte, breitete sich ein Lächeln auf seinem verschwitzten Gesicht aus.

Er stellte den Rasenmäher ab. »Hallo, mein Junge. Na, Spock!« Er klopfte sich einladend auf die Oberschenkel, damit der Hund hochsprang, um sich den Kopf kraulen zu lassen. »Was macht ihr denn hier?«

»Wir mähen deinen Rasen fertig. Granddad, es ist viel zu heiß für dich hier draußen.«

»Ich wollte auch eigentlich schon früher damit fertig sein.«

»Ich dachte, ein Nachbarsjunge täte das für dich. Das hast du mir jedenfalls immer gesagt.«

»Ja, darum wollte ich mich auch kümmern.« Charlie verzog eigensinnig das Gesicht. »Aber ich mähe meinen Rasen gerne selber. Noch kann ich auf meinen eigenen Beinen stehen.«

»Dazu hast du noch reichlich Gelegenheit, aber du brauchst nicht hier draußen zu arbeiten, wenn es so heiß und feucht ist, dass man in seinem eigenen Atem ertrinkt. Ich mähe jetzt zu Ende. Vielleicht kannst du uns ja etwas Kaltes zu trinken holen. Und Spock bräuchte etwas Wasser«, fügte Ford listig hinzu. Darauf würde sein Großvater bestimmt reagieren.

»Na gut, na gut. Aber stell den Rasenmäher bitte wieder in den Schuppen, wenn du fertig bist. Und pass auf die Rosenbüsche auf. Komm, Spock.«

Er brauchte kaum zwanzig Minuten, um die Arbeit zu erledigen – wobei sein Großvater ihn wie ein Habicht durch die Fliegentür beobachtete. Offensichtlich hatte er die Klimaanlage drinnen nicht eingeschaltet.

Als Ford den Rasenmäher ordnungsgemäß verstaut hatte und über die kleine Terrasse ins Haus ging, lief ihm der Schweiß den Rücken hinunter. »Es ist August, Granddad.«

»Ich weiß, welchen Monat wir haben. Hältst du mich für senil?«

»Nein, nur für verrückt. Ich kann dir versichern, Air Condition hat nicht der Teufel erfunden.«

»Es ist nicht heiß genug für die Klimaanlage.«

»Es ist kochend heiß.«

»Aber es weht eine nette, kühle Brise.«

»Ja, aus der Hölle.« Ford ließ sich am Küchentisch nieder und trank den Eistee, den Charlie ihm hingestellt hatte. Spock lag schnarchend unter dem Tisch. Wahrscheinlich war er bei der Hitze ins Koma gefallen, dachte Ford. »Wo ist Grandma?«

»Deine Tante Ceecee hat sie abgeholt. In der Buchhandlung deiner Mutter findet eine Lesung statt.«

»Oh, wenn sie hier wäre, bekäme ich bestimmt Plätzchen. Ich weiß genau, dass du Spock welche gegeben hast, bevor er eingeschlafen ist.«

Charlie schnaubte, stand aber auf, um eine Dose mit dünnen Zitronenplätzchen von der Theke zu holen, wo er sie hingestellt hatte, nachdem er Spock gefüttert hatte. Er schüttete welche auf einen Teller und reichte ihn Ford.

»Danke. Ich habe ein Haus gekauft.«

»Du hast doch schon eins.«

»Ja, aber dieses hier ist eine Investition. Cilla will es renovieren, größere Wunder vollbringen, und dann kann ich es verkaufen und werde ein reicher Mann. Oder ich verliere mein letztes Hemd und muss bei dir und Grandma einziehen und am Hitzschlag sterben. Aber da ich ja gesehen habe, was sie mit ihrem Haus anstellt, baue ich mal auf das Wunder.«

»Ich habe gehört, dass sie viel verändert hat.«

»Zum Besseren, glaube ich.«

»Ich schaue es mir am Labor Day selber an, wenn sie ihr Fest feiert. Deine Großmutter hat sich schon was Neues zum Anziehen gekauft. Es wird komisch sein, mal wieder auf eine Party dorthin zu gehen.«

»Es kommen wohl eine ganze Menge Leute, die auch auf den Partys waren, als Janet Hardy noch lebte.« Perfekte Eröffnung, dachte Ford. »Mom und Dad, Brians Eltern. Du kanntest Bris Großvater, oder?«

»Jeder hier kannte Andrew Morrow.«

»Warst du mit ihm befreundet?«

»Mit Drew Morrow?« Charlie schüttelte den Kopf. »Wir haben nicht in den gleichen Kreisen verkehrt. Außerdem war er sechs oder acht Jahre älter als ich.«

»Du bist also nicht mit ihm zur Schule gegangen?«

»Wir sind auf dieselbe Schule gegangen. Damals gab es ja nur die eine. Andrew Morrow, der hatte ein goldenes Händchen. Und auch eine goldene Zunge.« Charlie trank einen Schluck Eistee. »Er konnte jeden überreden, ihm Geld anzuvertrauen, aber bei Gott, er füllte denen, die es taten, auch die Taschen. Er kaufte Land, baute Häuser, kaufte noch mehr Land, baute Geschäfte, Bürogebäude. Er baute den gesamten Ort und war Bürgermeister. Es ging die Rede davon, dass er Gouverneur von Virginia werden würde. Das hat er allerdings doch nicht geschafft. Es hieß dann, so ein paar Geschäfte wären nicht ganz sauber gewesen.«

»Mit wem war er denn so befreundet, als ihr Jungen wart?«

»Oh, warte mal«, meinte Charlie und ratterte ein paar Namen herunter, die Ford nichts sagten. »Einige von ihnen sind nicht mehr aus dem Krieg zurückgekommen. Er war auch mit Hennessy befreundet, der jetzt in der Klapsmühle ist.«

»Wirklich?«

»Eine Zeitlang ist er mit Hennessys Schwester Marge gegangen, aber dann hat er mit ihr Schluss gemacht, weil er Jane Drake kennen gelernt hat, die er dann auch geheiratet hat. Sie kam aus einer reichen Familie.« Charlie verzog das Gesicht und rieb Daumen und Zeigefinger aneinander. »Altes Geld. Der Mann brauchte Geld, um Grundstücke und Häuser zu kaufen. Außerdem sah sie toll aus. Aber sie hat sich auch einiges darauf eingebildet.«

»Ich kann mich noch gut an sie erinnern. Sie sah eigentlich immer so aus, als ob sie sauer wäre. Wahrscheinlich macht Geld allein auch nicht glücklich. Vielleicht hat Morrow sich ja nach ein bisschen Abwechslung umgesehen.«

»Könnte sein.«

»Vielleicht ist er ja deshalb nicht Gouverneur geworden«, spekulierte Ford. »Eine heimliche Affäre, die aufzufliegen drohte, schlechte Presse. Es wäre ja nicht das erste Mal, dass eine Frau eine politische Karriere zerstören würde.«

Charlie rieb sich den Hals. »Politiker«, sagte er verächtlich. »Aber trotzdem war er bei den meisten hier beliebt. Er hat Buddys Vater dabei geholfen, seinen Betrieb als Installateur aufzubauen. Er hat dem Tal viel Arbeit gebracht. Buddy arbeitet auch auf der Farm, nicht wahr?«

»Ja.«

»Er und sein Vater haben auch zu Janets Zeit dort gearbeitet. Damals hatte Buddy noch mehr Haare und weniger Bauch. Er muss so ungefähr in deinem Alter gewesen sein.«

Ford versuchte, wieder zum Ausgangspunkt zurückzukommen. »Ihr hattet doch damals, als es hier nur eine einzige Schule gab, bestimmt viele Lehrer gemeinsam. So wie Brian, Matt, Shanna und ich. Wir sind alle von Mr. McGowan unterrichtet worden, genau wie Matts kleiner Bruder und Brians ältere Schwester. Damals in der Grundschule hat Mrs. Yates uns das Schreiben beigebracht. Sie hatte an meiner Schrift immer etwas auszusetzen. Wahrscheinlich würde sie sich wundern, wenn sie wüsste, womit ich heute mein Geld verdiene. Wer hat dir eigentlich das Schreiben beigebracht, Granddad?«

»Gott, das ist schon so lange her.« Er lächelte. »Meine Mama hat mir das Schreiben beigebracht. Ich durfte die Buchstaben nachzeichnen, die sie aufgemalt hatte. Ich war richtig stolz, als ich meinen Namen schreiben konnte. In der Schule hatten wir dann alle Mrs. Macey, und ihr gefielen die Buchstaben nicht, die meine Mama mir beigebracht hatte. Ich musste nachsitzen und das Alphabet an die Tafel schreiben.«

»Wie lange hat sie dort unterrichtet?«

»Jahre vor mir und Jahre hinterher. Als ich sechs war, kam sie mir uralt vor, aber vermutlich war sie so um die vierzig. Und sie war ziemlich streng.«

»Hast du denn jemals so geschrieben, wie sie es wollte?«

»Nie.« Charlie lächelte und biss in ein Plätzchen. »Was meine Mama mir beigebracht hatte, gefiel mir besser.«

Später, unter dem blauen Sonnenschirm, berichtete Ford Cilla bei einem Bier von dem Gespräch. »Es ist nicht viel. Die pingelige Mrs. Macey hat wahrscheinlich Morrows Generation und die Kinder nach meinem Großvater unterrichtet. Morrow war mit Hennessy befreundet, zumindest, bis er sich wegen der reichen, eingebildeten Jane von Hennessys Schwester trennte. Er hat Keystone Plumbing mitbegründet und noch einige andere Handwerksbetriebe hier. Möglicherweise war er auch in ein paar krumme Geschäfte verwickelt, und deswegen ist er nicht Gouverneur geworden. Er hatte einflussreiche Freunde, und über die Verbindung mit ihm könnte durchaus jemand deine Großmutter kennen gelernt und mit ihr eine Affäre begonnen haben.«

»Dieses Wer-kennt-wen läuft hier nicht anders als in Hollywood.« Oder sonstwo auf der Welt, dachte Cilla. »Und Buddy hat als Dreißigjähriger hier gearbeitet? Es fällt mir schwer, mir vorzustellen, dass Janet sich wahnsinnig in einen Installateur verliebt, vor allem in Buddy. Aber trotzdem, er war nur ein paar Jahre jünger als sie.«

»Kannst du dir vorstellen, dass Buddy Sätze schreibt wie ›Ich lege mein Herz, meine Seele, in deine schönen Hände‹?«

»Nein, eigentlich nicht. Es gibt mehr Verbindungen zwischen damals und heute, als ich mir vorgestellt habe. Ich erfahre vielleicht nie, was wirklich passiert ist, und ob es überhaupt noch etwas mit heute zu tun hat.«

»Das Hennessy Haus ist zu verkaufen.« Ford legte seine Hand über ihre. »Auf dem Weg zu meinem Großvater bin ich daran vorbeigefahren. Die Vorhänge sind zugezogen, kein Auto in der Einfahrt. Und im Vorgarten steht ein Verkaufsschild.«

»Wo ist sie?«

»Ich habe keine Ahnung, Cilla.«

»Vielleicht war es ja ein Abschiedsgeschenk, wenn sie für heute Morgen verantwortlich ist.«

Aber Ford glaubte das nicht. Die Bilder in den einzelnen Panels passten nicht zueinander. Er musste sie hin und her schieben, dachte er, und sie so lange größer oder kleiner machen, bis er die ganze Geschichte vor sich liegen sah.

27

Mit großer Freude hängte Cilla ihren ersten Küchenschrank auf.

»Sieht gut aus.« Matt nickte zustimmend. »Das Kirschbaumholz passt gut zu der Walnussleiste.«

»Warte erst mal, bis die Türen eingehängt sind. Es sind wahre Kunstwerke. Das Warten hat sich gelohnt. Guy ist ein Künstler.«

Cilla legte die Wasserwaage oben auf den Schrank und rückte ihn gerade.

»Ja, es ist wirklich gute Arbeit. Es sind eine ganze Menge Schränke.« Matt blickte sich um. »Aber wir kriegen sie heute alle noch aufgebaut. Wie lange dauert es noch, bis die Geräte fertig sind?«

»Drei oder vier Wochen. Vielleicht auch sechs. Du weißt ja, wie es läuft.«

»Die alten Geräte werden toll hier drin aussehen.« Er zwinkerte ihr zu, als sie von der Leiter stieg. »Lass dir von Buddy bloß nichts anderes erzählen.«

»Er kann sich schon genug über meinen Wasserhahn über dem Herd aufregen.« Liebevoll fuhr sie mit der Hand über den nächsten Schrank. »Dann wollen wir mal zusehen, dass wir ihn an die Wand bekommen.«

»Eine Sekunde«, sagte Matt, als sein Telefon klingelte. Er blickte auf das Display. »Hey, Baby. Was? Wann?«

Bei seinem Tonfall blickte Cilla auf.

»Ja. Ja. Okay. Ich bin schon auf dem Weg. Bei Josie ist die Fruchtblase geplatzt«, erklärte er. »Ich muss los.« Glücklich hob er Cilla hoch und schwenkte sie herum.

»Das geht hier also den ganzen Tag vor sich«, meinte Angie, die gerade die Küche betrat.

Matt grinste breit. »Josie bekommt ihr Baby.«

»Oh! Oh! Was tust du denn dann noch hier?«

»Bin schon unterwegs.« Er stellte Cilla wieder hin. »Ruf Ford an, okay? Er soll allen Bescheid sagen. Und tut mir leid wegen…« Er wies auf die Küchenschränke.

»Mach dir keine Sorgen deswegen.« Cilla schob ihn aus der Tür. »Geh! Geh und bekomm ein Baby!«

»Ich kriege heute eine Tochter!« Auf dem Weg hinaus umarmte er auch Angie und küsste sie.

»Mann, das war ja hervorragend getimt.« Lachend betastete Angie ihre Lippen. »Wow, er küsst nicht schlecht! Ich muss gleich Suzanna anrufen, Josies kleine Schwester. Wir sind Freundinnen. Und hey…, die Küche ist einfach fantastisch!«

»Schau dich ruhig um. Ich muss Ford anrufen.«

Während Cilla ihm Bescheid sagte, begutachtete Angie die Küche und die Abstellkammer.

»Männer sind komisch«, stellte Cilla fest, als sie ihr Handy wieder zuklappte. »Er hat nur gesagt: ›Cool. Verstanden. Bis gleich.‹«

»Kein Mann vieler Worte.«

»Nein, das ist wohl wahr.«

»Cilla, es ist wundervoll hier.« Angie breitete die Arme aus. »Richtig wundervoll. Und woher weißt du eigentlich, wo alle diese Schränke hinkommen?«

»Ich habe mir eine Zeichnung gemacht.«

»Ja, klar, du hast dir natürlich eine Zeichnung gemacht. Ich kann mir kaum vorstellen, ob mein Bett in eine andere Ecke in meinem Zimmer passt und wo ich dann die Kommode hinstellen soll.«

»Jeder hat so seine Begabungen.«

»Ja, das stimmt wohl.« Angie salutierte zackig. »Soldat McGowan meldet sich zum Dienst.«

»Wie bitte?«

»Ich bin hier, um anzustreichen. Ich könnte dir ja auch dabei helfen, die Schränke aufzuhängen, aber ich glaube, anstreichen kann ich besser. Wie hängst du sie überhaupt auf?«, fragte sie. »Ich meine, womit werden sie festgehalten? Also ich glaube, ich arbeite lieber mit einem Pinsel.«

»Angie, du musst nicht…«

»Ich will aber. Dad hat gesagt, vorne und an einer Seite haben sie die Farbe schon fertig abgekratzt, und heute arbeiten sie hinten am Haus. Und wenn sie zusätzliche Hilfe hätten, könnten sie schon Grundierung auftragen. Ich habe heute frei. Ich bin die zusätzliche Hilfe.«

Sie zupfte am Bein ihrer weiten, weißen Malerhose. »Sieh her, ich bin auch schon passend angezogen.«

»Ich finde es ja lieb von dir, aber ich will nicht, dass du dich verpflichtet fühlst.«

Angie machte ein ernstes Gesicht. »Siehst du mich eigentlich als deine Schwester?«

»Ja, sicher.« Cilla nahm ihre Wasserwaage. »Natürlich. Ich meine … schließlich sind wir Schwestern.«

»Wenn das so ist, dann halt den Mund und zeig mir, wo die Farbe steht.« Sie lächelte schlau. »Oder ich sage Dad, dass du gemein zu mir warst.«

Amüsiert erwiderte Cilla ihr Lächeln. »Du bist ihm sehr ähnlich, dem, der uns zu Schwestern gemacht hat.«

»Ich habe nur seine guten Eigenschaften geerbt. Du hingegen …«

»Die Farbe ist draußen in der Scheune. Wir können hier herausgehen.« Cilla öffnete die Hintertür. »Vielleicht gefällt es mir ja gar nicht, eine Schwester zu haben, die jünger ist als ich und eine süße Cheerleader-Figur hat.«

»Vielleicht gefällt es mir ja nicht, eine Schwester mit so langen Beinen und so langen, perfekten Haaren zu haben. Aber ich habe dafür den besseren Hintern.«

»Das ist nicht wahr. Mein Hintern ist berühmt.«

»Ja, du hast ja genug davon gezeigt in *Terror at Deep Lake*.«

»Ich habe einen Bikini getragen.« Lachend blieb Cilla stehen, um nach ihren Schlüsseln zu kramen. Dabei drehte sie sich zum Haus um. »Oh, verdammt!«

Angie folgte ihrem Blick, und beide sahen ihren Vater, der ungerührt zwei Stockwerke hoch auf dem Gerüst stand und Farbe abkratzte.

»Dad! Komm sofort da herunter!«, schrien sie unisono. Gavin blickte sich um, und als er sie sah, winkte er fröhlich.

»Ich habe ihm extra gesagt, er soll nicht da hochgehen. Kein Gerüst, keine ausziehbaren Leitern!«

»Wenn er sich etwas in den Kopf gesetzt hat, hört er nicht. Er tut nur so, und macht dann doch, was er will. Ist es denn einigermaßen sicher?«, fragte Angie und packte Cilla am Arm. »Ich meine, es wird doch nicht umstürzen oder zusammenbrechen, oder?«

»Nein. Aber …«

»Dann gucken wir am besten gar nicht hin. Wir holen jetzt die Farbe. Ich gehe vorne zum Haus, und du gehst wieder hinein. Dann brauchen wir ihn da oben nicht zu sehen. Und meiner Mutter erzählen wir es besser gar nicht.«

»Okay.« Cilla wandte sich entschlossen ab und steckte den Schlüssel ins Vorhängeschloss an der Scheune.

Olivia Rose Brewster kam um 14.25 Uhr nachmittags auf die Welt.

»Matt ist selig«, sagte Ford zu Cilla, als sie zum Krankenhaus fuhren. »Er verteilt Kaugummizigarren und hat so ein verträumtes Lächeln im Gesicht. Das Baby ist süß, es hat seine schwarzen Haare. Ethan war ja so kahl wie mein Onkel Edgar, aber die Kleine hat schon eine richtige Haarpracht.«

»Onkel Ford scheint sich auch sehr zu freuen.«

»Es ist schon toll und aufregend. Josie sah ganz fertig aus, als ich sie nach der Entbindung gesehen habe.«

»Na ja, was erwartest du, wo sie gerade erst ein acht Pfund schweres Mädchen zur Welt gebracht hat …«

»Okay, okay. Du brauchst nicht weiter ins Detail zu gehen.« Er bog in eine Parklücke auf dem Parkplatz des Krankenhauses. »Ich habe mit Matt gesprochen, als du dich umgezogen hast. Er sagte, es geht beiden großartig.«

»Es ist schön, dass wir jetzt aus einem glücklichen Anlass hier sind.« Ihr Blick glitt zur Intensivstation.

»Hast du eigentlich schon mit Shanna geredet, seit sie wieder zurück ist?«

»Nein, ich habe sie noch nicht gesehen.«

»Es muss toll gewesen sein.« Ford nahm Cillas Hand, als

sie den Parkplatz überquerten. »Sie sagte, Steve sähe gut aus. Er hat ein bisschen zugenommen und nimmt den Stock nur noch, wenn er müde ist.«

Ford zog die schwere Glastür auf.

»Ich habe ihm Bilder vom Haus gemailt. Und ich muss jetzt auch noch die Küchenschränke fotografieren. Da ist ein Geschenkladen. Geschenke für Mommy und Baby.«

»Ich habe ihr schon Blumen geschenkt«, erwiderte Ford, »und einen großen, rosa Teddybären.«

»Acht Pfund und ...«

»Ja, ist gut«, lenkte Ford ein. »Gehen wir in den Geschenkladen.«

Beladen mit Blumen, Luftballons, einer Lämmchenspieluhr und einem Stapel Malbücher für den frischgebackenen großen Bruder marschierten sie in die Entbindungsstation.

Josie saß im Bett und hielt das gewickelte Baby, das ein hellrosa Mützchen auf dem dunklen Köpfchen trug, im Arm. Neben ihr stand ihre jüngere Schwester, die ein weißes Spitzenkleidchen bestaunte, während Brian gerade eine Kaugummizigarre auswickelte und Matt ein Foto von Frau und Tochter schoss.

»Noch mehr Besucher!«, strahlte Josie. »Cilla, du hast gerade deinen Dad und Patty verpasst.«

»Ich wollte auch eigentlich jemand anderen sehen.« Sie beugte sich über das Bett. »Hallo, Olivia. Sie ist wunderschön, Josie. Das hast du gut gemacht.«

»Hey, sie hat mein Kinn und meine Nase«, wandte Matt ein.

»Und deinen großen Mund. Möchtest du sie mal halten, Cilla?«

»Ich dachte schon, du würdest nie fragen. Ja, gerne.« Sie legte das Lämmchen aufs Bett und nahm das Baby. »Ja, schau mal! Schau mal, wie hübsch du bist! Wie geht es dir, Josie?«

»Gut. Echt gut. Es hat ja auch nur siebeneinhalb Stunden bei ihr gedauert. Bei Ethan war es doppelt so lang.«

»Ich habe hier noch was für den großen Bruder.« Ford legte die Malbücher ans Fußende des Bettes.

»Oh, das ist süß von dir! Meine Eltern haben ihn gerade zum Abendessen mit nach Hause genommen. Er sieht so groß und kräftig neben ihr aus. Ich kann kaum… Oh, die Hormone arbeiten noch«, stieß sie hervor, als sich ihre Augen mit Tränen füllten.

»Volles Haus!«, verkündete Cathy, als sie und Tom mit einem Strauß rosafarbener Rosen mit Schleierkraut das Zimmer betraten. »Wo ist denn das schöne Baby?«

Cilla drehte sich zu ihr.

»Oh, sieh dir mal diese Haare an. Tom, schau doch nur, das süße kleine Ding.«

»Bildhübsch.« Tom legte die Blumen zu den übrigen Sträußen und stieß Brian an. »Wann machst du uns denn endlich zu Großeltern? Matt ist dir schon um zwei voraus. Und dir auch, Ford.«

»Schlappschwänze«, stimmte Josie zu und streckte die Arme nach Olivia aus.

»Ich stelle so hohe Ansprüche«, sagte Brian. »Ich kann mich einfach nicht für eine Frau entscheiden, die nicht so perfekt wie Mom ist.«

»Da hast du dich aber geschickt herausgeredet«, erwiderte Cathy, aber sie strahlte vor Freude, als sie ihren Sohn auf die Wange küsste. Dann drehte sie sich um und küsste Matt ebenfalls. »Herzlichen Glückwunsch.«

»Danke. Wir haben geglaubt, wir hätten noch eine Woche Zeit. Als Josie heute Morgen anrief, habe ich gedacht, sie wollte einen *Karamell Kokosnuss Sundae* haben. Sie hat ganze Berge davon gegessen.«

»Ja, das stimmt.« Josie lachte.

»Bei mir war es Erdnusskaramell. Ich habe Glück, dass ich überhaupt noch einen heilen Zahn im Mund habe.«

»Nach Brians Geburt hast du das Zeug nie wieder angerührt«, kommentierte Tom.

»Es wird wahrscheinlich auch eine ganze Weile dauern, bevor ich wieder Lust auf Kokosnuss habe.« Josie streichelte Olivias Wange. »Gott sei Dank muss ich nicht noch eine Woche aushalten.«

»Und jetzt kannst du auf Cillas Party allen dein Baby zeigen. Wir freuen uns alle schon darauf«, fügte Cathy an Cilla gewandt hinzu. »Man könnte sagen, Ihr Baby ist das Haus.«

»Allerdings ohne pinkfarbenen Teddybär und hübsches weißes Kleidchen«, stimmte Cilla zu.

Matt reichte weitere Zigarren herum. »Ich musste heute freinehmen. Wir haben gerade angefangen, die Küchenschränke aufzuhängen. Bist du denn weitergekommen?«

»Wir müssen nur noch die Insel setzen, die Türen einhängen und die Geräte aufstellen. Für die Küchentheke ist alles rechtzeitig fertig.«

»Ich halte mit Patty und Fords Mutter noch Kriegsrat. Und wenn Sie ihn ganz lieb bitten«, sagte Cathy zu Cilla, »macht Tom vielleicht seine Spezial-Rippchen.«

Cilla lächelte. »Was macht sie so speziell?«

»Die Marinade«, erklärte Tom. »Es ist ein Familiengeheimnis.«

»Er gibt noch nicht einmal *mir* das Rezept.«

»Man vererbt es nur an die direkten Nachkommen. Viele haben bereits versucht, das Geheimnis zu ergründen, aber es ist noch niemandem gelungen. Wir müssen jetzt los, Cathy.«

»Wir sind zum Abendessen eingeladen. Ruh dich aus, Josie. Wenn ich morgen hier im Krankenhaus bin, schaue ich schnell nach dir und deinem kostbaren Baby.«

Es dauerte noch ein paar Minuten, bis alle aufgebrochen waren, weil neue Besucher ins Krankenzimmer kamen. Als Cilla und Ford schließlich gingen, hatte Cilla eine Kaugummi-Zigarre in der Tasche.

»Es ist schön, dass eure Eltern – deine, Brians und Matts – sich so für euch interessieren. Es ist fast wie eine Großfamilie.«

»Wir sind praktisch alle miteinander aufgewachsen, einschließlich Shanna. Ihre Eltern haben sich vor etwa zehn Jahren scheiden lassen. Dann haben sie beide wieder geheiratet und sind weggezogen.«

»Aber immerhin sind die drei anderen Paare noch zusammen. Das ist weit über dem nationalen Durchschnitt. Matt und Josie sahen so glücklich aus. Wie lange sind sie jetzt verheiratet?«

»Seit etwa sechs Jahren. Aber sie sind schon viel länger zusammen. Hör mal, wenn du irgendwo essen gehen möchtest, ist das okay.« Er tippte mit den Fingern aufs Lenkrad. »Aber ich möchte eigentlich nach Hause.«

»Nein, ich muss nicht essen gehen. Ist irgendwas?«

»Nein. Alles in Ordnung.« Er war nur ein bisschen nervös, dachte er. Und plötzlich wurde ihm ganz deutlich bewusst, dass die Zeit reif für den nächsten Schritt war.

Ob ich dazu bereit bin oder nicht, dachte er. Es muss sein.

Er schenkte zwei Gläser Wein ein und trug sie hinaus auf die Veranda, wo Cilla saß, Spock mit dem Fuß streichelte und über die Straße auf ihr Haus blickte.

»Die Grundierung vorne im Parterre ändert ja noch nichts am Stil, aber es wirkt so sauber. Und sie hat es sorgfältig und liebevoll gemacht. Das war wirklich seltsam, Ford. Ich habe mit einem von Matts Handwerkern die Küchenschränke aufgehängt, mein Vater hat hinten alte Farbe abgekratzt und Angie hat vorne grundiert. Und dann taucht mittags Patty auf und bringt belegte Brötchen. Und kaum war alles aufgegessen, hatte sie auch einen Pinsel in der Hand.

Ich wusste gar nicht, was ich davon halten sollte.«

»Die Familie kommt dir zu Hilfe.«

»Ja, genau. In der ersten Hälfte meines Lebens war Familie eine Illusion. Eine Kulisse. Als ich ein Kind war, habe ich immer von meiner Mutter geträumt. In diesen plastischen, deutlichen Träumen, die ich heute noch habe. Aber sie war Teil des

Bühnenbildes, eine Illusion, eine Mischung aus ihr und Lydia – der Schauspielerin, die Katies Mutter spielte.«

»Unter den Umständen kommt mir das aber relativ normal vor.«

»Mein Therapeut sagte, ich würde sie im Unterbewusstsein vermischen, weil ich mit der Realität nicht glücklich wäre. Aber eigentlich war es noch viel komplizierter. Ich wollte Teile von beiden Welten, aber dabei war ich Cilla und nicht Katie. Katie hatte ja ihre Familie, jedenfalls acht Staffeln lang.«

»Und Cilla nicht.«

»Es war eine andere Struktur.« Eine weniger stabile, dachte sie jetzt. »Später distanzierte ich mich davon, und indem ich hierherkam, stieg ich erneut aus. Es fällt mir schwer, mir vorzustellen, wie ich mich in dieser Phase noch an eine Familie gewöhnen könnte.«

»Sei meine.«

»Was?«

»Sei meine Familie.« Er stellte die Schachtel mit dem Ring auf den Tisch. »Heirate mich.«

Einen Moment lang konnte sie nicht denken und nicht sprechen, als ob ihr jemand einen Schlag auf den Kopf versetzt hätte. »Oh, mein Gott, Ford.«

»Es ist kein giftiges Insekt«, sagte er, als sie zurückzuckte. »Mach sie auf.«

»Ford.«

»Mach die Schachtel auf, Cilla. Du darfst einen Mann nicht vor den Kopf stoßen, wenn er dir einen Antrag macht. Du darfst ja oder nein sagen, aber ihn nicht vor den Kopf stoßen. Öffne sie einfach.«

Im weichen Dämmerlicht schimmerte der Ring wie Träume. Klare, schöne Träume.

»Du trägst nicht viel Schmuck, und wenn, dann nichts Auffälliges. Du bist eher subtil, klassisch.« Er hatte einen Kloß im Hals. »Deshalb habe ich gedacht, das Mädchen beeindruckst du nicht mit einem großen, fetten Klunker. Außerdem arbeitest du mit deinen Händen, und das muss ja auch berücksichtigt werden. Es ist also besser, die Diamanten einzulassen, als sie oben drauf zu setzen. Meine Mutter hat mir geholfen, ihn auszusuchen.«

Panik stieg in ihr auf. »Deine Mutter.«

»Sie ist eine Frau. Es ist der erste Ring, den ich für eine Frau gekauft habe, deshalb habe ich mich lieber beraten lassen. Mir gefiel die Idee mit den drei Steinen. Die Vergangenheit, das Jetzt, die Zukunft. Wir haben unsere Vergangenheit, wir haben unser Jetzt. Und ich will eine Zukunft mit dir. Ich liebe dich.«

»Er ist wunderschön, Ford. Absolut wunderschön. Und der Gedanke, der dahintersteht, macht ihn umso schöner. Ich bin so schrecklich.« Sie nahm seine Hände. »Selbst die Vorstellung zu heiraten lässt mich erstarren. Ich eigne mich nicht dafür. Denk doch nur daran, worüber wir gerade geredet haben. Deine Eltern sind schon lange verheiratet, beide nur ein einziges Mal. Bei meinen Eltern sind es sieben Ehen. Sieben Ehen. Wie kann ich da an die Ehe glauben?«

Seltsam, dachte er, dass ihre Ängste und Zweifel den Klumpen in seiner Brust auflösten. »Das ist Blödsinn, Cilla. Das hat nichts mit dir und mir zu tun. Liebst du mich?«

»Ford…«

»Es ist keine schwere Frage. Du brauchst nur ja oder nein zu sagen.«

»Für dich ist es einfach. Du kannst ja sagen, und es ist einfach. Ich kann auch ja sagen. Ja, ich liebe dich, und es macht mir unglaubliche Angst. Menschen lieben sich, und sie gehen trotzdem auseinander.«

»Ja, und Menschen lieben sich und bleiben zusammen. Es ist nur ein weiterer Schritt, Cilla. Der nächste Schritt.«

Ford klappte die Schachtel zu und schob sie ihr zu. »Nimm ihn. Behalt ihn. Denk darüber nach.«

Sie starrte auf die Schachtel. »Du glaubst, dass ich dann nicht widerstehen kann, ihn mir anzuschauen. Dass ich dann doch noch dem Zauber erliege.«

Er lächelte. Kein Wunder, dass er sie liebte. »Trau dich!«

Sie schloss die Finger um die Schachtel und steckte sie langsam in ihre Tasche. »Ich bin eine ehemalige Schauspielerin, in deren Familie es Alkoholabhängigkeit, Drogenmissbrauch und Selbstmord gegeben hat. Ich weiß wirklich nicht, warum du mich unbedingt willst.«

»Ich muss verrückt sein.« Er hob ihre Hand und küsste sie. »Von jetzt an werde ich alle paar Tage vor dir stehen und sagen: ›Und?‹ Dann musst du mir sagen, wie weit du mit meinem Antrag gekommen bist.«

»Das Schlüsselwort ist ›und‹?«

»Ja. Ansonsten erwähne ich das Thema nicht. Du trägst einfach nur den Ring mit dir herum und denkst darüber nach. Abgemacht?«

»Na gut«, sagte sie nach einer Weile. »Na gut.«

Er nahm sein Glas und stieß mit ihr an. »Sollen wir uns was vom Chinesen kommen lassen?«

Spock vollführte einen kleinen Freudentanz.

Sie wusste nicht, wie sie das geschafft hatte. Der Mann hatte ihr einen Antrag gemacht. Er hatte ihr einen Ring präsentiert, der einfach absolut perfekt für sie war, weil er dabei an *sie* gedacht hatte. Daran, wer und was sie war, als er ihn ausgesucht hatte. Ihre Reaktion, ihr Zögern – sei ehrlich, Cilla, fügte sie hinzu, während sie die Bronzegriffe an ihre Küchenschränke schraubte –, ihr entsetztes Stottern musste ihn einfach verletzt haben.

Und doch hatte er danach Hühnchen Kung Pao und Butterfly Shrimp bestellt und war hungrig darüber hergefallen, als ob es ihm nicht den Magen zugeschnürt hätte, wie das bei ihr der Fall gewesen war. Dann hatte er vorgeschlagen, sie sollten sich die erste Staffel von *Buffy, die Vampirjägerin,* anschauen.

Und irgendwann während Episode drei, als sie sich langsam so weit entspannt hatte, dass sie nicht ständig an den Ring in ihrer Tasche dachte, hatte er begonnen, sie sanft und zärtlich zu küssen und zu streicheln. Und als sie schließlich aus ihrem sexuellen Rausch wieder erwacht war, hatte sie *nur* noch an den Ring denken können.

Und jetzt waren fast zwölf Stunden vergangen, und sie dachte immer noch an das verdammte Ding.

Sie glaubte nicht an die Ehe. So einfach war das. Selbst Zusammenleben hatte seine Tücken. Um Himmelswillen, sie hatte sich ja gerade erst daran gewöhnt, dass er ihr sagte, dass er sie liebte.

Und musste sie sich nicht schon um genügend Dinge kümmern? War es nicht schon genug, auch ohne einen Verlobungsring, der ihr schwer in der Tasche lag, ständig in der Angst, dass Ford auf einmal »Und?« sagte und etwas von ihr hören wollte?

»Hallo?«

»Cilla?«

Cilla ließ den Kopf gegen die Tür des Küchenschrankes sinken, an dem sie gerade arbeitete. Na toll, dachte sie. Patty und Fords Mutter. Zuckerguss auf ihrem zerbröckelten Kuchen.

»Ach, hier bist du«, sagte Patty. »Fleißig bei der Arbeit.«

Cilla sah, wie sich zwei Augenpaare sofort auf den Ringfinger ihrer linken Hand richteten. Und sah gleich darauf zwei enttäuschte Blicke. Na großartig, jetzt machte sie zwei älteren Frauen auch noch Kummer.

»Wir hatten gehofft, du hättest zwei Minuten Zeit, um mit uns über das Menü auf deiner Party zu sprechen«, begann Patty. »Wir dachten, wir könnten zumindest schon mal für dich einkaufen und die Sachen bei uns lagern, da du ja noch keinen Platz dafür hast.«

Nein, das ist längst nicht alles, dachte Cilla. »Ich will gar nicht drum herum reden. Ja, er hat mich gefragt. Ja, der Ring ist absolut wundervoll. Nein, ich trage ihn nicht. Ich kann es nicht.«

»Passt er dir nicht?«, fragte Penny.

»Ich weiß es nicht. Ich kann gar nicht daran denken. Es war ganz schön hinterhältig von ihm«, fügte sie hitzig hinzu. »Ich freue mich – nein, eigentlich freue ich mich im Moment gerade nicht darüber, dass ihr zwei einfach so hereinschneit, aber ich versuche es zu verstehen. Ich habe sowieso schon den Kopf voll mit allen möglichen Sachen, und dann kommt er noch damit. Ich weiß noch nicht mal, ob er mir richtig zugehört hat, ob er meine Gründe verstanden…« Sie brach ab.

Er hört nicht zu, hatte Angie von ihrem Vater gesagt, *jedenfalls nicht, wenn sein Entschluss feststeht. Er tut nur so, als ob er zuhört, und dann macht er sowieso, was er will.*

»O Gott. Gott, ist das nicht perfekt? Er ist wie Dad. Solide, beständig und so geduldig, dass man es gar nicht merkt, wenn er dich in die Enge getrieben hat und du ohne Verteidigung dastehst. Er ist genau der gleiche Typ.«

»Du liebst keinen Typ, sondern einen Mann«, korrigierte Penny. »Oder du liebst ihn nicht.«

Sie ist Fords Mutter, mahnte sich Cilla. Sei vorsichtig. »Ich liebe ihn so sehr, dass ich ihm die Zeit lasse, alle Gründe zu bedenken, warum das nicht funktionieren kann. Ich will ihn nicht verletzen.«

»Natürlich wirst du ihn verletzen. Und er wird dich verletzen. Das gehört dazu, wenn man mit jemandem zusammen ist. Ich möchte keinen Mann, den ich nicht verletzen kann. Und ich würde ganz bestimmt keinen Mann heiraten, der mich nicht verletzen kann.«

Verblüfft starrte Cilla Penny an. »Das ergibt für mich überhaupt keinen Sinn.«

»Wenn du es verstehst, dann wirst du auch bereit sein auszuprobieren, ob der Ring passt. Deine Schränke sind übrigens wunderschön, und ich kriege direkt Lust, meine Küche auch neu zu gestalten. Können wir uns einen Moment setzen und rasch mit dir über die Speisenfolge sprechen? Dann lassen wir dich auch wieder in Ruhe arbeiten.«

Cilla seufzte. »Vielleicht ist er gar nicht so sehr ein Typ wie mein Vater, sondern eher wie Sie.«

»Nein, wirklich nicht. Ich war immer viel gemeiner als Ford. Wollen wir uns nach draußen setzen?« Penny zeigte aus dem Fenster. »Unter den blauen Sonnenschirm?«

Als Penny vorausging, trat Patty näher und legte Cilla den Arm um die Taille. »Sie liebt ihren Jungen. Sie will, dass er glücklich ist.«

»Ich weiß. Ich auch.«

Vielleicht sollte sie eine Aufstellung machen, überlegte Cilla. Gründe dafür und Gründe dagegen, den Ring aus der Schachtel zu nehmen. Sie liebte Listen, Aufzeichnungen und Pläne in jedem Bereich ihres Lebens. Und wenn man vor so einer großen Entscheidung stand, machte es doch sicherlich Sinn, darauf zurückzugreifen.

Die Kontra-Liste war einfach, dachte sie, während sie Cornflakes in eine Schale schüttete. Wahrscheinlich konnte sie ganze Seiten damit füllen, vielleicht sogar ein Buch.

Aber der Fairness halber musste sie zugeben, dass es natürlich auch einiges auf der Pro-Seite gab. Aber waren sie nicht hauptsächlich, vielleicht sogar ausschließlich emotionaler Art? Und war sie nicht angespannt, weil er sie schließlich jeden Moment fragen konnte: »Und?«

Allerdings hatte er das noch nicht getan. Sie wartete jetzt schon seit Tagen darauf.

Und deshalb zuckte sie zusammen, und ihr fiel fast die Müsli-Schale aus der Hand, als er ins Zimmer geschlendert kam.

»Zu viel Kaffee?«, fragte er und schüttete sich Frosted Flakes in eine Schale. »Wie kannst du das Zeug eigentlich essen? Es sieht aus wie kleine Ästchen.«

»Deins besteht doch nur aus Zucker.«

»Genau.«

Es war erst sechs Uhr morgens, dachte sie, und er war schon

ausgeschlafen und fröhlich. Und dabei *wusste* sie, dass er bis tief in die Nacht gearbeitet hatte. Aber er war aufgestanden, hatte sich angezogen und aß Frosted Flakes, weil er darauf bestanden hatte, sie über die Straße zu begleiten und bei ihr zu bleiben, bis die ersten Handwerker eintrudelten.

Würde so etwas auf die Pro- oder auf die Kontra-Liste kommen?

»Du weißt schon, dass mich um halb sieben am Morgen niemand überfällt, wenn ich die Straße überquere.«

»Es könnte aber sein.« Lächelnd aß er einen Bissen.

»Und ich weiß, dass du erst spät ins Bett gekommen bist und es unnatürlich findest, um diese Tageszeit bereits aufzustehen.«

»Es ging aber gut. Ich habe festgestellt, dass ich bei diesem Rhythmus gegen Mittag schon das meiste geschafft habe. Allerdings werde ich in hoffentlich naher Zukunft diese Gewohnheit wieder ablegen. Aber im Moment?« Er schaufelte sich noch mehr *Tony Tiger* in den Mund. »Es funktioniert. Bis zum Wochenende habe ich zehn Kapitel komplett geinkt und kann zwei neue Teaser Panels auf meine Website setzen.«

»Das freut mich ja, aber…«

»Du suchst immer nur nach dem Negativen. Mir gefällt das, weil ich dadurch gezwungen bin, nach dem Positiven Ausschau zu halten – etwas, das mir früher entgangen ist oder ich für selbstverständlich gehalten habe. Du erinnerst mich daran, dass ich meine Arbeit liebe. Und da ich sie liebe, finde ich es interessant, einmal mehr zu arbeiten als sonst. Und um uns für unseren Fleiß zu belohnen, fliegen wir auf die Caymans – einen meiner Lieblingsorte –, und zwar so gegen Mitte Januar. Dort können wir Meer und Sand genießen, während unsere Nachbarn Schnee schaufeln.«

»Ich will zwei Häuser zum Verkauf fertig machen. Ich…«

»Du musst dir die Zeit dafür einrichten. Meinetwegen können wir Sonne und Meer auch im Februar genießen, da bin ich unkompliziert.«

»Nicht halb so sehr, wie du vorgibst.« Sie öffnete die Klappe der Spülmaschine und räumte ihr Frühstücksgeschirr hinein. »Du bist ein verstecktes Leck, Ford.«

Lächelnd löffelte er sein Müsli. »Ach ja?«

»Ein langsames, unentdecktes Leck, das sich durch alles seinen Weg bahnt. Durch Stein, Metall, Holz. Es macht keinen Lärm, und es ist keine rauschende Flut. Aber das Ergebnis ist das Gleiche.«

Er schüttelte den Löffel in ihre Richtung. »Ich will das mal als Kompliment nehmen. Heute kommt die Küchentheke, oder?«

»Ja, heute Morgen. Und heute Nachmittag kommt Buddy und macht die restlichen Installationen.«

Er räumte sein Geschirr ebenfalls in die Spülmaschine. »Ein großer Tag!«, sagte er. »Dann wollen wir mal anfangen. Komm!«, fügte er laut hinzu, und Spock kam angelaufen.

Cilla ging mit ihnen hinaus und blieb dann stehen, um die kleine Farm zu betrachten. Der Garten war sommerlich grün, und hinter der Steinmauer leuchtete die rote Scheune. Ganz hinten sah sie ein Eckchen des Teiches, über dem noch der letzte Morgennebel lag. Die junge Weide neigte ihre Äste anmutig darüber. Goldrute und Disteln kennzeichneten den Übergang zu den Feldern, und weit hinten ragten die Berge in den Morgenhimmel.

Und das Haus, das Herzstück, weitläufig und behäbig, mit seiner weißen Veranda und der vorderen Wand, die bereits zur Hälfte in warmem, würdevollen Blaugrau gestrichen war.

»Ich bin froh, dass mein Vater mich überredet hat, das Haus schon vor dem geplanten Termin zu streichen. Ich hatte ja keine Ahnung, wie sehr es mich befriedigen würde, es so zu sehen. Wenn der Anstrich fertig ist, wird es aussehen wie eine alte Charakterdarstellerin nach einem echt guten Facelift.«

Ihre Stimmung hob sich und lachend ergriff sie seine Hand, um mit ihm über die Straße zu gehen. »Ein Facelift, das ihr Würde und persönlichen Stil nicht nimmt.«

»Ja, das passt schon, wenn man bedenkt, was alles aufgerissen und wieder zusammengefügt worden ist. Aber eigentlich verstehe ich es nicht, wenn sich jemand liften lässt.«

»Es ist nur eine Form der Erhaltung und Pflege.«

Alarmiert schaute er sie an. »Du würdest doch nicht etwa…?«

»Wer weiß?« Sie zuckte mit den Schultern. »Ich bin eitel genug und möchte schon, dass alles fest bleibt und nicht heruntersackt. Meine Mutter hat sich schon zweimal liften lassen, und sie hat auch andere Eingriffe vornehmen lassen.« Amüsiert über das faszinierte Entsetzen in seinem Blick schubste sie ihn. »Auch viele Männer lassen das machen.«

»Ich aber nicht. Auf die Idee käme ich im Leben nicht. Willst du etwas wegschicken?« Er nickte zu ihrem Briefkasten und der hochgestellten roten Fahne.

»Nein. Das ist ja komisch. Ich habe gestern gar nichts hineingelegt, nachdem ich die Post herausgeholt hatte. Vielleicht war es einer von den Handwerkern.«

»Oder jemand hat etwas für dich hineingelegt. Aber das ist unwahrscheinlich. Der Postbote mag es jedenfalls nicht.« Er griff nach der Klappe.

»Warte! Nicht!« Sie packte seine Hand. Das Herz schlug ihr auf einmal bis zum Hals. Spock zitterte am ganzen Leib und knurrte laut. »Klapperschlange im Briefkasten. Das ist Kurzschrift für das Unerwartete – eine unangenehme, gefährliche Überraschung.«

»Ich weiß, was es bedeutet. Der Codename für das Finale von *Lost* in der dritten Staffel. Also… bleib stehen.«

»Warte, bis ich…«

Aber er wartete nicht. Er stellte sich zwischen Cilla und den Briefkasten und riss die Klappe auf.

Drinnen zischte keine Schlange. Nichts kam herausgeschossen und glitt die Stange hinunter. Die Puppe saß da, die Arme wie zur Verteidigung erhoben. Die hellblauen Augen standen offen, und das Lächeln war auf Cillas jungem Gesicht erstarrt. Die Kugel hatte ein kleines Brandloch mitten auf der Stirn hinterlassen.

28

Genug war genug, beschloss Ford. Die Polizei hatte die Puppe mitgenommen; die Polizei würde ermitteln. Aber die Polizei war bis jetzt noch nicht in der Lage gewesen, die Drohungen gegen Cilla abzustellen.

Und es waren keine üblen Scherze, es waren keine Belästigungen. Es waren Drohungen.

Sie hatten die verdammte Puppe und den Briefkasten auf Fingerabdrücke untersucht, hatten Fragen gestellt und sogar festgestellt, welches Kaliber die Kugel gehabt hatte, die das Einschussloch verursacht hatte, aber nichts hatte das Problem lösen können. Nichts konnte verhindern, dass sich auch beim nächsten Mal schockiertes Entsetzen in Cillas Zügen abzeichnete.

Und dass es ein nächstes Mal geben würde, wusste jeder. Und beim nächsten Mal konnte es anstatt der Puppe Cilla treffen.

Ja, es reichte jetzt wirklich.

Er hielt vor dem Haus der Hennessys. Irgendwo musste er ja anfangen, dachte er. Er ging zum Haus und klopfte an die Tür.

»Sie verschwenden Ihre Zeit.« Eine Frau mit einem großen Strohhut, die im Garten arbeitete, trat an den Zaun, der die Grenze zwischen den beiden Häusern bildete. »Da ist niemand.«

»Wissen Sie, wo sie sind?«

»Jeder weiß, wo *er* ist. Eingesperrt.« Sie tippte sich an die Stirn. »Er hat drüben auf der Meadowbrook Road vor zwei

Monaten versucht, eine Frau umzubringen. Janet Hardys Enkelin – Sie wissen schon, die das kleine Mädchen in der Fernsehsendung gespielt hat. Wenn Sie mit ihm sprechen wollen, müssen Sie es im Central State Hospital in Petersburg versuchen.«

»Was ist mit Mrs. Hennessy?«

»Ich habe sie in den letzten zwei Wochen nicht gesehen. Sie verkauft das Haus, wie Sie sehen können.« Sie zeigte auf das Maklerschild und steckte ihre Gartenschere in eine Tasche an ihrem Gärtnergürtel. Anscheinend richtete sie sich auf einen kleinen Plausch am Gartenzaun ein.

»Sie hatte ein schweres Leben. Ihr Junge ist damals als Teenager bei einem Unfall verkrüppelt worden. Er starb vor etwa einem Jahr. Und ihr Mann hat nie zu irgendjemandem ein nettes Wort gesagt. Schrie nur oder schüttelte seine Faust, wenn die Kinder seiner Meinung nach zu laut spielten, oder erklärte den Leuten, sie sollten sich um ihre eigenen Angelegenheiten kümmern, wenn sie ihm Hilfe angeboten haben. Ich an ihrer Stelle hätte ihn nach dem Tod des Jungen verlassen, aber sie blieb. Es könnte sein, dass sie jetzt auf und davon ist, wo sie ihn eingesperrt haben, aber wahrscheinlich ist sie in Petersburg. Ich kann nur hoffen, dass die Leute, die das Haus kaufen, bessere Nachbarn sind.«

Es war eine ziemliche Strecke bis nach Petersburg, überlegte Ford. »Sie hätten wahrscheinlich mitbekommen, wenn sie ausgezogen wäre, oder? Ich meine, mit Möbeln und Gepäck.«

»Ja, wenn ich zu Hause gewesen wäre.« Sie musterte Ford eingehend. »Sie sind nicht mit ihnen verwandt, oder?«

»Nein, Ma'am.«

»Na ja, ich kann Ihnen sagen, dass ich schon seit Tagen jetzt keinen Piep mehr aus dem Haus gehört habe. Und ich habe schon angefangen, ihre Blumen, die sie draußen stehen hat, zu gießen. Ich kann es nicht mit ansehen, wenn sie eingehen, weil sich keiner um sie kümmert.«

Cilla versuchte, eine Seite aus Fords Buch zu nehmen und das Ganze positiv zu sehen. Positiv war, dass eine Puppe im Briefkasten an ihrem Anwesen keinen Schaden anrichtete. Sie kostete sie nur Zeit und Nerven.

Positiv konnte sein, dass die Polizei die hässliche Geschichte sehr ernst nahm. Sie hatten zwar bisher kein Glück damit gehabt nachzuverfolgen, woher die Puppen stammten, da sie ja regelmäßig über eBay oder in Souvenirläden verkauft wurden, aber es tröstete sie trotzdem, dass die Polizei ihr Möglichstes tat.

Und ihre Handwerker standen auf ihrer Seite und machten ihrem Zorn über die Vorkommnisse Luft. Es bedeutete nicht nur Ermutigung und Unterstützung, wenn Leute hinter einem standen, sondern war eindeutig auch positiv.

Außerdem war ihre neue Arbeitsplatte der Hammer, was ihren Stresslevel beachtlich senkte. Mit ihrem warmen Schokoladenbraun, den schwarzweißen und goldenen Sprenkeln und Einschlüssen hob sie sich wundervoll gegen ihre Schränke ab. Und, *Himmel,* ihre Bronzearmaturen kamen unglaublich gut zur Geltung. Und mit dem Waterfall-Schliff der Kante hatte sie absolut recht gehabt. Kaum zu glauben, wie lange sie darüber gegrübelt hatte. Aber es gab der Theke eine solche Präsenz!

Cilla fuhr mit der Hand über die Insel, als sei es die warme, nackte Haut ihres Geliebten, und hätte fast geschnurrt.

»Ziemlich dunkel, vor allem, wo Sie so viel Zeug hier drin haben.«

Cilla blickte kaum auf. »Buddy!«, sagte sie, als ob sie mit einem ungezogenen kleinen Jungen reden würde.

Seine Lippen zuckten, aber es gelang ihm nicht, das Lächeln zu unterdrücken. »Es sieht ganz gut aus. Die Schränke sind jedenfalls schön. Sie haben ja jede Menge hier, aber die vielen Glasfronten lockern es ein bisschen auf. Ich montiere jetzt Ihre Waschbecken, und morgen kann ich Ihnen die Geschirrspülmaschine und die Hähne anschließen. Ich kann nicht nachvollziehen, warum jemand unbedingt Bronzearmaturen haben will.«

»Ich bin eben in dieser Hinsicht ein bisschen verrückt.«

»Ja, irgendwie verrückt. Wollen Sie mir bei den Becken helfen oder nur da herumstehen und aussehen wie eine Katze, die gerade einen Kanarienvogel verspeist hat?«

Während sie am ersten Spülbecken arbeitete, pfiff Buddy durch die Zähne. Cilla summte unwillkürlich mit.

»*I'll Get By*«, sagte Cilla. »Das Lied meiner Großmutter.«

»Wahrscheinlich kommt einem das hier automatisch in den Sinn. Haben Sie die Klemme festgezogen?«

»Ja.«

»Dann wollen wir mal gucken, ob das Becken passt. Das zweite Mal, dass ich hier ein Spülbecken einbaue.«

»Wirklich?«

»Ja, das erste Mal war bei Ihrer Großmutter. Das muss jetzt vierzig, fünfundvierzig Jahre her sein, schätze ich. Da war es wahrscheinlich Zeit für ein neues Becken. Ja, ja«, murmelte er. »Das passt, das ist gut.« Er markierte die Stelle für die Halterung.

»Dann wollen wir es mal herausheben.«

Cilla packte das Kantholz unter dem Becken. »Sie und Ihr Vater haben damals häufig hier in der Gegend gearbeitet, oder?«

»Das ist ja immer noch so.«

»Für Andrew Morrow haben Sie auch viel gemacht, nicht wahr?«

»Ja, das stimmt. Wir haben alle Installationen für *Skyline Development* gemacht. Dreiunddreißig Häuser«, sagte er und nahm seinen Bohrer. »Durch den Auftrag konnte ich mir eines der Häuser da kaufen, und im kommenden Oktober wohne ich schon siebenunddreißig Jahre da. Drew Morrow haben es viele Leute zu verdanken, dass sie ein eigenes Haus haben. In den meisten habe ich die Badezimmer eingebaut.«

Nachdem die beiden Becken montiert waren, machte Cilla sich draußen auf die Suche nach ihrem Vater. Er stand zum Glück gerade nicht auf dem Gerüst, sondern strich die Fensterläden, »um ihr einen Gefallen zu tun«.

Mit der Sprühfarbe zu arbeiten machte ihm anscheinend genauso viel Spaß, wie auf dem Gerüst herumzuturnen. »Willst du eine Pause machen?«, fragte sie und hielt ihm eine Flasche Wasser hin.

»Ja, gerne.« Er streichelte ihr rasch über den Arm. »Wie geht es dir?«

»Besser, seitdem ich mich an die Arbeit gemacht habe. Und noch besser, wenn ich mir meine Arbeitsplatte in der Küche anschaue. Mir ist gerade was durch den Kopf gegangen, als ich mit Buddy in der Küche gearbeitet habe. Er und sein Vater haben früher hier gearbeitet. Dobby auch. Und ich frage mich, ob vielleicht einer von den alten Handwerkern, egal ob sie hier beschäftigt sind oder nicht, sauer darüber ist, dass hier alles verändert wird. Das wäre auf jeden Fall nicht verrückter als Hennessy, der versucht, mich umzubringen wegen etwas, das vor meiner Geburt passiert ist.«

»Ich denke mal darüber nach. Ich war damals auch nur ein Teenager, Cilla. Ich kann nicht behaupten, dass mich das Ganze so besonders interessiert hat.«

Er nahm die Kappe ab und fuhr sich mit der Hand durch die Haare. »Es gab natürlich Gärtner. Auf dem Anwesen fanden öffentliche Auftritte statt. Ich werde Charlie mal fragen, ob er sich erinnert, wer das damals gemacht hat. Und sie hatte auch so eine Art Hausmeister. Ein Ehepaar, das sich um alles gekümmert hat, wenn sie nicht da war, was ja häufig vorkam. Sie bereiteten alles vor, wenn sie erwartet wurde, und so. Mr. und Mrs. Jorganson. Sie sind beide schon seit Jahren tot.«

»Was war mit Schreinern, Elektrikern, Anstreichern?«

»Vielleicht Carl Kroger. Er hat damals viele solcher Arbeiten erledigt. Ich werde mich mal erkundigen, aber ich weiß, dass er seit einigen Jahren pensioniert ist. Ich glaube, er ist nach Florida gezogen. Ich erinnere mich nur daran, weil ich mit seiner Tochter zur Schule gegangen bin, und dann habe ich *ihre* Tochter unterrichtet. Ich glaube nicht, dass Mary Beth Kroger – sie heißt jetzt Marks – dir solche Probleme bereiten würde.«

»Es ist wahrscheinlich sowieso eine blöde Idee. Ich greife nur im Moment nach jedem Strohhalm.«

»Cilla, ich will es nicht noch schlimmer machen, aber hast du schon einmal überlegt, ob jemand auf dich wütend ist? Auf dich, nicht auf Janet Hardys Enkelin?«

»Weswegen? Ich bin ein ehemaliger Kinderstar, eine gescheiterte erwachsene Schauspielerin, die ein paar mäßig erfolgreiche CDs aufgenommen hat. Die einzige Verbindung, die ich zu dieser Gegend habe, war sie und bist du. Als ich hierhinkam, kannte ich hier nur dich, Patty und Angie. Und seien wir doch mal ehrlich, ich kannte euch noch nicht einmal besonders gut. Ich habe hier in der Gemeinde ein paar hunderttausend Dollar gelassen, und ich sehe nicht, warum deshalb jemand wütend auf mich sein sollte.«

»Du hast recht. Ja, klar. Es liegt wohl an den Puppen, weil sie, mehr noch als der Vandalismus, direkt auf dich abzielen. Es hat so etwas Persönliches.«

Cilla musterte ihren Vater. »Bist du hier, um anzustreichen, oder um auf mich aufzupassen?«

»Ich kann beides gleichzeitig, zumindest bis die Schule wieder anfängt. Der Sommer ist rasend schnell vorbeigegangen«, sagte er. »Ich werde das alles hier vermissen. Wir haben große Fortschritte gemacht seit Juni.«

Du und ich. Sie hörte auch das, was er nicht aussprach. »Ja, das haben wir. Und trotz allem, was passiert ist, ist es der beste Sommer meines Lebens gewesen.«

Ford schaute zu, wie Cilla die Fensterläden, die ihr Vater gestrichen hatte, an die vorderen Fenster hängte. Es duftete nach Farbe, nach Gras, Hitze und den Nelken, die in einem blauen Kübel auf der Veranda standen.

»Ich möchte das nur schnell fertig machen. Du brauchst mich nicht dabei zu beobachten.«

»Ich beobachte dich nicht, ich schaue dir zu. Es hat etwas sehr Befriedigendes, an einem Sommertag auf der Veranda zu sitzen und jemand anderem beim Arbeiten zuzusehen.«

Sie warf ihm einen Seitenblick zu. »Ich könnte dir beibringen, etwas festzuschrauben.«

»Warum sollte ich das können, wenn ich dich habe?«

»Das habe ich nicht gehört, weil du mir einen wirklich hübschen Blumenkübel gekauft hast. Und die Steaks, die du grillen willst – auf dem Grill, den ich ausgesucht habe.«

»Maiskolben auch und Tomaten von dem Stand an der Straße. Wir machen uns ein Festessen.«

Sie überprüfte den Fensterladen, legte die Wasserwaage daran und machte sich daran, die nächste aufzuhängen.

»Vorher jedoch erledigen wir erst einmal das Unerfreulichere«, fuhr er fort. »Ich bin heute früh bei Hennessys Haus vorbeigefahren. Sie ist nicht da«, fügte er hinzu, als Cilla den Kopf wandte. »Und laut ihrer Nachbarin war sie in den letzten vierzehn Tagen auch nicht da. Sie nimmt an, dass sie nach Petersburg gefahren ist, um in der Nähe ihres Mannes zu sein, der dort in der Klinik ist. Und das ist tatsächlich der Fall.«

»Wie hast du das herausbekommen?«

»Ich habe die Hotels in der Gegend angerufen. Sie wohnt im Holiday Inn Express.«

»Na, du bist ja ein cleverer Detektiv«, stellte Cilla fest.

»Ich habe dem *Seeker* alles beigebracht, was er weiß. Oder umgekehrt. Kurz habe ich überlegt, ob ich hinfahren soll, aber ich halte es eigentlich für Zeitverschwendung. Es ist fast zweihundert Kilometer entfernt, Cilla. Schwer zu glauben, dass sie mitten in der Nacht fast vierhundert Kilometer fährt, nur um eine dieser blöden Puppen in deinen Briefkasten zu setzen. Wenn sie dir etwas tun will, warum geht sie dann erst so weit weg, wo sie ein Haus hier in der Nähe hat?«

Er war unglaublich gut in der Lage, Zusammenhänge aufzuzeigen, dachte Cilla. »Ja, ich gebe es zwar nicht gerne zu, aber du hast vermutlich recht. Natürlich wäre es einfacher, wenn sie es wäre, und wenn sie es nicht sein kann, dann muss es jemand anderes sein. Jemand, der mich hasst.«

Sie schob ihre Kappe zurück und beobachtete Spock, der im Garten einer seiner imaginären Katzen nachlief. »Heute bin ich auf Buddy gekommen, weil er ein Lied meiner Großmutter gepfiffen hat, und ich habe gedacht: Hey, Buddy, hattest du zufällig eine leidenschaftliche Affäre mit meiner Großmutter? Oder hat sie dich vielleicht so verletzend abgewiesen, dass du dich jetzt dafür an mir rächen willst? Das Gleiche ist mir bei Dobby durch den Kopf gegangen, aber er ist natürlich viel zu alt. Aber er hat einen Sohn, und sein Sohn hat auch einen Sohn. Und heute war ich so durcheinander, dass ich mich wirklich gefragt habe, ob der joviale Jack vielleicht insgeheim auf mein Bild schießt, wegen irgendetwas, das vor fünfunddreißig Jahren mit Janet passiert ist. Oder vielleicht hatte auch mein Vater recht, und jemand hasst Katie und attackiert mich deshalb.«

»Dein Vater glaubt, du wirst bedroht, weil jemand eine Figur aus dem Fernsehen hasst?«

»Nein. Er hat gemeint, ob vielleicht jemand einen persönlichen Groll gegen mich hegt. Aber das ergibt auch keinen Sinn.« Seufzend ließ sie den Schraubenzieher sinken. »Und weil eigentlich gar nichts einen Sinn ergibt, drehe ich mich immer weiter im Kreis. Ich bin schon ganz schwindelig davon. Und hinzukommt, dass ich in ein paar Tagen hier eine Party gebe. Ich werde mich bestimmt bei jedem Einzelnen fragen, ob er es ist. Ob die Person, die mich anschaut und mir lächelnd für die Einladung dankt, mich am liebsten erschießen möchte.«

Ford trat zu ihr. »Ich habe mir ja als Junge mit schöner Regelmäßigkeit eine blutige Nase geholt, aber – wie meine Mutter immer zu sagen pflegte – das bildet den Charakter. Und zwar so, dass du mir jetzt glauben kannst, wenn ich dir sage, dass niemand, Cilla, dir etwas tut, solange ich in der Nähe bin.«

»Bisher hat sich noch niemand darum gekümmert, ob mir etwas passiert oder nicht. Und gerade deshalb glaube ich dir. Bei dir fühle ich mich sicherer als bei irgendjemandem sonst, Ford.«

Er küsste sie zärtlich, dann trat er einen Schritt zurück und sagte: »Und?«

»Oh, verdammt, jetzt bin ich dir direkt in die Falle gegangen. Und ich habe dir auch noch das Stichwort gegeben.« Sie wich zurück und griff nach ihrem Schraubenzieher. »Hör mal, es war ein echt langer Tag. Ich möchte jetzt über das Thema lieber nicht sprechen.«

Er legte ihr die Hand unters Kinn und hob es an, so dass sie ihm in die Augen sehen musste.

»Ich weiß es nicht. Ich *weiß* es nicht. Ich habe die Listen noch nicht gemacht.«

Er rieb mit dem Daumen an ihrer Kinnlinie entlang. »Was für Listen?«

»Meine Listen, pro und kontra. Und ich warne dich – wenn du mich bedrängst, kann ich zehn Minuten lang alle möglichen Kontra-Gründe herunterrasseln.«

»Sag mir lieber einen der Gründe dafür.« Er packte ihr Kinn fester, als sie den Kopf schüttelte. »Nur einen.«

»Du liebst mich. Ich weiß es, weiß, dass du es ernst meinst. Aber es besteht auch immer die Gefahr, dass wir uns einmal nicht mehr lieben. Und es ist auch kein praktischer Grund«, fuhr sie fort, als er nur lächelte. »Einer von uns muss praktisch sein. Wenn ich nun sagen würde, ja, lass uns nach Las Vegas durchbrennen – so wie meine Großmutter und auch meine Mutter es schon getan haben? Was …«

»Ich würde sagen, du packst, und ich buche den Flug.«

»Ach, mach dich nicht lustig über mich.« Sie versuchte, ärgerlich zu reagieren, aber dazu war sie viel zu nervös. »Du willst kein flüchtiges Vegas-Abenteuer. Dir ist es *ernst*. Ernst mit deinen Freundschaften, deiner Arbeit, deiner Familie. Dir ist es ernst mit *Star Wars* ...«

»Ach, komm. Jetzt hör aber auf. Jeder, der ...«

»Und vor allem willst du nach deinen Vorstellungen leben«, unterbrach sie ihn. »Du meinst es ja sogar ernst, wenn du darüber nachdenkst, welches Kryptonit für *Superman* tödlicher ist.«

»Du musst das klassische Grün nehmen. Ich habe dir doch gesagt, dass Gold die Kräfte der Kryptonier dauerhaft schädigen kann, aber ...«

»*Ford.*«

»Entschuldigung. Vergiss, was ich gesagt habe, und rede wieder von Vegas.«

»Wir fliegen nicht nach Vegas. Gott, du bringst mich ganz durcheinander. Du denkst nicht ein einziges Mal an praktische Erwägungen, an die Realität.«

»Diese Theorie kannst du ja mal testen. Gib mir ein Beispiel.«

»Gut. Gut. Wo würden wir wohnen? Sollen wir eine Münze werfen? Oder vielleicht sollten wir ...«

»Na, hier würden wir wohnen, Cilla. Wo denn sonst?«, erklärte er und klopfte gegen die Wand des Hauses.

Seine rasche Antwort brachte sie aus dem Gleichgewicht. »Und was ist mit deinem Haus? Du liebst doch dein Haus. Und es ist auch toll. Es ist wie maßangefertigt für dich.«

»Ja, für mich. Aber nicht für uns. Ja, klar, ich liebe mein Haus, und es hat vieles für sich. Aber es ist eben nur ein Haus für Spock und mich.« Er blickte sich nach dem Hund um, der auf dem Rasen herumtollte. »Spock ist überall glücklich, wo wir sind. Ich habe in mein Haus bei Weitem nicht so viel von mir hineingesteckt wie du hier. Dieses Haus ist ein Zuhause für dich, Cilla. Ich habe zugeschaut, wie du es dir geschaffen hast.« Er nahm ihren Schraubenzieher. »Mit mehr als dem hier. Mit unzähligen Werkzeugen und Nägeln und literweise Farbe. Es ist dein Haus. Ich möchte, dass es unseres wird.«

»Aber...« Aber, aber, ihr Kopf war voller *Aber*. »Was ist mit deinem Atelier?«

»Ja, das ist ein toller Raum. Aber dir wird schon etwas einfallen.« Er reichte ihr den Schraubenzieher wieder. »Mach so viel Listen, wie du willst, Cilla. Liebe? Ist grünes Kryptonit. Es ist stärker als alles andere. Ich gehe nach hinten und mache den Grill an.«

Verblüfft stand sie da, den Schraubenzieher in der Hand und blickte ihm nach. *Was?* Liebe ist Kryptonit? Es würde ihr schon etwas einfallen?

Wie sollte sie einen Mann verstehen, geschweige denn heiraten, dessen Verstand so funktionierte? Ein Mann, der solche Äußerungen von sich gab und dann einfach wegging, um den Grill anzuwerfen? Wo waren seine Wut, seine Angst, sein Ärger? Und wie konnte er einfach so vorschlagen, dass er zu ihr ziehen würde, ohne auch nur einen Gedanken daran zu verschwenden, wo er arbeiten sollte? Es ergab keinen Sinn. Überhaupt keinen Sinn.

Natürlich, wenn sie an der Südseite des Hauses ein Sportstudio anbaute, so wie sie es sich überlegt hatte, dann konnte sie noch ein Stockwerk daraufsetzen und einen Durchbruch zum bestehenden Haus machen. Die beiden Stockwerke konnten über eine Wendeltreppe miteinander verbunden werden, und dadurch wären die beiden Arbeitsbereiche im Haus völlig voneinander getrennt, was ihnen beiden ein ungestörtes Arbeiten ermöglichte. Außerdem hätte er in seinem Atelier durch die Südlage hervorragendes Licht. Und dann konnte sie...

Verflixt, stellte sie fest. Sie hatte sich wahrhaftig etwas einfallen lassen. Eine ziemlich gute Lösung sogar, fügte sie hinzu und legte ihr Werkzeug aus der Hand. Gedankenversunken ging sie auf der Veranda auf und ab. Spock, der genug imaginäre Katzen im Garten getötet hatte, trottete neben ihr her.

So ein Anbau würde nicht nur funktionieren und sich dem bestehenden Haus anpassen, sondern sogar seinen Wert noch erhöhen, dachte Cilla. Und am Dach könnte man noch einen hübschen kleinen Balkon hinzufügen.

Verdammt! Es war verhext! Jetzt, wo sie es sich vorstellen konnte, wollte sie es auch haben.

Sie marschierte die Stufen herunter zur Südseite des Hauses, wobei Spock sie fröhlich begleitete. Oh, ja, es war nicht nur machbar, sondern irgendwie schrie das Haus danach.

Sie steckte die Hände in die Taschen, und ihre Finger stießen auf die kleine Schachtel mit dem Ring. Kryptonit, dachte sie und zog sie heraus. Das war das Problem, das große Problem. Sie verstand ihn. Und was noch schrecklicher und wundervoller war, er verstand sie auch.

Er vertraute ihr. Er liebte sie. Er glaubte an sie.

Als sie zur Terrasse kam, qualmte der Grill bereits. Die Maiskolben, die noch in ihren Schalen steckten, lagen aus ihr unbekannten Gründen in einer großen Schüssel mit Wasser. Er hatte Wein mit herausgenommen, und es duftete nach Rosen, Wicken und Jasmin, als er ihr ein Glas einschenkte. Sonnenstrahlen fielen durch die Baumkronen und glitzerten auf dem Teich, aus dem Spock Wasser schlürfte.

Einen Moment lang dachte sie an den Glamour von damals, die bunten Lichter, die eleganten Menschen, die über den Rasen schritten. Aber dann dachte sie an ihn, nur noch an ihn. Er stand auf Steinen, die sie selbst mit verlegt hatte, und bot ihr ein Glas Wein an. Und ein Leben, das sie sich nie zu erträumen gewagt hätte.

Sie stand bei ihm, eine Hand in der Tasche, und trank den ersten Schluck. »Ich muss dich etwas fragen. Als Erstes, damit ich es aus meinem Kopf bekomme, warum ertränkst du den Mais?«

»Das hat meine Mutter mir beigebracht.«

»Okay. Wenn ich mir etwas ausgedacht habe, woher willst du wissen, ob es dir gefällt?«

»Wenn es mir nicht gefiele«, erwiderte er und nahm ihre Unterhaltung wieder auf, als hätte es nie eine Unterbrechung gegeben, »würde ich es dir schon sagen. Wie man so etwas anstellt, habe ich schon früh gelernt, mit unterschiedlichen Resultaten. Aber die Chancen stehen gut, dass es mir gefällt, wenn wir über Bauen und Design sprechen.«

»Nächste Frage: Könnte ich dich verletzen?«

»Cilla, du könntest mir das Herz in blutige Fetzen reißen.«

Das verstand sie, weil es ihr genauso ging. Und war das nicht das reinste Wunder? »Mit Steve war es nicht so, so sehr wir uns auch geliebt haben, und so sehr wir uns immer noch lieben.«

»Cilla …«

»Warte. Noch eine Frage. Hast du mich gebeten, den Ring in der Tasche mit mir herumzutragen, weil du gehofft hast, er würde wie Kryptonit wirken und mich mit der Zeit so schwächen, dass ich einwillige, dich zu heiraten?«

Er trat von einem Fuß auf den anderen und trank einen Schluck. »Das könnte ein Faktor gewesen sein.«

Sie nickte, zog ihre Hand aus der Tasche und studierte den Ring, der an ihrem Finger funkelte.

Ford strahlte über das ganze Gesicht. Aber während er auf sie zuging, drückte sie ihm die Hand auf die Brust. »Warte noch.«

»Das hatte ich vor.«

»Warte«, sagte sie leise. »Alles, was ich gesagt habe, ist wahr. Ich war entschlossen, nie wieder zu heiraten. Warum sollte ich das tun, wenn die Chance bestand, dass die Ehe scheiterte? Ich war oft gescheitert. Manches lag an mir, anderes an den Umständen. Die Ehe schien so unnötig, so schwer, so verwirrend. Mit Steve war es leicht. Wir waren Freunde und wussten, wir würden immer Freunde sein. So sehr ich ihn auch liebe, es war nie schwer oder furchterregend. Keiner von uns ging ein Risiko ein.«

Sie hatte einen Kloß im Hals, so viele Gefühle stiegen in ihr auf. Aber jetzt wollte – musste – sie auch alles sagen. »Mit dir ist es nicht so, weil wir uns wehtun werden. Wenn wir scheitern, werden wir keine Freunde sein. Wenn wir scheitern, werde ich dich für den Rest meines Lebens jeden Tag hassen.«

»Ich werde dich mehr hassen.«

»Warum ist das eigentlich das Beste, was du sagen konntest? Wir fahren nicht nach Vegas.«

»Okay, aber ich finde, wir verpassen eine echte Gelegenheit. Was hältst du von einer Gartenhochzeit?«

»Ich werde das Gefühl nicht los, dass du das die ganze Zeit schon im Kopf hattest.«

»Ich hatte dich die ganze Zeit im Kopf.«

Kopfschüttelnd umfasste sie sein Gesicht mit den Händen. »Ich hätte schrecklich gerne eine Gartenhochzeit. Ich würde schrecklich gerne in diesem Haus mit dir wohnen. Ich weiß nicht, wie etwas, das mir solche Angst macht, mich so glücklich machen kann.«

Die Luft duftete, und die Sonnenstrahlen fielen durch die Blätter, als er sie zärtlich küsste. »Ich glaube an uns.« Wieder küsste er sie und wiegte sich mit ihr. »Du bist diejenige, mit der ich tanzen kann.«

Sie legte ihren Kopf an seine Schulter und schloss die Augen.

Die kleine Farm
1973

»Ich habe an die Liebe geglaubt.« Janet lehnte sich an die weißen Seidenkissen auf der pinkfarbenen Couch. »Warum sonst hätte ich mich so oft hineingestürzt? Sie hielt aber nie an, und mein Herz brach oder verschloss sich. Und doch wurde ich nie müde, es wieder zu öffnen. Immer und immer wieder. Du weißt das. Du kennst alle Bücher, hast alle Geschichten gehört und hast die Briefe gelesen. Du hast die Briefe, deshalb weißt du, dass ich bis zum Ende geliebt habe.«

»Es hat dich nie glücklich gemacht. Es war nie von Dauer.« Cilla saß im Schneidersitz auf dem Fußboden und betrachtete Fotos. »Dieses hier ist an dem Tag aufgenommen worden, an dem du Frankie Bennett geheiratet hast. Du bist so jung, so glücklich. Und es ging auseinander.«

»Er wollte mehr den Star als die Frau. Das war eine Lektion, die ich lernen musste. Aber er schenkte mir Johnnie. Mein schöner Junge. Johnnie ist tot. Ich verlor meinen wunderschönen Jungen. Es ist jetzt ein Jahr her, und ich warte immer noch darauf, dass er nach Hause kommt. Vielleicht wird es ja jetzt auch ein Junge.«

Sie legte eine Hand auf ihren Bauch, nahm ein Glas, und die Eiswürfel im Wodka klirrten.

»Du solltest nicht trinken, wenn du schwanger bist.«

Janet zuckte mit den Schultern und trank einen Schluck. »Damals hat man nicht so ein Getue darum gemacht. Außerdem bin ich ja sowieso bald tot. Was machst du mit all den Fotos?«

»Ich weiß es nicht. Vielleicht lasse ich die, die mir am besten gefallen, rahmen. Ich möchte Bilder von dir im Haus haben. Vor allem Bilder von dir auf der Farm. Du warst so glücklich hier.«

»Hier habe ich meine glücklichsten, aber auch meine verzweifeltesten Moment verbracht. Genau hier in diesem Zimmer gab ich Carlos – Chavez, meinem dritten Mann – den Laufpass. Wir hatten einen heftigen Streit, so leidenschaftlich, dass ich fast überlegt hätte, ob ich ihn nicht wieder zurückhaben wollte. Aber ich hatte genug von ihm. Er hasste es hier. ›Janet‹, sagte er mit seiner spanischen Torero-Stimme, die ich immer so verführerisch gefunden hatte, ›warum müssen wir hier in der Wildnis campieren? Hier ist meilenweit kein vernünftiges Restaurant.‹ Carlos«, fügte Janet hinzu und hob ihr Glas, »konnte Liebe machen wie ein König, aber außerhalb des Bettes langweilte er mich zu Tode. Das Problem war, dass ich nicht genug Zeit außerhalb des Bettes mit ihm verbrachte, bevor ich ihn heiratete. Sex ist kein Grund, um zu heiraten.«

»Ford langweilt mich nie. Er hat mich zu einer Göttin gemacht, aber wenn er mich anschaut, sieht er trotzdem mich. Zu viele Männer haben dich nicht gesehen.«

»Ich habe mich ja selber nicht mehr gesehen.«

»Aber in den Briefen, in den Briefen, die du aufbewahrt hast, hat er dich Trudy genannt.«

»Die letzte Liebe, die letzte Chance. Das konnte ich ja vorher nicht wissen. Obwohl es ein Teil von mir ahnte. Vielleicht wollte ich ja lieben und für das geliebt werden, was ich verloren oder aufgegeben hatte. Eine Zeitlang konnte ich wieder Trudy sein.« Sie strich mit den Fingern über die weißen Kissen. »Aber auch das war eine Lüge. Ich konnte nicht mehr Trudy sein, und er sah sie nie.«

»Die letzte Chance«, wiederholte Cilla. Vor ihr lagen die Fotos, und Janet saß auf der pinkfarbenen Couch. »Warum war es die letzte? Du hast deinen Sohn verloren, und das war schrecklich und tragisch. Aber du hattest eine Tochter, die dich brauchte. Du trugst ein Kind in dir. Du hast deine Tochter zurückgelassen, und das hat sie ihr ganzes Leben lang verfolgt – und ich vermute mal, auch mich hat es verfolgt. Du hast sie verlassen, und du hast dem Kind, das du erwartet hast, das Leben genommen, als du dich umgebracht hast. Warum?«

Janet nippte an ihrem Wodka. »Wenn es eines gibt, was du für mich tun kannst, so ist es, die Antwort auf diese Frage zu finden.«

»Wie?«

»Du hast alles, was du brauchst. Es ist schließlich dein Traum, du meine Güte. Pass doch besser auf!«

29

Verrückt. Sie musste verrückt sein, eine Party zu veranstalten. Sie hatte weder Möbel noch Geschirr. Sie besaß nicht einen einzigen Löffel. Es dauerte noch mindestens drei Wochen, bis ihr Herd und ihr Kühlschrank geliefert wurden. Sie besaß nicht einen einzigen Teppich. Ihre einzigen Sitzgelegenheiten waren ein paar billige Plastikstühle und mehrere umgedrehte Eimer. Kochen konnte sie auf einem Grill, einem Zweiplattenkocher und einer Mikrowelle.

Allerdings hatte sie eine Million Pappteller, Servietten, Plastikbecher, Plastikbesteck, und in Fords Kühlschrank war so viel zu essen, dass man damit den gesamten Bundesstaat füttern konnte. Aber wo sollten die Leute *essen*?

»An den Picknicktischen, die mein Vater, dein Vater und Matt vorbeibringen«, sagte Ford zu ihr. »Komm ins Bett.«

»Und wenn es regnet?«

»Es sieht nicht nach Regen aus. Es besteht eine dreißigprozentige Chance auf Hagel und Heuschreckenschwärme, und eine Chance von zehn Prozent auf Erdbeben. Cilla, es ist sechs Uhr morgens.«

»Ich muss das Hühnchen marinieren.«

»Jetzt?«

»Nein. Ich weiß nicht. Ich muss auf meiner Liste nachsehen. Ich habe alles aufgeschrieben. Ich habe gesagt, dass ich Krabben-Dip mache, aber warum ich das gesagt habe, weiß ich nicht. Ich habe noch nie in meinem Leben Krabben-Dip gemacht. Warum habe ich ihn nicht einfach fertig gekauft? Was will ich denn beweisen? Und Nudelsalat.« Sie hörte selber, dass sie hysterisch klang, konnte aber nicht aufhören. »Den habe ich auch übernommen. Wenn man gerne Nudelsalat isst, heißt das noch lange nicht, dass man ihn auch zubereiten kann. Ich gehe auch regelmäßig zum Arzt. Ja, und? Deswegen kann ich trotzdem keine Operationen durchführen.«

Ford hätte sich am liebsten das Kissen über den Kopf gezogen. »Drehst du jedes Mal vor einer Party durch?«

»Ja. Ja, das tue ich.«

»Gut zu wissen. Komm wieder ins Bett.«

»Ich komme nicht wieder ins Bett. Siehst du nicht, dass ich schon angezogen bin? Ich schiebe nur gerade den Moment vor mir her, in dem ich nach unten gehen und das Hühnchen marinieren muss.«

»Na gut. Na gut.« Er setzte sich auf und fuhr sich durch die Haare. »Hast du gestern Abend eingewilligt, mich zu heiraten?«

»Offensichtlich ja.«

»Dann gehen wir jetzt hinunter und marinieren das Hühnchen gemeinsam.«

»Wirklich? Das würdest du tun?«

»Ich würde mich auch dem Krabben-Dip und dem Nudelsalat mit dir zusammen stellen. So tief ist meine Liebe zu dir, sogar um sechs Uhr morgens.« Spock erhob sich, reckte sich und gähnte. »Und seine anscheinend auch. Wenn wir die Leute schon vergiften, Cilla, dann wollen wir es wenigstens gemeinsam tun.«

»Mir geht es schon viel besser. Ich weiß, wann ich mich wie eine Verrückte aufführe.« Sie trat zu ihm und küsste ihn auf den Mund. »Und ich weiß auch, wann jemand mit mir durch dick und dünn geht und sogar Krabben-Dip mit mir macht.«

»Und dabei mag ich das Zeug noch nicht einmal. Warum essen die Leute so etwas?« Er zog sie zu sich aufs Bett und rollte sich auf sie. »Die Leute machen Dips aus den seltsamsten Sachen. Spinat-Dip, Artischocken-Dip. Hast du dich jemals gefragt, warum?«

»Nein.«

»Warum geben sie sich nicht mit Käsecrackern zufrieden? Das ist viel einfacher. Und klassischer.«

»Du kannst mich jetzt nicht ablenken.« Sie schob ihn weg. »Ich gehe hinunter.«

Es war gar nicht so schrecklich, fand Cilla. Jedenfalls nicht mit einem Partner. Vor allem, wenn der Partner genauso wenig Ahnung hatte wie sie. Beinahe machte es sogar Spaß. Und sie dachte, dass es vielleicht mit ein bisschen mehr Übung und Erfahrung richtig Spaß machen konnte, Nudeln zu kochen oder Knoblauch zu hacken.

»Ich habe heute Nacht von Janet geträumt«, sagte sie zu ihm.

»Wieso können Tomaten eigentlich so unterschiedliche Größen haben?« Er hielt eine Fleischtomate und eine Rispe Kirschtomaten hoch. »Ist es Wissenschaft? Natur? Ich muss das mal untersuchen. Worum ging es in dem Traum?«

»Ich glaube, es ging um Liebe, zumindest auf einer Ebene. Wahrscheinlich, weil mein Unterbewusstsein versucht zu ergründen, was Liebe bedeutet. Oder was es für sie bedeutet hat. Wir waren im Wohnzimmer in der Farm. Die Wände waren meine Wände – ich meine, es war mein Raum, wegen der Farbe an den Wänden, aber sie saß auf dieser pinkfarbenen Couch. Und ich hatte die Fotos auf dem glänzend weißen Sofatisch ausgebreitet. Die Fotos, die dein Großvater gemacht hat, die Fotos, die ich vielleicht in Büchern gesehen habe. Es waren auf jeden Fall Hunderte von Fotos. Sie trank Wodka aus einem niedrigen Glas. Sie sagte, es sei ein Jahr her, seit Johnnie gestorben war, und sie hoffte so sehr, dass dieses Baby ein Junge würde. Sie sagte, es sei ihre letzte Chance. Ihre letzte Liebe, ihre letzte Chance.

Es ist so merkwürdig. Sie wusste, dass sie bald sterben würde. Weil ich es wusste. Ich fragte sie, warum sie es getan hätte. Warum sie sich von der letzten Chance abgewendet hätte.«

»Und was hat sie gesagt?«

»Wenn ich irgendetwas für sie tun könnte, dann, die Antwort darauf zu finden. Es läge alles vor mir, ich würde nur nicht richtig aufpassen. Und dann bin ich frustriert aufgewacht, als sie sagte, es sei *mein* Traum. Wenn ich etwas weiß, warum *weiß* ich es dann nicht?«

Ford begann, die Fleischtomate zu zerschneiden. »Ist es zu schwer zu akzeptieren, dass sie vielleicht zu traurig, zu depressiv war und den Selbstmord als einzigen Ausweg gesehen hat, um den Schmerzen ein Ende zu setzen?«

»Nein. Aber ich glaube es irgendwie nicht. Das konnte ich noch nie, oder vielleicht wollte ich es auch nicht. Und seit ich angefangen habe, das Haus umzubauen, habe ich es noch weniger geglaubt – glauben wollen«, gestand Cilla. »Sie hat hier etwas gefunden. Alles Mögliche hat sie sich genommen und wieder losgelassen – Männer, Ehen, Häuser, Besitztümer. Dafür war sie berühmt. Aber dieses Haus hat sie behalten, und mehr noch, sie hat sogar Vorkehrungen getroffen, damit es noch lange nach ihrem Tod in der Familie blieb. Sie fand hier etwas, was sie brauchte, etwas, das ihr Zufriedenheit schenkte.«

Sie blickte aus dem Fenster und beobachtete Spock auf seiner morgendlichen Runde durch den Garten. »Sie hat den Hund behalten«, murmelte sie. »Und einen alten Jeep. Einen Herd und einen Kühlschrank, die ziemlich unmodern waren. Ich glaube, in gewisser Weise war dieser Ort für sie real, während alles andere es nicht war. Für kluge Schauspieler ist es ein Job. Gute Arbeit. Ruhm ist ein Nebenprodukt, aber er ist flüchtig, eine Illusion. Hier brauchte sie keine Illusion.«

»Und dass sie sich hier verliebt hat, machte den Ort noch realer?«

Cilla blickte auf, dankbar, dass er ihrem Gedankengang gefolgt war. »Das ergibt sich daraus, oder? Auch das Schlimmste in ihrem Leben passierte hier, als Johnnie verunglückte. Eine unausweichliche Realität. Aber sie kam wieder zurück und stellte sich ihr. Sie verkaufte das Haus danach nicht. Er nannte sie Trudy, und sie wollte, dass er sie liebte. Ich glaube, sie wollte diese letzte Chance unbedingt. Ich glaube, sie wollte das Baby, Ford. Sie hatte schon ein Kind verloren. *Warum* sollte sie ihrem und dem Leben dieses Kindes ein Ende setzen?«

»Und wenn ihr klar geworden ist, dass dieser Mann nicht Trudy liebte, dass das nur eine weitere Illusion war?«

»Männer kommen und gehen. So war es immer bei ihr. Und ich glaube, das habe ich durch den Traum letzte Nacht auch erkannt. Ihre wahre große Liebe war Johnnie. Und auch ihre Arbeit. Sie liebte ihre Arbeit leidenschaftlich. Aber vor allem liebte sie Johnnie. Meine Mutter wusste das immer schon. Die letzte Liebe, die letzte Chance? Ich glaube, das war das Kind für sie. Ich kann es einfach nicht glauben, dass sie sich wegen einer Liebesaffäre, die zu Ende gegangen ist, umgebracht hat.«

»Du hast gesagt, im Traum hat sie getrunken. Wodka.«

»Ihr Lieblingsgetränk.« Der Timer am Herd meldete sich, und Cilla nahm den Topf mit den Nudeln und goss sie ab. »Aber Tabletten hat sie im Traum nicht genommen.«

Sie stand da und schaute auf die dampfenden Nudeln. »Wo waren die Tabletten, Ford? Ich muss immer wieder an die Briefe denken, an die Wut in den letzten Briefen. Er wollte sie nicht in diesem Haus sehen. Sie war eine Bedrohung für ihn, unberechenbar, verzweifelt, schwanger von ihm. Aber sie wollte nicht aufgeben. Weder das Haus noch das Kind noch die Chance. Und deshalb nahm er es ihr. Immerzu muss ich daran denken.«

»Wenn du recht hast, wäre der nächste Schritt, es zu beweisen. Wir haben schon versucht herauszufinden, wer diese Briefe geschrieben hat. Ich weiß nicht, wo wir noch suchen sollen.«

»Ich habe das Gefühl, als wären wir auf dem richtigen Weg, oder jedenfalls nahe dran. Und als wäre uns irgendetwas entgangen. Ich habe nicht richtig aufgepasst und habe irgendwas übersehen.«

Sie wandte sich zu ihm. »Das ist jetzt meine Realität, Ford. Du, du und die Farm, dieses Leben. Und das bin ich ihr schuldig. Ich schulde ihr mehr als Rosen zu pflanzen, anzustreichen und Holz zu bearbeiten. Mehr als den Tribut, dieses Haus wieder zum Leben zu erwecken. Ich schulde ihr die Wahrheit.«

»Ja, was du gefunden hast, hat vielleicht mit ihr angefangen, und ich werde dir auf jeden Fall dabei helfen, die Wahrheit zu finden. Aber was du hier auf der Farm geschafft hast, ist mehr als ein Tribut an Janet Hardy. Es ist ein Tribut an dich, Cilla. Es zeigt, was du kannst und wofür du arbeitest. Du hast deine Wände im Traum gesehen.«

»Und ich habe noch nichts in die Räume hineingestellt. Ich rede zwar davon, unternehme aber nichts. Bis auf das, was ich für Steve gebraucht habe, habe ich noch keinen Einrichtungsgegenstand gekauft. Das muss sich wahrscheinlich ändern.«

Auf diesen Schritt hatte er gewartet. »Ich habe ein volles Haus hier. Wir müssen bloß aussuchen und hinüberbringen.«

Sie trat zu ihm und schlang ihm die Arme um den Hals. »Als Erstes suche ich dich aus. Ich suche den Mann aus, der morgens um sieben für mich Tomaten schneidet, weil ich verrückt bin. Den Mann, der nicht nur verspricht, mir zu helfen, sondern mir tatsächlich hilft. Den Mann, durch den ich begriffen habe, dass ich als erste Frau in meiner Familie das Glück habe, einen Mann zu lieben, der mich sieht. Lass uns gemeinsam etwas aussuchen, das wir dann über die Straße tragen. Wir stellen es ins Haus, damit es nicht mehr ihres und auch nicht meins ist, sondern unseres.«

»Ich bin für das Bett.«

Sie grinste. »Ich auch.«

Es war natürlich lächerlich, dass zwei Leute, die eine Party vorbereiten mussten, ihre Arbeit unterbrachen, um ein Bett abzubauen, Rahmen, Kopfteil, Fußteil, Matratze, Lattenrost und Bettzeug zum Truck herunterzuschleppen und es mit einem Hund im Schlepptau über die Straße zu fahren. Und dann die ganze Prozedur in umgekehrter Reihenfolge.

Aber Cilla fand es nicht nur symbolisch, es hatte auch therapeutischen Wert.

Allerdings ging Fords Vorschlag, das Bett an seinem neuen Standort gleich auszuprobieren, etwas zu weit.

Heute Nacht, beschied sie ihm. Definitiv.

Das war jetzt ihr Zimmer, dachte sie und schüttelte die Kissen auf. Ihr Zimmer, ihr Bett, ihr Haus. Ihr Leben.

Ja, sie würde Fotos von Janet aufhängen, wie sie es im Traum gesagt hatte. Aber auch andere Bilder. Bilder von ihr und Ford, von Freunden und Familie. Sie wollte ihren Vater nach Fotos von seinen Eltern und Großeltern fragen, von denen sie Abzüge machen konnte. Sie würde den alten Schaukelstuhl, den sie auf dem Speicher gefunden hatte, reparieren und aufarbeiten, und sie würde buntes Geschirr kaufen und Fords wundervoll bequeme, große Couch ins Wohnzimmer stellen.

Sie würde sich an die Vergangenheit erinnern und in die Zukunft bauen. War das nicht eigentlich immer ihr Ziel gewesen? Und natürlich würde sie weiter nach der Wahrheit suchen. Für Janet, für ihre Mutter, für sich selbst.

Sie stahl sich nach draußen, um Dilly in New York anzurufen.

»Mom.«

»Cilla, es ist noch nicht einmal neun Uhr morgens. Ich brauche meinen Schlaf, ich muss heute Abend auftreten.«

»Ich weiß. Ich habe die Rezensionen gelesen. ›Eine reife, verfeinerte Bedelia Hardy feiert Triumphe mit ihrem Solo-Programm‹. Herzlichen Glückwunsch.«

»Na ja, das *reife* hätten sie sich auch sparen können.«

»Ich bin schrecklich stolz auf dich und freue mich schon darauf, wenn du in zwei Wochen in D.C. Triumphe feierst.«

Nach einer kurzen Pause sagte Dilly: »Danke, Cilla, ich weiß gar nicht, was ich sagen soll.«

Und als ihre Mutter dann in eine lange Tirade über die harte Arbeit, die drei Zugaben, die Vorhänge, die *unzähligen* Blumen in ihrer Garderobe ausbrach, lächelte Cilla nur und hörte zu. Lange verschlug es Dilly nie die Sprache.

»Natürlich bin ich völlig erschöpft, aber irgendwie ist die Energie dann doch da, wenn ich sie brauche. Und Mario kümmert sich hinreißend um mich.«

»Das freut mich. Mom, Ford und ich werden heiraten.«

»Wer?«

»Ford, Mom. Du hast ihn kennen gelernt, als du hier warst.«

»Du kannst kaum von mir erwarten, dass ich mich an jeden erinnere, den ich irgendwann kennen gelernt habe. Der Große? Dein Nachbar?«

»Er ist groß und wohnt gegenüber.«

»Wann habt ihr das denn beschlossen?«, fragte Dilly. »Warum heiratest du ihn? Wenn du nach L.A. zurückkommst...«

»Mom, hör mir einfach mal zu. Hör mir zu und unterbrich mich nicht. Ich gehe nicht zurück nach L.A.. Ich komme nicht mehr in die Branche zurück.«

»Du...«

»*Hör zu.* Das ist jetzt mein Zuhause, und ich baue mir hier ein Leben auf. Ich liebe diesen wundervollen Mann, und er liebt mich auch. Ich bin glücklich. Ich bin in diesem Moment so glücklich wie du, wenn du ins Rampenlicht trittst. Ich möchte, dass du etwas für mich tust. Nur dieses eine Mal. Ob du es meinst oder nicht, ich möchte, dass du einfach sagst: ›Cilla, ich freue mich für dich.‹«

»Ich freue mich für dich, Cilla.«

»Danke.«

»Ich freue mich wirklich für dich. Ich verstehe nur nicht, warum...«

»Es reicht, Mom. Freu dich einfach. Du brauchst mich nicht zu verstehen. Bis in zwei Wochen dann.«

Es war genug, dachte Cilla. Vielleicht wäre eines Tages mehr da, vielleicht aber auch nicht. So war es genug.

Sie ging wieder ins Haus, zu Ford.

Verstärkung traf ein, mit Platten und Schüsseln, mit Tischen und Eiskübeln. Penny schickte Ford zum Ausladen auf die Farm und eilte in die Küche, wo Cilla sich mit dem Nudelsalat herumschlug.

»Jemand muss ihn probieren. Ford und ich sind emotional zu sehr involviert. Wir sind nicht objektiv.«

»Er ist so hübsch!«, rief Patty aus. »Findest du nicht auch, dass es so ein hübscher Salat ist, Pen?«

Aber Pennys Adleraugen hatten bereits Cillas Ring erspäht. Sie nahm ihre Hand. »Wann?«

»Gestern Abend.«

»Was? Verpasse ich gerade etwas? O Gott, o Gott! Ist es so, wie ich denke? Ja. Oh, lass mich mal sehen!« Patty betrachtete den Ring. »Er ist so schön. Er ist so schön. Ich freue mich so, ich freue mich so für euch beide.«

Patty schlang die Arme um Cilla und hielt sie ganz fest. Sie braucht man nicht erst zu drängen, dachte Cilla.

»Na, du hast ja nicht lange gebraucht, um zu Verstand zu kommen. Lass sie los, Patty, sie wird meine Schwiegertochter.« Penny schob Patty beiseite und umarmte Cilla ebenfalls. »Er ist ein sehr, sehr guter Mann.«

»Der Beste.«

»Ich bin ziemlich sicher, dass du ihn fast verdienst.« Penny lächelte sie mit feuchten Augen an. »Sie werden uns wunderschöne Enkel schenken, was, Patty?«

»Oh, nun ...«

»Wir werden euch noch nicht gleich damit quälen«, warf Patty ein. »Zuerst müssen wir über die Hochzeit reden. Habt ihr schon das Datum festgesetzt?«

»Nein, eigentlich nicht. Wir ...«

»Für den Herbst ist es jetzt schon zu spät. In sechs Wochen fallen die ersten Blätter. Und es gibt noch so viel zu tun.«

»Wir dachten an eine Gartenhochzeit, auf der Farm. Ganz einfach«, begann Cilla.

»Perfekt.« Patty zählte an ihren Fingern ab. »Mai, Anfang Mai, meinst du nicht auch? Der Mai ist so ein schöner Monat, und wir haben genug Zeit für die Details. Zuerst das Kleid. *Alles* hängt vom Kleid ab. Wir müssen einkaufen gehen. Ich kann es kaum erwarten.« Patty umarmte Cilla erneut.

»Captain Morrow meldet sich zur Stelle.« Cathy kam herein, mit Tüten beladen. »Was ist denn hier los? Habt ihr alle Zwiebeln geschnitten?«

»Nein!« Patty tupfte sich die Tränen ab. »Cilla und Ford heiraten.«

»Oh!« Cathy legte die Tüten auf die Theke und wandte sich dann mit strahlendem Lächeln an Cilla. »Herzlichen Glückwunsch! Was für eine freudige Nachricht. Wann ist der große Tag?«

»Im Mai, haben wir gedacht«, erwiderte Patty. »Oder? Wir haben doch Mai gesagt? Oh, mein Gott, sie wird so eine schöne Braut sein. Eine Gartenhochzeit auf der Farm. Ist das nicht perfekt? Stellt euch einmal den Garten nächstes Jahr im Mai vor!«

»Es wird das Ereignis des Jahres sein. Einfach das Ereignis des Jahres«, fügte Penny mit einem Leuchten in den Augen hinzu, das Cilla daran erinnerte, dass sie beide das Wort *einfach* unterschiedlich interpretierten.

»Ihr macht dem Mädchen ja Angst.« Lachend legte Cathy Cilla den Arm um die Schultern. »Sie wird gleich weglaufen.«

»Nein, ich bleibe hier. Es ist schön«, erklärte Cilla. »Wir machen das Ereignis des Jahres daraus. Auf eine einfache Art.«

»Genau.« Cathy drückte Cillas Schulter. »Und nun, meine Damen, sollten wir uns um die Party kümmern, sonst haben wir die Katastrophe des Jahres. Gleich kommen zahlreiche hungrige Gäste.«

Es war viel einfacher, als sie sich vorgestellt hatte, und äußerst befriedigend. In der Nachmittagssonne tummelten sich unzählige Gäste auf dem Grundstück. Sie saßen an den geliehenen Picknicktischen, hockten auf den Stufen oder an den Klapptischen auf der Veranda. Sie aßen und tranken, bewunderten das Haus und den Garten. Der Mangel an Möbeln und Förmlichkeit schien niemanden zu stören.

Cilla blickte zu Dobby, der auf einem Gartenstuhl saß, den

er selber mitgebracht hatte, und ihren Nudelsalat aß, und lächerlicher Stolz erfüllte sie. Ihr Zuhause, dachte sie, mochte noch nicht fertig sein, aber es war durchaus schon bereit, um Gäste zu empfangen.

Sie trat zu Gavin, der Burger auf dem Grill wendete. »Wie bist du zu dem Job gekommen?«

»Ich habe Ford mal abgelöst.« Er lächelte Cilla an. »Ich übe schon mal das Schwiegervater-Dasein. Es ist eine schöne Party, Cilla. Und es ist schön, dass hier mal wieder eine stattfindet.«

»Ich habe gedacht, ich mache das jetzt jedes Jahr am Labor Day. Und nächstes Jahr wird die Party bestimmt noch besser.«

»Das höre ich gerne. Nächstes Jahr.«

»Ich bin genau da, wo ich sein möchte. Aber es ist immer noch viel zu tun. Und ich muss noch viel wissen.« Sie holte tief Luft. »Ich habe heute früh mit Mom gesprochen.«

»Wie geht es ihr?«

»Den Rezensionen nach zu urteilen, blendend. Es wird sicher schwierig für sie, zur Hochzeit auf die Farm zu kommen. Sie wird es natürlich tun, aber es wird ihr schwerfallen. Wie ist es für dich?«

»Wie meinst du das?«

»Wie geht es dir dabei, wenn sie bei meiner Hochzeit hier ist?«

»Das ist überhaupt kein Problem.« Sein überraschter Tonfall tröstete sie. »Wir hatten nicht immer nur schlechte Zeiten, Cilla. Aber es war für uns beide besser, dass wir auseinandergegangen sind.«

»Dann kann ich das ja von meiner Sorgen-Liste streichen. Ich möchte hier heiraten. Es ist jetzt unser Haus, Fords und meins. Und mir gefällt der Gedanke, dass meine Eltern sich hier zum ersten Mal geküsst haben. Und dass meine Großmutter im Garten spazieren gegangen ist. Dass dein Großvater diese Felder gepflügt hat. So etwas habe ich mein ganzes Leben lang gewollt. Sieh dir doch nur das Haus an«, murmelte sie.

»Es hat nie richtiger, nie echter als jetzt ausgesehen.«

»Ja, das wünsche ich mir auch. Es muss das Richtige sein. Warst du noch einmal hier, nachdem Johnnie tot war?«

»Ein paar Mal. Sie hat sich immer gefreut, mich zu sehen. Das letzte Mal war es zwei Monate vor ihrem Tod. Ich hatte einen Ferienjob in Richmond, und mein Vater war krank, deshalb kam ich nach Hause. Als ich hörte, dass sie da war, ging ich vorbei. Es schien ihr besser zu gehen, oder sie hat sich zumindest bemüht, sich nichts anmerken zu lassen. Wir redeten natürlich über Johnnie. Ich glaube, sie hat ständig an ihn gedacht. Es war niemand bei ihr, nicht wie früher, als das Haus immer voller Leute war. Wir zwei haben alleine etwa eine Stunde lang im Wohnzimmer gesessen.«

»Auf der pinkfarbenen Couch mit den weißen Satinkissen«, fügte Cilla hinzu.

»Ja.« Er lachte leise. »Woher wusstest du davon?«

»Ich habe davon gehört. Es erinnert sehr an Doris Day.«

»Ja, das war es auch. Ich habe wohl auch eine Bemerkung darüber gemacht, denn ich erinnere mich, wie sie antwortete, es müsste wieder etwas Neues und Helles ins Haus. Sie hatte die Couch von L.A. hierherschicken lassen.«

Er stach in das Grillhühnchen und wendete einen Burger. »Am nächsten Tag fuhr sie zurück, und ich ging für den Rest des Sommers wieder nach Richmond. Das war das letzte Mal, dass ich sie gesehen habe. Und es war ein schönes Bild, wirklich. Janet auf dieser pinkfarbenen Hollywood-Couch mit ihrem schnarchenden Hund unter dem Tisch.«

»Ich überlege gerade, ob ich ein Bild von ihr auf dem Sofa habe. Fords Großvater hat mir so viele Fotos gegeben. Ich muss sie mir noch einmal anschauen. Wenn ich es finde, lasse ich dir einen Abzug machen. Gib mir die Platte.« Sie nahm die Platte, auf die Gavin Burger, Hot Dogs und Hühnchen gehäuft hatte. »Ich verteile das mal schnell, und dann suche ich Ford.«

Sie bahnte sich einen Weg durch die Gäste zur Küche. An den frisch gespülten Tellern und Schüsseln sah sie, dass Patty oder Penny schon hier gewesen waren. Schuldbewusst machte sie sich daran, die beiden Servierplatten, die sie mitgebracht hatte abzuwaschen, statt sie nur in das Spülbecken zu stellen.

Es war ein gutes Gefühl, beim Spülen die anderen durch das Fenster zu beobachten. Ihr Vater stand immer noch am Grill, aber jetzt leisteten ihm Fords Vater und Brian Gesellschaft. Buddy und seine Frau saßen mit Tom und Cathy an einem der Picknicktische, und Patty blieb stehen, um mit ihnen zu plaudern. Matt warf seinem kleinen Jungen einen Ball zu, während Josie ihnen mit dem Baby auf dem Arm zusah.

Penny hatte recht, dachte Cilla und musste lachen. Sie und Ford würden wunderschöne Babys bekommen. Darüber sollte sie mal nachdenken.

Als das Telefon, das sie zum Aufladen auf die Theke gestellt hatte, klingelte, nahm sie es mit einem Lächeln ab. »Ja, hier ist Cilla. Warum sind Sie nicht hier?«

»Ms. McGowan?«

»Ja. Entschuldigung.«

»Detective Wilson. Ich habe Neuigkeiten für Sie.«

Als Ford hereinkam, sah er sie am Spülbecken stehen und aus dem Fenster blicken. »Das sind so die Aufgaben der Gastgeber. Du wäschst ab, und ich bringe den Müll weg. Ich habe ein paar Müllsäcke hinten in deinen Truck geworfen. Einer von uns muss morgen zur Deponie fahren.«

Er schlang die Arme um sie und wollte sie von hinten an sich ziehen, aber er spürte es sofort. »Was ist los?« Er drehte sie zu sich und betrachtete sie forschend. »Was ist passiert?«

»Hennessy ist tot. Er hat sich umgebracht. Er hat eine Schlinge aus seinem Hemd gemacht und ...«

Er nahm sie fest in die Arme. Zuerst zitterte sie, aber dann schmiegte sie sich an ihn. »O Gott, Ford. O Gott.«

»Manche Menschen kann man nicht retten, Cilla. Man kann ihnen nicht helfen.«

»Er hat den Unfall seines Sohnes nie verwunden, ist nie darüber hinweggekommen. All die Jahre war das sein einziger Lebenszweck. Aber als sein Sohn starb, blieb ihm nur noch seine Verbitterung.«

»Und daran ist er gestorben.« Er blickte ihr in die Augen, um sich zu vergewissern, dass sie ihn auch verstand. »Der Hass hat sein Leben beendet, Cilla.«

»Ich gebe mir ja gar nicht die Schuld. Das muss ich mir sagen und daran denken, damit ich mir nicht die Schuld gebe. Aber ich kann nicht leugnen, dass ich Teil davon war. Er hat mich dazu gemacht. Wahrscheinlich ist das auch eine Art von Rache. Seine arme Frau, Ford. Sie hat alles verloren. Und, so schrecklich es ist, ein Teil von mir ist auch erleichtert.«

»Er hat dich verletzt und hat versucht, dir noch Schlimmeres anzutun. Möchtest du eine Weile alleine sein? Ich kann nach draußen gehen und dich abschirmen.«

»Nein. Nein. Er hat mir schon genug angetan.« Sie blickte aus dem Fenster, auf die Gäste auf dem Rasen. »Das hier wird er mir nicht auch noch ruinieren.«

»Ford, auf dich habe ich gewartet.« Gavin reichte ihm die Grillzange und nahm die Platte. »Du bist an der Reihe.« Mit der freien Hand nahm er sich ein Bier. »Und ich endlich auch.«

»Bist du sicher, dass die jungen Leute überhaupt wissen, wie man einen Grill bedient?«, fragte Tom.

»Euch überrunden wir noch allemal«, erwiderte Brian. »Jederzeit.«

»Wir machen demnächst mal ein Wettgrillen. Aber vorher muss ich meinen zukünftigen Schwiegersohn noch ausbeuten. Ich möchte, dass du einen Vortrag in meinem Creative-Writing-Kurs hältst.«

»Oh. Na ja. Hmm.«

»Eigentlich möchten wir einen dreiteiligen, möglicherweise fünfteiligen Kurs über Geschichtenerzählen in Wort und Bild abhalten. Unsere Kunstlehrerin ist ganz begeistert von der Idee.«

»Oh«, wiederholte Ford. Brian lachte. »Da kommen Erinnerungen an die Highschool hoch.«

Ford warf Gavin einen Blick zu. »Kann ich eine bewaffnete Eskorte haben?«

»Wir müssen die Details noch besprechen, die Termine und so. Und du solltest Sharon, die Kunstlehrerin, mal ansprechen. Sie ist ein großer Fan von dir. Warte, ich gebe dir ihre Telefonnummer. Äh…« Er blickte auf seine vollen Hände. »Hast du etwas zu schreiben dabei?«

»Nein. Na, vergessen wir das Ganze lieber.«

»Ich habe zufällig was dabei.« Grinsend zog Tom ein kleines, in Leder gebundenes Notizbuch und einen kurzen Bleistift aus der Tasche. »Sharon, hast du gesagt?«

Gavin nannte ihm Adresse und Telefonnummer und sah Ford an, als Tom ihm den Zettel reichte. »Du willst doch meine Tochter heiraten, oder?«

»Ja.« Ford stopfte den Zettel in die Tasche.

»Ich bringe rasch das Fleisch weg, dann komme ich wieder und erzähle dir rasch, wie ich es mir vorstelle.«

»Ich hätte mir doch denken können, dass Verpflichtungen daran hängen«, murmelte Ford, als Gavin wegging.

»Gewöhn dich schon mal daran.« Tom legte ihm die Hand auf die Schulter. »Und wo du jetzt verlobt bist und Matt seine reizende kleine Familie hat, wie lange dauert es denn wohl noch, bis der letzte der drei Musketiere unter der Haube ist?«

»Du bist dran«, sagte Ford schadenfroh.

Brian schüttelte den Kopf. »Du Bastard. Unter den Umständen weiß ich eigentlich gar nicht, warum ich dir sage, dass wir heute Abend den Feiertag bei mir – nur wir Männer – mit unserer Pokerrunde beschließen. Du kannst dein übrig gebliebenes Bier und Essen mitbringen, Rembrandt.«

»Ich bin nicht so gut im Pokern.«

»Eben deshalb.«

»Ich weiß nicht, ob...«

»Siehst du?« Brian wandte sich an seinen Vater. »Sie hat ihn schon bei den Eiern. Und du fragst mich, warum ich immer noch Single bin?«

»Sie hat mich nicht...«

»Neun Uhr. Bring Bier mit.«

Dank tatkräftiger Unterstützung aller Freunde war das Aufräumen schnell erledigt. Der Müll wurde eingesammelt, alles Wiederverwertbare eingepackt, und ein kleiner Trupp von Getreuen schleppte die Sachen, die Ford gehörten, zurück in sein Haus.

»Zwei Haushalte«, kommentierte Angie, »und immer noch nicht genug Platz. Was soll ich mit dieser Pastete machen?«

»Ford kann sie mit zu Brian nehmen.«

»Ich glaube nicht, dass ich...«

Cilla brachte ihn mit einem Blick zum Schweigen. »Los, sei ein Mann. Verschwinde für ein paar Stunden aus meinen zwei Haushalten. Ich komme schon klar.«

»Natürlich kommt sie klar.« Patty deckte eine kleine Schüssel mit Bohnensalat ab, die übrig geblieben war. »Warum auch nicht? Ist denn irgendwas passiert?«, fragte sie, als sie den Blick bemerkte, den Ford Cilla zuwarf. »Was ist denn los?«

»Hennessy hat sich gestern Abend umgebracht, und Ford macht sich Sorgen, dass ich es mir zu sehr zu Herzen nehme.«

»Oh, mein Schatz!«

»Das ist das eine, und außerdem lasse ich dich nicht gerne allein.«

»Wir bleiben hier«, sagte Patty sofort.

»Wir bleiben alle«, fiel Penny ein. »Wir machen unsere eigene Party – nur Frauen.«

»Nein. Ich brauche keinen Babysitter. Ich werde mich mit

den Fotos beschäftigen, die dein Vater mir gegeben hat«, sagte sie und reichte Fords Mutter eine Schüssel. »Ich brauche mal zwei Stunden Ruhe.«

»Aber...«

»Und ich möchte ein paar Ideen für den Anbau von Studio und Atelier aufzeichnen, ohne dass du mir dabei über die Schulter schaust. Geh weg. Ich bleibe hier, bis du wiederkommst«, fügte sie hinzu. »Brid, die Kriegergöttin braucht keine Bodyguards. Und jetzt geh.«

»Gut, ich brauche sowieso nicht länger als zwei Stunden, um zu verlieren.«

»Das ist die richtige Einstellung.«

»Okay, Mädels, nehmt euer Geschirr und ladet ein. Ich fahre alle nach Hause, da die Männer uns ja im Stich gelassen haben.« Penny legte Cilla die Hände auf die Schultern. »Ich rufe dich morgen an, und dann legen wir einen Termin fest, an dem Patty, du und ich unsere erste strategische Hochzeitssitzung abhalten.«

»Muss ich jetzt Angst haben?«

»Ja, schreckliche.« Penny küsste sie auf die Wange. »Du bist ein braves Mädchen.«

Cilla blickte ihr nach und dachte, dass sie eine sehr interessante und verträgliche Schwiegermutter bekommen würde.

»Und jetzt du«, sagte sie zu Ford.

»Ich kann wahrscheinlich auch in einer Stunde verlieren.«

»Hör auf! Ich bleibe hier, und niemand wird mich belästigen. Es ist ja schon seit einiger Zeit nichts mehr passiert. Tatsache ist, dass Hennessy tot ist und dass die Medien das bestimmt aufgreifen werden. Sie fallen bestimmt bald schon wieder über mich her. Ich könnte einfach einen ruhigen, normalen Abend gebrauchen, bevor der ganze Zirkus wieder losgeht. Und ich will einfach nicht, dass einer von uns sich Sorgen macht, bloß weil der andere einen ruhigen Abend alleine verbringen will. Außerdem...« Sie bückte sich, um Spock zu kraulen. »Ich habe ja einen Aufpasser.«

»Schließ trotzdem ab.«

»Ja, ich schließe trotzdem ab.« Sie gab ihm einen letzten Kuss und schob ihn dann aus der Tür. »Viel Vergnügen.« Dann schloss sie die Tür hinter ihm ab.

Seufzend drehte sie sich um und grinste Spock an. »Ich dachte schon, sie würden nie mehr gehen.«

Zufrieden ging sie nach oben, um die Schachtel mit den Bildern zu holen.

30

Es bereitete ihr solche Freude, sie zu betrachten. Vielleicht wollte ja auch Ford einige der Bilder aussuchen, die sie dann rahmen und aufhängen würden. Die Gruppenaufnahme zum Beispiel. Ihr Vater, seine Mutter, ihr Onkel, Janet und … ein junger und gut aussehender Tom Morrow. Brian sah ihm sehr ähnlich.

Sie begann, die Fotos nach Typ zu sortieren und ordnete sie dann in einer losen, chronologischen Reihenfolge.

So konnte sie zusehen, wie ihre Mutter heranwuchs, vom Kleinkind zum Mädchen zu einer jungen Frau. Erstaunlich, dachte Cilla, wie viel besser sie auf die Entfernung miteinander auskamen. Allerdings war es wiederum auch gar nicht so besonders erstaunlich, weil ihre Mutter im Moment gute Rezensionen bekam.

Jetzt sei nicht sauer, mahnte Cilla sich und legte das Foto, auf dem Janet in der Tür des Farmhauses stand, oben auf den Stapel der Fotos, die gerahmt werden sollten.

Ob auf diesen Gruppenaufnahmen wohl auch ihr Liebhaber war?, fragte sie sich. Hatten sie darauf geachtet, nicht zusammen fotografiert zu werden? Oder waren sie ganz cool und lässig damit umgegangen, um keinen Verdacht zu wecken?

Sie konnte der Versuchung nicht widerstehen, die Fotos genau zu studieren. Ob man es ihnen wohl ansah? Aber es kam Cilla so vor, als ob fast jeder Mann, der mit Janet fotografiert worden war, ein bisschen verliebt in sie gewesen war. Sie hatte diese Macht besessen.

Gott, selbst Buddy wirkte völlig hingerissen – und dünn – auf dem Foto, das beide auf der Veranda zeigte. Janet hatte seine Rohrzange erhoben und tat so, als wollte sie sie ihm über den Schädel schlagen.

Sie war unwiderstehlich gewesen, ob in weiten Jeans oder in Couture. Spektakulär fand Cilla sie in einem roten Kleid am weißen Flügel. Weihnachten, dachte sie, hob das Bild und betrachtete es eingehend. Rote Kerzen und Efeu auf dem glänzenden Piano, das Funkeln der Lichter im Fenster.

Das letzte Weihnachten vor Johnnies Tod. Ihre letzte Party. Das konnte sie nicht einrahmen, dachte sie. Das war zu schmerzlich. Auch alle anderen Aufnahmen von diesem Abend. Ihr tat das Herz weh, als sie ihre Mutter vor dem Weihnachtsbaum stehen sah. Und den todgeweihten Johnnie, der grinsend einen Mistelzweig über seinen Kopf hielt.

Und all die jungen Leute – Gavin, Johnnie, Dilly, Fords Mutter und anscheinend auch Jimmy Hennessy und der Junge, der in der Nacht des Unfalls ebenfalls starb, sie alle drängten sich in ihrer besten Festtagskleidung auf dem Sofa. Für immer lächelnd.

Nein, das konnte sie auch nicht einrahmen.

Sie legte es beiseite und nahm eins von Tom. Es dauerte einen Moment, bis sie die Frau neben ihm als Cathy erkannte. Ihre Haare waren damals mausbraun gewesen und ungeschickt zu einer Hochfrisur toupiert. Sie sah so schüchtern, so nervös und verlegen aus. Sie hatte noch ihren Babyspeck, erinnerte sich Cilla, was das Kleid und die Frisur nur betonten. Die Perlen und funkelnde Diamanten wiesen auf Geld hin, aber sie war damals mit Sicherheit noch nicht aus ihrem Kokon geschlüpft.

Aber vielleicht hätte sie trotzdem gerne einen Abzug von dem Bild.

Cilla sortierte weiter und hielt noch einmal inne, als sie zu einem Bild kam, auf dem Janet neben Cathy auf der Sofalehne saß. Beide Frauen lachten. Auf diesem Bild sah Cathy hübscher aus, dachte Cilla. Unbeschwerter und schon ein wenig mehr wie die Frau, die sie einmal werden würde.

Sie legte das Foto auf den Stapel, runzelte aber die Stirn. Irgendetwas störte sie. Gerade hatte sie damit begonnen, alle Bilder vom letzten Weihnachten auf dem Boden vor sich auszubreiten, als es an der Tür läutete.

Spock fing erschreckt an zu bellen.

Ford zog sich eine Coke aus Brians Getränke-Automaten. Er war auch ohne Alkohol schon schlecht genug im Pokern. Wenn jetzt gleich der Teil des Abends nach dem Spiel begann, würden die anderen Männer an der Bar, die Matt in Brians »Herrenzimmer«, wie er es nannte, eingebaut hatte, sein Geld vertrinken.

Bar, Poolbillard, Pokertisch, ein riesiger Flachbildschirm, Ledersessel, Sofa. Zahlreiche Sportpokale. Und natürlich ein Monitor für Videospiele.

Das brauchte er in seinem neuen Atelier auch, überlegte er. Ein Mann musste einen Raum für sich haben. Er konnte ja Cilla sagen, dass sie noch ein Zimmer vom Arbeitsbereich abtrennen sollte.

Vielleicht sollte er sie mal anrufen. Er griff in die Tasche, und als er sein Handy hervorzog, fiel ein Zettel heraus, den er ebenfalls in die Tasche gesteckt hatte.

»Keine Frauen.« Brian schüttelte den Kopf. »Und sie werden auch nicht angerufen. Gib es mir.«

»Ich gebe dir doch nicht mein Handy.« Ford bückte sich und hob den Zettel auf.

»Du bist ihr ja schon hörig. Hey, Matt. Ford will schon zu Hause anrufen, um mit Cilla zu sprechen.«

»Ach, du lieber Himmel, so schlimm bin ja nicht einmal ich.«

»Handys heraus, ihr zwei. Alle«, verkündete Brian. »Am Tisch wird nicht telefoniert. Das ist eine Hausregel. Legt sie auf die Bar. Gib es mir«, sagte er zu Ford.

»Meine Güte, du gehst mir auf die Nerven. Warum bin ich eigentlich mit dir befreundet?«

»Bei *Grand Theft Auto* schlägst du mich immer noch.«

»Ach so, ja, das muss der Grund sein.« Er reichte ihm sein Handy. Ohne fühlte er sich ganz nackt. Telefonlos, dachte er, Poker und bald schon – er warf einen Blick auf den Zettel – traumatisiert durch die Rückkehr zur Highschool.

Was tat ein Mann nicht alles für Liebe und Freundschaft.

Er wollte den Zettel gerade wieder in seine Hosentasche stopfen, als er plötzlich innehielt und noch einmal einen genaueren Blick darauf warf.

Auf einmal schlug ihm das Herz bis zum Hals.

Die Handschrift war ein bisschen zitterig, ein bisschen nachlässig. Schließlich hatte Tom im Stehen mit einem Bleistiftstummel die Informationen, die Gavin ihm gegeben hatte, aufgeschrieben.

Im ersten Moment wollte Ford es am liebsten leugnen. Schließlich konnte er sich ja nicht sicher sein. Er musste zumindest die Schrift mit den Briefen vergleichen. Oder dem Graphologen den Zettel schicken. Es ergab sowieso alles keinen Sinn.

Er war Brians Vater. Es konnte einfach nicht sein.

Aber es ergab doch einen Sinn.

Ford starrte durch das Zimmer zu Tom, der mit seinem und mit Cillas Vater dastand und grinsend mit Brian anstieß. Er dachte daran, wie Tom ihm einmal dabei geholfen hatte, Drachen steigen zu lassen, als sie alle zusammen Urlaub in Virginia Beach gemacht hatten. Er hatte mit ihnen zusammen das Zelt aufgebaut, wenn sie im großen Garten der Morrows übernachteten.

Und er dachte daran, wie Steve im Krankenhaus gelegen hatte. Wie Cilla auf die zerbrochenen Fliesen geschaut hatte. Und wie eine Puppe im rosa Partykleid von einem roten Ahorn hing, den Brian gepflanzt hatte.

Ford trat zu den Männern und tippte Tom auf die Schulter. »Ich muss mal kurz mit dir reden.«

»Klar. Soll ich dir ein paar Poker-Tipps geben?«

»Vielleicht könnten wir nach draußen gehen.«

Tom zog die Augenbrauen hoch. »Klar. Ein bisschen frische Luft, bevor dein Vater seine Zigarre anzündet. Ford und ich gehen mal eben nach draußen, damit ich ihm ein paar Tipps geben kann.«

»Viel Glück!«, rief Brian ihm nach. »Beeilt euch. Wir fangen gleich an.«

Es hatte ja keinen Zweck, es aufzuschieben, dachte Ford. Warum sollte er Zeit vergeuden? Und er hatte einen solchen Kloß im Hals, dass er sowieso nicht am Pokertisch sitzen konnte.

»Die Nächte werden wieder kühler«, meinte Tom, als sie auf Brians Terrasse hinaustraten. »Schon wieder ein Sommer vorbei.«

»Du hattest eine Affäre mit Janet Hardy.«

»Was?« Toms Kopf fuhr herum. »Du liebe Güte, Ford.«

»Sie hat deine Briefe behalten. Aber das wusstest du. Einer von den Typen, die bei Cilla arbeiten, hat gehört, wie sie es Gavin erzählt hat. Die meisten von ihnen arbeiten auch für dich. Das ist eine gute Geschichte. Viel zu gut, um sie für sich zu behalten.«

»Ich kannte Janet Hardy kaum. Es ist einfach lächerlich…«

»Hör auf. Die Schrift ist dieselbe. Ich habe ein gutes Auge dafür. Umrisse, Stil, Form. Ich wette, dein Vater hat dir Schreiben beigebracht. Er wollte bestimmt, dass du es schon früh kannst.«

Toms Gesicht war hart geworden, die Falten um seinen

Mund hatten sich tief eingegraben. »Das ist nicht nur eine beleidigende Anschuldigung, sondern es geht dich auch nichts an.«

Ford spürte eine Kälte, von der er nichts geahnt hatte. Harte, kalte Wut. »Aber Cilla geht mich etwas an. Was mit ihrer Großmutter passiert ist, und was Cilla passiert. Das geht mich etwas an.«

»Ihre Großmutter hat Selbstmord begangen. Und für die Vorfälle auf der Farm ist Hennessy verantwortlich. Du überraschst mich, Ford. Und enttäuschst mich. Ich gehe jetzt wieder hinein. Ich will nichts mehr davon hören.«

»Ich habe dich immer respektiert, und ich liebe Brian.« Vielleicht war es sein Tonfall, sehr kühl, sehr ruhig, der Tom zurückhielt. Deshalb stehe ich hier mit dir. Deshalb rede ich mit dir, bevor ich zur Polizei gehe.«

»Womit denn? Mit einem Stapel Briefe ohne Unterschrift, die mehr als dreißig Jahre alt sind, und einem Zettel, den ich heute Nachmittag bekritzelt habe?«

»Ich habe nicht gesagt, dass sie nicht unterschrieben waren.« Ford drehte sich um.

»Warte. Warte doch.« Mit dem ersten Anzeichen von Panik packte Tom ihn an der Schulter. »Das ist keine Angelegenheit für die Polizei, Ford. Es nützt doch niemandem, wenn es herauskommt. Willst du, dass ich die Affäre zugebe? Na gut, na gut. Ich war fasziniert von ihr, und ich habe meine Frau betrogen. Ich bin nicht der erste Mann, der einen Seitensprung begangen hat. Ich bin nicht stolz darauf. Und ich habe es ja auch beendet; ich habe es beendet, noch bevor du auf der Welt warst. Als ich wieder zu Verstand kam, als ich merkte, was ich da tat, habe ich es beendet. Warum willst du mich denn für einen Fehler bestrafen, den ich begangen habe, als ich jünger war als du jetzt?«

»Du hast versucht, die Briefe zurückzuholen und hast einen Mann ins Krankenhaus gebracht.«

»Ich bin in Panik geraten.« Er hob die Hände. »Ich wollte

doch nur die Briefe finden und sie vernichten. Ich bin in Panik geraten, als ich ihn hereinkommen hörte. Es gab keinen anderen Ausweg. Ich wollte gar nicht so hart zuschlagen. Es war Instinkt, einfach nur Instinkt. Mein Gott, ich dachte, ich hätte ihn umgebracht.«

»Ach, und deshalb hast du auch noch das Motorrad über ihn geworfen, um ganz sicherzugehen?«

»Ich sage dir, ich stand unter Schock. Ich dachte, er wäre tot, was hätte ich denn tun sollen? Ich wollte nur noch, dass es wie ein Unfall aussah. Es geht ihm ja wieder gut. Er ist ja wieder gesund«, fuhr Tom ruhiger fort. »Warum willst du denn dann jetzt alles noch einmal aufrühren?«

Ford starrte ihn fassungslos an. Dieser Mann, den er respektiert, sogar geliebt hatte, den er als eine Art zweiten Vater betrachtet hatte, löste sich vor seinen Augen auf. »Er wäre fast gestorben, Tom. Er hätte sterben können. Und du hast das getan, um deine Reputation wegen eines *Seitensprungs* zu retten? Um etwas zu vertuschen, was du längst für begraben hieltest?«

»Ich habe es getan, um meine Familie zu schonen.«

»Ach wirklich? Was hast du denn sonst noch so getan, um deine Familie zu schonen? Lass uns mal ganz von vorne anfangen. Hast du Janet Hardy umgebracht?«

Leicht irritiert über die Unterbrechung ging Cilla an die Tür und spähte durchs Seitenfenster. Ihre Irritation verwandelte sich in Verwirrung, als sie Cathy die Tür aufmachte.

»Ist schon okay, Spock. Siehst du?«

Er hörte auf zu bellen und rieb sich zur Begrüßung an Cathys Bein.

»Es tut mir so leid. Kurz nachdem Penny mich zu Hause abgesetzt hatte, habe ich gemerkt, dass ich meine Ringe hier vergessen habe.« Cathy drückte ihre unberingte Hand an die Brust. »Ich streife sie am Spülbecken immer ab. Zumindest hoffe ich, dass ich sie dort gelassen habe. Gott, wenn ich sie verloren hätte ... Nein, sie sind bestimmt da. Ich bin einfach ein bisschen hektisch.«

»Das wäre ich auch an Ihrer Stelle. Sie sind bestimmt da. Wir gehen sie gleich holen.«

»Danke, Cilla. Ich komme mir so dumm vor. Nicht auszudenken, wenn ich sie verloren hätte.«

»Ich hole nur schnell meine Schlüssel.« Sie nahm sie von dem kleinen Tischchen neben der Tür. »Komm, Spock, wir machen einen kleinen Spaziergang.«

Bei dem Wort *Spaziergang* schoss er hinaus und vollführte einen kleinen Freudentanz auf der Veranda.

»Sie werden bestimmt da sein«, beruhigte Cathy sich. »Ich bin ganz sicher, dass sie da sind. Vor Jahren sind mein Verlobungsring und mein Ehering schon einmal in den Abfluss gerutscht. Ich hatte abgenommen und sie in der Größe noch nicht anpassen lassen. Ich war außer mir vor Entsetzen, bis Buddy – den ich hysterisch anrief – die Rohre auseinandergeschraubt und sie wiedergefunden hat. Deshalb lege ich sie jetzt immer ab, bevor ich dusche oder Geschirr spüle oder ... ach, ich schwatze dummes Zeug.«

Im Mondlicht gingen sie über die Straße. »Keine Sorge, sie liegen bestimmt da, wo Sie sie abgenommen haben.«

»Ja, natürlich. Ich habe sie in ein kleines Glas an Ihrem Spülbecken gelegt. Aber wenn jemand sie vielleicht nicht gesehen hat und ...«

»Wir finden sie schon.« Cilla legte Cathy die Hand auf den Arm.

»Sie müssen mich für eine Idiotin halten.«

»Nein, keineswegs. Ich habe meinen Ring erst einen Tag lang, aber ich glaube, ich würde durchdrehen, wenn ich ihn verlieren würde.« Sie öffnete die Tür.

»Ich schaue rasch nach ...« Cathy stürzte in die Küche, und Spock raste hoffnungsvoll hinter ihr her.

Cilla schloss die Tür, gab den Sicherheitscode ein, um die Alarmanlage auszuschalten, und folgte ihr.

Cathy stand mitten in der Küche. Tränen strömten ihr übers Gesicht, während Spock sich tröstend an ihrem Bein rieb. »Sie waren genau da, wo ich sie hingelegt hatte. Direkt am Spülbecken. Es tut mir leid.«

»Ist schon gut. Es ist ja alles okay.« Cilla holte rasch einen Hocker aus der Abstellkammer. »Setzen Sie sich einen Moment.«

»Gott, danke. Jetzt komme ich mir wirklich wie eine Idiotin vor. Sie sind zwar versichert, aber...«

»Es geht ja nicht um Versicherungen.«

»Nein. Ach, sehen Sie mich nur an. Ich bin völlig aufgelöst.« Sie zog ein Papiertaschentuch aus ihrer Tasche und wischte sich die Tränen ab. »Cilla, könnte ich ein Glas davon bekommen?« Sie wies auf die Weinflasche, die auf der Theke stand. »Und ein Aspirin.«

»Ja, sicher. Aspirin habe ich oben. Ich hole es Ihnen rasch.«

Als sie zurückkam, saß Cathy an der Theke und hatte den Kopf auf die Hand gestützt. Vor ihr standen zwei volle Weingläser. »Ich weiß, ich nehme die Zeit in Anspruch, die Sie eigentlich für sich alleine wollten, aber ich muss mich einfach ein wenig beruhigen.«

»Kein Problem, Cathy.« Cilla stellte die Flasche mit dem Aspirin auf die Theke.

»Auf Eheringe – Verlobungsringe – und alles, was sie repräsentieren.« Cathy hob ihr Glas und wartete, bis auch Cilla ihres ergriffen hatte. Dann stieß sie mit ihr an.

»Und ich hoffe, es ist das letzte Mal, dass ich hysterisch an Ihre Tür klopfen muss.«

»Ich finde, Sie haben sich sehr zusammengenommen. Und Ihre Ringe sind wunderschön, ich habe sie schon immer bewundert.«

»Tom wollte mir zum zwanzigsten Hochzeitstag unbedingt einen neuen Ring kaufen. Aber ich wollte nicht.« Ihre Augen funkelten. »Deshalb hat er mir ein Diamantenarmband geschenkt. Ich habe eine Schwäche für Diamanten. Es überrascht mich, dass Sie außer Ihrem brandneuen Ring gar keinen Schmuck tragen. Ihre Großmutter hatte fantastischen Schmuck.«

»Er gehört jetzt meiner Mutter. Und bei meiner Arbeit?« Cilla zuckte mit den Schultern und trank noch einen Schluck Wein. »Ich stehe nicht so auf Glitzerschmuck.«

»Das brauchen Sie auch nicht bei Ihrem Aussehen. Aber sie hatte das auch nicht nötig. Nur wir gewöhnlichen Sterblichen brauchen solche Aufbesserungen. Aber wenn man lange genug lebt, vergeht Schönheit natürlich auch. Bei ihr war das ja nicht so. Ihre Schönheit ist geblieben.«

»Ich habe gerade alte Fotografien betrachtet und gedacht...« Cilla presste sich die Hand an die Schläfe. »Entschuldigung. Mir war gar nicht bewusst, wie müde ich bin. Der Wein hat mir wahrscheinlich den Rest gegeben.«

»Dann sollten Sie ihn jetzt auch austrinken. Und noch einen, damit sie gut schlafen können.«

»Nein, besser nicht. Es tut mir leid, Cathy, aber ich fühle mich ein wenig benommen. Ich muss...«

»Trinken Sie Ihren Wein aus.« Cathy öffnete ihre Handtasche und zog eine kleine Pistole heraus. »Ich bestehe darauf«, sagte sie. Spock begann zu knurren.

»Janet hat Selbstmord begangen. Ich habe seit mehr als dreißig Jahren bedauert, welche Rolle ich dabei gespielt habe.«

»Sie war schwanger.«

»Sie behauptete...« Etwas in Fords Blick ließ Tom innehalten. Er nickte. »Ja. Ich habe es ihr nicht geglaubt, erst als wir uns gegenüberstanden. Danach, nach ihrem Tod, nein, am Tag ihres Todes, bin ich zu meinem Vater gegangen. Ich habe ihm alles gestanden. Er war wütend auf mich. Fehlern gegenüber kannte er keine Nachsicht, nicht, wenn der Name der Familie auf dem Spiel stand. Er regelte alles, und wir sprachen nie wieder darüber. Ich nehme an, er hat den Gerichtsmediziner bezahlt, damit er die Schwangerschaft unterschlug.«

Und seine politische Karriere, dachte Ford, war den Bach heruntergegangen.

»Es war die einzige Möglichkeit, Ford. Stell dir doch vor, wie die Öffentlichkeit reagiert hätte, wenn es herausgekommen wäre. Was wäre denn dann aus meiner Familie geworden, wenn bekannt geworden wäre, dass ich der Vater war?«

»Du hast persönlich mit ihr gesprochen.«

»Ich fuhr zur Farm. Ich wollte, dass sie mich in Ruhe ließ, dass sie wegging, aber sie war hartnäckig. Also ging ich zu ihr, wie sie es verlangt hatte. Sie hatte getrunken. Noch war sie nicht betrunken, aber sie trank immer weiter. Sie hatte das Ergebnis des Schwangerschaftstests bekommen.«

»Sie hatte es dabei?«, fragte Ford. »Die Unterlagen?«

»Ja. Sie war unter ihrem wirklichen Namen zu einem Arzt gegangen, der sie nicht kannte. Der sie nicht persönlich kannte. Sie sagte, sie hätte eine Perücke getragen und sei stark geschminkt gewesen. Wenn wir uns irgendwo getroffen hatten, hatte sie es oft so gemacht. Wenn sie wollte, konnte sie sich gut verstecken. Ich glaubte ihr, als sie mir sagte, sie habe vor, das Baby zu bekommen. Aber mit mir sei sie fertig, sagte sie. Ich würde weder sie noch das Kind verdienen.«

Ford kniff die Augen zusammen. »Sie hat mit *dir* Schluss gemacht?«

»Ich hatte es ja schon beendet. Vermutlich wollte sie nur das letzte Wort behalten. Wir stritten uns, das will ich gar nicht leugnen. Aber als ich ging, lebte sie noch.«

»Was ist mit dem Bericht des Arztes passiert?«

»Ich habe keine Ahnung. Ich sage dir doch, sie lebte noch, als ich nach Hause fuhr. Zu Hause schaute ich meine Tochter an und dachte daran, was ich riskiert und beinahe zerstört hätte. Ich dachte an Cathy und das Kind, das sie erwartete. Dass ich sie erst vor ein paar Monaten beinahe um die Scheidung gebeten hätte, nur um offen mit einer Frau zusammen sein zu können, die es in Wirklichkeit gar nicht gab. Beinahe hätte ich es getan.«

Er lehnte sich ans Geländer der Veranda und schloss die Augen. »Als Cathy mir sagte, dass sie schwanger wäre, war das der erste Schritt, um den Zauber zu brechen. Ich lag auf dem Bettchen im Kinderzimmer mit meiner Tochter und dachte an das Baby, das Cathy im Herbst erwartete. Dachte an Cathy und unser gemeinsames Leben. Ich habe Janet nie wiedergesehen. Ich habe nie wieder meine Familie aufs Spiel gesetzt. Fünfunddreißig Jahre, Ford. Was würde es bringen, jetzt alles ans Licht zu zerren?«

»Du hast Cilla terrorisiert. Du hast beinahe einen Mann umgebracht, und als das nicht genug war, hast du sie terrorisiert. Du bist in ihr Haus eingebrochen, hast ihr Auto und ihre Mauer mit Obszönitäten beschmiert und hast sie bedroht.«

»Ich bin eingebrochen. Auch das gebe ich zu. Um nach den Briefen zu suchen. Und ich verlor die Beherrschung, als ich sie nicht fand. Aus Wut habe ich die Fliesen zerschlagen. Aber der Rest? Damit habe ich nichts zu tun. Das war Hennessy. Mir wurde klar, dass die Briefe gar keine Rolle spielen. Sie sind ohne Bedeutung, weil mich sowieso niemand damit in Verbindung bringen kann.«

»Hennessy kann nicht alles gemacht haben. Er war eingesperrt.«

»Ich sage dir doch, das war ich nicht. Warum sollte ich lügen wegen einer Mauer, wegen Puppen?«, fragte Tom. »Ich habe doch viel Schlimmeres zugegeben.«

»Deine Frau wusste es. Janet hatte sie angerufen. Das steht in deinem letzten Brief.«

»Janet war betrunken und redete wirres Zeug. Ich überzeugte Cathy davon, dass es nicht stimmte. Dass es nur am Alkohol, an den Tabletten, an der Trauer lag. Sie war natürlich außer sich, aber sie glaubte mir. Sie …«

»Wenn du so lange mit einer Lüge leben konntest, warum sollte ihr das nicht auch gelungen sein? Du behauptest, in der Nacht, als Janet starb, hättest du im Kinderzimmer geschlafen.«

»Ja. Ich … ich schlief ein. Ich erwachte, als Cathy kam, um das Baby zu holen. Sie sah so müde aus, und ich fragte sie, ob alles in Ordnung sei. Sie sagte, es gehe ihr gut. Uns allen ginge es jetzt gut.« Im Mondlicht sah Ford, dass er auf einmal kreidebleich wurde. »Mein Gott.«

Ford wartete nicht auf weitere Erklärungen und Entschuldigungen. Er rannte los. Cilla war allein. Und Cathy Morrow wusste es.

»Sie haben mir etwas in den Wein getan.«

»Seconal. Genau wie bei deiner Hure von Großmutter. Aber sie hat ja nur Wodka getrunken.«

Cilla wurde es übel. Angst, Wissen, die Mischung aus Tabletten und Wein. »Die Couch war nicht pink; das Kleid war nicht blau.«

»Trink noch etwas Wein, Cilla. Du lallst ja schon.«

»Sie haben die Couch, das Kleid an dem Abend … an dem Abend gesehen, als Sie sie umgebracht haben. Daran erinnern Sie sich – an jene Nacht, nicht an die Weihnachtsparty. Tom hat die Briefe geschrieben, nicht wahr? Tom war ihr Liebhaber, der Vater des Kindes, das sie erwartete.«

»Er war *mein* Ehemann, der Vater meines Kindes und des Kindes, das *ich* erwartete. Hat sie das interessiert?« Wut verzerrte ihr Gesicht. Nicht Wahnsinn, dachte Cilla. Nicht wie bei Hennessy. Reine, heiße Wut.

»Hat sie auch nur einen Gedanken daran verschwendet, was Ehe und Familie bedeutet, bevor sie mir meinen Mann zu nehmen versuchte? Sie hatte doch alles. Alles. Aber es reichte ihr nicht. Frauen wie ihr ist es nie genug. Sie war fast zehn Jahre älter als er. Sie machte mich zum Gespött, aber selbst das reichte ihr nicht. Er ging zu ihr, ging an jenem Abend zu ihr, während ich unsere Tochter in den Schlaf wiegte und unser Baby in meinem Bauch strampelte. Er ging zu ihr und zu dem Bastard, den er mit ihr gezeugt hatte. Trink den Wein, Cilla.«

»Haben Sie ihr auch einen Revolver an die Schläfe gehalten?«

»Das brauchte ich nicht. Sie hatte schon reichlich getrunken. Ich gab die Tabletten in ihr Glas. Meine Tabletten«, fügte sie hinzu. »Die Tabletten, die ich glaubte zu brauchen, als ich erfuhr, dass sie ihn in ihren Fängen hatte.«

»Wie lange wussten Sie es schon?«

»Seit Monaten. Er kam nach Hause und roch nach ihrem Parfüm. *Soir de Paris.* Ihr Duft. Ich sah sie in seinen Augen. Ich wusste, er ging immer wieder zu ihr. Und mich berührte er nur, wenn ich darum *bettelte.* Aber das änderte sich, als ich schwanger wurde. Als ich dafür sorgte, dass ich schwanger wurde. Er kam zu mir zurück. Aber sie ließ es nicht zu. Immer wieder lockte sie ihn zu sich. Ich wollte nicht bemitleidet werden. Ich wollte mich nicht mit ihr vergleichen lassen und ausgelacht werden.

Ich erschieße dich, wenn du nicht trinkst. Sie werden glauben, es sei wieder jemand eingebrochen. Ein tragisches Unglück.« Sie griff in ihre Handtasche und holte eine große Plastiktüte heraus, in der eine Puppe steckte. »Falls du die Kugel vorziehst, lasse ich sie hier. Ich habe ein paar von ihnen vor einigen Jahren gekauft. Ich konnte nicht widerstehen, aber ich wusste nicht, warum, bis du hierherkamst.«

Cilla kämpfte gegen das Schwindelgefühl an, hob das Glas und benetzte ihre Lippen. »Sie haben ihren Selbstmord inszeniert.«

»Sie hat es mir leicht gemacht. Sie lud mich ein, wie eine alte Freundin. Entschuldigte sich für das, was sie getan hatte. Es täte ihr *leid,* dass sie mich verletzt oder mir Schmerzen zugefügt hätte. Sie könnte es jedoch nicht ungeschehen machen, wollte es auch gar nicht. Denn dann gäbe es auch das Baby nicht, das sie erwartete. Sie wollte nur noch das Baby und eine Chance, vergangene Fehler wettzumachen. Natürlich würde sie den Namen des Vaters niemals preisgeben. Verlogenes Luder!«

»Sie haben sie betäubt.«

»Als sie in sich zusammensackte, habe ich sie nach oben geschleppt. Ich fühlte mich so stark. Ich musste sie beinahe tragen, aber ich war stark. Ich zog sie aus. Ich wollte, dass sie nackt war, entblößt. Und ich gab ihr noch mehr Tabletten, noch mehr Wodka. Und dann saß ich an ihrem Bett und habe ihr zugesehen, wie sie starb. Ich saß da und wartete, bis sie aufgehört hat zu atmen. Dann ging ich.

Ich bin häufig hier vorbeigefahren. Nachdem sie sie weggebracht hatten, bin ich vorbeigefahren. Mir gefiel es, den Verfall dieses Hauses zu beobachten, während ich ... ich wiederauferstand. Ich hungerte und trainierte, bis jeder Muskel zitterte. Schönheitssalons, Spas, Fett absaugen, Facelifts. Nie wieder würde er sie wollen, wenn er mich ansah. Nie wieder würde mir jemand mit Mitleid begegnen.«

Ein Bild, dachte Cilla. Eine Illusion. »Ich habe Ihnen nichts getan.«

»Du bist hierhergekommen.« Mit ihrer freien Hand warf Cathy weitere Tabletten in Cillas Glas und goss Wein darüber. »Prost!«

»Ich habe mich geirrt«, murmelte Cilla. »Sie sind genauso verrückt wie Hennessy.«

»Nein, ich konzentriere mich viel mehr auf das Wesentliche. Dieses Haus hat es verdient, einen langsamen, elenden Tod zu sterben. Sie ist nur eingeschlafen. Das war mein Fehler. Du hast sie zurückgebracht, indem du hierhergekommen bist und mir alles wieder vor Augen geführt hast. Mein eigener Sohn hat Rosen für sie gepflanzt. Du hast Ford verführt, der etwas viel Besseres verdient. Wenn du wieder weggegangen wärst, hätte ich dich am Leben gelassen. Wenn du das Haus sich selber überlassen hättest. Aber du musstest es mir ja ständig unter die Nase reiben. Ich lasse das nicht zu, Cilla. Ich sehe, wer du bist. Hennessy und ich haben es als Einzige erkannt.«

»Ich bin nicht Janet. Niemand wird glauben, dass ich Selbstmord begangen habe.«

»Sie hat Selbstmord begangen. Deine Mutter hat es zweimal versucht – oder zumindest so getan, als ob. Und du bist vom gleichen Stamm.« Mit einer beiläufigen Geste schob sich Cathy eine Haarsträhne hinter die Ohren. »Zur Verlobung gedrängt, deprimiert über den Tod eines Mannes, dessen Leben deine Großmutter ruinierte. Ich kann bezeugen, wie dringend du alleine sein wolltest. Wenn wir es doch nur geahnt hätten.«

»Ich bin nicht Janet«, erklärte sie und schüttete den Inhalt des Glases Cathy ins Gesicht.

Spock sprang auf und fing an zu knurren. Er rammte seinen Kopf gegen Cathys Bein, und Cilla packte die Weinflasche. Sie wollte sie auf Cathys Kopf zerschmettern, aber weil sie schon völlig benommen war, holte sie viel zu weit aus und streifte kaum ihre Schläfe.

Es reichte jedoch aus, dass Cathy schwankte, und Cilla stürzte sich auf sie, während der Hund den Hocker attackierte. Die Pistole rutschte Cathy aus der Hand, ein Schuss löste sich und traf die Decke, als der Hocker umfiel.

Kämpfen oder flüchten, dachte Cilla verschwommen. Sie warf sich auf Cathy und kratzte mit ihren Fingernägeln durch ihr Gesicht. Der Schrei befriedigte sie, aber noch glücklicher machte sie die Gewissheit, dass alle es wissen würden, selbst wenn sie sterben musste. Sie zeichnete Cathy Morrow mit ihren Fingernägeln. Sie packte ihr in die Haare und riss daran. Reichlich DNA, dachte sie vage, während vor ihren Augen schwarze Flecken tanzten. Und Spocks Knurren hörte sich auf einmal so blechern an.

Blindlings schlug sie um sich. Sie hörte Schreie. Wieder ein Schuss. Und dann wurde es dunkel.

Fords Herzschlag setzte aus, als er Cathys Auto in seiner Einfahrt sah. Er würde nicht zu spät kommen. Das durfte nicht sein. Er parkte hinter dem Volvo und war schon halb an seiner Tür, als sein Instinkt ihn stehen bleiben ließ.

Nicht hier. Die Farm. Er rannte in die andere Richtung. Sie musste auf der Farm sein. Er fluchte, als er daran dachte, dass sein Handy auf Brians Bar lag.

Als er den Schuss hörte, verwandelte sich seine Angst in wildes, namenloses Entsetzen.

Er warf sich gegen die Tür, brüllte Cillas Namen, als er Spocks heftiges Bellen hörte. Jemand schrie wie ein Tier, und er stürmte in die Küche. Das Bild, das sich ihm bot, grub sich für immer in sein Gedächtnis ein.

Cilla lag über Cathy und schlug mit den Fäusten auf sie ein. Sie bewegte sich wie in Zeitlupe, als seien ihre Arme zu schwer. Cathy lief Blut übers Gesicht, und sie hatte offensichtlich Schmerzen. Spock sprang um die beiden herum, knurrend und bellend. Und dann hielt Cathy die Pistole wieder in der Hand und richtete sie auf Cilla.

Ford sprang vor, packte Cathys Handgelenk und schob Cilla weg. Er spürte so etwas wie einen Stich an seinem Bizeps, aber dann hatte er Cathy die Pistole entrissen.

»Ford! Gott sei Dank!« Cathy streckte die Hände nach ihm aus. »Sie ist völlig durchgedreht. Ich weiß nicht, was passiert ist. Ich weiß nicht, was los ist. Sie hatte die Pistole, und ich habe versucht…«

»Halt den Mund«, sagte er kalt. »Ich schwöre bei Gott, wenn du dich bewegst, werde ich zum ersten Mal in meinem Leben eine Frau schlagen. Spock, hör auf! Und ich werde fest zuschlagen«, sagte er zu Cathy. »Also halt verdammt noch mal den Mund!« Er richtete die Pistole auf sie und rückte näher an Cilla heran. »Sonst richte ich nachher noch schlimmeren Schaden an, als dich nur bewusstlos zu schlagen. Cilla. Cilla.«

Er untersuchte sie auf Verletzungen, dann hob er ihr Augenlid, während Spock sie panisch ableckte. »Wach auf!« Er schlug sie leicht auf die Wange. »Beweg dich nicht«, warnte er Cathy mit einer Stimme, die er kaum noch erkannte. »Cilla!« Wieder gab er ihr eine Ohrfeige. Ihre Augenlider flatterten.

»Setz dich! Wach auf!« Mit einer Hand zog er sie in eine sitzende Position. »Ich rufe einen Krankenwagen und die Polizei. Es ist alles in Ordnung. Hörst du mich?«

»Seconal«, stieß sie hervor, dann hielt sie schützend die Hände vors Gesicht.

Später, viel später saß Cilla unter dem blauen Sonnenschirm. Der Frühling war vorbei und beinahe auch schon der Sommer, dachte sie. Sie würde hier sein, wenn die Blätter sich bunt färbten und die Berge zum Leuchten brachten. Und wenn der erste Schnee fiel und der letzte. Sie würde zu allen Jahreszeiten, die noch kommen würden, hier sein.

Sie würde zu Hause sein. Mit Ford. Und mit Spock. Ihren Helden.

»Du bist immer noch blass«, sagte er zu ihr. »Vielleicht solltest du dich besser hinlegen, als hier draußen zu sitzen.«

»Du bist auch noch blass«, entgegnete sie. »Du bist angeschossen worden.«

Er blickte auf seinen verbundenen Arm. »Streifschuss« traf es genauer. »Ja. Endlich einmal. Einmal bin ich angeschossen worden, werde ich sagen, als ich – wieder einmal ein bisschen zu spät – angestürzt kam, um die Liebe meines Lebens zu retten, bevor sie sich selber gerettet hat.«

»Du hast mich aber gerettet. Ich hätte gegen sie verloren. Die Pathologen hätten sie zwar überführt«, fügte sie hinzu und wackelte mit den Fingern, »aber ich wäre hinüber gewesen. Du und Spock – tapferes Hündchen«, murmelte sie und streichelte ihn. »Ihr habt mein Leben gerettet. Und jetzt müsst ihr immer auf mich aufpassen.«

Er nahm ihre Hand. »Ab jetzt gibt es keine zwei Haushalte mehr für uns. Fast wäre ich ins falsche Haus gelaufen. Dann wäre ich zu spät gekommen.«

»Aber du hast deinen Irrtum bemerkt und bist mir zu Hilfe gekommen. Meinetwegen kannst du alle möglichen Helden zeichnen. Du bist meiner.«

»Held, Göttin und Superhund. Wir zwei haben ziemlich viel Glück.«

»Ja, das haben wir, Ford. Es tut mir so leid für Brian.«

»Wir helfen ihm, damit klarzukommen.« Das war keine Frage, dachte Ford. »Wir finden schon einen Weg.«

»Sie hat diesen Betrug all die Jahre mit sich herumgetragen. Und sie konnte es nicht ertragen, dass ich hierhergekommen bin. In gewisser Hinsicht war das Haus für uns beide ein Symbol.« Sie betrachtete es – ihr hübsches Haus, die frische Farbe, die Fenster, die in der Morgensonne glänzten.

»Ich musste es wieder zum Leben erwecken; sie musste es sterben sehen. Jedes neue Brett, jeder Pinselstrich war für sie ein Schlag ins Gesicht. Erinnerst du dich noch an die Party? Kannst du dir vorstellen, wie sie an ihr genagt haben muss? Musik und Lachen, Essen und Trinken. Und dann noch die Hochzeit. Wie sollte sie das ertragen?«

»Ich kenne die beiden schon mein ganzes Leben lang und habe nie etwas gemerkt. So viel zur Beobachtungsgabe des Schriftstellers.«

»Sie haben es verdrängt. Es wie in einem Schrank verschlossen. Sie hat zugesehen, wie Janet gestorben ist.« Das zerriss ihr immer noch das Herz. »Sie konnte zusehen, und sie konnte es so verdrängen, dass sie nicht mehr daran dachte. Sie zog ihre Kinder auf, ging mit ihren Freundinnen einkaufen, backte Plätzchen und machte die Betten. Und hin und wieder fuhr sie hier vorbei, damit sie es herauslassen konnte.«

»Wie bei einem Überdruckventil.«

»Ja, ich glaube schon. Und dann kam ich. Meine Großmutter hat keinen Selbstmord begangen. Das wird eine große Nachricht werden. Kameras, Presse, vielleicht sogar ein Spielfilm. Bücher, Talkshows. Viel Wirbel.«

»Ja, jetzt verstehe ich es auch. Deine Großmutter hat nicht Selbstmord begangen.«

»Nein.« Cillas Augen füllten sich mit Tränen. »Sie hat meine Mutter nicht verlassen, jedenfalls nicht so, wie Mom es immer glaubte. Sie kaufte eine pinkfarbene Couch mit weißen Satinkissen. Sie trauerte um ihr totes Kind und bereitete sich auf ein neues Baby vor.

Sie war keine Heilige«, fuhr Cilla fort. »Sie schlief mit dem Mann einer anderen Frau und hätte seine Familie ohne mit der Wimper zu zucken zerstört. Oder jedenfalls hätte sie sich nicht allzu viel dabei gedacht.«

»Zum Betrügen gehören immer zwei. Tom hat seine Frau, seine Familie betrogen. Und selbst, als er behauptete, er hätte sich von Janet getrennt, hat er noch einmal mit ihr geschlafen. Er hatte eine schwangere Frau und ein Kind zu Hause und schlief mit dem Bild – und dann weigerte er sich, die Konsequenzen zu tragen.«

»Ich frage mich, ob es wohl an der Brutalität seines letzten Briefes lag, dass Janets Gefühle für ihn umschlugen? Hat sie ihm deshalb erklärt: ›Ich bin zwar schwanger von dir, aber wir wollen und brauchen dich nicht‹?«

Cilla stieß die Luft aus. »Das würde ich gerne glauben.«

»Es passt aber, oder? Auch zu dem, was Tom mir erzählt hat. Cathy hat den Arztbericht an sich genommen und vernichtet, aber von den Briefen wusste sie nichts. Sie wusste nichts von *Gatsby*.«

»Ich glaube, Janet hat die Briefe als Erinnerung daran behalten, dass ihr Kind zumindest in der Illusion von Liebe empfangen wurde. Und um sich daran zu erinnern, warum es nur ihr gehörte. Ich glaube, sie hat auch dafür gesorgt, dass die Farm nicht verkauft werden konnte, weil sie wollte, dass das Kind sie eines Tages erbt. Johnnie war nicht mehr da, und sie wusste, dass meine Mutter keine wirkliche Beziehung dazu hatte. Aber nun gab es eine andere Chance.

Und vielleicht wird es immer noch Fragen geben, aber ich habe die Antworten, die ich gesucht habe. Ob ich jetzt wohl noch von ihr träume?«

»Möchtest du das denn?«

»Vielleicht. Manchmal. Aber ich glaube, ich möchte eigentlich lieber von der Zukunft als von der Vergangenheit träumen.« Sie lächelte, als er mit den Lippen ihre Finger streifte.

»Geh mit mir spazieren.« Er stand auf und zog sie hoch. »Nur du und ich.« Er blickte auf Spock, der seinen Freudentanz vollführte. »Nur wir.«

Sie ging mit ihm über die Steine, über das Gras, das noch feucht vom Tau war, vorbei an den üppig blühenden Rosen und den letzten Sommerblumen, die ihre Pracht wie Juwelen entfalteten. Ging mit ihm, während der süße, hässliche Hund seine unsichtbaren Katzen um den Teich mit den Seerosen jagte.

Ihre Hand in seiner, dachte sie, mehr Traum brauchte sie nicht. Für den Augenblick jedenfalls, in dem sie alle drei glücklich, sicher und zusammen waren.

Und zu Hause.

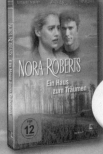